bingo

Marcin Szczygielski

Debiutował w 2003 r. bestsellerową powieścią *PL-BOY*, potem ukazały się: *Wiosna PL-BOYa*, *Nasturcje i ćwoki*, *Farfocle namiętności*.

W 2007 r. do księgarń trafił *Berek*, historia geja i przedstawicielki moherowych beretów, których pozornie nie łączy nic poza wzajemną nienawiścią. Książka natychmiast stała się bestsellerem, a autorska adaptacja teatralna wyreżyserowana przez Andrzeja Rozhina z Ewą Kasprzyk i Pawłem Małaszyńskim w rolach głównych od kilku lat przyciąga tłumy widzów do warszawskiego teatru Kwadrat. Wiosną 2010 r. ukazały się *Bierki*, druga część cyklu *Kroniki nierówności* zapoczątkowanego przez *Berka*. Siódmą skierowaną do dorosłych czytelników powieścią Szczygielskiego jest opublikowany w 2011 r. *Poczet Królowych polskich*. Książka, której fabułę autor oparł na wątkach z życiorysu polskiej gwiazdy przedwojennego kina Iny Benity, w 2012 r. otrzymała nominację do nagrody literackiej Srebrny Kałamarz.

Odrębnym rozdziałem literackiej twórczości Szczygielskiego są powieści dla dzieci i młodzieży. Kolejno ukazywały się: *Omega*, *Za niebieskimi drzwiami*, *Czarny Młyn*, *Czarownica piętro niżej* i *Arka Czasu*. Każda z nich doczekała się licznych nagród i wyróżnień w konkursach literackich, przynosząc autorowi między innymi dwukrotnie Grand Prix w konkursie im. Astrid Lindgren organizowanym w ramach akcji społecznej „Cała Polska czyta dzieciom", a także nagrodę Donga (wcześniej Dziecięcy Bestseller Roku), tytuł Książki Roku 2010 przyznany przez polską sekcję IBBY oraz nagrodę Zielona Gąska 2013 Fundacji im. Konstantego Ildefonsa Gałczyńskiego. *Omega*, *Za niebieskimi drzwiami* i *Arka Czasu* zostały także wpisane na Listę Skarbów Muzeum Książki Dziecięcej. *Arka Czasu* została przetłumaczona na język niemiecki i nakładem wydawnictwa S. Fischer ukazała się w Niemczech, Austrii i Szwajcarii w 2015 r. pod tytułem *Flügel aus Papier*.

Sztuki teatralne autora (*Wydmuszka*, *Furie*, *Single i remiksy*, *Kallas*, *Kochanie na kredyt*) z powodzeniem wystawiane są na scenach teatrów miejskich i komercyjnych w całym kraju – jesienią 2012 r. w Warszawie w czterech teatrach (Kwadrat, Komedia, Capitol i Kamienica) jednocześnie wystawianych było pięć komedii Szczygielskiego.

W 2013 r. ukazała się rozbudowana, bogato ilustrowana monografia zespołu wokalnego Filipinki. Książka *Filipinki – to my! Historia pierwszego polskiego girlsbandu* stanowi w dorobku autora wyjątkową pozycję – jedną z wokalistek grupy była matka pisarza Iwona Racz-Szczygielska.

W 2014 r. ukazały się dwie powieści autora: rozgrywający się w zakopiańskim sanatorium dla chorych na gruźlicę horror *Sanato* oraz *Tuczarnia motyli* – kontynuacja przygód bohaterów książki *Czarownica piętro niżej*. Jesienią tego samego roku rozpoczęły się też zdjęcia do ekranizacji powieści *Za niebieskimi drzwiami*. Film reżyseruje Mariusz Palej, a występują w nim m.in. Ewa Błaszczyk, Michał Żebrowski, Teresa Lipowska i Adam Ferency.

Tegoż autora:

książki dla dorosłych:

• ***PL-BOY*** (2003)
• ***Wiosna PL-BOYa*** (2004)
• ***Kuchnia na ciężkie czasy*** (2004)
• ***Nasturcje i ćwoki*** (2005)
• ***Farfocle namiętności*** (2006)
• **Berek** (2007)
• ***Bierki*** (2010)
• ***Furie i inne groteski*** (2011)
• ***Poczet Królowych polskich*** (2011)
• ***Kallas*** (2012)
• ***Filipinki – to my!*** (2013)
• ***Sanato*** (2014)

książki dla młodzieży:

• ***Omega*** (2009)
• ***Za niebieskimi drzwiami*** (2010)
• ***Czarny Młyn*** (2011)
• ***Czarownica piętro niżej*** (2013)
• ***Arka Czasu*** (2013)
• ***Tuczarnia motyli*** (2014)

sztuki teatralne:

• **Berek, czyli upiór w moherze** (2008)
• ***Wydmuszka*** (2009)
• ***Furie*** (2010)
• ***Kallas*** (2011)
• ***Single i remiksy*** (2012)
• ***Kochanie na kredyt*** (2013)

marcin szczygielski

bingo

kroniki nierówności vol.3

warszawa 2015

Projekt okładki, stron tytułowych i ilustracje
Marcin Szczygielski

Redakcja
Anna Nastulanka

Korekta
Agata Nastula

Zdjęcie autora: Tomasz Raczek

Projekt typograficzny i skład komputerowy
Oficyna Wydawnicza AS

Druk i oprawa
OpolGraf SA

Dystrybucja
Firma Księgarska Olesiejuk S
www.olesiejuk.pl

ISBN 978-83-63841-30-0

INSTYTUT WYDAWNICZY LATARNIK
IM. ZYGMUNTA KAŁUŻYŃSKIEGO
Warszawa, ul. Cypryjska 89
zamówienia telefoniczne: 22 614 28 34
zamówienia internetowe: sklep@latarnik.com.pl
e-mail: latarnik@latarnik.com.pl

Zapraszamy do księgarni internetowej
www.latarnik.com.pl

oraz na nasz profil na portalu Facebook
www.facebook.com/iwlatarnik

Warszawa 2015
Wydanie I

Dedykuję tę książkę okłamywanym żonom polskich kryptogejów – w szczególności tych oglądanych codziennie na ekranach naszych telewizorów, na deskach scen naszych teatrów, na murawach boisk, w fotelach naszego Sejmu oraz w internetowych portalach i w celebryckich rankingach.

Dedykuję ją także zakłamanym pedziom, którzy umierają ze strachu przed ujawnieniem, którzy oszukują swoje żony i dzieci, udając macho i gorliwych konserwatystów.

Rozdział 1

I

– Przecież chciałeś! – mówię, ze wszystkich sił starając się stłumić irytację.

– Ale już nie chcę.

– Dlaczego nie chcesz? Jest za duży? Przecież nie jest za duży! – odwarkuję. – Nie jest większy od twojego. Musisz się po prostu rozluźnić...

– Nie chcę – Paweł wysuwa dolną wargę i rzuca mi spojrzenie krnąbrnego urwisa, zarówno irytujące, jak i rozbrajające.

Członek na moim podbrzuszu kołysze się lekko na boki, diody zamontowane pod zagłówkiem łóżka zmieniają kolor na różowy. Tandetny pomysł, nie trzeba się było na to godzić. W tym świetle sypialnia przypomina tani klubik go-go. Róż zmienia się w fiolet, który odbija się w powoli spływającym żelu. Tłusta kropla zawisa na czubku okrągłej żołądzi, w ostatniej chwili podsuwam dłoń. Wokół nas robi się niebiesko.

– Muszę go wytrzeć – mówię. – Bo będzie trzeba zmieniać pościel.

Paweł opuszcza wzrok i spogląda na penisa. Wyciąga rękę i dotyka go palcem.

– Okropnie twardy – mówi.

– Zdaje ci się.

– Mój nie jest taki twardy.

Rozchyla kolana i dotyka swojego członka. Kładę rękę na jego udzie, przesuwam ją wolno w stronę pośladków. Paweł rozsuwa szerzej nogi, nie patrzy na mnie. Sięgam niżej i powolutku wsuwam w niego wskazujący palec. Jest ciasno i gorąco. Paweł przymyka lekko oczy i wzdycha.

– Teraz już jest – mówię.

– Co jest? – odszeptuje.

– Twardy.

– Tak...

Przez chwilę masuję go wolno, rozsuwa nogi jeszcze szerzej.

– Podnieś wyżej kolana – mówię.

Po krótkim wahaniu posłusznie unosi stopy i przyciąga uda do brzucha. Nie patrzy na mnie, zaciska powieki. Światło przechodzi z zieleni w pomarańcz. Nakierowuję czubek członka i napieram lekko biodrami.

– Niżej – szepcze.

– Tu?

– T-tak... T... aaaach!

Wbijam się w niego zbyt szybko, wierzga nogami, konwulsyjnie podkurcza palce stóp i chwyta mnie za biodra.

– Nie tak!!!

– Przepraszam – pochylam się niżej. – Mam wyjść?

– Tak! Nie... Poczekaj chwilkę – odpowiada, odwracając głowę i przyciskając brodę do ramienia.

Pot występuje mu na czoło, oddycha przez usta, jakby brał udział w zajęciach w szkole rodzenia. Próbuję stłumić nagłe rozbawienie. Gdyby teraz otworzył oczy i zobaczył, że się uśmiecham, nigdy by mi tego nie wybaczył. Pochylam się nad nim, całuję go w spoconą, słonawą skroń, a potem znowu napieram lekko biodrami. Z głośnym westchnieniem wypuszcza z płuc powietrze i otwiera się przede mną całkowicie. Wjeżdżam do końca.

– Ooooo! Jezu! – jęczy.

– Dobrze?

– Nie wiem.

– Boli?

– Boli. Trochę. Ale... Już możesz. Jeśli chcesz.

– Co mogę? – w pierwszej chwili nie rozumiem, ale Paweł przyciąga do siebie moje biodra. – Poskakać?

– Yhm... – wciąż na mnie nie patrzy.

Sięgam po drugi, mniejszy ręcznik – ten większy leży pod biodrami Pawła, na wszelki wypadek. Wycieram starannie dłonie, poprawiam włosy, bo kilka kosmyków wysunęło się spod gumki. Podsuwam trochę wyżej skajowy pasek strapona – za takie pieniądze mogli staranniej to wykończyć. Cofam lekko biodra i wracam. Końcówka silikonowego dildo – ta część, która tkwi we mnie – wsuwa się głębiej, naciska dokładnie tam, gdzie powinna. Zagryzam dolną wargę. Nie sądziłam, że to będzie aż takie podniecające (*zapamiętać*).

– Mocniej? – pytam szeptem i nie czekając, aż odpowie, wysuwam się prawie do końca, a potem dobijam z powrotem.

– Oooo! Matko... – Paweł odchyla głowę i otwiera usta w wyrazie komicznego zdumienia.

Mięśnie mojej pochwy zaciskają się, prędzej poruszam biodrami. Mam go na widelcu, na palu. Jest mój. Mam władzę. Czy to właśnie czują mężczyźni? Popycham w przód biodra z całej siły. Jestem wielka, on mały. Mogę zrobić z nim, co mi się żywnie podoba. Wspaniałe uczucie, przyprawia o zawrót głowy, choć sama czynność okazuje się bardziej wyczerpująca, niż mi się zdawało. Szybko zaczynają mnie boleć uda.

– Anka! – Paweł popiskuje jak gumowa zabawka i wbija palce w moje biodro tak mocno, że aż posykuję z bólu.

– Chcesz mocniej? – pytam ochrypniętym głosem.

– Nie!

– Myślę, że chcesz – odpowiadam.

Odchylam się, chwytam nogi Pawła pod kolanami i zadzieram jego łydki jeszcze wyżej, a potem zaczynam go posuwać tak mocno i szybko, jak tylko potrafię.

– Nienienie... – skowycze, ale nie odpycha mnie, lecz przeciwnie – przyciąga do siebie mocniej.

Włosy wysuwają mi się spod gumki – długie jasne pasmo opada na lewą pierś. Odrzucam je na ramię i bardzo starannie gwałcę mojego męża. Otwiera szeroko oczy, jego tęczówki uciekają w górę, na policzkach rozkwitają krwiste rumieńce. Nigdy do tej pory nie widziałam, by miał taki wyraz twarzy. Płomień wybucha w moim podbrzuszu, rozlewa się wrzątkiem, pełznie wyżej.

– Oooch! – Paweł podrywa głowę z poduszki, spogląda w dół na swój członek.

Patrzę także – jest twardy i nabrzmiały, naprężony do granic, purpurowy... Ach nie, kolor jest zasługą światła, bo róż właśnie znów przechodzi w fiolet.

– Nie! Tak! Ja... zaraz... ach! – skomle Paweł.

Dobijam jeszcze raz i wtedy tryska. Sam z siebie. Strzela na swój brzuch, na piersi, nawet aż na policzek. Wije się pode mną, próbuje sięgnąć i chwycić swojego penisa, ale łapię go za nadgarstki i rozkładam mu ręce na boki. W tej pozycji jestem silniejsza, choć gdyby zechciał, łatwo mógłby odepchnąć mnie nogami. Ale nie chce.

– Nie dotykaj go!

– Przestań! – piszczy. – Proszę, nie...

Płomień rośnie, wybucha we mnie jak supernowa, mięśnie napinają się jak postronki, tracę nad nimi kontrolę. Moje plecy wyginają się w łuk. Zastygam tak na sekundę, a potem opadam na Pawła. Drży pode mną, czuję, jak jego serce tłucze się w klatce żeber.

II

– Ale ci serce wali – szepczę, próbując złapać oddech.

Czuję się, jakbym przebiegł sto metrów. Chciałbym, żeby się odsunęła. I żeby już to ze mnie wyjęła. Choć nie – tego nie chcę. Co za okropne i jednocześnie cudowne uczucie... Chciałbym, żeby się odsunęła, ale żeby on we mnie został. Robi mi się trochę niedobrze, to chyba przez perfumy. Dlaczego ona zawsze perfumuje się do łóżka? To idiotyczne. Sam kupiłem jej tę wodę na walentynki. Ale oczywiście wcześniej przysłała mi esemesa z ich nazwą.

– To tobie serce wali – odpowiada Anka.

Leży na mnie jak kłoda, jej oddech parzy ucho.

– Wyjmij go – mówię.

– Na pewno? – droczy się ze mną i porusza lekko biodrami.

Wciągam głośno powietrze, moje pośladki zaciskają się odruchowo, a kutas podskakuje. Anka odchyla głowę i patrzy mi w oczy ze zdumieniem.

– Nie opadł ci?

– Opadł.

– No przecież czuję!

– To przez ucisk.

– No, nie wiem – uśmiecha się i znowu porusza biodrami. – A może trzeba cię jednak porządniej zerżnąć...

– Przestań! – próbuję ją odepchnąć.

– Cały czas ci stoi.

– Bo się przez ciebie nie spuściłem do końca.

– Ulałeś pół szklanki.

– Ale mi go nie pozwoliłaś dotknąć! Nie wszystko wyszło.

– No, to trzeba wypuścić resztę.

– Nie chcę!

– Mówisz „nie", ale ja słyszę „tak" – odpowiada przekornie i wysuwa się ze mnie, a potem wraca.

– O, Jezus! – stękam.

– Ale ci się spodobało. Kto by pomyślał?

– Nie spo...

– Jesteście tam? – głos Gośki rozlega się tuż za drzwiami.

Kamieniejemy natychmiast, a mój kutas w ułamku sekundy kurczy się i wiotczeje.

– Wróciła już? – szepczę idiotycznie.

– Zamknąłeś drzwi na klucz?!

– No co się dzieje? Jesteście czy nie? Mama?

Jak długo ona tam stoi?

– Zaraz!!! – Anka odkrzykuje histerycznym głosem. – Jestem zajęta!!! Zaraz wyjdę!

– Tata jest? – pyta Gośka.

Nie zamknąłem drzwi. Wystarczy, żeby nacisnęła klamkę. Anka przytomnieje i podrywa się nagle. Jednym gładkim ruchem wyrywa ze mnie gumowego kutasa, przykre to jak cholera. Zupełnie jakby wyrwała część mnie. Czuję się pusty. Czuję brak. Żal i ulgę.

– Nie wchodź! – woła. – Zaraz wyjdę.

– Co wy tam robicie? Jest tata?

– Tak! – odkrzykuję. – Idź do siebie!

Zastygamy znowu w bezruchu, nasłuchujemy.

– Pewnie się pierdolą – mówi ktoś półgłosem.

Męski głos. Przyprowadziła kogoś? Nie uprzedziła nas. A może uprzedziła? Rzucam Ance pytające, spłoszone spojrzenie – kręci przecząco głową.

Chłopak mówi cicho, ale jego słowa można z łatwością rozróżnić. Jeżeli my tu słyszymy szept za drzwiami, co usłyszeli oni? Może nic, może dopiero przyszli...

– To moi starzy, pogięło cię? – odpowiada Gośka, a po sekundzie milczenia dodaje: – Nieeee...

Anka próbuje rozpiąć klamerkę strapona, ale jej ręce są śliskie od żelu, palce zsuwają się więc z plastikowych skrzydełek.

– Pomóż mi! – błaga rozpaczliwie.

– Zaraz – zeskakuję z łóżka, wycieram się starannie ręcznikiem i szepczę do Anki: – Ona nie jest sama!

Nogi drżą pode mną, lodowata strużka spermy ścieka po brzuchu.

– Weź to, kurwa! No, weź to! – moja żona szarpie pasek strapona, gumowy kutas podryguje z góry na dół.

Wciągam szybko spodnie od dresu, wycieram ręce.

– Nie miotaj się! – upominam ją cicho.

Wreszcie udaje mi się uchwycić klamerkę. Plastikowy zaczep ustępuje z cichym kliknięciem i uprząż spada na łóżko.

– Dlaczego już wróciła? – szepcze rozgorączkowanym głosem Anka, wciągając na tyłek dżinsy. – Miała być po jedenastej!

– To moje spodnie – mówię.

Gośka puka do drzwi.

– Przestańcie się wygłupiać!

Wbijam się w T-shirt, Anka zakłada moją bluzę od dresu i jednym susem skacze do wyjścia. Kładzie rękę na klamce, nabiera tchu. Zerka na mnie, a gdy kiwam głową, otwiera drzwi i siląc się na spokojny ton, mówi:

– To ty już jesteś?

Gośka zaplata ręce na piersi i patrzy na nią spode łba.

– Co jest? – pyta.

– Nic – wzrusza ramionami Anka. – A co ma być?

– Dobry wieczór – z korytarza dobiega męski głos.

– To Kris – mówi Gośka. – Chcemy jeść.

– Zaraz wam coś zrobię. Chodźcie do kuchni.

Wychodzę z sypialni i prawie zderzam się z chłopakiem, którego przyprowadziła moja córka. Kris – co to za imię? Jest niższy ode mnie, barczysty. Jego włosy są tak czarne, że aż prawie granatowe, ale może to farba.

– Ups – mówi, łapiąc mnie za łokieć. – Bym pana rozdeptał.

– Bez przesady – bąkam pod nosem.

Przygląda mi się kpiącym, chłodnym wzrokiem. Ma brązowe oczy i ładnie wykrojone, wydatne usta – teraz ściągnięte w krzywym uśmieszku. Odwracam się i idę za dziewczynami.

– A co wyście właściwie robili? – dopytuje się Gośka.

– Nic – mówi Anka.

– Ćwiczyliśmy – odpowiadam.

– Właśnie – potakuje szybko Ania. – Ćwiczyliśmy. Jogę.

Zerkam przez ramię pewny, że Kris idzie za mną, ale nie. Został w korytarzu, stoi w drzwiach do naszej sypialni i bez zażenowania uważnie lustruje pokój wzrokiem. W mgnieniu oka zalewają mnie jednocześnie wściekłość, strach i wstyd. Wściekłość znika pierwsza, wstyd blednie. Zostaje strach.

Chłopak odpycha się od futryny, zerka na mnie z ukosa.

– Fajnie – mówi. – Też to lubię.

Serce na sekundę zatrzymuje się w mojej piersi.

– Jogę – wyjaśnia.

Puszcza do mnie oko, a potem mija mnie w korytarzu i idzie do kuchni.

III

Zatrzymuje się przy lodówce. Splata ręce na piersi. Nie widziałam go wcześniej. Jej chłopak? Wolałabym nie. Wygląda na Cygana. Nie żebym miała coś przeciw Cyganom. Czy Żydom. On wygląda na Żyda. Nie żebym miała coś przeciw, oczywiście, ale...

– Dlaczego już wróciłaś? – pytam.

– To niedobrze? – odpowiada pytaniem.

– Czy ja mówię, że niedobrze?

– Wychodzę – źle, wracam – jeszcze gorzej – Małgosia wznosi oczy do sufitu i teatralnym gestem przykłada rękę do czoła. – Moje życie to pasmo udręki.

– Nie pieprz, kochanie – mówię.

Chłopak parska śmiechem.

– Wróciłam, gdyż było beznadziejnie – wyjaśnia Małgosia, podchodzi do lodówki i mówi do Krisa: – Weź się odsuń.

Chłopak odrywa plecy od stalowych drzwi, staje obok Pawła. Zerkam na męża – wciąż ma te wypieki na twarzy i... Nagle robi mi się słabo, bo dostrzegam mokry ślad na jego lewej kości policzkowej. Nie wytarł się. Kropla połyskuje w świetle halogenów, zrobiła się już wodnista, jednak można się domyślić, co to jest. Ja bym się domyśliła, a co dopiero oni. Te dzieciaki są teraz okropnie cwane.

– Co my tu mamy? – Małgosia zagląda do lodówki. – Ryż z bakłażanem. Może być.

Wyjmuje półmisek i stawia go na blacie wyspy kuchennej.

– Podgrzejesz nam? – pyta, spoglądając na mnie. – Mama, a co ty taka zielona jesteś?

– Zielona? Zdaje ci się – mówię szybko i zwracając się do Krisa, dodaję: – Może sobie usiądziesz?

– E, postoję sobie – mówi. – Wy wszyscy nie jecie mięsa?

– Nie, tylko ja – wyjaśnia Małgosia. – Oni żrą.

– Paweł, idź do łazienki i przynieś mi... – urywam, bo natchnienie mnie opuszcza.

– Co?

– No, wiesz co – patrzę na niego znacząco.

– Nie wiem – wzrusza ramionami.

– Ja pójdę – mówi Kris. – I tak muszę. To co to ma być?

– Eeee... Szczotka! Taka pomarańczowa. Leży na pralce. Do włosów.

Chłopak wychodzi, oddycham z ulgą i pokazuję na migi Pawłowi, żeby wytarł twarz. Zdejmuję folię z półmiska, wsuwam go do piekarnika i ustawiam temperaturę.

– Kto to? – pytam Małgosię półgłosem.

– Samiec – wzrusza ramionami. – Kola jest?

– Tak. Co to za chłopak?

– Normalny. Chyba. Nie wiem jeszcze na pewno.

– Czego nie wiesz na pewno? – Paweł wyjmuje z lodówki piwo i siada na krześle.

– Czy normalny. Dziś się poznaliśmy.

– I przyprowadziłaś go do domu? – zdumiewam się.

– A czemu nie? Przywiózł mnie.

– Samochodem? – upewnia się mój mąż.

– Nieeee... Rowerem.

– Rowerem? – dziwi się Paweł.

Zawsze się daje nabrać, przy Małgosi mózg mu się wyłącza. Jeszcze nie miała dwóch lat, a już robiła z nim, co jej się podobało.

– Zastanów się! – upominam go i spoglądam na Małgosię: – No i?

– Co: no i?

– Wiesz o nim w ogóle cokolwiek?

– Pewnie. Chodzi do liceum na Bednarskiej i ma saaba.

– A jego rodzice?

– Jego rodzice pewnie mają inny samochód, bo ten jest dosyć stary – odpowiada zgryźliwie, rzucając mi rozbawione spojrzenie.

– Nie wyprowadzaj mnie z równowagi – odzywam się ostrzegawczo. – Wiesz dobrze, o co mi chodzi.

– A o co ci chodzi?

– Chodzi mi o to, żebyś nie sprowadzała do domu jakichś dopiero co poznanych na imprezie chłopaków. Nie mówiąc już o wsiadaniu do ich samochodów! Nic o nim nie wiesz!

– No, trochę wiem – Małgosia unosi dłoń i zaczyna wyliczać na palcach: – Jeden. Na Bednarskiej jest wysokie czesne, więc ma bogatych starych. Dwa. Skończył dopiero dziewiętnaście lat, a jeździ saabem, który jest zarejestrowany na niego, więc ma bardzo bogatych starych. Ma też ajfona 6 i kameleony Adidasa, i zegarek Longines, więc ma bardzo, bardzo bogatych starych.

– Skąd wiesz, że samochód jest zarejestrowany na niego? – pyta Paweł.

– Bo mi pokazał dowód rejestracyjny i dowód osobisty.

– Po co? – dziwię się.

– Kazałam mu – wyjaśnia Małgosia. – Nie jestem idiotką. Czemu on tak długo nie wraca? Sprawdzę.

Wychodzi z kuchni, zaglądam do piekarnika. Czy w jej wieku zdobyłabym się na to, żeby poprosić dopiero co poznanego chłopaka o pokazanie mi dowodu osobistego? Wątpię.

– On mi wygląda na Cygana – rzuca półgłosem Paweł.

Gromię go wzrokiem i cedzę przez zęby:

– Nie bądź pieprzonym rasistą!

W tym liceum na Bednarskiej naprawdę jest bardzo wysokie czesne.

IV

– Rasistą! – wykrzykuję. – Doskonale wiesz, że nie jestem! Zresztą sama tak pomyślałaś.

– Jak pomyślałam? – pyta Anka, marszcząc brwi.

– Że wygląda na Cygana.

– Niczego podobnego nie pomyślałam.

– Owszem – uśmiecham się pod nosem. – Pomyślałaś. Bo gdybyś nie pomyślała, tobyś się tak nie wściekła.

– Nie wściekłam się – Anka odwraca się do mnie plecami i uchyla drzwiczki piekarnika. – I lepiej mnie nie wkurzaj, bo wiesz, że teraz mam sposób na ciebie.

– Jaki sposób? – pyta Małgosia, wchodząc do kuchni z Krisem.

– Mama coś plecie – mówię i pociągam solidny łyk piwa.

To nie był dobry pomysł. Niepotrzebnie się zgodziłem. Czuję obrzydzenie do niej i do siebie. Cierpnie na mnie skóra, gdy sobie przypominam, co mi zrobiła, a jednocześnie... Przymykam na moment oczy, coś łaskocze mnie w podbrzuszu. Mam wrażenie, że coś straciłem – nie fragment siebie, o czym często opowiadają ofiary gwałtów, ale jakiś rodzaj poczucia bezpieczeństwa. Jakbym znalazł się nagi na środku wypełnionej tłumem sali. Nie przypominam sobie, żeby moje ciało kiedykolwiek zareagowało tak silnie, żeby do tego stopnia wymknęło mi się spod kontroli – tym także jestem trochę przestraszony. Książka książką, ale wolałbym, żeby pomysły do tych swoich historyjek testowała na kimś innym. Choć w sumie... Kiedy był nasz ostatni raz?

V

Prawie rok temu. Kochaliśmy się w maju, zaraz po moich urodzinach i zresztą wcale dobrze tego nie wspominam. Był tak pijany, że przysypiał w trakcie. Gdyby nie to, że wziął pastylkę, pewnie wcale by mu nie stanął. A dziś? Jeszcze czegoś takiego nie widziałam.

– Posypać parmezanem? – pytam, wystawiając półmisek na blat.

– Może być – kiwa głową Małgosia.

– Dla mnie bez – mówi szybko chłopak. – Bo mi śmierdzi rzygowiną.

Kris. Zerkam na niego ukradkiem. No, ładny. Jeśli się lubi taki typ urody. Krew z mlekiem, jak mawiała babcia Stasia. Druga babcia powiedziałaby – jurny chłop. Podoba jej się? Spoglądam z ukosa na Małgosię. Nie umiem tego stwierdzić. Z tego, co wiem, nie ma teraz żadnego chłopaka. Ale co ja wiem? Tylko tyle, ile zechce mi powiedzieć, czyli w zasadzie nic. Założyła sobie w laptopie podwójne hasło, było mi przykro, gdy się o tym przekonałam. Żeby się zalogować, straciłam pół wieczora, ale i tak się nie udało.

VI

– W środku jest zimne – oznajmia Gosia, rozgrzebując widelcem ryż.

– Podgrzać w mikrofali?

– Nie. Mikrofala jest rakotwórcza.

– Nie opowiadaj głupstw! – Anka bierze w palce kawałek bakłażana z talerza Gośki i wkłada go do ust. – No, faktycznie zimne. Daj, podgrzeję jeszcze.

– Jestem już w połowie! Moje! – Gosia obronnym gestem przysuwa do siebie talerz i spogląda na matkę spode łba.

Szczupła, mocno wymalowana młoda kobieta znika, na krześle siedzi moja córka. Uśmiecham się mimowolnie pod nosem. Moje! – jej ulubione powiedzonko sprzed lat. Chyba nauczyła się go wcześniej niż słów „mama" i „tata".

Poprawiam się na krześle, dres klei mi się do tyłka, mięśnie zaciskają się bezwiednie i przez sekundę czuję go znowu w sobie. Fala lekkich mdłości podjeżdża mi do gardła, a mój kutas twardnieje. Robi mi się gorąco. Szybko zakładam nogę na nogę.

VII

Ale się wierci. Jego policzki różowieją – wiem dobrze, o czym myśli. Opuszczam głowę, żeby ukryć uśmiech. Zdaje się, że odwrócenie ról jest właśnie tym, czego nam było trzeba. Strzał w dziesiątkę. Bingo. W końcu udany seks po dwudziestu latach małżeństwa to całkiem niezłe osiągnięcie. Ale czy chciałabym powtórzyć to, co dziś zrobiliśmy? Brak mi pewności.

– W której części Warszawy mieszkasz? – pytam chłopaka.

– Na Żoliborzu. Blisko Wilsona.

– Mają dom przy Felińskiego – wyjaśnia Małgosia.

– Skąd wiesz? – Kris patrzy na nią zdziwiony.

– Z twojego dowodu. Był adres.

– Ale... A, no tak – uśmiecha się krzywo. – To szeregówka. Dom na Żoliborzu.

– Może napijesz się herbaty? – pytam go.

Małgosia przygląda mi się z ironicznym uśmieszkiem, a gdy chwyta mój wzrok, lekko unosi jedną brew.

– Fajnie, nie?

– Co fajnie?

– Dom na Żoliborzu – wyjaśnia. – Zawsze chciałaś mieć dom na Żoliborzu.

– Lubię tę dzielnicę. Ale dom to duży kłopot – mówię, sznurując usta.

– Tutaj też może być – wzrusza ramionami Kris. – Trochę upiornie co prawda, ale kasa kapie.

– Upiornie? – Paweł patrzy na niego ze zdumieniem.

– No, ta cała Marina kojarzy mi się trochę z więzieniem. Albo z koszarami wojskowymi – uśmiecha się chłopak i puszcza do niego oko. – Był pan w wojsku? Kiedyś chyba wszyscy musieli iść do wojska, nie?

– Mniej więcej – Paweł przechyla się lekko na krześle i ukradkiem wyciąga dres spod tyłka. – Ja nie byłem.

– Czemu?

– Bo udało mi się wybronić. Poszedłem na studia.

– To do wojska nie brali ludzi z wyższym wykształceniem?

– Brali, ale tylko do dwudziestego ósmego roku życia. Ja studiowałem dłużej.

– A co pan studiował?
– Dziennikarstwo. Co ty mi za przesłuchanie robisz?
– Dziennikarstwo pan tak długo studiował?
– Tata najpierw był na psychologii, ale po dwóch latach się przeniósł – wyjaśnia Małgosia.
– Psychologia? – Kris robi pełną uznania minę. – Fajnie. Zastanawiam się, czy samemu nie iść.
– Ludzie najczęściej wybierają te studia tylko po to, żeby poradzić sobie z własnymi problemami – stwierdza mój mąż.
– A to źle?
– Co? – pyta zbity z pantałyku Paweł. – No, niby nie źle, ale chyba nie po to idzie się na studia.
– Taaa... – wzdycha Kris, nabijając na widelec kawałek bakłażana i podnosząc go do ust. – No, mnie się to podoba, bo można się tam nauczyć, jak manipulować ludźmi. Kręci mnie to. A co pani o tym sądzi?
– Ja? Nie wiem, nie zastanawiałam się chyba... – patrzę na niego spłoszonym wzrokiem, ale szybko biorę się w garść, w końcu jestem dorosła, mogłabym być jego matką! – Ale wydaje mi się, że taka motywacja do studiowania psychologii nie jest zbyt chwalebna.
– Aha – kiwa głową Kris z taką miną, jakby usłyszał coś odkrywczego, po czym starannie przeżuwając bakłażana, zwraca się znowu do Pawła: – I nie żałował pan?
– Czego?
– Że nie poszedł pan do wojska.
– A ty byś chciał iść do wojska? – odpowiada Paweł pytaniem.
– Zależy – uśmiecha się do niego chłopak. – Pod niektórymi względami to mogłoby być ciekawe. Widziałem pana w telewizji.
– Och. No, tak – Paweł uśmiecha się z fałszywą skromnością, której u niego nienawidzę.
– W niusach, nie? – upewnia się chłopak.
– Tak.

– Ale tylko rano?

– Rano – kiwa głową Paweł, a jego uśmiech trochę blednie.

– Na żywo lepiej pan wygląda – oświadcza Kris, po czym najspokojniej w świecie sięga po puszkę z piwem stojącą przed Pawłem i podnosi ją do ust.

– Hej! No, może nie przesadzajmy! – zrywam się z krzesła i wyjmuję mu ją z ręki. – Zrobię jednak tę herbatę.

– Spoko – wzrusza ramionami zupełnie niezrażony Kris, a Małgosia parska śmiechem.

VIII

– No i z czego się śmiejesz? – spoglądam na Gośkę rozeźlonym wzrokiem.

Ten chłopak działa mi na nerwy. Skąd ona go wytrzasnęła?

– Z niczego – odpowiada i zaśmiewa się znowu.

Specjalnie, żeby zrobić mi na złość.

– Całkiem fajna praca – stwierdza Kris.

– Owszem.

– A, wie pan, bo mnie to ciekawi...

– Tak?

– Pan tam dużo mówi, nie?

– Na tym to polega.

– Ale mówi pan to, co myśli, czy to, co panu każą?

– Każą! – prycham lekko. – Nikt mi nie każe niczego mówić! Po prostu podaję wiadomości.

– Z pamięci?

– Nie. Z teleprompter, czyli z takiego moni...

– Wiem, co to jest – przerywa mi Kris. – Ale nie pan pisze to, co jest wyświetlane. Tylko pan czyta?

– Późno się robi – oznajmiam cierpko.

– Aha – kiwa głową Kris. – A ja mam daleko do domu, prawda?

Gośka znowu chichocze. Chłopak przygląda mi się bezczelnie kpiącym wzrokiem. Ma bardzo gęste i długie rzęsy, zupełnie jak dziewczyna. Odwracam oczy. W jego wieku chyba prędzej bym umarł, niż odezwał się w podobny sposób do któregoś z rodziców moich znajomych! Na dodatek w ich mieszkaniu!

– Wiesz, że jeśli postawiłeś auto w niedozwolonym miejscu, ochroniarze nakleją ci kartkę na szybę? – pytam. – U nas jest kłopot z parkowaniem.

– Zorientowałem się. Jeździliśmy w kółko piętnaście minut, zanim udało mi się stanąć w miarę sensownie. Ale woskowałem auto po ostatnim myciu, więc nie ma problemu. Nie przyklei się za mocno. No nic. To ja się zbieram.

– Już? – pyta zawiedziona Gosia. – Dopiero jedenasta.

– Tak. Ale jak chcesz, możemy jutro skoczyć na hummus przy Zbawicielu. Koło drugiej?

– Dobra. Wyślę ci esa.

– Jutro jedziemy do dziadka – mówię.

– To jedźcie – Gosia uśmiecha się do mnie słodko. – Czy ja wam bronię? Chodź, odprowadzę cię.

Anka opiera się o blat wyspy, światło halogenów pada na jej twarz. Uwypukla łuki brwiowe, kości policzkowe i nos. Nie widzę jej oczu.

– Tylko wróć szybko – mówi.

– Dzięki za papu – Kris podnosi się z krzesła, kiwa głową w stronę Anki, a potem wyciąga do mnie rękę. – Do widzenia.

Odruchowo wstaję i podaję mu dłoń. Jego palce są chłodne i suche. Zaciskają się na moich na sekundę, a potem wiotczeją nieoczekiwanie, jednak chłopak nie cofa ręki. Trwa to kilka sekund, nie więcej, ale w tym uścisku i jego nagłym braku kryje się przekaz. „Ocenił mnie" – pojawia się w mojej głowie bezsensowna myśl. A nawet nie myśl, bo brak w niej jasno sprecyzowanych słów. To raczej świadomość – przez dotyk pozyskał na mój temat jakąś kluczową informację, której nie zdobył wcześniej w rozmowie i podczas wymiany spojrzeń. Ta informacja spowodowała, że zaniechał uścisku, jakby nawet ten minimalny wysiłek wydał mu się wobec mnie zbędny. Ale ręki nie cofnął, pozostawił ją miękką i bierną w mojej dłoni. Bezkostną. To wydaje mi się znaczące, choć nie umiem określić, co właściwie oznacza. Trwające mgnienie oka zdarzenie odbieram jako skrajnie upokarzające. Puszczam jego rękę, jakby mnie parzyła. Opada bezwładnie.

– Cieszę się, że pana poznałem – mówi Kris i nie czekając, aż cokolwiek odpowiem, odwraca się i wychodzi z kuchni.

Można by ten odwrót odebrać jako ucieczkę z pola bitwy, ale wiem, że tak nie jest. To raczej odruch znudzonego klienta, który – zwabiony krzykliwą wystawą – wszedł do sklepu i przekonał się, że na półkach nie czeka na niego nic interesującego. Do widzenia. Zmarnowany czas.

Twarz mnie piecze, na krótką chwilę zaciskam powieki. Głupi, rozpieszczony, bezczelny gnój. Gnój, gnój, gnój. Gówniarz. Dlaczego tak przejmuję się jakimś gówniarzem?! Oczywiście wiem dlaczego. To nie ten dzieciak mnie ocenił, a ja sam siebie. Przez to, co zrobiliśmy w sypialni. Przez to, na co się zgodziłem.

– Już – mówi Anka.

– Co? – odwracam się do niej bokiem, by nie dostrzegła wyrazu mojej twarzy.

– Herbata. Napijesz się?

Kręcę przecząco głową i wyjmuję drugie piwo z lodówki. Nie muszę nawet na nią patrzeć, żeby wiedzieć, że krzywi usta w wyrazie dezaprobaty.

– Chciałaś coś powiedzieć? – pytam, przełykając pierwszy haust lodowatego karlsberga.

– Nie, skąd – odpowiada cierpko, a po chwili milczenia mówi: – Ładny. Ale wolałabym, żeby się z nim nie spotykała.

– Ja też.

– Rzeczywiście wygląda na Cygana – dodaje półgłosem.

– Nie bądź pieprzoną rasistką – zdobywam się na kwaśnożartobliwy ton i wychodząc z kuchni, rzucam przez ramię: – Idę sobie trochę pograć na xboksie.

Rozdział 2

I

64. Dzień. Plener. Panorama Jeziorna. Maria i Wiktor wchodzą na pomost, idą, mijając zacumowane motorówki i jachty. Rozmawiają.

– Możesz mi to wyjaśnić? – pyta rozeźlonym głosem Bekon.

– Co mam ci wyjaśnić? – odpowiadam pytaniem, przyciskając ramieniem rozgrzanego ajfona do ucha.

– Jak mogłaś oddać swoje sceny w takiej formie? To jest totalna fuszerka!

– Jaka fuszerka? – cedzę przez zęby.

– O czym oni mają rozmawiać, do kurwy nędzy?!

– Ja cię proszę, ty panuj nad ozorem! – prawie krzyczę, nabieram tchu, odczekuję kilka sekund i ciągnę spokojniej: – Jakie to ma znaczenie, skoro ich nie słychać? Widzimy ich z daleka. Mewy krzyczą, wiatr wieje, muza łupie. Niech sobie rozmawiają, o czym chcą! Od dupy po zakupy, dowolnie!!!

– Zdajesz sobie sprawę, że ten serial oglądają ludzie...

– Naprawdę?!

– Anka, różni ludzie! Wśród nich są tacy, którzy potrafią czytać z ruchu warg! Nie pamiętasz, jakie były problemy po osiemsetnym odcinku? Jak Wąsowicz rozmawiał z Pokrzycką na imprezie? Muzyka waliła z offu, nawet dźwięku nie nagrywali! Czterdzieści mejli przyszło z protestami, bo się trzoda połapała, że zamiast opowiadać o remoncie klubu, ten debil szczegółowo objaśniał Pameli, co jej zrobi w hotelowym pokoju po zakończeniu zdjęć. I jak. I czym to zrobi!!!

– Pamiętam – odpowiadam słodko. – Ale tam oni siedzieli frontem, a kamera pokazywała ich na zbliżeniach. Tu widzimy tylko plecy tej dwójki ze sporej odległości!

– Gdzie to pisze? Skąd, do kurwy nędzy, oni mają wiedzieć, że idą daleko tyłem?!

– Bekon, ja zaraz wyjdę z siebie – mówię, z trudem panując nad sobą. – Jest napisane. Drugie zdanie. Panorama jeziora. Czy ty nie wiesz, co to jest panorama?

– Co? – Bekon milczy przez chwilę, słyszę, jak sapie do słuchawki. – Co ty mi pierniczysz? Gdzie jest napisane?

– W drugim zdaniu!

– Anka, tu jest napisane „Panorama Jeziorna". Wielkimi literami!

– Słucham? – klikam szybko w ikonkę przybliżenia tekstu na monitorze. – Och, to literówka jest!

– Literówka?

– No tak. Word musiał mi poprawić.

– Ja się zabiję! Scenografka już zamówiła tablicę!

– Jaką tablicę?

– Z nazwą miejscowości! Panorama Jeziorna. Ma to ustawić przy drodze do pomostu.

– Czy wyście powariowali? Przecież w Polsce nie ma takiej miejscowości!

– Robimy serial, a nie dokument!!! Piętnaście odcinków temu jedna z bohaterek zaszła w ciążę po oralu, to się raczej nie zdarza. Ani w Polsce, ani nigdzie!

– Po pierwsze, nie wiemy, czy tylko po oralu – zaznaczam cierpkim głosem, bo to ja pisałam tamte sceny. – Mogli się też bzyknąć. Między ramkami, wiesz, jak w komiksie.

– Raczej nie mogli, bo ona nie straciła dziewictwa. Było to omawiane dziesięć odcinków w tył.

– I co z tego, że nie straciła? Mało było takich przypadków w historii, że babie wianek nie spadł z głowy, a z brzuchem latała? No, przynajmniej jeden mogę ci przytoczyć od ręki taki przypadek! A poza tym przestań mi truć dupę, tylko dzwoń i odwołuj tę tablicę! Zaraz ci doślę pedeefa z poprawioną literówką.

– Dopisz to.

– Co mam dopisać?

– Dialog. Żeby wiedzieli, o czym rozmawiać. Błagam. Ja już mam dosyć tych problemów.

– A ja ci za...!!! – zaczynam podniesionym głosem, ale urywam w pół słowa i kończę: – Dobrze.

– Dobrze? – zaskoczony Bekon odzywa się po dłuższej chwili.

– Tak. Ze mną jak z dzieckiem, mówisz – masz. Za pięć minut dosyłam wersję z poprawioną literówką i dialogiem.

– Kochana jesteś! Pa! – wykrzykuje Bekon i połączenie zostaje przerwane.

Uśmiecham się do siebie i otwieram okno przeglądarki. Hasło, szukaj. Jest. Zaznacz, kopiuj. Wklej.

Maria:
Litwo, ojczyzno moja!
Wiktor:
Ty jesteś jak zdrowie. Ile cię trzeba cenić, ten tylko się dowie...

Przekopiowuję i wklejam dalej. Całkiem długi dialog wychodzi, co najmniej trzy minuty. Potrzebna tylko jedna, ale co tam.

Wysyłam pedeefa do Bekona z forwardem do reszty scenarzystów i idę sobie zrobić kawę. Dlaczego ja się tak przejmuję? Jakby było czym, tam nawet nie ma mojego nazwiska w tyłówce, dopilnowałam tego. Strata czasu, tyle że dobrze płacą.

Wsuwam kapsel z kawą do ekspresu, podstawiam kubek, a gdy się napełnia, idę z nim do gabinetu. Prawie dwunasta, Paweł wróci za dwie godziny, nic jeszcze nie zrobiłam. Przystaję przy oknie i popijając kawę, wyglądam na ulicę.

Koszary, powiedział. Może i tak. Wszystko pod kątem prostym, mało zieleni. Ale jak bogato wygląda. Beton, drewno i szkło. I prawie same drogie auta przy krawężnikach. Enklawa. A raczej eksklawa (*zapamiętać*). Albo nie. Nie zapamiętywać. Powinnam robić notatki.

Mój gabinet jest narożny. Okno obok biurka wychodzi na naszą Zamgloną, a drugie, to za fotelem, na Przejazd. W budynku naprzeciwko, w oknie na trzecim piętrze, tym bez zasłon, miga telewizor. Mamuśka ćwiczy. Związała tlenione włoski w koński ogon, nawet założyła opaskę frotté. Ma na sobie różowy tank top i szare szorty. Nóg nie widzę, niestety, ale idę o zakład, że założyła getry. Studiuję tę kolonię Pustaków od kilku miesięcy, zmartwiłabym się, gdyby któregoś dnia zamontowali rolety albo powiesili sobie firanki. Na całe szczęście niezmiennie żyją jak na wystawie. Okno z prawej to sypialnia. Potem salon z otwartą kuchnią – ma trzy szerokie okna, doskonale wyeksponowane wnętrze. Ostatni z lewej jest pokój Pustaczątka.

Mamuśka – zgrabna, trzydziestoparoletnia blondynka o płaskich, szarych oczach. Tatusiek – nawet niezły, przed czterdziestką, ciemny blondyn. I Pustaczątko płci żeńskiej, kopia mamusi w skali 1:3 mniej więcej. Analizuję ich, stali się prototypem moich bohaterów. Czy raczej ich zaczynem...

Przytłaczająco nudni i banalni. Prototypy zastygłe w sennym letargu, z którego wyrwać by ich mogła tylko jakaś spektakularna tragedia – apokalipsa, nowotwór albo zdemaskowana zdrada. Zapewne Tatuśka. Bardzo prawdopodobna, liczę na nią. Oczywiście Mamuśka też mogłaby dawać dupy na lewo, ale wiem, że tego nie robi – mam ją na oku non stop. Nie pracuje. Sporo czasu spędza w necie, znalazłam ją nawet na Instagramie i na Fejsie, poprosiłam o przyjęcie do grona znajomych i mnie przyjęła. Śledzenie jej tablicy jest nużące – zamieszcza fotki piesków i kwiatów, filmiki z kotami, od czasu do czasu pierdoły w rodzaju: „Szczęście przytrafia się tym, którzy dają z siebie wszystko, by je znaleźć, a nie tym, którzy biernie czekają, aż samo do nich przyjdzie". Sama wierzy najwyraźniej, że swoje szczęście już znalazła, więc odpuściła sobie wysiłki. Ogląda telewizję – w tym mój serial, i to z zatrważającą regularnością. Zamawia obiady z restauracji, najczęściej z Batidy na dole, ale wykłada je na talerze, zanim Tatusiek wróci i starannie ukrywa w śmietniku opakowania. Rano odprowadza Pustaczątko do szkoły, odbiera je po lekcjach. Z grubsza całe jej życie. Obstawiam, że Tatusiek pokrywa ją mniej więcej co drugi dzień – niestety, bzykają się po ciemku, niekiedy włączają tylko małą lampkę przy łóżku, ale i tak nic nie widać. Mamuśka bierze potem tabletki „po". Łyka je w kuchni – tak sądzę, bo zazwyczaj po wieczornym seansie w ciemnej sypialni maszeruje do salonu i wyjmuje piguły z szafki nad lodówką.

Tatusiek pracuje w korpo, do pracy wkłada garnitur, po pracy – bawełniany dres. Niekiedy gotuje coś wieczorami, ogląda z Pustaczątkiem jakieś kreskówki, kilka razy widziałam, jak włączył sobie grę na konsoli podłączonej do telewizora. Nuda.

Sprawiają wrażenie szczęśliwych. Ani razu nie widziałam, żeby się kłócili, ale nawet nie chodzi o konflikty, bo przecież ludzie potrafią skakać sobie do oczu z byle powodu, a i tak im ze sobą dobrze. Kiedy przyglądam się Pustakom przez okna, wyczuwam spokój i zadowolenie, które wyprowadzają mnie nieco z równowagi. Niekiedy miałabym ochotę pójść tam, złapać Mamuśkę za ramiona, potrząsnąć nią porządnie i wrzasnąć: „Kobieto, obudź się!". Zestarzejesz się prędzej, niż podejrzewasz w najgorszych snach. Dziecko dorośnie błyskawicznie i się na ciebie wypnie. Temu twojemu raz-dwa wywali brzuchol od piwska i na pewno zacznie łysieć. Nie będziesz mogła patrzeć na niego, a on na ciebie!

E tam, jestem pewna, że ona coś bierze. On pewno też.

Mam na poniedziałek dwadzieścia scen do napisania, ale prostych – ponad połowa to czynności. Idzie tu, idzie tam. Jedzie, prasuje, płacze. Plus osiem dialogów, pestka z masłem. Nie będę się tym teraz zajmowała. Otwieram Książkę.

Jestem mniej więcej w jednej trzeciej. Niekiedy myślę, że napisałam mało, innym razem, że dużo. Trzydzieści procent w półtora roku, więc za trzy lata powinnam skończyć. Chcę tego i nie chcę. Dopóki piszę, mam cel. Co będzie, gdy skończę? Moje życie się zmieni, tego jestem pewna. Moje życie się zacznie. Ścieżka, którą podążam, stanie się pięciopasmową autostradą, a ja z szybkością dźwięku pomknę nią ku ostatecznemu celowi mojego istnienia i się spełnię.

Starannie przygotowuję grunt pod ten mój literacki debiut. Od ponad roku na przykład współpracuję z działem kulturalnym dziennika. Zaczynałam od redagowania notek o książkach, które prezentowali odpłatnie, a teraz już raz w miesiącu, a niekiedy i dwa, dają mi do napisania recenzję. Można powiedzieć, że jesteśmy niemal zaprzyjaźnieni. Dwa w jednym – zdobywam sojuszników, a zarazem rozeznanie w rynku, bo przecież muszę się dowiadywać, kto i co wydaje. Sama z siebie nigdy w życiu nie zmusiłabym się, żeby przeglądać ten chłam. Od czasu do czasu chodzę na ważniejsze premiery, poznaję odpowiednich ludzi. Każdy drobiazg liczy się na starcie, szczególnie dziś, gdy debiut wymaga naprawdę mocnego wsparcia, żeby się przebić. Byleby dotrzeć z informacją, tyle mi wystarczy.

Książka jest doskonała, choć przy każdym czytaniu trafiam na coś, co wymaga poprawki. Wciąż nie mam tytułu – na wszelki wypadek. Boję się, że gdy już go wymyślę i zapiszę, zapieczętuję drogę, którą prowadzę fabułę. Wszystko zostanie nazwane i określone, a dopóki nie jest, mogę z Książką robić, co mi się podoba. Tytuł wymyślę na końcu. Roboczo, i tylko roboczo, całość nazywa się „Powidoki z życia Pustaków".

Ale czy to aby dobry kierunek? Małżeństwo jest przecież doszczętnie wyeksploatowane nie tylko jako temat, ale też jako instytucja. Może powinnam jednak wziąć się za Żydów czy pedałów? Holokaust albo seks homoseksualny to pewniaki, ewentualnie narkotyki do tego lub jakiś alkoholizm... W książce jest, co prawda, sporo momentów, ale czy są wystarczająco oryginalne i na tyle pornograficzne, aby były już artystyczne? Och, nie! Nie wolno mi myśleć w ten sposób. Wątpliwość jest iskrą, która może wywołać w duszy płomień, a ten spopieli we mnie twórcę! Książka jest i będzie doskonała.

Przesuwam dokument do dołu i wpisuję:

Rozdział XI
Strapon – owieczko utul mnie, bo nikt mnie nie kocha

– Przecież chciałeś! Zgodziłeś się! – Wiera z dużym wysiłkiem starała się zapanować nad irytacją.

– Ale zmieniłem zdanie – wymamrotał pobladły Makary, z zalęknioną fascynacją wpatrując się w zawieszony u jej podbrzusza sztywny sztuczny organ, rozmiarami niemal dwukrotnie przewyższający jego własny...

Z uwagą czytam, co napisałam. Niedobrze. Przewyższający? Przekraczający? Najlogiczniejsze byłoby „przedłużający", ale to nie brzmi właściwie. Poza tym co z grubością? W końcu nie chodzi tu tylko o długość tego sztucznego prącia! Oj, i „zawieszony" też nie pasuje...

II

– Dobra, z głowy – z westchnieniem ulgi Agnieszka mówi do mojego ucha. – Pogmeraj jeszcze chwilę w ajpadzie, zaraz schodzimy.

Reflektory przygasają, posłusznie pochylam się nad tabletem i dotykam ekranu.

– Koniec! Przestawiać światła! – woła Michał, który dziś zastępuje producenta i najwyraźniej bardzo przejmuje się swoją rolą.

Zamykam etui tabletu i odchodzę od biurka. Wszyscy starannie unikają mojego wzroku – pomyliłem się dwa razy. Ale to nie moja wina, kto układa, do cholery, te teksty? Partykularne! Ciekaw jestem, które z nich z biegu wymówiłoby to słowo na wizji?!

Wychodzę ze studia i złażę po schodach do charakteryzatorni. Oczywiście Sebastian już tu siedzi, chociaż do wejścia ma jeszcze grubo ponad czterdzieści minut.

– Wyglądam blado – narzeka, przeglądając się w lustrze.

– Chcesz ciemniejszy podkład? – pyta Jolka.

– Pokaż? Ten? Nie! Jest pomarańczowy.

– Nie jest.

– Przecież widzę! Będę żółty.

– To co mam zrobić?

– Rumieńce mi zrób, takie, wiesz, zdrowe. Jedna lala z wosku na wizji wystarczy na dziś – mruga do mnie porozumiewawczo w lustrze.

Odwracam wzrok. Sebastian ma dwadzieścia trzy lata, jest ode mnie młodszy o osiemnaście. Na dobrą sprawę mógłbym być jego ojcem. Kornik. Uwielbiałem tę pracę, dopóki się nie pojawił. Miał robić setki do wiadomości, króciutkie rozmówki z terenu, na dodatek z offu. Jego rola polegała na zadawaniu trzech, czterech pytań, które i tak na ogół wycina się przy montażu, zostawiając same odpowiedzi bohatera materiału. Po niecałych sześciu miesiącach zaczął prowadzić czterdziestominutowy blok sportowy i dałbym sobie uciąć cokolwiek, że nie jest to jeszcze szczyt jego ambicji. Słoik pazerny z jakiejś śląskiej dziury, gdzie psy dupami szczekają! Co z tego, że ładny? No, owszem, wygląda dobrze. Ale nogi ma krzywe. Niezłe, ale krzywe. Przylukałem go parę razy, jak zmieniał spodnie. Na pewno chodzi na siłownię, bo takich mięśni żaden facet nie dostaje od Bozi w prezencie.

– Cześć – mówi. – Panie praktykuralny.

– A weź spierdalaj – odpowiadam niby na żarty i podchodzę do blatu przed lustrami. – Jolka, gdzie są chustki?

– Skończyły się.

– Jak się skończyły? Przecież muszę zmyć mordę!

– Weź ręcznik papierowy i krem do rąk.

– O, krem do rąk! – podchwytuje Sebastian. – Dawaj.

Wyciska z tubki potężną porcję i rozsmarowuje na rękach. Bezmyślnie wpatruję się w jego dłonie. Są szczupłe i mocne, zgrabniejsze od moich. Opalone – na pewno łazi na solarkę. Nagle zaciska lewą rękę w pięść i rytmicznie wsuwa i wysuwa z niej środkowy palec prawej. Znaczenie tego gestu dociera do mnie z kilkusekundowym opóźnieniem, podnoszę spłoszony wzrok i chwytam jego spojrzenie. Wykrzywia usta w bezczelnym uśmieszku i znowu puszcza do mnie oko. Odwracam się na pięcie i podchodzę do umywalki, przy której stoi rolka papierowych ręczników.

– Pawo, widziałeś już tę nową małą od pogody? – pyta, odchylając się na fotelu.

Zgięta nad nim Jolka nakłada mu pędzlem róż na policzki. Klaun.

– Nie widziałem – mówię.

– Fajna. Wąskie biodra. W moim guście, rozumiesz, nie?

– Nie bardzo – odpowiadam, próbując papierowym ręcznikiem zetrzeć z twarzy tapetę.

– Czego nie rozumiesz? – zaśmiewa się Sebastian. – Ja lubię dawać dziewczynom to, co one lubią. A jak pieśń głosi, dziewczyny lubią w brąz.

– O, Jezu! Weź się... – wyrywa się Jolce.

Przymyka na moment oczy i zastyga nad Sebastianem, jednak nie udaje się jej nad sobą zapanować. Z rozmachem ciska pędzel na blat pod lustrami i wychodzi z charakteryzatorni.

– Widzisz? Prawie zemdlała na samą myśl – zaśmiewa się Sebastian.

– Wierz mi, że nie był to przejaw zwierzęcego pożądania – cedzę przez zęby. – Powinieneś ją przeprosić.

– Myślisz? Może i masz rację. W końcu długie życie oznacza duże doświadczenie, więc na pewno wiesz, co mówisz – Sebastian przegląda się w lustrze. – No, całkiem wyszło.

On rzeczywiście lepiej wygląda z tym różem na gębie. Daję twarz do kamery od piętnastu lat, a nigdy nie wpadło mi do głowy, żeby poprosić o taką charakteryzację. Ma rację, że wyglądam przy nim jak woskowy manekin.

– Paweł? – Agnieszka zagląda do nas przez uchylone drzwi. – O, dobrze, że jeszcze jesteś.

– Agniesia! – wykrzykuje z fałszywą radością w głosie Sebastian. – Świetnie wyglądasz!

– Och! – uśmiecha się półgębkiem; idiotka naprawdę to kupuje! – Dzięki, Sebciu.

Sebciu!

– Skoczymy na kofi? – Sebastian pokazuje w uśmiechu wszystkie swoje doskonale utrzymane, zawczasu naprostowane aparatem zęby.

Na moje oko ma ich znacznie więcej niż przeciętny człowiek. Co najmniej sześćdziesiąt cztery. Może to implanty? Niewykluczone, że z tytanu. Konar pod moim tyłkiem trzeszczy ostrzegawczo, kornik wgryza się głębiej. Powinienem iść do dentysty. Ilu jest takich jak on w naszej stacji? Prawie cały marketing i promocja to element napływowy. Część dziennikarzy, nawet dźwiękowcy i kamerzyści też. Te słoiki-drapieżniki! Wszystkich nas zawekują i w końcu zeżrą.

– Bardzo chętnie. Tylko wiesz, muszę zamienić z Pawłem dwa słowa...

– No, wiem – niemożliwie szeroki uśmiech Sebastiana staje się jeszcze szerszy.

Wie. Gdyby teraz otworzył usta, mógłby mnie połknąć. Bez najmniejszego trudu.

– Nie przeszkadza mi to – ciągnie kornik. – Możemy iść na kawę we troje. Pogadacie przy okazji. Ja zapraszam.

– Nie bardzo mam czas i... – próbuję się wykręcić, ale Agnieszka wpada mi w słowo.

– Pomysł raczej nie najlepszy – stwierdza. – Ale zajmie mi to góra dziesięć minut. Spotkajmy się w bufecie o...

Sprawdza godzinę na komórce.

– O dwunastej trzydzieści.

– Spoko – Sebastian pochyla się w stronę lustra, ślini opuszek wskazującego palca i przygładza brwi. – Jakby co, Pawo, to pamiętaj, że naprawdę na ciebie liczę.

On na mnie liczy?

– Chodź – Agnieszka kiwa na mnie ręką i nie oglądając się za siebie, rusza korytarzem w stronę palarni.

Idę za nią, chociaż nie palę od ponad pół roku, ona dobrze o tym wie. I wie też, że ciągnie mnie do fajek jak cholera. Gdy Aga otwiera drzwi do tego cudownego, szesnastometrowego raju wypełnionego kłębami sinego tytoniowego dymu, wciągam go do płuc w niemal religijnej ekstazie.

Agnieszka rozsiada się na kanapie i poklepuje siedzenie obok siebie, dając mi do zrozumienia, żebym usiadł. – Musimy porozmawiać.

– O czym? – pytam, siadając ostrożnie, niczym fakir na najeżonej stalowymi szpikulcami desce.

– Jesteś przeciążony.

– Nie jestem!

– Pawełku, znamy się od ośmiu lat. Nie dyskutuj ze mną, proszę – mówi ze znudzeniem w głosie Agnieszka. – To nas prowadzi donikąd.

– A dokąd nas to w ogóle prowadzi?

– Widzisz, kochanie, ty jesteś profesjonalistą.

Rozluźniam się i wypuszczam wstrzymany oddech.

– Znasz ten zawód jak mało kto.

Uśmiecham się blado i opieram wygodniej.

– Cóż... – bąkam pod nosem. – Być może mam pewną wprawę.

– Od jak dawna się tym zajmujesz?

– Och, ze dwanaście lat. A na wizji jestem od piętnastu. Osiem lat u nas, zresztą przecież wiesz.

– Właśnie – kiwa głową Agnieszka. – Osiągnąłeś wszystko.

– No, nie wszystko – mówię skromnie.

– Ale wiele.

– Można tak powiedzieć.

– Widzisz, Pawełku, w karierze każdego profesjonalisty musi nadejść wreszcie ten szczególny moment, gdy nie może on już myśleć tylko o sobie i swojej pozycji. Jeśli człowiek jest naprawdę dobry w tym, co robi, los niejako, nie wspominając o przyzwoitości, wymusza na nim, aby wyzbył się egoizmu i zajął pozycję mentora.

– Słucham?

– Obowiązkiem mistrza jest podzielenie się swoją wiedzą i doświadczeniem z tymi, którzy dopiero ruszają w jego ślady. Którzy pragną kroczyć drogą, którą on wytyczył.

– Ślady mistrza? – gapię się na nią jak sroka w gnat, próbując ze wszystkich sił pojąć, o czym właściwie rozmawiamy.

– Cieszę się, że się rozumiemy – Agnieszka poklepuje mnie po kolanie i wyjmuje z paczki papierosa, a potem podsuwa ją mnie. – Chcesz?

– Nie palę – mówię. – Mimo wszystko jednak nie całkiem wiem, do czego zmierzasz.

– Och, wiesz doskonale – zapala papierosa, zaciąga się i wydmuchuje cudownie toksyczny dym w moim kierunku. – Przecież nie chciałbyś zabrać swoich zawodowych sekretów do grobu?

– Do grobu? – mówię słabym głosem, w głowie trochę mi się kręci od dymu. – Mam dopiero czterdzieści dwa lata. Jestem młodszy o trzy od ciebie.

– A co to ma do rzeczy? – wydmuchuje kolejną porcję dymu prosto w moją twarz.

– Agnieszka, przestań! – nagle zaczynam czuć złość. – Wiesz dobrze, że niedawno rzuciłem palenie.

– No widzisz? – robi współczującą minę. – Jesteś zestresowany, łatwo tracisz kontrolę nad sobą, mylisz się na wizji. Jesteś przeciążony. Chcę ci pomóc.

– Nigdy nie tracę nad sobą kontroli! – prawie krzyczę. – I w jaki sposób niby chcesz mi pomóc?

– Odciążyć cię, oczywiście – Agnieszka uśmiecha się do mnie z niewinną miną. – Widzisz, Sebastian...

Sebastian!

– Zdolny młody człowiek – ciągnie z zadumą. – Ma przed sobą całe życie. I z pewnością szansę na naprawdę wielką karierę. Inteligentny, przystojny, wygadany. Ale co najważniejsze ma to co ty.

– Co ja? A co ja mam?

– To coś. Coś, co sprawia, że obaj umiecie trafić do ludzi. Że chcą was słuchać, oglądać. Że liczą się z wami. On jest taki jak ty, tyle tylko, że o połowę młodszy. I ma znakomite rejtingi. Wręcz zaskakujące. Czy wiesz, że na Fejsie każde jego wejście na wizję dostaje po dwieście, trzysta lajków?

Oczywiście, że wiem! Bo ten kutafon je sobie kupuje. Co to za filozofia? Sam mógłbym to zrobić, nawet o tym myślałem, ale to po prostu oszustwo, nigdy nie zniżyłbym się do czegoś takiego. Poza tym trzeba podać imię, nazwisko i numer karty kredytowej, to mogłoby wyciec. A może Anka... Nie, nie ma mowy, nie zgodzi się. Ale gdybym po kryjomu użył jej karty. Została przy panieńskim nazwisku, dałoby się może załatwić...

– Wiesz, że lajki można kupić? – pytam.

– Och, przestań – Agnieszka kręci głową i robi współczującą minę. – Paweł, przecież ty jesteś ponad takie tanie zagrania.

– No, nigdy nie kupiłem, fakt.

– Zajmiesz się nim. Zaopiekujesz. Wskażesz drogę.

– Słucham?

– Od 1 kwietnia poprowadzicie niusy we dwóch.

– Ja z nim? W prima aprilis? – wytrzeszczam oczy i zasycha mi w gardle. – Ale przecież... U nas się tak nie robi!

– Ale na świecie się robi! Popatrz na CNN, na BBC. Zawsze jest dwoje, a niekiedy troje prowadzących. Trzeba się apskejlować do światowych standardów.

– Apskejlować? My jesteśmy telewizją lokalną...

– W internecie można oglądać nas na całym świecie.

– Agnieszka, to... – nabieram tchu, w głowie kręci mi się jeszcze bardziej. – To jest wykluczone. Ja sobie nie wyobrażam...

– Wolałbyś się z nim podzielić? – pyta Aga, robiąc okrągłe oczy. – Rozważałam taką opcję. Żebyście prowadzili wydania na zmianę. Może to jest dobry pomysł? Jednego dnia ty, drugiego on. I Maryśka weekendy. Powiedzmy – Sebastian dostałby poniedziałki, środy i piątki na początek. Właściwie...

Odsuwa mnie! Ona naprawdę chce mnie odsunąć, jak mogło do tego dojść? Oczywiście zdawałem sobie sprawę, że ten chytry słoik rozprzestrzenia się u nas jak pleśń, ale nie sądziłem, że to ja pierwszy padnę jego ofiarą. Jak to sobie załatwił? Bzyknął ją na pewno. Albo regularnie to robi.

– Mo-możemy spróbować... – udaje mi się wyjąkać.

– Podziału? – pyta Aga.

– Nie. We dwóch. A dlaczego on nie może z Maryśką prowadzić?

– W weekendy? Jeszcze za wcześnie, nie sądzisz? Przyjdzie na to czas. No, świetnie – uśmiecha się do mnie słodko i podsuwa mi znowu paczkę papierosów. – Może jednak?

Sięgam bez słowa i drżącymi palcami wyłuskuję ze srebrnego pudełka jednego L&M. Agnieszka podpala mi go swoim zippo. Wciągam dym do płuc z rozkoszą i przymykam na ułamek sekundy powieki. Tanio się sprzedałem...

– Chcę podwyżkę – mówię szybko.

– Oj, Pawełku – Agnieszka parska śmiechem. – Uwielbiam twoje poczucie humoru, ale przecież wiesz, jak jest, nie? W każdym razie bardzo się cieszę, że doszliśmy do porozumienia. Biegnę, bo Sebastian czeka, a zostało mu jeszcze tylko dwadzieścia minut do wejścia. No, to do jutra.

Podnosi się, pochyla nade mną i cmoka powietrze obok mojego policzka, a potem wychodzi. Zostaję sam na sam z papierosem.

– Chciałbym, żeby umarł – mówię do siebie i zaciągam się głęboko. – Niekoniecznie w boleściach, choćby i we śnie. I chciałbym przy tym być.

Ale co mogę zrobić?

III

– Po prostu coś zrób – mamroczę, przyciskając lornetkę do oczu.

Całkiem niezła, przyszła dzisiaj. Kupiłam ją w internetowym sklepie dla myśliwych, jestem zła, że nie wpadłam wcześniej na ten pomysł.

Mamuśka siedzi na kanapie pod oknem, widzę czubek jej głowy. Gapi się w telewizor, akurat lecą reklamy, więc nie wiem nawet, co ogląda. Ta kobieta żyje jak roślina. W sumie fascynujące, tyle że mało widowiskowe. Co powinno się zmienić w ich życiu, gdyby role się odwróciły i to ona zerżnęłaby swojego męża, a nie on ją?

Mój ajfon bzyczy krótko na biurku, wyłączyłam dźwięk. Odkładam lornetkę i biorę telefon. Esemes od Pawła:

Wrócę później. Problemy w robocie

W robocie! Problemy! Ten człowiek pojęcia nie ma o prawdziwej pracy. „OK" – odpisuję i rzucam telefon na biurko. Nie, no nic się u nich nie zmieniło. To przecież tylko seks. Zabawa. Jego znaczenie jest przeceniane. Owszem, bywa przyjemny, ale i defekacja niekiedy równa się satysfakcja. Nigdy specjalnie nie przywiązywałam wagi do seksu, choć oczywiście kiedy byłam młodsza, częściej o nim myślałam.

Ciekawe, swoją drogą, czy będzie chciał to powtórzyć? Muszę być cierpliwa, teraz jego kolej. Namawiałam go do tego eksperymentu przez dwa miesiące, na początku się wściekł, kiedy powiedziałam o swoim pomyśle. Dopiero gdy podesłałam mu kilka filmików z podobnymi akcjami, wreszcie podjął temat. Zrobiliśmy to, było zabawnie i tyle. Choć muszę wziąć pod uwagę, że nawet jeśli to, co zrobiliśmy, nie wpłynęło jakoś znacząco na mnie, mogło wpłynąć tak na Pawła. W końcu nasze nowe doświadczenie z mojego punktu widzenia było budujące, dla niego jednak może się okazać destrukcyjne. Ja znalazłam się w roli konkwistadora podbijającego dziewiczą krainę, zawłaszczającego ją niczym króliki Australię. On natomiast poddał się, otworzył i podporządkował, a następnie został podbity całkowicie. Przeżył samoistny orgazm niczym nastolatek. Oczywiście mogło to być efektem mechanicznego ucisku prostaty, szczególnie jeśli nie pozbywa się regularnie nasienia. A czy to robi? Nie wiem, czy regularnie, ale z pewnością tak. Oczywiście mnie nie zdradza, natychmiast bym się zorientowała, znam go lepiej, niż on sam siebie. Jednak na pewno gruchę wali.

Wracam do okna i podnoszę do oczu lornetkę. Mamuśka dalej gapi się w telewizor, ogląda jakiś realityszoł. Nie bardzo umiem sobie ją wyobrazić w straponie. Jest wygimnastykowana i trochę młodsza ode mnie, na pewno mniej by się zmachała, gdyby...

– Co robisz? – głos Gosi rozlega się tuż za moimi plecami.

Wyrywa mi się krótki wrzask przestrachu i odruchowo rzucam się w bok. Patrzę na moją córkę i próbuję coś powiedzieć, ale głos uwiązł mi w gardle.

Małgosia przygląda mi się ze zdumieniem.

– Zwariowałaś? – pyta i dostaje ataku śmiechu.

– Prosiłam cię milion razy, żebyś się tak nie skradała! – mówię rozwścieczona, a to oczywiście rozśmiesza ją jeszcze bardziej.

Mam nadzieję, że nie zauważyła lornetki. Chowam ją za plecami i przesuwam się w stronę fotela. Gdy usiądę, może uda mi się niepostrzeżenie wepchnąć ją za poduszkę...

Małgosia podchodzi do okna, wciąż chichocząc.

– Dawno się tak nie uśmiałam – mówi, odgarnia firankę i wygląda przez okno. – Kogo podglądasz?

– Nikogo – odpowiadam zbyt pospiesznie.

– Aha, jasne. Pojęcia nie miałam, że mamy lornetkę w domu. Kogo ty... – urywa i głośno wciąga powietrze. – O Jezu!

– Nikogo nie podglądałam! Po prostu sprawdzałam, jak działa. To ojca lornetka!

– Fajny – stwierdza Małgosia, nie poświęcając moim słowom najmniejszej uwagi.

– Co jest fajne?

– No, on. Też bym sobie popatrzyła. To niesprawiedliwe, że moje okna wychodzą na drugą stronę.

– O kim mówisz? – wstaję i podchodzę do okna.

– Nie udawaj.

– Nie udaję. Pojęcia nie mam... – podążam za jej wzrokiem. Nie patrzy wcale na Mamuśkę.

Spogląda gdzieś niżej, chyba na drugie piętro, trochę w lewo... Och, no tak. Narożne mieszkanie. W oknach wiszą firanki – dziś rozsunięte. Ten chłopak jest niewiele starszy od Małgosi. Siedzi w slipach na fotelu, ręce splótł za głową, na kolanach trzyma otwartego laptopa. Ładnie zbudowany. Gładkie ciało, długie nogi. Podnosi je i opiera o parapet bose stopy. Słońce świeci, wiosnę już czuje się w powietrzu. Nic dziwnego, że odsłonił okno.

– Nie patrzyłam na niego – mówię na wszelki wypadek.

– Akurat.

Nagle chłopak odrywa oczy od ekranu i spogląda przez szybę prosto na nas. Przez sekundę, może dwie gapimy się na niego. Pierwsza otrząsa się Małgosia i odskakuje od parapetu.

– Ale siara! – woła. – Spalę się teraz ze wstydu, jak na niego wpadnę na ulicy. Wszystko przez ciebie! Mam zboczoną matkę!

– Mówię ci, że go nie podglądałam! Kto ci kazał odsuwać firankę?

– Zobacz, czy się jeszcze gapi.

– Sama zobacz.

– Już wystarczająco się wygłupiłam – stwierdza Małgosia.

– A ja mogę, tak? Wygłupić się bardziej?

– No, pewnie. Co to ma za znaczenie? – patrzy na mnie zdumionym wzrokiem. – Jesteś stara. Co cię obchodzi, co sobie pomyśli? Na żadnym melanżu go nie spotkasz, a on nie zna nikogo, kogo znasz ty. Patrzy tu?

Staję z boku okna, zaciągam firankę, a potem spoglądam przez nią na okno chłopaka.

– Nie patrzy – oznajmiam. – Chyba. Nie widzę. Też zasłonił.

– Och, Boże! – Małgosia opada na fotel. – Najgorsza opcja!

– Dlaczego?

– Bo to oznacza, że uznał mnie za beznadziejnego kaszalota!

– Kaszalota? – pytam z krańcowym zdumieniem. – Jak doszłaś do takiego wniosku?

– To chyba oczywiste, nie? Gdyby uznał, że jestem hot, nie zasłoniłby okna.

– Tylko co?

– Tylko stałby teraz przy parapecie bez gaci i czekał, żebym go obejrzała!

– Rany boskie. Mam całkowicie pomylone dziecko – oznajmiam i zaczynam się śmiać, po chwili dodaję jednak pocieszająco: – Może stoi na golasa za firanką? W końcu gapiłyśmy się na niego obie. Może to mnie uznał za mało atrakcyjną, a teraz czeka, aż ty wyjrzysz sama, bez towarzystwa matki.

– Myślisz? Masz rację, to na pewno przez ciebie – rozpogadza się Małgosia i dodaje: – Jesteś kochana! Idę się zrobić, bo zaraz Kris po mnie przyjdzie.

Wybiega z mojego gabinetu. Jest wyższa ode mnie, a mogłabym przysiąc, że jeszcze wczoraj sama nie potrafiła dosięgnąć do klamki... Siedemnaście lat. Rok, dwa i będzie się chciała wyprowadzić. Muszę jednak przyspieszyć z Książką. Martwi mnie trochę ten cały Kris, ale przecież nic na niego nie poradzę. Jeśli choć skrzywiłabym się na dźwięk jego imienia, ona gotowa zakochać się w chłopaku na zabój, żeby zrobić mi na przekór.

Podchodzę do okna i staję za firanką. Okno na drugim piętrze jest odsłonięte. Chłopak stoi przy parapecie, co prawda nie nago, bo nadal ma na sobie slipki, ale patrzy prosto na mnie. Przecież nie może mnie zobaczyć... Pod wpływem kretyńskiego impulsu podnoszę rękę i macham do niego. Uśmiecha się szeroko i odmachuje w odpowiedzi. Natychmiast kucam i robi mi się gorąco. Widać mnie przez ten tiul! A co jeśli Pustaki też... Nie, wykluczone. Zorientowałabym się. Lepiej będzie jednak, jeśli powieszę w oknie inne firanki.

IV

Objeżdżam plac Trzech Krzyży i skręcam w Mokotowską. Jazda automatyczna – łapię się na tym, że nawet nie wiem, czy po drodze zatrzymywałem się na jakichś światłach, czy nie.

Przepuszczam pieszych na pasach przy placu Zbawiciela i naciskam gaz. Oczywiście silnik krztusi się i gaśnie. Ktoś trąbi za mną, chwytam za gałkę zmiany biegów, zapominam o sprzęgle. Kurde, jeżdżę od dwudziestu lat, a zachowuję się tak, jakbym odebrał prawo jazdy przedwczoraj. Silnik zaskakuje, ruszam zbyt szybko.

– Ej! – wydziera się facet, który w tej samej sekundzie wskakuje mi przed maskę.

To nie facet, lecz chłopak. Gapi się na mnie z szerokim uśmiechem na twarzy, a gdy nasze spojrzenia się spotykają, macha ręką, podbiega do drzwi od strony pasażera i chwyta za klamkę. Oczywiście mam zablokowane zamki – kto jeszcze jeździ po mieście bez zablokowanych zamków... Trąbią za mną znowu, sięgam do przycisku blokady i otwieram drzwi. Chłopak wskakuje do środka, ruszam natychmiast.

– To dopiero jaja, co? – pyta Kris. – Los nam sprzyja!

Nie mam pojęcia, jak zareagować. Gdyby nie korek za mną, nigdy nie wpuściłbym go do samochodu, straciłem głowę.

– Jedzie pan do domu?

– Tak – odpowiadam.

– O, to super. Bo ja właśnie do was jadę. Brat mnie dziś spieszył, spóźniłbym się.

– Spieszył?

– No, wziął samochód. To nasz wspólny.

– Jak to jedziesz do nas? – pytam ogłuszony.

– Normalnie. Przecież się umówiłem z Margaretą, nie pamięta pan? Wczoraj.

– Z Margaretą? A, z Gośką. Pamiętam – bąkam pod nosem, jednak szybko biorę się w garść i dodaję ostrzej: – Nie powinieneś się tak zachowywać.

– Jak? – jest naprawdę zdumiony.

– Przede wszystkim zapnij pasy – mówię, bo w desce rozdzielczej popiskuje ostrzegawczy sygnał. – Wydaje mi się, że jesteś... Po prostu jesteś...

– Bezczelny? – pyta z przekorą w głosie, ale posłusznie zatrzaskuje klamrę pasa bezpieczeństwa. – Źle wychowany?

– Tak!

– A może pojebany?

– Słuchaj, ja jestem dorosły! Jestem ojcem twojej koleżanki! Nie odzywaj się do mnie w ten sposób!

– Jakiej tam koleżanki? Dopiero co się poznaliśmy – wzrusza ramionami Kris. – Fajna fura.

– Skoro nie jesteś nawet kolegą mojej córki, tym bardziej nie rozumiem, co tu robisz! Nie znam cię.

– A nie ma chęci mnie pan poznać? – Kris przygląda mi się z przekorną miną. – Nic a nic?

Spoglądam na niego, w te orzechowe, iskrzące rozbawieniem oczy, które wydają mi się znacznie starsze od samego chłopaka. Takie spojrzenie mógłby mieć ktoś w moim wieku, ktoś, kto ma na swoim koncie sporo...

– Łoł! – wykrzykuje Kris, zapierając się nagle o deskę rozdzielczą i wybuchając śmiechem.

Błyskawicznie odwracam głowę i w ostatnim ułamku sekundy hamuję przed zderzakiem autobusu stojącego przed wjazdem na rondo Jazdy Polskiej.

– Kurwa! – mówię, a chłopak śmieje się głośniej.

– Ale jazda! – stwierdza. – Polska!

– Słuchaj... – zaczynam, próbując nad sobą zapanować. – Nie wiem, o co ci biega ani co kombinujesz. I owszem, mam wrażenie, że jesteś bezczelnym, cwanym i pustym, źle wychowanym gnojkiem!

– Ojej – kręci głową Kris. – Dlaczego pan tak mówi? Bo wsiadłem do auta? Przecież jestem miły, nie?

– Nie jesteś!

– Chce pan, żebym wysiadł?

– Tak!!!

– Ale stoimy na lewym pasie. Jeszcze mnie ktoś przejedzie. A ja jestem dziecko, wie pan.

– Dziecko! – prycham. – Masz dziewiętnaście lat!

– No i co? – wydyma wargi. – Co to jest dziewiętnaście lat? A pan jaki był, jak miał tyle?

– Inny. Na pewno nigdy nie odzywałbym się w taki sposób do kogoś dorosłego, na przykład.

– Nie rozumiem – Kris robi naburmuszoną minę i splata ręce na piersi. – Może i jestem trochę za bardzo bezpośredni, ale dlaczego mam nie być, skoro pana polubiłem?

– Polubiłeś mnie? – upewniam się, czy dobrze usłyszałem. – Taki tekst też jest co najmniej nie na miejscu! Mógłbym być twoim ojcem!

– Eeee, raczej nie. Mój ojciec nie był taki przystojny.

– O Jezu! – wykrzykuję. – Co ma piernik do wiatraka?!

– A kto jest kto? – odpowiada pytaniem Kris, mrużąc oko.

– Słucham?

– Kto jest wiatrakiem? Ja czy pan?

Szybko odwracam głowę, żeby ukryć uśmiech.

– I tak widziałem – oznajmia Kris.

– Jedno jest pewne... – mówię, skręcając w Odyńca. – Ja jestem piernikiem. Przynajmniej z twojej perspektywy.

– Nie powiedziałbym. Chociaż lubię pierniki. Szczególnie słodkie. I twarde.

Brak mi pomysłu na odpowiedź. O co właściwie chodzi temu dzieciakowi?

– Pan nie lubi słodyczy? – pyta Kris z niewinną miną.

– Nie przepadam – mówię sucho.

Przykładam kartę do czytnika, szlaban się unosi i wjeżdżamy na Marinę.

– To do pana wcale nie pasuje – oświadcza chłopak.

– Co do mnie nie pasuje?

– To miejsce. Jest sztuczne – wygłasza te słowa z powagą. – Sztuczny ekosystem. Zupełnie jak oczko wodne u nas w ogrodzie.

– Oczko wodne? Dlaczego jak oczko wodne?

– Matka sobie zażyczyła oczko wodne. Wie pan, co to, nie? Takie jakby minijeziorko. Wkopała w ziemię plastikową wytłoczkę udającą kamienie, nasypała na dno trochę żwiru i nalała wody. Umieściła wewnątrz kilka roślin i kupiła parę japońskich rybek, takich czerwonych. Szybko szlag je trafił. Kupiła więc następne, ale i te wyzdychały. Więc w końcu się wkurzyła i kupiła atrapy.

– Atrapy? – powtarzam zbaraniałym głosem.

– No, nieprawdziwe ryby. Plastikowe ryby w plastikowej wannie. Nawet rośliny w końcu zamieniła na sztuczne, bo z żywymi było za dużo kłopotu – mówi chłopak i dodaje po krótkim namyśle: – Raz je kot załatwił. Rybki, te prawdziwe, którąś tam partię. Nie wiadomo czyj ani skąd. Przylazł do naszego ogrodu i wyłowił sobie łapą te ryby jak kołduny z rosołu, jedną po drugiej. Taki czarny, nawet ładny, widziałem go. Lubi pan koty?

– Nie bardzo.

– A ja lubię. Człowiek nigdy nie wie, czego się po nich spodziewać. To interesujące. Wjeżdża pan do garażu?

– Tak. Na parking podziemny.

– Wyskoczę tu sobie, dobra? Nie będę szedł na górę, zadzwonię po nią i zaczekam.

– Dobrze – przystaję przed wejściem do naszej klatki i odblokowuję centralny zamek.

– No, dzięki – Kris wyciąga do mnie dłoń. – Było super. Cieszę się, że na pana wpadłem.

Podaję mu rękę. Jego dłoń jest sucha i gorąca, uścisk tym razem mocny. Przytrzymuje moje palce przez długą chwilę – za długą. Robi mi się nieswojo.

– Da mi pan swój numer?

– Słucham?! Nie! Po co?! – wytrzeszczam na niego oczy.

– Zadzwoniłbym, tobyśmy sobie pogadali.

– Pogadali! O czym ty chcesz ze mną rozmawiać?

– O wszystkim – wzrusza ramionami. – Fajnie nam się gadało

– Chłopaku, czy ty nie masz kolegów w swoim wieku?!

– Pewnie, że mam. Ale nie są tacy... Zabawni. No nic, to hejo! – chwyta za klamkę i wyskakuje z samochodu.

Zabawni. Możliwe, że ten dzieciak jest nienormalny. Możliwe, że nawet niebezpieczny. Nie podoba mi się, że Małgosia z nim wychodzi, ale nic nie mogę zrobić. Gdybym zaprotestował, zaczęłaby się z nim spotykać na poważnie, choćby tylko po to, żeby zrobić mi na złość.

V

Czarne volvo znika mi z oczu. Nachylam się w stronę okna, lornetka stuka o szybę, a jej drugi koniec boleśnie uderza mnie w krawędź oczodołu. Ten chłopak... Przecież to ten cały Kris, którego wczoraj przyprowadziła do domu Gosia! Ale jakim cudem... Dlaczego przyjechał z Pawłem? To był samochód Pawła, wiem dobrze, nikt u nas nie ma takiego volvo, a wjechał przecież na nasz parking.

Nagle w przedpokoju rozlega się gong domofonu.

– To do mnie! – krzyczy Gośka i pędzi do drzwi.

Dlaczego Paweł przywiózł tego chłopaka?

Chowam lornetkę za poduszką na fotelu i wychodzę do przedpokoju.

– O której... – zaczynam, ale zanim udaje mi się dokończyć, trzaskają drzwi.

Wyszła i nawet się nie pożegnała. A tam, wyszła! Wyleciała jak do pożaru.

Wracam do okna i znowu wyglądam na ulicę. Widzę ich oboje – Krisa i Małgosię. Założyła buty na obcasie. Moje buty! Przecież ona nie ma ani jednej pary na takich obcasach. Ta dziewczyna wymyka się spod kontroli. Kris idzie obok niej z rękami w kieszeniach, Gośka coś mu opowiada, gestykulując przy tym zamaszyście. Przechodzą na drugą stronę ulicy. Przybliżam czoło do szyby, a wtedy obracają się jednocześnie i spoglądają w moje okno. Gośka wybucha śmiechem i macha do mnie. No, chyba nie opowiedziała mu o tym, że podglądałyśmy sąsiada z naprzeciwka?!

– Anka? Jesteś? – woła Paweł z przedpokoju.

– Tak – odkrzykuję, idąc do niego. – Już trzecia, mamy być u ojca o czwartej.

– O Jezu – mówi z jękiem Paweł. – Zapomniałem...

Siedzi na ławce przy szafie, zdjął już jeden but.

– Przypominałam ci wczoraj – odzywam się cierpkim głosem.

– Okropnie mi się nie chce – jęczy.

– To twój ojciec. Jeśli o mnie chodzi, możemy nie jechać.

– Nie, pojedziemy – zzuwa drugi but, a potem byle jak rzuca oba pod ścianę. – Przebiorę się, wezmę prysznic i wypiję kawę. Będzie okej.

– Jeszcze musimy coś kupić, jakieś ciasto, nie wiem, kisz czy coś. Tartę może. I prosiłam cię tysiąc razy, żebyś ustawiał buty porządnie. Niszczysz je w ten sposób – odzywam się gderliwie.

Bez słowa rusza do garderoby, po drodze rozpinając spodnie.

– Jak poszło?

Klękam i ustawiam jego sztyblety na półce pod wieszakiem.

– A nie oglądałaś? – pyta pozornie niewinnym tonem, co rozjusza mnie natychmiast.

– Pracowałam! – odpowiadam trochę zbyt głośno.

– Okej. Przecież nie mam ci za złe.

– Trudno, żebyś miał mi za złe, że pracowałam i nie miałam czasu na gapienie się w telewizor przed południem jak jakaś hałsłajf!!!

– Nie bądź agresywna.

– Ja nie jestem, kurde, agresywna!!!

Oczywiście wyprowadził mnie z równowagi! Żaden człowiek na świecie nie jest w stanie tak błyskawicznie wyprowadzić mnie z równowagi jak on!

– Plosę paniom, poddaję się, nie kąsaj – mówi cienkim, dziecinnym głosem, unosząc ręce w górę i wyginając usta w podkówkę. Rozpięte spodnie zjeżdżają mu z tyłka i spadają na podłogę. Mogłabym go teraz uderzyć.

– A jak się jechało do domu? – pytam z niewinną miną.

– W porządku.

– Tak? Nie nudziło ci się w samochodzie?

– Nie, dlaczego... Ach, wyobraź sobie, że... Hm, spotkałem po drodze tego chłopaka Małgosi. Krisa. Podwiozłem go.

– To on już jest jej chłopakiem? Aha, dobrze wiedzieć. Ciekawa jestem, jak mogłeś go „spotkać", skoro jechałeś samochodem.

– No właśnie, jechałem, a on mi prawie wskoczył pod maskę. O mało go nie przejechałem. Na placu Zbawiciela.

– Chłopak, którego wczoraj przywlokła nasza córka do domu, dziś wskakuje ci przypadkiem pod samochód w Śródmieściu! – mówię ze zjadliwą ironią. – Czyż to nie zadziwiający zbieg okoliczności! Szczególnie że on ma swoje auto.

– Pożyczył bratu czy komuś, nie pamiętam. W każdym razie jechał tramwajem.

– To ty go w tramwaju spotkałeś? Mówiłeś, że na placu Zbawiciela...

– Anka, czy tyś się wściekła? Daj mi żyć. Padam z nóg.

– A po czym ty tak padasz z nóg? Pięć godzin dyżuru i trzy wejścia na antenę po kilkanaście minut każde.

– Ale musiałem wstać o czwartej trzydzieści, dobrze wiesz.

No, to fakt. Gdybym ja o takiej upiornej godzinie musiała się zwlec z łóżka, miałabym dzień z głowy.

Paweł rzuca spodnie na pufę w garderobie i ściąga marynarkę. Wzdycham ciężko, ale nic nie mówię. Właściwie i tak powinnam oddać już ten garnitur do pralni.

– Mimo wszystko trudno mi uwierzyć, że w dwumilionowej Warszawie akurat ty musisz przejechać znajomego twojej córki, a nie kogoś innego.

– Nie przejechałem go. Samochód mi zgasł, a gdy ruszyłem, chłopak był na pasach. Wpakował mi się do auta. Miałem go wyrzucić?

– Oczywiście!

– Małgosia nigdy by mi tego nie darowała. Pogadaliśmy po drodze, nawet dobrze mi to zrobiło, bo miałem beznadziejny dzień.

– Hm. Pogadaliście. Jakie ty możesz mieć wspólne tematy do pogadania z takim dzieciakiem? I o czym właściwie rozmawialiście po drodze?

– Różnie. O niczym. Nie wiem – ziewa, a potem ciska koszulę na podłogę garderoby, ściąga skarpetki i maszeruje w samych bokserkach do łazienki.

– Majtki! – mówię. – Bo znowu je zostawisz na podłodze w łazience!

– Zamęczysz mnie – wzdycha, ale posłusznie zdejmuje gatki.

Zwija je w kulkę i rzuca w moją stronę – upadają przede mną.

– Przepraszam – bąka pod nosem.

Stoi goły przy drzwiach łazienki. To niesprawiedliwe, że mężczyźni wolniej się starzeją od kobiet. Jego ciało jest niemal identyczne jak wtedy, gdy się poznaliśmy. Może troszkę przytył. Ja dziś nie odważyłabym się już stanąć w pełnym świetle nago. Szczególnie w pewnej odległości od patrzącego – takiej, która pozwoliłaby mu objąć mnie całą wzrokiem. Nawet gdyby to był Paweł.

– Idź się myć – rzucam łagodniejszym głosem. – Bo...

VI

– ...się spóźnimy. A nie chciałbyś się spóźnić, prawda?

Dlaczego ona się tak wścieka? To ja powinienem być wściekły. Wali mi się wszystko. Co będzie, jeśli ten słoik naprawdę mnie wygryzie? Co ze sobą zrobię? Nie potrafię nic innego, a nie wiem, czy jeszcze mam siłę uczyć się nowych rzeczy. Nigdy nie lubiłem zmian. I co będzie z pieniędzmi? Ona już i tak zarabia więcej ode mnie, a jeżeli przestanę pracować...

– O Jezu... – wzdycham i opieram głowę o marmurowe płytki, którymi wyłożona jest ściana pod prysznicem.

Gorąca woda spada na mnie z deszczownicy, spływa po plecach. Chciałbym, żeby to trwało latami. Cudownie byłoby mieć moc panowania nad czasem. Rozciągać go, gdy jest potrzebny, i skracać, gdy nie jest. Kłopot w tym, że to by się nie zbilansowało, bo czasu zawsze jest zbyt mało. Rozciągałbym go częściej, niż skracał, i dziś pewnie byłbym już sześćdziesięciolatkiem.

Woda płynie po moich pośladkach, rozstawiam nogi i czuję ciepły strumień między nimi. Kutas mi nabrzmiewa, ale nie czuję mrowienia w podbrzuszu, może to tylko mechaniczne, może opadnie. Jestem wykończony.

Wyciskam żel na dłoń i rozsmarowuję go na brzuchu. Staje mocniej, unosi się (*podnieś wyżej kolana, nie jest taki twardy*). Biorę go w prawą dłoń i zaciskam. Jednak mi się chce (*mam wyjść? Nie*). Lewą ręką sięgam do jajek, potem niżej – rozsuwam nogi szerzej. Jest zaciśnięta jak węzeł – jakim cudem zmieściło się tam coś tak dużego? Moje podjaranie narasta. To było złe. Wciskam palec do środka, piecze trochę, obracam go delikatnie. Moja moszna unosi się wyżej, jajka twardnieją. Chyba uwiniemy się raz-dwa. Ta pozycja nie jest zbyt wygodna, nie mogę sięgnąć głębiej. Przykucam, woda spada mi na głowę. Tak, teraz... Mniej więcej tutaj. Mój palec dociera do niewielkiej wypukłości na wysokości moszny. Okrężne ruchy, sprawdziłem to w necie. Ale gdy robię to sam, nie czuję tego tak mocno jak wtedy (*okropnie twardy, zdaje ci się*). Może kiedy ona gdzieś pójdzie, pojedzie na Chełmską na kolegium... Ale ten strapon to raczej kiepska zabawa w pojedynkę, zresztą chyba by mi się nie podobało, gdybym robił to sobie sam. Sęk w tym, żeby nie wiedzieć, co się za chwilę wydarzy, żeby stracić kontrolę (*już możesz poskakać, jeśli chcesz*). Nie chcę zabawki, chcę sam nią być – ta myśl dopełnia obrazu. Nasienie rusza w górę, obręcz mięśni wokół mojego palca zaciska się rytmicznie. Opadam na kolana, puszczam śliskiego od żelu kutasa i pojękując, wpatruję się w niego. Skacze na boki i w górę jak szalony metronom, sperma wreszcie strzela ze mnie, nie – raczej wypływa. Gorące, gęste, białe krople spadają na kafle podłogi, srebrne pasemka wirują w wodzie i niespiesznie zmierzają do odpływu. Zapanowanie nad ręką, która rwie się, by go chwycić, ścisnąć i wypompować do dna, jest cholernie trudne. Zapomniałem już, jak to jest, a przecież kiedyś często się tak ze sobą bawiłem. Nie mam na myśli masowania prostaty, bo tego nigdy nie robiłem, ale wytrysk bez dotykania. Orgazm wydłuża się wtedy, uczucie jest obezwładniające, cudownie nieznośne i słodko satysfakcjonująco-niespełniające. Po takim strzale szybko można go postawić znowu – sporo zostaje w środku, zbiornik nie opróżnia się do końca. Uwielbiałem to, gdy miałem naście lat. Tyle, co ten cały Kris (*nie lubi mnie pan? Nic a nic?*). Wreszcie chwytam kutasa i brandzluję go lekko – teraz ta czynność, choć słodko-bolesna, niesie ulgę. Oddycham głośno przez nos, kilka kropel wody wpływa do środka, drażnią mnie w gardle. Musiałem wyglądać groteskowo w tej pozycji z palcem w dupie, zgarbiony na podłodze. Żałosne i niesmaczne. Nie potrafię wyobrazić sobie Sebastiana w podobnej sytuacji.

Naprawdę myślałem, że mam to już za sobą. Chyba ze dwa czy trzy lata temu przestałem nawet codziennie walić konia i było dobrze. A teraz wszystko wróciło, od początku czułem, że godzenie się na ten jej... pomysł jest błędem. Sądziłem jednak, że będzie to po prostu żenujące, że mnie zawstydzi. Że będzie bolało. Ale nie sądziłem, że mi się spodoba. Ile jest jeszcze takich rzeczy, których nigdy nie próbowałem robić z moim ciałem, a które mogłyby mi przynieść rozkosz? Pewnie sporo, nie wiem, właściwie mam niewielkie doświadczenie. Spałem zaledwie z sześcioma kobietami, bo dość szybko doszedłem do wniosku, że najlepiej potrafię się zaspokoić sam. Zresztą w waleniu konia naprawdę jestem mistrzem – gdy chodziłem do liceum, godzinami wymyślałem nowe techniki. Przeżywanie orgazmu w czyimś towarzystwie zawsze wydawało mi się krępujące. I zawsze wierzyłem, że nikt inny nie wie lepiej ode mnie, czego potrzebuję. Być może się myliłem.

– Paweł, kończ już, na litość boską, bo naprawdę się spóźnimy! – woła Anka pod drzwiami łazienki.

– Już skończyłem – odkrzykuję i podnoszę się z klęczek.

•

– Jak pisanie? – pytam, gdy wyjeżdżamy za szlaban Mariny.

– Jakoś – mówi Anka. – Zimno mi.

– Trzeba było założyć coś cieplejszego. Jesteś prawie goła.

– Trzeba podkręcić ogrzewanie. I nie jestem goła.

Założyła popielatą sukienkę, która ledwo zasłania jej pośladki. Na moje oko jest goła. Czy facet wyszedłby z domu w krótkich spodniach, gdy na zewnątrz jest pięć stopni Celsjusza? Nie wierzę, że te cienkie rajstopy cokolwiek dają. Może kobiety są bardziej odporne na zimno? Nie wzięła nawet szalika. Ustawiam klimatyzację na dwadzieścia cztery stopnie.

– Jakie problemy? – pyta po chwili.

– Mam prowadzić razem z tym kutafonem.

– We dwóch? Z Sebastianem? I zgodziłeś się?

– A co mogłem zrobić?

Milczy, ale wiem, co myśli. Niekiedy ten stan rzeczy jest dobry – to, że znamy się tak długo, że właściwie wystarczy jedno słowo czy wymiana spojrzeń, żebyśmy oboje wiedzieli, o co chodzi. Ale czasami mnie to wnerwia. Na przykład teraz.

– Nic nie mogłem zrobić! Wiesz! – powarkuję.

– A czy ja coś mówię? – Anka odwraca głowę i wygląda na Racławicką. – Ale śmietnik. Reklama na reklamie, dlaczego nikt nic z tym nie robi?

– Napisz zażalenie do straży miejskiej – podsuwam złośliwie. – Przecież lubisz pisać.

– Kto ci powiedział? O pomyśle z Sebastianem.

– Aga. Ten plastikowy chuj włazi jej w dupę bez wazeliny.

Natychmiast żałuję, że to powiedziałem. Zapada cisza, oczywiście oboje myślimy o tym samym. Anka pochyla się trochę zbyt szybko, ukrywa uśmiech, co budzi moją wściekłość, a jednocześnie lekkie rozbawienie, które tylko potęguje złość.

– À propos pisania... Ile już napisałaś? – pytam.

Przestaje się uśmiechać.

– Tyle, ile napisałam – odpowiada cierpkim tonem. – Ani mniej, ani więcej.

– Korek – wzdycham.

– Trzeba było skręcić w Niepodległości. Na Odyńca zawsze jest korek. I co zrobisz?

– Nie wiem. Nic – wzruszam ramionami. – Może się rozkraczy i go sczyszczą. Przetrzymam.

– Ile on ma lat?

– Dwadzieścia trzy – mówię niechętnie.

– No, to nie wiem, czy zdążysz. Jest bardzo przystojny.

– Owszem, ale to słoik. Zresztą do tej pracy potrzeba czegoś więcej niż ładna gęba i fajne ciało.

– Naprawdę? – spogląda na mnie z niewinną miną.

– Chcesz, żebyśmy się pożarli? Akurat teraz?

Odczekuje moment, pewnie się zastanawia, czy to mogłoby być opłacalne, gdybyśmy zjawili się u starego nabzdyczeni na siebie. Mimo wszystko nie byłoby, bo tak czy siak ja mam odziedziczyć dom, a nie ona. Zbudowała sobie porozumienie z moim ojcem na platformie protekcjonalnego „ach, ten nasz Pawełek", błędem byłaby teraz zmiana taktyki, którą wypracowywała latami. Lekceważący stosunek do mnie to kompromis z obu stron – on nie atakuje zbyt agresywnie, ona zbyt zażarcie nie broni. Gdyby zademonstrowała nagle otwartą niechęć do mnie, mogłaby zaplusować, ale mogłoby to też pchnąć ojca do jakiegoś nieprzewidywalnego zagrania – choćby do zmiany testamentu. Albo małżeństwa z Kociubą.

– Nie, nie chcę – mówi wreszcie ugodowo. – Dasz sobie radę. Zawsze dajesz.

Przejeżdżamy mostem Łazienkowskim, skręcam w Saską i po kilku minutach jesteśmy na Rzymskiej. Parkuję auto na podjeździe, Anka wysiada, podnosi kołnierz futra i mrużąc oczy, z niepokojem patrzy na dom.

– Tego tu nie było. Co to jest? – pyta.

Spoglądam w górę, podążając za jej wzrokiem. Nad tarasem drugiego piętra, tym otwartym, wznosi się stalowa klatka – zadaszenie z rzadko rozmieszczonych metalowych kątowników wsparte na czterech kolumienkach, między którymi zamontowano niskie panele ze szkła.

– Pergola chyba jakby – mówię.

Ściąga usta wyraźnie przestraszona.

– Musiała kosztować fortunę – stwierdza. – Nie podoba mi się to.

Oczywiście nie chodzi o wydatek ani o samą konstrukcję. Ojciec od dwudziestu lat nie zrobił remontu, nie chciał nawet wydać kilkuset złotych na nowe krzesła ogrodowe, chociaż Kociuba wszelkimi sposobami próbowała go do tego nakłonić. Wyrzucanie pieniędzy – tak twierdził. Jeśli zgodził się zapłacić za coś takiego, może to oznaczać, że pozycja Kociuby się wzmocniła. Albo ojciec osłabł. Obie opcje z punktu widzenia Anki są jednakowo groźne. Już i tak to, że Kociuba od tylu lat mieszka ze starym, spędza jej sen z powiek.

– Żałuję, że Gosia nie przyjechała z nami – wzdycha Anka i rusza w stronę schodów prowadzących do wejścia.

Kociuba otwiera drzwi, zanim Anka nacisnęła dzwonek.

– O, jesteście idealnie – mówi, potrząsając piramidą kruczoczarnych loków.

Wpuszcza nas do holu i woła:

– Dzieciaki są!

Cisza. Pomagam Ance zdjąć futro, Kociuba taksuje je chytrym wzrokiem.

– Sztuczne, tak? – upewnia się. – Dałabym sobie rękę uciąć, że prawdziwe. Popatrz, jak oni to teraz potrafią zrobić!

Anka uśmiecha się do niej bez słowa. Ja ukradkiem uśmiecham się do siebie.

– Będzie polędwica, kartofle prawie doszły – oznajmia Kociuba. – Idźcie do niego, już nie mógł się doczekać.

Szczerze w to wątpię.

– A mała?

– Niestety nie mogła – usprawiedliwia się Anka. – Wiesz, matura tuż-tuż. Uczy się.

– Oj, to dobrze. Ona jest taka zdolna! A nauka jest najważniejsza.

Nie mam pojęcia, skąd u niej takie przekonanie, bo sama skończyła zaledwie podstawówkę, a przecież nie najgorzej – umówmy się – sobie życie urządziła. Chyba tylko podstawówkę, nie wiem na pewno, ale gdyby miała inne wykształcenie, nie musiałaby sprzątać domów, tym się wtedy zajmowała. U nas sprzątała, odkąd się tu wprowadziliśmy.

Kociuba naprawdę ma na imię Mariolka. Nie potrafię stwierdzić, ile ma lat, na pewno jest po sześćdziesiątce, ale zakonserwowała się tak znakomicie, że równie dobrze mogłaby mieć pięćdziesiąt. Wygląda dziś identycznie jak wtedy, gdy chodziłem do przedszkola. Typ baby śląskiej – szerokie ramiona, krótka szyja i korpus jak beczka, a do tego długie, wyjątkowo zgrabne nogi. Anka twierdzi, że Kociuba jest pozbawiona gustu, nie dyskutuję z nią na ten temat, ale się nie zgadzam. Oczywiście ubiera się tragicznie, uwielbia papuzie stroje, cekiny i cyrkonie, jednak one są właśnie dla niej stworzone. Kociuba dopasowała gust do swoich warunków, nawet ją za to szanuję, bo to przejaw pewnej inteligencji. No, powiedzmy, sprytu. Kilkakrotnie pokazywali ją w różnych plotkarskich podcirdupach jako najgorzej ubraną kobietę na imprezach, na które zabrał ją ojciec, ale spłynęło to po niej niczym woda po gęsi – ba, sprawiło nawet satysfakcję. Została dostrzeżona. Kociuba odarta z turkusu i fioletów, wbita w czarną, elegancką sukienkę czy pastelowy kostiumik byłaby po prostu toporną prostaczką z dostępem do kasy. Każda luksusowa kreacja wyglądałby na niej jak szmata. Natomiast Kociuba w pawich szyfonach, w tygrysich falbanach, w pomarańczowych pseudoocelotach, w opiętych dżinsach z kieszeniami na dupie jarzącymi się podrabianymi kryształkami Swarovskiego zyskuje wyraz, a nawet rodzaj ekstrawaganckiego rozmachu. No i oczywiście znakomicie dobiera fasony tych tandetnych, bazarowych ciuchów, sprytnie podkreślając zalety swojej wątpliwej figury.

Dziś ma na sobie zwiewną, wściekle limonkową bluzkę z kaskadą falban na płaskim biuście – dzięki czemu zdaje się, że jednak ma piersi. Do tego założyła srebrne, niemożliwie ciasne spodnie, uszyte z czegoś, co wygląda jak folia termiczna, a na stopy wsunęła żółte aksamitne pantofle na wysokim obcasie. Małgosia określiłaby jej strój jako „wyjebany w kosmos". Natychmiast sfotografowałaby ją, a zdjęcie umieściła na swoim Fejsie w katalogu „Fruit of the Month". W tym albumie są tylko zdjęcia Kociuby w najróżniejszych kreacjach. Każde ma mnóstwo lajków.

Anka w prostej, drogiej sukience mini z kaszmirowej wełny (kosztowała ponad dwa tysiące), w czarnych szpilkach i gładko zebranych do tyłu włosach przy Kociubie wygląda blado, bezbarwnie, prawie banalnie. Z pozornie obojętną miną lustruje krzykliwy strój Mariolki, ale widzę zgrozę w jej spojrzeniu.

– Bajecznie wyglądasz – oznajmiam.

– Co nie? – Kociuba uśmiecha się szeroko. – Na wszystko razem poszło niecałe sto osiemdziesiąt.

To jej życiowa pasja – dostać jak najwięcej za jak najmniej. Tę informację Małgosia też umieściłaby na Fejsie przy zdjęciu. „Moja babcia dziś. Strój – 180 PLN". Anka była wściekła, gdy nasza córka zaczęła mówić do Kociuby „babciu". Kociubę to uradowało, bo nie ma dzieci i wnuków. Mnie było to najzupełniej obojętne.

– No, co? – woła z głębi domu mój ojciec. – Posnęliście tam, czy jak?

– Już, już – odkrzykuje sztucznie wesołym głosem Anka. Szybko przegląda się w lustrze wiszącym nad komodą w holu i rusza do salonu. Jej obcasy stukają rytmicznie o podłogę. Ten dźwięk kojarzy mi się z odgłosem tykającej bomby zegarowej z kreskówki.

– On dzisiaj ma dobry dzień – mówi do mnie Kociuba.

– Dla siebie czy dla innych? – pytam.

VII

– Dzień dobry, tatusiu – całuję Leona w policzek.

Odsuwa głowę z lekkim żachnięciem, ale nie protestuje. Zerka na moje nogi znad okularów do czytania i unosi lewą brew.

– Przecież ty jesteś prawie goła – mówi. – Nie zmarzłaś?

– Ależ skąd – uśmiecham się całkiem wiarygodnie. – Poza tym nie jestem goła. Ta sukienka jest bardzo ciepła.

– Ale masz goły tyłek. Dostaniesz wilka. Nic przyjemnego, zaufaj mi – poucza mnie Leon.

– Świetnie wyglądasz – stwierdzam.

To prawda. Ojciec Pawła jest już grubo po siedemdziesiątce, ale wygląda na młodszego o dwadzieścia lat. Paweł to chyba odziedziczył, miejmy nadzieję, że Małgosia też. Mój ojciec był starcem, gdy miał tyle lat, ile ja teraz. A przynajmniej tak mi się wydawało. Nie, nie wydawało mi się, przecież są fotografie. Zmarł przed moimi siedemnastymi urodzinami.

Leon może jeszcze pożyć z dziesięć lat. Albo i dwadzieścia, cholera go wie. Jest silny jak byk, chyba nigdy nie chorował nawet na najzwyklejsze przeziębienie. Włosy ma gęste jak szczotka, z rzadka tylko przetykane siwizną, a jedyne naprawdę wyraźne zmarszczki na jego twarzy to dwie głębokie bruzdy między krzaczastymi brwiami. Nie musi ich już nawet ściągać, żeby jego twarz nabrała wyrazu dezaprobaty.

– Cześć, tato – Paweł staje obok mnie.

– Cześć – odpowiada Leon, nie spoglądając na niego, i rozkłada gazetę, którą trzyma na kolanach.

Zacznie się za jakiś kwadrans, a jeśli dobrze pójdzie – za pół godziny. Na razie mogę odpocząć i zebrać siły. Rozglądam się po tym gigantycznym sterylnym pokoju. Dom ma prawie czterysta metrów, sam salon – ponad sto. Jest jeszcze podwójny garaż z pokojami na piętrze, połączony z głównym budynkiem przeszklonym łącznikiem. Gdyby zamienić garaże w salon z kuchnią, powstałby całkiem przyjemny domek. Pewnie ze sto dwadzieścia metrów kwadratowych. Idealny dla Gośki. Przed nim można by postawić wiatę na samochód. Albo na dwa. Dlaczego właściwie nie miałabym w końcu mieć własnego? Co to za filozofia zrobić prawo jazdy? Niepotrzebnie to odkładam.

Zerkam na niepokojący ogromny obraz Fangora wiszący nad kominkiem. Upiorna rzecz – człowiek ze wszystkich sił próbuje zogniskować wzrok, gdy patrzy na te miękkie różowe kręgi, a jedyne, co udaje mu się uzyskać, to ból głowy. Ale op-art wraca. Dwa lata temu ten obraz był wart prawie osiemset tysięcy, teraz na pewno cena wzrosła.

Paweł siada na najdalszej kanapie, wyjmuje ajfona i włącza jakąś idiotyczną gierkę. Znowu. W domu też bez przerwy gra – jeśli nie na ajpadzie, to na laptopie! Ma cztery dychy, kiedy mu się to znudzi? Gromię go wzrokiem, gdy na mnie spogląda, ale tylko wywraca oczami i wtyka nos w smartfona. Ściągam usta i znowu spoglądam na ogród i patio.

Tak, wyszedłby wygodny domek z oddzielnym wejściem, zupełnie niekrępujący. Można by nawet zrobić oddzielną furtkę. Właściwie po co ją tu ciągnąć? Gosia mogłaby zostać na Marinie, w naszym mieszkaniu. I tak nie ma sensu go sprzedawać, bo ceny nieruchomości zleciały na łeb. Za Zamgloną wzięlibyśmy dziś niewiele więcej ponad to, co zapłaciliśmy.

Przechodzę wzdłuż drzwi tarasowych. Garaże są po prawej, jedna ze ścian budynku zamyka patio. Zrobię sobie tam gabinet. Idealne miejsce do pisania, tu jest tak zielono za oknami. Dobrze, że postawili ekrany od strony Wału Miedzeszyńskiego, prawie wcale nie słychać aut.

– Możecie już siadać – Kociuba wchodzi do salonu z miską duszonej polędwicy, którą ustawia na stole. – Jeszcze tylko kartofle.

– Chodź – mówię półgłosem do Pawła.

Kiwa głową, ale się nie rusza. Jeden siedzi w fotelu z nosem w gazecie, drugi na kanapie wlepia gały w komórkę. Nawet nie zdają sobie sprawy, jak bardzo są do siebie podobni. Przynajmniej fizycznie.

– No, siadajcie! – ponagla nas ten upiorny babon, którego posuwa mój teść. – Bo wystygnie!

– Cudownie pachnie – uśmiecham się do Kociuby.

Odpowiada grzecznym uśmiechem, ale jej ciemne oczy pozostają chłodne. Cwany babsztyl, nie ma na nią mocnych. Poddałam się jakieś pięć lat temu i przestałam zabiegać o jej sympatię. Ona wie, co ja myślę o niej, a ja – co ona sądzi na mój temat. „Och, niech tylko stary wyciągnie kopyta, znikniesz stąd w jeden dzień" – myślę, siadając na chromowanym krześle wyściełanym grubą końską skórą.

– Widziałam pergolę – mówię. – Wspaniała.

– Wyrzucanie pieniędzy – odzywa się Leon.

– Co wam przyszło do głowy?

– Uparła się – wyjaśnia Leon, odkładając gazetę na stolik z chińskiej laki i chowając okulary do kieszonki koszuli, a potem mówi do Pawła: – No, rusz tyłek, chłopie. Kobieta się narobiła, nie widzisz?

Może kwadrans względnego spokoju był tylko moim pobożnym życzeniem? Paweł bez słowa wstaje, wsuwa komórkę do kieszeni spodni i podchodzi do stołu.

– Ale dlaczego na tarasie? – pytam.

– Lubię tam sobie siedzieć – wyjaśnia Kociuba. – Oczywiście, gdy jest ciepło. Stawiam sobie leżaczek i zaraz jestem w siódmym niebie. Szczególnie po czternastej, jak się słońce schowa za domem.

Jest w siódmym niebie po czternastej.

– Cudownie – mówię. – Wygląda na bardzo drogą. Ta pergola.

Nakładam sobie kawałek mięsa, a po sekundzie namysłu jeszcze drugi. Różne rzeczy mogłabym powiedzieć o tej babie, ale nie to, że nie umie gotować.

– Drogą! – prycha Leon, kładąc serwetkę na kolanach. – Wyrzuciła w błoto majątek!

– To miło z twojej strony, że się zgodziłeś.

– Co miłe? Nic nie jest miłe, wcale się nie zgodziłem – gderliwie odpowiada mój teść. – Sama za to zapłaciła, w życiu bym nie dał forsy na taki idiotyzm.

– Sama? – dziwię się. – A ile to kosztowało?

– Dwanaście tysięcy – wzdycha Kociuba. – Ale dostałam rabat, bo wpierw miało być więcej.

Kawałek polędwicy prawie staje mi w gardle. Dwanaście tysięcy? Skąd ona miała dwanaście tysięcy? No, przecież nie zarobiła, ta baba nie pracuje od lat, a zresztą nawet jak pracowała, ile mogła dostawać? To sprzątaczka, kuchta zwykła. Albo go okrada, albo naciąga! Ale jakim cudem zdołałaby wyciągnąć od niego tyle kasy? Och, niedobrze, że inwestuje w ten dom niby-swoje pieniądze. Na pewno bierze rachunki na siebie. Mogą być problemy.

Przy stole zapada milczenie. Jemy. Możliwe, że tym razem nam się upiecze. Czy raczej – Pawłowi się upiecze. Nie musimy siedzieć długo, półtorej godziny wystarczy. Jeszcze więc tylko godzina.

– Widziałem cię – odzywa się nagle Leon do Pawła. – Praktykularny.

– Co? – pytam, bo nie rozumiem, o czym mówi.

– Pomylił się – wyjaśnia Leon. – Na wizji.

– Raz – nóż Pawła z piskliwym zgrzytem przesuwa się po talerzu.

– Dwa razy – precyzuje Leon. – W jednym wejściu. Nie rozumiem tego.

– Czego nie rozumiesz? – Paweł przyciska łokcie do boków, prostuje plecy.

Wbrew pozorom nie jest to pozycja bojowa, ale obronna. Prawdopodobnie podświadomość podpowiada mu, że gdy wyda się wyższy, uchroni go to przed atakiem. Podobno drapieżniki mniej chętnie polują na ofiary przewyższające je wzrostem – choć to chyba bzdura, bo inaczej dziś w Afryce żyłyby tylko żyrafy. Ile minęło czasu? Na pewno nie kwadrans, góra dziesięć minut. Zaczyna się.

– Chcesz surówki? – Kociuba zamaszystym gestem podsuwa miskę Leonowi. – Taka jak lubisz, z marcheweczki. Na słodko. Ze śmietaną.

– Gdyby ta stacja nadal do mnie należała, z miejsca byś wyleciał na pysk.

– Ale już nie należy, więc mogę spać spokojnie – mówi Paweł i pakuje do ust kopiastą porcję mięsa.

– A grzybka? Grzybka chcesz? – Kociuba podrywa się i łapie salaterkę z marynowanymi kurkami. – Patrz, takie jak lubisz. Chcesz?

– Przestań się rzucać, kobieto, po stole jak opętana, bo mnie szlag trafi – odwarkuje Leon. – Widzę, że stoi, będę chciał, to sobie wezmę.

– Ojej – wzdycha Kociuba, a ja pochylam się nad talerzem, żeby ukryć rozbawienie.

To akurat mnie rozweseliło, ale ogólnie nie bardzo mi do śmiechu. Niepotrzebnie spięłam włosy z tyłu, trzeba było zostawić rozpuszczone, mogłabym się za nimi schować. A tak jestem łatwym celem, w dodatku blisko pola rażenia. Lepiej było usiąść obok Mariolki.

– Jesteś z siebie zadowolony? – pyta Leon.

– Ogólnie całkiem jestem. A ty? Jesteś zadowolony z siebie? – Paweł spogląda twardym wzrokiem na ojca, ale widzę, że jego policzki różowieją.

– Paweł! – upominam go.

– Daj spokój – wzrusza ramionami Leon. – Takie psy, co głośno ujadają, nie gryzą. On to zawsze w gębie był mocny, ale w działaniu to nie bardzo. Ile masz lat?

– Dobrze wiesz, ile mam lat – stwierdza Paweł. – Na pewno za dużo, żebyś po mnie jeździł jak kiedyś.

– A kiedy ja niby po tobie jeździłem? Daleko zresztą bym nie zajechał. To mogła być twoja telewizja.

– Nie zaczynaj, tato.

– Ja zaczynam? No, może i zaczynam. Ale jak zaczynam, to przynajmniej kończę.

– Gosia cię pozdrawia – mówię.

– Co? A, no tak. Dlaczego nie przyszła? – na chwilę udaje mi się odwrócić uwagę Leona od Pawła.

– Uczy się. Do matury.

– Do matury – Leon zamyśla się na chwilę. – I co u niej?

– Dobrze. Ma nowego chłopaka.

– Co ty powiesz? Pilnuj jej tylko, żeby nie zaszła, bo znowu będą kłopoty. Wiem, co mówię – spogląda na Pawła, który urodził się cztery miesiące po ślubie swojej matki z Leonem.

Czterokilogramowy wcześniak, rzadkość... Choć może on pije do nas? Byłam w czwartym miesiącu, gdy się pobraliśmy, ale z tego chyba był zadowolony. Lubi mnie, koryto krwi mnie kosztowało, żeby wkraść się w jego łaski, jestem pewna, że lubi... No, nieważne. Tak czy siak, oto wracamy do podstawowego tematu, bo tu wszystkie drogi prowadzą do Rzymu...

– Trzeba było dać matce na skrobankę, to byś nie miał kłopotu – obraźliwie ugrzecznionym głosem odzywa się Paweł.

– Twoja matka była cwaną fizdą. Wymyśliłaby coś innego, żeby się ze mną chajtnąć.

– O Boże, Leoś! Proszę! – Kociuba zaczyna płakać.

Ta kobieta jest absolutnie odporna na przyswajanie nauki płynącej z doświadczenia. Tusz żłobi czarną, krętą ścieżkę w pudrze, którym pokryty jest jej okrągły policzek, a twarz Leona czerwienieje. Nic tak nie wyprowadza go z równowagi jak widok czyichś łez.

– No i czego ty ryczysz? Jaki ty masz powód, żeby ryczeć?!

Kociuba zaczyna płakać bardziej. Odkłada sztućce na talerz i splata palce na podołku. Kolej na Pawła...

– Mariola, nie denerwuj się – wyciąga rękę i głaszcze ją po ramieniu. – To nieważne.

– Co jest nieważne?! – wykrzykuje Leon. – Wiesz, że to histeryczka, a ty ją jeszcze dopingujesz!

– Jak ja ją dopinguję? Do czego?

– Nie rozczulaj się nad nią, bo się do reszty rozklei!

– Nie rozczulam się. Nic przecież nie robię.

– O, to, to, to! Nareszcie słowa prawdy. Nic nie robi! – triumfalnie woła Leon. – I takie słowa ci wyryją na nagrobku. Żył, jakby go nie było.

– Dwa razy się pomyliłem! Inni się mylą bez przerwy.

– Ale nikt z tych innych nie jest moim synem! Praca w telewizji to jest bezustanna praca nad sobą! Ja w twoim wieku byłem już dyrektorem w publicznej! A ty od dwudziestu lat sterczysz wypacykowany jak klaun przed kamerą i klepiesz z monitora. Nie rozumiem cię!

– A kiedy ty mnie rozumiałeś?

– Nigdy!

– No właśnie.

– Nie rozumiem, jak można nie wykorzystać szansy, która sama pcha się człowiekowi w ręce. Zawsze byłeś patentowanym leniem i im starszy jesteś, tym gorzej. A wszystko dostałeś na starcie! Podstawione pod nos! Na srebrnej tacy!

– Nie prosiłem o to!

– Ale wypadałoby podziękować! Choć odrobinę wdzięczności, zwyczajna ludzka przyzwoitość by to nakazywała!

– Chodź, wyniesiemy te talerze – mówię do Kociuby półgłosem.

– Gdzie?! Jeszcze nie skończyłem! – Oko Saurona zwraca się w moją stronę, popełniłam błąd, trzeba było siedzieć cicho. – Dlaczego ty nic z nim nie zrobisz?

– Tato, proszę – wzdycham.

– Ale o co ty mnie prosisz? Jesteś z nim dwadzieścia lat, ktoś w tym małżeństwie powinien w końcu wciągnąć portki na dupę!

– Zostaw ją w spokoju – teraz Paweł robi się czerwony na twarzy.

– Bo co? – Leon rzuca mu rozbawione spojrzenie. – No, jesteś moim synem. Nie da się zaprzeczyć, wystarczy popatrzeć w lustro. Skóra zdarta ze mnie. Szkoda, że tylko skóra.

– Mam dosyć – Paweł ciska widelec na talerz.

– Ojej – Leon robi na pokaz smutną minę. – I co będzie? Uciekniesz? Uciekniesz, jak zawsze. Ty tylko uciekasz. Czego ty się boisz, chłopaku, przez całe życie?

– Nie boję się.

– Boisz. Jesteś wprost sparaliżowany ze strachu. Całe życie czołgasz się jak szczur w korycie laboratoryjnego labiryntu, a wystarczy wziąć się w garść i przegryźć ścianę. Bo za nią jest cały świat!

– Odbija ci do reszty – oświadcza Paweł i wstaje. – Idziemy stąd.

– Nie wygłupiaj się – próbuję go zmitygować, bo sytuacja zaczyna się wymykać spod kontroli.

– Albo się, kurwa, ruszysz, albo będziesz wracała taksówką!

Leon przygląda się Pawłowi spod oka, milczy. Ja zresztą też. Myślę gorączkowo, jak powinnam postąpić. Paweł łamie reguły, do czegoś podobnego jeszcze nigdy nie doszło. Zawsze są wrzaski przy stole, ale awantura wreszcie się kończy, gdy Leon dochodzi do wniosku, że wygrał dyskusję. Dlaczego Paweł nagle zaczął się stawiać? Wpadam w lekką panikę. Wstaję i siadam z powrotem.

– Mariolka, przestań się mazać, tylko sprzątnij te talerze – odzywa się wreszcie spokojnym głosem Leon. – Jest jakiś deser?

Ciasto! Zapomniałam kupić tartę!

– Jest – Kociuba wydmuchuje nos w serwetkę. – Sernik na zimno.

– No, to dawaj – uśmiecha się do niej Leon. – Mięso było genialne.

Spoglądam błagalnym wzrokiem na Pawła, wpatruje się w ojca spod zmarszczonych brwi. Nie możemy stąd wyjść, bo jeśli teraz wyjdziemy, on już tu nie wróci, wiem to. Nie mogę sobie na to pozwolić. Jeszcze nie. Może za trzy lata, może wtedy, ale teraz zbyt wiele zależy od...

Paweł rozluźnia ramiona i opada na krzesło. Mogłabym przysiąc, że jego twarz nabiera wyrazu niedowierzania. Po raz pierwszy, odkąd sięgam pamięcią, to Leon się poddał, a nie on.

VIII

Może jest chory? Postarzał się okropnie – kiepska perspektywa dla mnie, bo rzeczywiście jestem do niego podobny. Starzeć się więc będę w taki sam sposób.

Wycofał się, choć przecież za każdym razem dochodziliśmy do punktu, w którym zrywałem się z krzesła i szantażowałem go, że wyjdę. Dziś było tak jak zawsze, nic się nie zmieniło... Ale czy na pewno? Nagle dociera do mnie, że coś jednak się zmieniło. Dziś mówiłem serio. Naprawdę chciałem wyjść. I gdybym to zrobił, on już więcej by mnie nie zobaczył. Jest cwany, musiał to wyczuć.

Mariolka przynosi sernik pokryty niebieską galaretką – szokujący kolor. Nakładam kawałek na talerzyk – jeden z tych od Rosenthala w czarno-biały wzór, które tak lubiła matka. Przy stole zapada milczenie, ojciec nie spogląda w moją stronę. Gdyby nie Anka, dawno zerwałbym z nim kontakt. Zdaję sobie jednak sprawę, jakie ma nadzieje na ten dom i pieniądze ojca. Latami wyłaziła ze skóry, żeby mu się przypodobać, naharowała się jak wół – szanuję to. Sam pewnie machnąłbym ręką na dom, ogród i pieniądze, ale nie potępiam jej. Jeśli jednak wierzy, że kiedyś tu zamieszkamy, to jest w grubym błędzie. Nigdy nie wrócę na Rzymską – na samą myśl o spędzeniu tu choćby jednej nocy robi mi się niedobrze.

– Jest coś zimnego do picia? – pytam.

– Sok. W lodówce – Mariolka podrywa się z krzesła. – Już lecę!

– Wezmę sobie, nie wstawaj.

Idę do kuchni. Lodówka jest ta sama – Szron. Ile ma lat? Trzydzieści parę co najmniej. Dziś nie do wyobrażenia – sprzęt AGD, który nie rozlatuje się po dekadzie. Otwieram drzwi i wyjmuję kartonik z sokiem. Jednak nie, to nie ta sama lodówka. Tę rodzice kupili dopiero po przeprowadzce tutaj. Tamta z naszego pierwszego mieszkania na Mokotowie była inna, mniejsza. Spoglądam na zamrażalnik. Skóra cierpnie mi na karku, przełykam głośno ślinę, a potem zamykam delikatnie lodówkę, opieram się o ścianę i przymykam oczy.

•

Zamrażam Kermita. Leży na dnie szklanej foremki do pasztetu (*błagam cię, nie stłucz*). Wybrałem ją, bo jest przezroczysta, wszystko widać przez ścianki. Najpierw nalałem do niej trochę wody – tak do wysokości 1/3 naczynia – a gdy zamieniła się w lód, położyłem na środku gumowego Kermita z mapetów – zależy mi, żeby zamarzł dokładnie w centralnej części bryły. Mam już prawie całą serię tych figurek. Nie są nadzwyczajne, nie mają ruchomych części, ale ujdą, chociaż farba trochę złazi. Są zrobione z twardej gumy. Lubię ją gryźć, czy raczej przygryzać – nie chcę ich zniszczyć, przynajmniej nie całkiem.

Kermit jest mały, foremka duża – wyjdzie spory blok lodu. Dopełniam naczynie wodą nad zlewem, a potem ostrożnie przenoszę je do lodówki i wsuwam do zamrażalnika. Do wieczora wszystko będzie gotowe.

Zamrażanie to moja wielka pasja. Najpierw wkładałem do zamrażalnika jedzenie – surowe jajka na przykład, galaretkę, banana. Ogólnie takie produkty, których się nie mrozi, bo byłem ciekaw, co się z nimi stanie. Potem rozszerzyłem pole zainteresowań. Uwięziłem w lodzie już kilka kwiatów – gdy rozmarzały, stawały się miękkie jak mokra chustka do nosa, choć wcześniej, gdy wkładałem je do lodówki, były przecież sztywne i sprężyste. Pierwsza była gerbera z bukietu, który mama postawiła na stole w dużym pokoju. Zamknięta w lodowej bryle wydała mi się doskonała i wieczna. Gdybym mógł wysłać ją do Arktyki, przetrwałaby do końca świata, a może i dłużej – ale niestety nie mogłem, więc po kilku godzinach zamieniła się w mokry flaczek. Teraz zamrażam zabawki, niestety, tylko te nieduże, bo mamy za małą lodówkę. Kiedy pytają mnie, dlaczego to robię, mówię, że się bawię, ale to nie do końca prawda. Zamykanie przedmiotów w lodzie sprawia, że lepiej się czuję. Gdy potem na nie patrzę, już uwięzione w przezroczystych, zimnych klockach, wiem, że nic im nie grozi. Są bezpieczne, a ponieważ należą do mnie, i ja jestem bezpieczny – w jakiejś części.

O, klocki! To dobry pomysł, zbuduję coś z lego, coś niedużego, może z ludzikiem, a potem zamrożę i będzie na zawsze.

Niedługo się przeprowadzamy – już nie będziemy mieszkali w bloku, tylko we własnym dużym domu. Będziemy mieli też większą lodówkę, a nawet oddzielną zamrażarkę, której nie mogę się doczekać. Na razie mieszkamy tu gdzie zawsze – na Mokotowie w wieżowcu, w którym oprócz nas żyje wielu znajomych rodziców, pracujących jak oni w telewizji. Dzieci w starym przedszkolu powiedziały mi, że to same „czerwone świnie", a potem i mnie zaczęły tak nazywać. Specjalnie się jakoś nie przejmowałem, fajnie mieć przezwisko, szczególnie że w naszej grupie było pięciu Pawłów. „Czerwona świnia" wcale nie jest taka zła. Ma w sobie coś budzącego grozę. Prawdopodobnie jest czerwona, ponieważ obdarto ją ze skóry. Horror, strach się bać. Kiedy pani przedszkolanka powiedziała mamie o wszystkim, była straszna awantura i zabrali mnie z tego przedszkola. Teraz chodzę do takiego małego, całkiem niedaleko, w willi. Dzieci w tym przedszkolu nie mówią do mnie „czerwona świnio", w ogóle niewiele do mnie mówią. Ale są tu fajne zabawki, znacznie lepsze niż w tym starym, i panie mówią do nas po angielsku albo rosyjsku – oczywiście nie ciągle, lecz tylko podczas lekcji. To nie są takie prawdziwe lekcje jak w szkole, do której podobno mam iść za rok. Niekiedy zajęcia wydają mi się ciekawe, a czasami uważam je za nudne i męczące – podobnie jak leżakowanie, którego szczerze nie cierpię.

Zamykam starannie lodówkę z metalową śnieżynką na białych drzwiach. Trzeba czekać, to trudne. Zajrzę do zamrażalnika przed dobranocką.

Wychodzę z kuchni i przystaję przy drzwiach dużego pokoju. Są zamknięte, za nimi siedzą mama, ciotka Iga i Ruska. Nic nie widać, bo chociaż drzwi mają szybę, to jest ona pofałdowana i nierówna jak tafla lodu. Obraz staje się wyraźniejszy tylko wtedy, gdy ktoś podejdzie bardzo blisko z drugiej strony. Ale za to wszystko świetnie słychać. Siadam na podłodze pod drzwiami, upewniam się, czy czubek mojej głowy nie sięga do krawędzi szyby – bardzo szybko rosnę, mama mierzy mnie przy framudze raz w tygodniu. Muszę się więc pilnować, bo któregoś dnia nieoczekiwanie może się okazać, że nie mieszczę się już pod szybą. Na razie jest w porządku.

– Eto oczen' choroszyje samocwiety! – mówi poirytowanym tonem Ruska.

– Przecież nie twierdzę, że nie – odpowiada mama. – Ale drogo.

– Zastanów się – włącza się ciotka Iga. – U nas drogo, ale tam to prawie darmo. Sprzedasz je za cztery razy tyle z pocałowaniem ręki.

– Mogłam wziąć ten brylant – mama odzywa się po chwili z wyraźnym niezadowoleniem.

– Przecież był za duży, sama doskonale wiesz – wzdycha ciotka Iga.

– Ale w stosunku do prawdziwej wartości kosztował grosze.

– Tak, tyle tylko, że sprzedanie czegoś takiego jest trudne. Rubiny zawsze sprzedasz. Jeszcze na dodatek w złocie!

– E tam, złoto. Wygląda jak tombak. Jest prawie pomarańczowe.

– Czetyrnadcat' – mówi grobowym głosem Ruska.

W pokoju zapada cisza. Po chwili słyszę, jak mama przeciąga pufę pod regał, obraca klucz w drzwiach górnej szafki, tej nad przeszklonymi półkami z porcelaną. Coś szeleści.

– Spasibo – mówi Ruska.

Trzeba wiać. Gdy Ruska mówi „spasibo", znaczy, że wychodzi. Odpełzam na czworakach od drzwi, a potem biegnę do swojego pokoju. Bardzo cicho biegam, wcale mnie nie słychać. Jestem już u siebie, kiedy wychodzą do przedpokoju.

– Będzie pani coś miała w przyszłym tygodniu? – pyta mama.

– Da. Ja pozwoniu gospożu.

– Tylko do Igi niech pani dzwoni, nie tutaj – mama odblokowuje zasuwę w wejściowych drzwiach. – No, dziękuję.

– Do swidanija – Ruska wychodzi, jej kroki odbijają się echem na klatce schodowej.

Idzie schodami, chociaż mieszkamy na piątym piętrze. Ruska boi się windy, co wydaje mi się zabawne. Wiem, że nasz Pałac Kultury zbudowali Ruscy, a przecież tam jest tyle wind!

Szybko siadam po turecku na dywanie i przysuwam sobie dwa matchboxy.

– Co robisz? – mama zagląda do pokoju.

– Bawię się – mówię i popycham energicznie samochodziki po dywanie.

– A, to dobrze. Nie jesteś głodny? Kanapkę może zjesz?

– Nie.

– Obiad będzie później, jak ojciec wróci. Zrobię ci jednak tę kanapkę – mama znika.

Nie lubię jej kanapek, chociaż są smaczne, najczęściej z szynką. Ale dostaję je zamiast, żeby miała czyste sumienie – wiem to. Od pewnego czasu wrzucam je za tapczan-półkę – między plecami mebla a ścianą jest odstęp, w którym kanapka idealnie się mieści. Wpadają jak listy do skrzynki pocztowej. Musi ich już tam być bardzo dużo. Martwię się, że podczas przeprowadzki zostaną znalezione, a zarazem mam na to nadzieję.

Dzisiejsza kanapka jest wyjątkowa. Ma na wierzchu plasterek pomidora, na którym mama zrobiła oczy i uśmiech z majonezu. W dodatku podaje mi ją na świątecznym talerzu, jednym z tych białych w czarne kreski. Spoglądam badawczo na twarz mamy.

– To ten drogi talerz – mówię.

– Tak. Nie stłucz, proszę. Mama teraz musi porozmawiać z ciocią, dobrze?

Tego też nie lubię, kiedy mówi o sobie tak, jakby mówiła o kimś innym. Dopiero po latach zrozumiem, że tak właśnie było. Ona nie była mamą, chociaż mnie urodziła. No, czasami się starała, przyznaję, ale to nie zmienia faktu, że tylko udawała.

Ciotka wychodzi tuż przed powrotem taty – jak zwykle. Kiedyś przychodziła rzadziej, a nawet pamiętam, że niekiedy to my ją odwiedzaliśmy w jej mieszkaniu na Starym Mieście. Od wiosny jednak jest u nas prawie codziennie, ale tylko wtedy, gdy nie ma taty. A od pewnego czasu przyprowadza ze sobą Ruską. Wiem, co mama od niej kupuje, bo oczywiście sprawdziłem, gdy poszła do sklepu w sobotę, a tata jeszcze spał. Oni sądzą, że górne szafki regału są dla mnie niedostępne, ale dość łatwo mi się do nich dostać – wystarczy przesunąć ławę i postawić na niej taboret z kuchni. Mama kupuje biżuterię. I nie tylko. W okrągłej różowej puszce po angielskich ciastkach – tej z panią trzymającą parasolkę na pokrywce – oprócz bransoletek, łańcuszków i wisiorków są też same oczka z pierścionków i naszyjników, niektóre duże, całkiem przezroczyste lub kolorowe. Jest też ciężka złota sztabka – ma identyczny rozmiar jak wafelek w czekoladzie, jeden z tych peweksowskich, które są pakowane po dwa w czerwonym papierku. I są też zielone pieniądze, amerykańskie dolary, za które robi się zakupy właśnie w peweksie. Dziwi mnie to, że mama nie trzyma tego wszystkiego z resztą swojej biżuterii w górnej szufladzie komody w sypialni, tylko chowa w regale między papierami, pod zasuszonym bukietem owiniętym w białą koronkę i związanym jedwabnymi wstążkami.

Następnego dnia w przedszkolu jest zamieszanie, panie przedszkolanki są podekscytowane. Nie musimy leżakować, ale nie jestem pewny, czy to rodzaj nagrody, czy po prostu zapomniały nas położyć. Podobno mamy papieża Polaka. Nie wiem, co to znaczy. Nie wiem, kim jest papież, dopiero po dłuższej chwili orientuję się, że ma to związek z religią, o której wiem bardzo niewiele. Ani mama, ani tata nie chodzą do kościoła, nie zostałem nawet ochrzczony. Wiem coś o Bogu i Jezusie, choć głowy nie dam, czy to dwie różne osoby, czy jedna. Kim w takim razie jest papież? Trzecim Bogiem?

Moje zmieszanie potęguje się przez kilka następnych dni. Wszyscy mówią o papieżu, ale ani słowo na ten temat nie pada w telewizji. Jak to możliwe, że skoro sprawa jest tak istotna, nie mówią o niej w audycjach? Telewizja jest przecież najważniejsza, wiem, bo tata w niej pracuje. Mama zresztą też, ostatnio jej zdjęcie było na okładce kolorowej gazety, która leży teraz na ławie w dużym pokoju.

Odczekuję kilka dni, ale ponieważ w telewizji nadal nie mówią nic na temat, którym tak przejmują się przedszkolanki, pani w kiosku Ruchu, a nawet państwo robiący zakupy w naszym spożywczym, postanawiam zbadać sprawę.

– Co to jest papież? – pytam, gdy Ruska wychodzi, a drzwi do dużego pokoju pozostają otwarte – sygnał, że mogę wejść.

– Słucham? – mama patrzy na mnie ze zdumieniem, zastyga pochylona nad ławą, z filiżanką w dłoni.

– Papież – powtarzam. – Co to jest?

– Skąd ci to przyszło do głowy? – mama odstawia filiżankę na spodek.

– Wszyscy o tym mówią w przedszkolu – wyjaśniam.

– W przedszkolu? Absurdalne.

– Ale co to jest? – naciskam.

– Oj, takie tam. Nic ważnego – wzrusza ramionami mama.

– Alicja! – wykrzykuje ciotka Iga autentycznie zaszokowana. – Nie możesz tak! Przecież trzeba mu powiedzieć, wytłumaczyć! To... No, tak nie można! – ciotka Iga kiwa na mnie głową i poklepuje siedzenie kanapy obok siebie.

Patrzę na mamę, która akurat przypala sobie papierosa, a ponieważ nie protestuje, podchodzę do kanapy i siadam.

– Widzisz, Pawełku, papież to nie jest coś, tylko ktoś. Ktoś bardzo, bardzo ważny – mówi ciotka Iga po krótkim namyśle. – To jest taki ambasador Boga na ziemi.

– A co to jest? – marszczę brwi, bo nadal nie bardzo rozumiem.

– Chciałaś, to masz – uśmiecha się mama i z popielniczką w ręku opiera się wygodniej na fotelu.

– Widzisz, Bóg... Ojej... – wzdycha ciotka Iga. – Ty przecież wiesz, co to jest Bóg, prawda? Kto to jest! No, bo widzisz... Bóg...

– Wiem, co to Bóg, ale nie wiem, co to ambasador.

– Ach – ciotka oddycha z ulgą. – Taki przedstawiciel Boga. Na ziemi. W pewnym sensie.

– Całej?

– Tak. Jest kościół, to znaczy dużo kościołów. Wszędzie. Ale one wszystkie są jednym Kościołem. A najważniejszy jest w Watykanie, we Włoszech. I papież jest głową całego Kościoła. Czyli wszystkich kościołów na całym świecie.

– Królem kościołów?

– Kimś ważniejszym.

– Dyrektorem?

Mama zaśmiewa się cicho i sięga po filiżankę z kawą.

– Powiedzmy – ciotka Iga wymięka, a mama chichocze znowu.

– I wszystkie kościoły na całym świecie są jego? – upewniam się.

No, skoro tak, to nic dziwnego, że takie zamieszanie się zrobiło. W samej Warszawie jest mnóstwo kościołów, niektóre bardzo duże. Muszą być warte mnóstwo pieniędzy. Ciotka Iga na sekundę przymyka oczy, a potem mówi:

– Nie. Kościoły należą do Boga, ale papież nimi kieruje. A teraz właśnie Polak został papieżem. To dla nas bardzo ważne. Dla Polski.

– Czyli wcześniej nie było papieża? – upewniam się.

– Był. Ale umarł. Wybrano nowego i jest nim właśnie Polak. To funkcja, jeśli tak można powiedzieć.

– Zawód?

Ciotka Iga rzuca rozpaczliwe spojrzenie mamie.

– Tak – odzywa się wreszcie mama. – To taki zawód. Papież jest dyrektorem wszystkich kościołów na świecie.

– Tata też jest dyrektorem – mówię po krótkiej chwili. – Telewizji, a telewizja jest ważniejsza od kościoła, bo jest wszędzie w powietrzu. Czyli tata jest ważniejszy od papieża?

Mama sięga po paczkę papierosów, wyjmuje jednego i wkłada go do ust.

– Z pewnością tak uważa – stwierdza, chichocze krótko, spogląda na ciotkę Igę i po sekundzie obie wybuchają śmiechem.

Następnego dnia w przedszkolu mówię do pani przedszkolanki:

– Mój tata jest ważniejszy od papieża.

Za karę muszę siedzieć przez piętnaście minut na podłodze przy kaloryferze w kącie sali.

Przeprowadzamy się w końcu października. Nowy dom stoi przy ulicy Rzymskiej, od teraz mieszkamy na Saskiej Kępie, chociaż mama mówi, że takiej trochę udawanej, bo daleko od nas do Francuskiej, która jest główną ulicą dzielnicy.

W nowym domu jest mnóstwo miejsca – gdybym chciał, mógłbym jeździć po nim na rowerze. Za domem jest ogród, a z boku – bardzo duży garaż. Dostaję większy pokój, przy którym jest nawet oddzielna łazienka, chociaż bez wanny. Nie chodzę już do przedszkola, mogę być cały czas w domu i się bawić. Pojawia się Mariola, która ma u nas sprzątać, a po kilku dniach zaczyna także gotować obiady. Przychodzi codziennie, lubię ją. Uważam, że jest piękna, i spędzam dużo czasu w kuchni, przyglądając się jej i słuchając tego, co mówi. Myślę, że ona także mnie lubi, możliwe, że nawet bardzo, bo od czasu do czasu całuje mnie w czoło i przytula. Nie robiłaby tego, gdyby mnie nie lubiła. Od dzieci z przedszkola wiem, że dotyka się tylko tych ludzi, których się lubi.

Nie pamiętam ojca ani z tego okresu, ani z lat wcześniejszych. No, oczywiście pamiętam, że był. Pamiętam zapach jego wody kolońskiej, odgłos, z jakim przepłukiwał rano gardło w łazience. Bzyczenie elektrycznej maszynki do golenia, buty, teczkę i papiery rozłożone na ławie w dużym pokoju. Dowody jego obecności. Na pewno musiał ze mną rozmawiać, na pewno jedliśmy wspólnie posiłki. W pamięci zostały mi tylko zapachy, odgłosy i rzeczy. Jakby był duchem, kimś z rodziny, kto umarł, pozostawiając po sobie ubrania i przedmioty, a teraz nawiedza dom, w którym kiedyś żył.

Mija Gwiazdka – dostałem pudełko z ośmioma matchboxami, granatowe wrotki, które przypina się do butów, i dwa komplety Playmobila z robotnikami drogowymi. To już mój szesnasty i siedemnasty zestaw z tej serii. Zajmują dwie półki regału.

Ciotka Iga odwiedza nas trochę rzadziej, ale przychodzi przynajmniej raz w tygodniu i zawsze przyprowadza ze sobą Ruską. Salon w nowym domu nie ma drzwi, zamykają się więc w pokoju mamy na piętrze – tym z wyjściem na szeroki taras. Nie podsłuchuję już, nie chce mi się. Wolę siedzieć w kuchni z Mariolką albo przyglądać się, jak sprząta.

Mama znika latem, 11 lipca. Wychodzi z domu i już nie wraca. Ojciec zawiadamia milicję na drugi dzień. W naszym nowym domu pojawia się trzech panów, przeszukują szafki – nawet w moim pokoju. Proszą o fotografię mamy, żeby pokazać ją w dzienniku, ojciec się wścieka – przecież każdy ją zna, jest spikerką, wszyscy ją oglądali, gdy zapowiadała filmy i programy w telewizji. Wieczorem jednak wybiera fotografię – to pamiętam: przegląda zdjęcia z szuflady długiej, niskiej komody w dużym pokoju. Mama zaginęła. Możliwe, że została porwana przez jakiegoś wariata albo uderzyła się mocno w głowę i straciła pamięć. Dostaję bardzo wysokiej gorączki, Mariolka zostaje u nas na noc i śpi w moim pokoju na polówce.

Następnego dnia panowie wracają. We wraku dużego fiata, który spalił się po uderzeniu w drzewo na poboczu drogi do Poznania, tuż za Łowiczem, znaleziono zwęglone ciała dwóch kobiet. Auto było zarejestrowane na ciotkę Igę, a w torebce, która wypadła z samochodu po uderzeniu, znajdowały się dokumenty mamy.

Ojciec nie zabiera mnie na pogrzeb. Jestem bardzo chory, wciąż gorączkuję. Pamiętam, jak zabiera zdjęcie mamy ze stołu w dużym pokoju na dole. To chyba pierwsze moje konkretne wspomnienie ojca. Nie wiem, co zrobił z tą fotografią. Nigdy więcej jej nie widziałem.

Rozdział 3

I

– Będziemy czy nie będziemy? – dramatycznym głosem wykrzykuje Larwa.

W pokoju na chwilę zapada cisza, a potem wszyscy zaczynają się śmiać, nawet Bekon.

– Mamy za sobą ponad czterysta dziewięćdziesiąt odcinków – odzywa się, gdy wreszcie udaje nam się opanować rozbawienie. – Zbliżamy się do decydującego punktu. Pięćsetny odcinek dla każdego serialu jest próbą ogniową.

To samo mówił, kiedy dobijaliśmy do odcinka setnego, a potem dwusetnego. Praktycznie za każdym razem, gdy numeracja odcinków osiąga jakąś okrągłą liczbę, docieramy do „próby ogniowej".

– Nie widzę w tym nic śmiesznego – mówi Larwa. – Moje życie wisi na tym serialu. Muszę wiedzieć, czy będziemy dalej go robili, czy nie!

– Życie nas wszystkich na nim wisi – odzywa się Donatan, który jest głównym scenarzystą „Okien miłości".

– Twoje raczej nie bardzo – kwaśno stwierdza Larwa. – Masz jeszcze dwa inne tasiemce, a z tego, co zarobiłeś na naszym, spokojnie mógłbyś żyć dziesięć lat bez pracy.

Ma rację. Donatan dostaje więcej niż cała nasza ósemka razem wzięta, a jedyne, co robi, to rozpisywanie drabinek akcji, które my potem rozbudowujemy. No cóż, nie przeczę, że wymaga to pewnej kreatywności. Ale bardzo pracochłonne zadanie to raczej nie jest.

– Potrzebny jest zwrot akcji – oznajmia Bekon. – Jakiś atrakcyjny temat, ale nic definitywnego.

– Czyli? – pytam.

– Na pewno żaden nowotwór i śmierć. Mamy dobry pakiet bohaterów, stałe postaci na razie się nie zmieniają, trzoda je lubi.

– Z raka można się wyleczyć – zaznaczam cierpko.

– Nudne. Było – wzdycha Donatan.

– Choroby się podobają – mówi Piotrek, który jest ze mną w zespole i bierze na siebie większość dialogów.

– Mieliśmy już dwa nowotwory, zakażenie HIV, alzheimera i paraliż – kręci głową Bekon. – Połowę scen w zeszłym sezonie kręciliśmy w szpitalach i gabinetach lekarskich. Wystarczy.

– Romans? – proponuje Aśka, która zawsze rwie się do scen miłosnych. – Niech oboje będą w związkach. O, dwa małżeństwa! Tak, wiecie, na krzyż.

– Proszę cię – Donatan wznosi oczy do sufitu.

Siedzimy w salce konferencyjnej na Chełmskiej, za oknami robi się ciemno. Nienawidzę tych nasiadówek. Oni ostatecznie i tak zrobią, co im się będzie podobało, nasze opinie i pomysły gówno się liczą. Podchodzę do szafki z ekspresem, wrzucam woreczek z zieloną herbatą do szklanki i zalewam gorącą wodą. Pół dnia zmarnowane. Dochodzi siódma, Paweł zaraz wróci ze swojego popołudniowego omówienia tematów w niusrumie, cholera nie zdążę zrobić zakupów. Co ja im dam na kolację? Makaron chyba, nic nie ma w domu.

Hanka siedzi nad kartoteką postaci i przewraca strony.

– Nie cofaj się tak daleko – mówi Bekon. – Nikt nie pamięta bohaterów sprzed dwóch sezonów, nie tylko my.

– Nigdy nie wiadomo – Hanka ściąga usta z namysłem i zatrzymuje się na jednej ze stron. – Bożena...

– Który sezon?

– Szósty.

– Trzy lata temu! – krzywi się Bekon. – Daj spokój.

– Nie, poczekaj – Hanka przechyla głowę. – Siostra Wiktora, nie? Przyrodnia chyba.

– A, tak, pamiętam ją – odzywa się Maciej. – To było bardziej skomplikowane, bo ona właściwie nie była jego siostrą, tylko siostrą jego przyrodniej siostry z innego ojca. Nic ich nie łączyło, tyle tylko, że mieli wspólną przyrodnią siostrę. Co myśmy z nią zrobili?

– Poszła do klasztoru – mówię, bo nagle przypomina mi się ta postać, była zabawna. – Zachorowała na galopujący uwiąd jajników i stała się bezpłodna, więc przeszła dwuodcinkowe załamanie nerwowe, próbę samobójczą i wreszcie z rozpaczy oddała się Bogu.

– Uwiąd jajników? Galopujący? Kurwa, i ja to napisałem? – Donatan robi okrągłe oczy.

– Ty to wymyśliłeś. Myśmy to napisali – uściślam.

– Dobra – macha ręką Bekon. – I co z tą Bożeną?

– No bo ona teraz w tym klasztorze będzie chyba po trzecim roku – zastanawia się Hanka na głos. – Więc już pewnie jest zakonnicą, nie? Tak na dobre. Z dyplomem czy coś...

– To chyba nie odbywa się w ten sposób – niepewnym głosem mówi Larwa.

– Co za różnica? Przyjmijmy, że tak – wzrusza ramionami Hanka. – Może niech ona wróci i się zakocha?

– W kim?

– W Wiktorze na przykład.

– Ale on jest jej bratem! To nie przesada? – niepewnie odzywa się Maciej.

– Sam mówiłeś, że właściwie nie są spokrewnieni – zaznacza Piotrek.

– Hm... – zamyśla się Donatan.

– Kościół zostawmy lepiej w spokoju – Bekon robi sceptyczną minę. – Zły pomysł.

– No, ale to ciekawe – nie ustępuje Hanka. – Milion było tematów z romansami księży, ale żadnego z zakonnicą. Taka też w końcu może dać dupy na skutek szału zmysłów.

– Nie dla nas – ucina Bekon. – Mamy siedemdziesiąt procent trzody z małych miast i dziewięćdziesiąt zadeklarowanych katoli. Wykluczone.

– To niech się zakocha, ale bez dawania dupy.

– Nudne – wzdycha Donatan.

Zapada cisza. Jarzeniówki bzyczą nad naszymi głowami. Dlaczego tu musi być tak obskurnie? W końcu serial naprawdę nieźle idzie, mogliby się szarpnąć na jakieś lepsze lokum. Nie znoszę tej trupiarni przy Chełmskiej. Polskie Hollywood, żal dupę ściska. Same baraki i syf – bardziej się to kojarzy ze skupiskiem hurtowni i magazynów niż z przemysłem filmowym.

– Pedofil! I niech wyrucha tę małą Wiktora! – wykrzykuje niespodziewanie Larwa strasznym głosem i dodaje wyjaśniająco: – Wkurwia mnie to dziecko.

– O Jezusie! – wzdryga się Hanka.

– E! – Donatan czujnie podnosi głowę.

– Dobre? – Larwa spogląda niepewnie.

– Kto wie? Ale oczywiście bez ruchania.

– Tego jeszcze nie było – stwierdza Piotrek.

– Może nie bez powodu? – z ironią w głosie odzywa się Sylwia, która do tej pory nie odrywała wzroku od ekranu swojego ajpada i nie brała udziału w rozmowie.

– A kto ci to zagra? – z powątpiewaniem w głosie mówi Bekon. – Bo nikt ze stałej obsady. Nie ma mowy, żeby wmanewrować w coś podobnego któregoś z głównych bohaterów.

– Och, znajdzie się jakiś desperat – wzrusza ramionami Donatan. – Wprowadzimy nową postać.

– Na ile?

– Piętnaście odcinków.

– I niech się potem powiesi! – woła z entuzjazmem Larwa, wyraźnie oszołomiona swoim sukcesem na polu fabularnej kreacji.

– Już się jeden u nas wieszał. Lepiej niech go zamkną. Będzie z morałem.

– Może jakiś Ruski? – proponuje Piotrek.

– A wiesz, że to niezły pomysł? – Bekon spogląda na niego z uznaniem. – Ale lepiej Ukrainiec. Kurwa, oni tam mają dobrych aktorów. Co myślisz, Donatan?

– Trzeba by bardzo delikatnie ugryźć. Nośne – Donatan zamyśla się na chwilę. – Ale niech on tylko molestuje, bez defloracji czy coś. Może nawet tylko przez internet? A jak go zamkną, zrobimy wątek z terapią tej gnojówy. Który to będzie odcinek? Mniej więcej pięćset dwudziesty powiedzmy, w sam raz na jakiś skok w bok. Wiktor puknie terapeutkę, trzeba będzie znaleźć jakąś ładną, wredną blondynę.

– Niech będzie od niego starsza – proponuje Aśka. – Bo to ciekawe.

– Ale nie za dużo – Bekon czujnie łypie okiem. – Smacznie ma być. Wiktor ma cztery dychy, cipa może mieć góra czterdzieści cztery. Żeby mi cycki nie wisiały! Nie, nie. Lepiej młodszą.

Siedzę oniemiała i gapię się na Larwę baranim wzrokiem. Pedofilia! Dlaczego na to nie wpadłam? Doskonały motyw do Książki! Zagłada w krainie Pustaków. Oni są zupełnie nieprzygotowani na coś takiego, ileż tu możliwości! A literacko doskonałe, mało kto tego dotyka, a już na pewno nie żaden piszący facet, boby go z miejsca ukrzyżowali. No, na debiut wymarzony temat!

Larwa ma łzy szczęścia w oczach, za chwilę chyba naprawdę się rozpłacze.

– Ty Monika jesteś, tak? – upewnia się Donatan.

Larwie ze wzruszenia odbiera głos, potakuje tylko głową.

– Dobra robota. Masz ten wątek – informuje Bekon.

– Mam? – udaje się wykrztusić Larwie.

– Tak, poprowadzisz ten wątek, przecież mówię. Dostajecie wszystkie sceny z pedofilem.

Maciej, który pracuje z Larwą, rzuca jej mordercze spojrzenie. Larwa zielenieje na twarzy.

– Ale kiedy ja niewiele o tym wiem – bąka. – Znaczy się o pedofilii...

– No to się dowiesz – Bekon zamyka laptopa zamaszystym gestem, a ja uśmiecham się pod nosem.

Zarżną ich. Te sceny będą poprawiane bez końca, aż do samych zdjęć, a pewnie i w trakcie. Larwa, która już wie, że wykopała pod sobą i pod Maciejem bardzo głęboki wilczy dół, łapie się za głowę. Nie chciałabym być na jej miejscu przez najbliższych kilka miesięcy, a już z pewnością – sądząc z morderczej miny Macieja – nie przez najbliższy kwadrans.

II

– Żartujesz?! Naprawdę? – wytrzeszczam oczy.

– A ile ona ma lat? – Małgosia robi sceptyczną minę.

– Kto? – Anka stawia na środku stołu salaterkę z makaronem i siada naprzeciw mnie. – Sorry, że tak byle jak, przetrzymali mnie. Gdybym jeszcze pojechała do sklepu, wróciłabym po dziewiątej. Może być?

– Może – Gośka kiwa głową. – Lubię pesto. Ta mała. Ile ma?

– Mała? Wiktoria Wiktora? Teraz to chyba ze trzynaście.

– Łeeee, to co to za pedofilia? – wzrusza ramionami Małgosia. – W Japonii można uprawiać seks od trzynastego roku życia.

– Oczywiście, że to pedofilia – oświadczam. – Oni naprawdę chcą wprowadzić do serialu taki wątek?

– Tak. To przecież istotny problem – Anka nakłada na mój talerz kopiastą porcję makaronu.

– Ale może nie w operze mydlanej...

– A dlaczego niby nie? W końcu musi być blisko prawdziwego życia.

– Mogę to dać na Fejsa? – niewinnym głosem pyta Małgosia, a Anka prawie się krztusi.

– Oszalałaś? Niech cię ręka boska broni!

– No przecież wiem – Małgosia wywraca oczami. – Rżacz.

– Ani słowa o „Oknach" na Fejsie, Instagramie czy gdziekolwiek – podkreśla Anka.

– Aha – wzdycha Małgosia.

– A u ciebie jak? – Anka spogląda na mnie.

– Tak samo.

– Rozmawiałeś jeszcze z Agnieszką?

– Kto to jest Agnieszka? – pyta Małgosia.

– To Bekon taty – wyjaśnia Anka.

– Moja szefowa.

– O! Czyli Słonina? – Małgosia zaczyna się śmiać.

Mnie to nie śmieszy. Dziś Agnieszka znowu przesiadywała w bufecie z Sebastianem. Nie będę zdumiony, jeśli do prima aprilis to jednak on poprowadzi niusy samodzielnie, a ja dostanę blok sportowy. Oczywiście, jeśli dobrze pójdzie i nie wylecę całkiem. O Boże, jak mi się chce papierosa!

– A w czym problem? – pyta Małgosia.

– W tym, że mam prowadzić niusy z tym nowym – mówię.

– Z tym słodkim? – upewnia się moja córka.

– Nie wiem, czy słodkim. Z Sebastianem.

– On jest słitaśny – oświadcza Małgosia, a po chwili dodaje: – Ale jeśli chcesz, to przestanę go lubić.

– Nie musisz – rzucam i zanim udaje mi się powstrzymać, dodaję: – Ale to słoik jest, jakbyś nie wiedziała.

– Te, Warszawka! – odzywa się Anka karcąco. – Jakbyś nie wiedział, to sam się ożeniłeś ze słoikiem.

– Ty nie jesteś słoik, tylko przyjezdna – uśmiecham się wyrozumiale. – Przeniosłaś się z Puław do Warszawy jeszcze w zeszłym stuleciu, to się nie liczy.

– Zaraz po kolacji odkleję się od jego fanpejdżu – oznajmia Małgosia.

– On ma fanpejdż?! – wykrzykuję ze zgrozą.

– No pewnie, że ma – spogląda na mnie zdziwiona. – Nie wiedziałeś? Dobił do pięciu tysięcy na Fejsie, a na fanpejdżu można mieć tylu ludzi, ilu się zgłosi. Mama też jest podklejona.

– Gośka! – Anka patrzy na nią złym wzrokiem i mówi do mnie: – Tylko ze względu na ciebie.

– W jakim sensie ze względu na mnie?

– Przyjaciół trzymaj blisko, ale wrogów jeszcze bliżej. Sprawdzam, co on kombinuje, i czuwam.

– On nic nie kombinuje – wzrusza ramionami Małgosia. – Po prostu się pokazuje, i tyle.

– Jak to się pokazuje? – pytam słabym głosem.

– No, na siłce, w knajpach, na imprezach. Co ma w szafie, co je, na co wydaje hajs i że dużo go ma. Takie tam. Dostaje sporo propsów i mało hejtów, ale w sumie dopiero co zaczął.

– Co zaczął?

– No, być widoczny – wyjaśnia Małgosia. – Jak ktoś jest nowy na bufecie, to wszyscy są ciekawi i raczej nie hejtują. Dopiero jak się przeje i ludzie nim już rzygają, zaczynają takiego niszczyć.

Anka przygląda się jej z namysłem, sięga po ajfona i otwiera notatnik.

– Na bufecie? – upewnia się.

– No, jak zaczyna być widoczny i serwuje się ludożerce do konsumpcji. Rozumiesz?

– Mniej więcej – wpisuje coś do telefonu.

– Chcesz mieć fanpejdż? – pyta mnie Małgosia. – Mogę ci założyć.

– Nie – natychmiast kręcę odmownie głową. – Wiesz, że tego nie znoszę.

– Ale to trochę być albo nie być – wzdycha moje dziecko. – Jak kogoś nie ma w necie, to nie ma go wcale.

Mnie nie ma w necie. Nie, bez przesady. Trochę mnie jest. W Wikipedii, gdzieś tam w wirtualnych wydaniach plotkarskich podcirdup, na stronach telewizji. Ale nie mam Fejsa ani Instagramu, ani nawet Twittera – zlikwidowałem wszystkie konta kilka miesięcy temu, bo czuwanie nad nimi kosztowało mnie za dużo zdrowia. Gdybym założył sobie fanpejdż akurat teraz, wszyscy pomyśleliby, że zrobiłem to tylko ze względu na Sebastiana.

A gdybym zebrał mniej lajków od niego? Masakra! To był błąd, co mnie podkusiło? Trzeba było dalej prowadzić te profile, robić sobie zdjęcia w windzie, w kiblu, gdziekolwiek! Teraz naprawdę nie liczy się, co i jak robisz, ale to, że cię widać. No i powinienem zapisać się na siłownię, miałem rację, ten cholerny słoik ćwiczy! Nic dziwnego, że ma takie łydki. I jeszcze sobie zdjęcia robi na siłce... Pewnie w szatni. Ciekawe, czy można zajrzeć na jego profil bez rejestracji...

– A jak ten twój nowy Kris? – zmieniam temat.

– Och, sama nie wiem – Małgosia wydyma usta i rozgrzebuje widelcem makaron na talerzu. – Właściwie fajny. Ale trochę dziwny. Nie bardzo wiem, co mu siedzi w głowie.

– Wiadomo, co siedzi w głowie dziewiętnastolatkowi – kwaśnym tonem rzuca Anka.

– Właśnie jakby nie – niechętnie odzywa się nasze dziecko. – Ogólnie jest w porządku. Wie, o co chodzi, jest zabawny. Ale zadaje dziwne pytania.

– Pytania? Jakie?

– No, o was na przykład.

– O nas? – Anka patrzy czujniej. – A konkretnie?

– Konkretnie to o tatę.

O mnie? Co ten chłopak ma do mnie? Gapię się na nią baranim wzrokiem.

– Ale o co pyta? – naciska Anka.

– O pierdy zupełnie nieistotne. Czy często chodzicie na melanże, czy tata raczej chodzi sam. Czy ćwiczy na siłce, co lubi, czy dużo czasu spędzacie razem. Głupoty, ale trochę to dziwaczne.

– Pytał cię, ile ojciec zarabia? Albo ja? – odzywa się Anka po krótkiej chwili.

Jest zdenerwowana. Mówi o mnie per ojciec tylko wtedy, gdy jej ciśnienie skacze. Swoją drogą, też jestem zaniepokojony.

– Nie, o pieniądze wcale nie pytał. I to jest właśnie dziwne, bo oni najczęściej najpierw o to wypytują, gdy się orientują, że oboje pracujecie w rozrywce.

– Niusy to nie rozrywka – mówię odruchowo.

– No, to w telewizji, niech będzie – Małgosia wzrusza ramionami.

– Ale jacy oni cię o to pytają? – Anka uważnie przygląda się naszej córce.

– Faceci – wyjaśnia. – Wydaje im się, że skoro ty robisz serial, a tata występuje przed kamerą, to musimy mieć kasiory jak lodu.

– Słuchaj, mówiłaś, że on chodzi do liceum, tak? – zamyśla się Anka.

– Tak, na Bednarską. A co?

– Czy on nie jest trochę za stary na liceum? Nie powinien być już po maturze?

– Teoretycznie powinien – kiwa głową Małgosia. – Ale on się nie urodził w Polsce, ale chyba w Hiszpanii czy Portugalii. Przeprowadził się tu z rodziną parę lat temu i musiał nadganiać. Ma prawie dwa lata opóźnienia. Ja mam rok do przodu, bo mnie posłaliście do szkoły wcześniej – podobny mechanizm, tylko odwrotny. Dobra, idę coś sobie pooglądać. Dzięki.

Małgosia wychodzi z kuchni, a Anka zbiera talerze i wkłada je do zmywarki.

– Ej, nie ma się czym przejmować – mówię do niej.

– Oczywiście, że jest się czym przejmować! – odwraca się na pięcie i rzuca mi mordercze spojrzenie. – Ciebie to nie niepokoi?

– No, niepokoi, ale to przecież dzieciak.

– Dzieciak! Ma dziewiętnaście lat! A zresztą kto powiedział, że on jest sam?

– Sam?

– Może to jakiś gang? Nie przyszło ci do głowy? Robi rozpoznanie!

– Jakie rozpoznanie?

– No, nas! Co ty robisz, co ja robię. Czy wychodzimy, czy nie.

– Ale po co?

– Żeby nas okraść! – Anka prostuje się nagle i spogląda na mnie z przerażeniem. – Albo chcą nam dziecko porwać!

– Aniu, to nie są „Okna miłości" – wstaję i podchodzę do niej. – Chyba za długo siedziałaś na tym kolegium.

Próbuję ją objąć, ale odsuwa się ode mnie.

– To prawdopodobne!

– Wiele rzeczy jest prawdopodobnych. Ale nieczęsto się zdarzają. Ten cały Kris jest po prostu zakręconym dzieciakiem. Rozmawiałem z nim przecież. Trochę dziwny, i tyle. Może ma problemy w domu? Może jest samotny? – mówię i biorę sobie piwo z lodówki, a potem dodaję żartobliwie: – Może zobaczył, jacy jesteśmy szczęśliwi i poczuł zazdrość?

– Nie wygłupiaj się! Szczęśliwi! – prycha Anka. – Dowiedz się, jak on ma na nazwisko. Wyguglują go i sprawdzę, kim są jego rodzice.

– Przestań wariować. Jak mam się dowiedzieć?

– Zapytaj ją. Tobie powie.

– Dobrze – daję za wygraną. – Może też coś sobie obejrzymy? Ściągnąłem dwa filmy.

– Muszę sprzątnąć – Anka odwraca się i pochyla nad zlewem. – A potem popracuję. Ewentualnie później.

Ewentualnie, czyli wcale. Wychodzę do przedpokoju i przystaję przed drzwiami pokoju Małgosi. Są zamknięte, za szybą z marszczonego szkła jarzą się pomarańczowe lampki, które rozwiesiła sobie nad łóżkiem. Nierówności szyby rozpraszają miodowe światło i zniekształcają obraz – zupełnie jakbym zaglądał do wnętrza bursztynu, w którym moja córka tkwi niczym zatopiony owad. Pukam i naciskam klamkę.

Małgosia leży na łóżku z laptopem na brzuchu. Odrywa oczy od ekranu i wyjmuje z ucha jedną słuchawkę.

– No? – pyta. – Mów szybko, bo jest zarąbiasty odcinek „Grimma".

– Który sezon?

– Drugi.

– Ja już jestem przy trzecim. Będzie się działo, zobaczysz! Na końcu drugiego ten...

– Spoiler! – wykrzykuje Małgosia i przyciska ręce do uszu.

Uśmiecham się i siadam na fotelu obok biurka. Potem robię poważną minę i wzdycham.

– Oho – odzywa się Małgosia. – Czyli lepiej zastopować, co?

Klika w taczpad laptopa i wyjmuje drugą słuchawkę.

– Mama się denerwuje – mówię.

– Czym znowu?

– Tym chłopakiem.

– Jakby było czym.

– Może jest – mówię.

– Chcecie wiedzieć, jak on się nazywa, co? – przygląda mi się badawczo i puszcza oko. – Chcecie mi narobić siary. Nie powiem ci.

– Nie uważasz, że lepiej wszystko sprawdzić?

– Nie ma co sprawdzać. Nie mówiłam przy mamie, ale myślę, że on po prostu na ciebie leci.

– Ale lepiej... – zaczynam, urywam, oblewa mnie żar i wytrzeszczam na nią oczy: – Co ty powiedziałaś?

– Myślę, że na ciebie leci. Wpadłeś mu w oko. Czuje do ciebie miętę. Nie wiem, jak jeszcze to wyrazić.

– Ale... On... Jak? – jąkam się, a Małgosia zasłania usta ręką i chichocze.

– Żebyś widział swoją minę!

– Bo... Jak to? – dukam bezradnie.

Leci na mnie? Przecież to dziecko! On jest niewiele starszy od niej i w ogóle...

– On jest gejem? – pytam wreszcie.

– Tego typu generalizowanie jest niepoprawne politycznie – oświadcza Małgosia. – Nie wiem na mur, ale chyba tak. A może nie. W każdym razie ewidentnie się tobą interesuje. Nie wiem jeszcze, czy seksualnie.

– O Jezu – bąkam. – Nie powinnaś mi mówić takich rzeczy. To zupełnie nie... Jestem twoim ojcem, a nie...

– Wolisz, żebym nie mówiła? Mogę nie mówić.

– Tak. Nie! Nie o to chodzi! – biorę się w garść.

Jak postąpić? Myślę, że mamy z naszą córką lepszy kontakt, niż większość rodziców jej kolegów i koleżanek ma ze swoimi dziećmi. Zawsze traktowaliśmy ją jak partnerkę w rozmowach, nawet gdy była całkiem mała, i to przyniosło dobre rezultaty. Nie kłamie notorycznie, jest rozsądna, nie robi żadnych głupot. Dajemy jej swobodę, której nigdy nie nadużyła. Nauczyliśmy ją myśleć, mówiliśmy o wszystkim. Ale jednak zawsze w relacji rodzice – dziecko. Nagle dociera do mnie, że ta hierarchia się zmieniła – pewnie zmieniała się od dawna, ale nie zauważyłem tego. Ona jest już właściwie kobietą, za niecały rok będzie pełnoletnia. To poniekąd kluczowy moment – decyduje się, czy ja, czy my będziemy jej przyjaciółmi czy „starymi". Do tej pory skutecznie unikaliśmy takiego rozróżnienia, choć łatwe to nie było. Ale też pewne sfery życia pozostawały naszymi prywatnymi sprawami. Oczywiście rozmawialiśmy z nią o seksie, związkach, miłości. Pamiętam, gdy zakochała się po raz pierwszy na serio i oczywiście nieszczęśliwie – o tym też z nami rozmawiała. Jednak stanowiliśmy oboje rodzaj pewnej... hm... aseksualnej siły wyższej. Dziś po raz pierwszy Małgosia postawiła mnie na poziomie równym sobie. To, że mógłbym być obiektem czyjegoś, powiedzmy, afektu czy pożądania, nie budzi w niej niechęci, niesmaku czy oburzenia. To chyba dobrze, choć dla mnie jest... No cóż – krępujące.

– Jesteś pewna, że chodzi właśnie o to? – odzywam się po długiej chwili i silę się na spokojny ton. – Że mu się... Podobam?

– Głowy nie dam. To jedyne logiczne wytłumaczenie, jakie przychodzi mi do głowy – oznajmia spokojnie. – Chyba że jest twoim psychofanem. Ale wątpię. Bo nawet nie ma cię na Fejsie.

– A czy jemu... No, czy zorientowałaś się, że mu się podobają chłopcy?

– Nie jestem pewna. Fajnie się całuje, ale to...

– Całowałaś się z nim? – wykrzykuję. – Przecież wy się znacie dopiero... Kiedy?

– Wtedy – odpowiada z przekorą w głosie Małgosia. – I nie ja się z nim całowałam, tylko Natalia. Skoro tak się denerwujesz tą rozmową, nie trzeba było jej zaczynać. Nie powiem wam na razie, jak on się nazywa, bo mi narobicie wstydu. Sama sobie poradzę. A gdy się zorientuję, że coś jest bardzo niehalo, to do was z tym przyjdę. Może być?

– Ale...

Niewiele mogę zrobić w tej sytuacji. Muszę jej zaufać. Kiwam głową, Małgosia wkłada słuchawki do uszu i wlepia oczy w ekran laptopa. Idę do dużego pokoju, siadam przed laptopem i włączam „Dark Souls II", które Bandai wypuściło zaledwie tydzień temu. Jedynka była lepsza, ale nawet się wciągnąłem.

Leci na ciebie (*nie lubi mnie pan? Nic a nic?*). Nastolatek. Już właściwie mężczyzna (*jest za duży*). Żołądek mi się zaciska, czuję w nim drżenie. Wyłączam grę, wstaję i podchodzę do okna. Gwałtownym ruchem odsuwam firanki, patrzę na ulicę. W domu naprzeciw – jednym z tych niższych, droższych apartamentowców – prawie wszystkie okna są rozświetlone. Ci, którzy tam mieszkają, raczej nie muszą oszczędzać na prądzie, ale chyba niewiele osób tu, na Marinie, musi. Robi mi się zimno, choć przecież wciąż jeszcze grzeją. Kaloryfer przy moich kolanach jest gorący, ale jest zimno, mięśnie mi drżą (*da mi pan swój numer?*).

– Powiedziała ci? – głos Anki rozlega się za moimi plecami tak niespodziewanie, że podskakuję.

– Nie.

– Źle się czujesz? Jesteś jakiś blady.

– Zimno mi.

– Zimno?! Przecież tu jest ponad dwadzieścia stopni – dziwi się Anka, podchodzi i kładzie mi dłoń na czole.

Pachnie kremem do rąk, jest lepka.

– Czoło masz zimne – stwierdza.

– Nic mi nie jest.

– Zrobię ci herbaty, co? Albo kanapkę. Prawie nie ruszyłeś tego makaronu. Zrobię ci kanapkę

Kiwam głową, chcę, żeby wyszła.

Odwracam się i znowu spoglądam na okna apartamentowca. Muszę zapalić, bo umrę. Ale jak to zrobić? Jeśli Anka zorientuje się, że sięgnąłem po papierosa, urwie mi łeb. Muszę wyjść z mieszkania, ale jak to uzasadnić? Mam czterdzieści lat! Będę się czaił z fajką pod jakimś śmietnikiem jak szczyl? Nie ma mowy!

– Masz – Anka wchodzi do salonu i podaje mi talerz.

Postarała się. Kanapka ma na wierzchu plasterek pomidora ozdobiony rozradowaną buźką z majonezu.

– O, dziękuję – mówię i uśmiecham się do niej. – Jesteś cudowna. Ale za chwilkę. Zostawiłem w aucie grafik na przyszły tydzień, muszę zejść do garażu.

– Okej. Ja sobie pójdę popisać trochę. Na pewno dobrze się czujesz?

– Świetnie – kiwam głową.

Odczekuję, aż zamknie się w swoim pokoju, a potem chwytam bluzę i wybiegam na korytarz. Muszę zjechać do auta, mam drobne na parkomat w popielniczce. Nie mogłem zabrać portfela, który leży na bufecie w salonie. Zorientowałaby się, choć mało prawdopodobne, żeby wyszła z pokoju, jeśli naprawdę pisze. Ale lepiej nie ryzykować.

Zjeżdżam windą na poziom garaży, pędzę do auta i wygarniam monety z popielniczki. Jest piętnaście złotych. Zamykam volvo, biegnę do klatki schodowej. Kiosk przy Batidzie jest czynny chyba do dziesiątej, to nie zajmie nawet pięć minut. Wypadam na ulicę i świńskim truchtem ruszam do Przejazd. Potem schowam papierosy w samochodzie. A może jednak wyrzucić? Nie, wykluczone. Ale jeśli zostawię pudełko w schowku, będzie mnie ciągnęło. Raz mogę zejść do garażu, ale jak uzasadnić kolejne wyjście? Cholera! Piętnaście złotych! Czy wystarczy na paczkę papierosów i gumę do żucia? E, chyba wystarczy, w razie czego wezmę tic taki.

Skręcam za róg, mijam Batidę i dopadam do drzwi rileja. Zamknięte.

Tępo wpatruję się w tabliczkę za szybą. Jest środek tygodnia, nie ma żadnego święta. Dlaczego ta krowa, która tu siedzi, akurat dziś musiała zamknąć wcześniej? Za przeszklonym skrzydłem widzę krótką ladę, a za nią cudowną paletę czerwono-biało-niebiesko-czarnych paczek. Szczęście po dwadzieścia sztuk w opakowaniu. Nigdy nie zwróciłem uwagi, że tak mało papierosów ma zielone pudełka. Odwracam się i opieram plecami o drzwi. Jest jeszcze spożywczy, całkiem niedaleko. Ale ile czasu można szukać w aucie kilku kartek? Jutro kupię papierosy. Jakoś dożyję.

Zawracam i idę wolnym krokiem do domu. Zadzieram głowę i patrzę na nasze okna. Salon, sypialnia. Pokój czy też – jak ona go nazywa – gabinet Anki. Światło jest zgaszone. Dlaczego? Och, przecież ona czasami sterczy po ciemku przy oknie! Myśli – tak twierdzi. Może mnie zobaczyć! Trzeba było wracać naszą stroną ulicy!

W przypływie irracjonalnego przerażenia uskakuję w bok, w cień zadaszenia nad wjazdem do garaży domu stojącego naprzeciw naszego. Stary dziad, a zachowuję się jak gimbaza! Tracę równowagę. Koślawo podbiegam dwa kroki, wyciągam ręce, żeby się oprzeć o ścianę. Moje palce trafiają na coś miękkiego...

– Hej! – męski głos z lekką irytacją odzywa się w ciemności. – Może bez przesady, co?

– O, kurde! – wykrzykuję. – Sorry! Nie widziałem pana. Potknąłem się.

– W porzo – mówi mężczyzna.

W mroku rozświetla się czerwony ognik żaru papierosa. Na jego widok wyrywa mi się jęk z piersi.

– Przepraszam. Nie ma pan jednego na zbyciu?

– Papierosa? Nie, niestety. Zostawiłem paczkę na górze.

– Zszedłem do kiosku po fajki, ale zamknięty – mówię.

Zapach dymu. Raj na ziemi.

– Spożywczy jest czynny.

– No tak, ale nie mogę na tak długo... Bo się w domu zorientują. Wie pan, ja nie palę – dukam.

Facet zaczyna się śmiać. Oczy przyzwyczajają mi się do mroku, zresztą wcale nie jest tu tak ciemno. Jak mogłem go nie zauważyć? Spory chłop, mojego wzrostu, albo wyższy nawet. Chyba odrobinę młodszy. Szczupły, zdaje się całkiem przystojny – rysów twarzy nie widzę zbyt dokładnie. Też ma na sobie bluzę z kapturem.

– Jasne – mówi. – Hm... Chce pan macha?

– Nie, no... – certolę się.

Podnosi rękę z papierosem, przesuwa mi ją przed oczami.

– Tak! Jutro kupię panu całą paczkę!

Śmieje się znowu i podaje mi papierosa. Chwytam go między kciuk i palec wskazujący, podnoszę do ust i zaciągam się głęboko. Mentolowy, ale co tam. Smakuje nieziemsko. Ustnik jest odrobinę wilgotny.

– O matko jedyna! – wypuszczam dym z płuc z jękiem rozkoszy i oddaję mu papierosa.

Jego palce dotykają moich. Są chłodne i suche. Facet jest na pewno młodszy ode mnie, ale chyba nieznacznie – obstawiam trzydzieści siedem, osiem lat. Nosi brodę, to trochę postarza, przynajmniej do pewnego wieku. Sam się zastanawiałem, czy nie zapuścić, ale jakoś nie mogę się zdecydować.

Wsuwa papierosa między wargi, zaciąga się. Pomarańczowy żar podpełza w stronę ustnika.

– Pan też nie pali? – pytam idiotycznie.

– Palę. Ale nie w mieszkaniu, a nie mamy balkonu – uśmiecha się. – I może już tak sobie nie panujmy, skoro się dzielimy szlugiem. Jestem Wojtek.

III

Mamuśka gapi się w telewizor. Chodząca fabryka dwutlenku węgla i odchodów. Życie tej kobiety to tylko wchłanianie i wydalanie. Przerażające. Ogląda jakiś film. Przez krótką chwilę mam ochotę włączyć swój telewizor i odszukać odpowiedni kanał, żeby zidentyfikować szmirę, ale to przecież nieistotne.

Poprawiam lornetkę i oglądam pokój. Meble z Ikei, przynajmniej fotele. Długi, niski regał pod telewizorem wygląda na drogi, lampy też. Industrial, nie przepadam za takim stylem. Tatusiek nieźle zarabia. Ich mieszkanie jest trochę mniejsze od naszego, aczkolwiek nie znam rozkładu. Może z drugiej strony budynku mają jeszcze jakieś inne pomieszczenia poza garderobą i łazienką. Mogłabym przespacerować się na podwórko, ale wątpię, żeby udało mi się zidentyfikować ich okna. Jakie to zresztą ma znaczenie, ile tam jest pokoi?

O, jest i Tatusiek. Rozsiada się na fotelu z laptopem na kolanach, zerka na ekran telewizora. Czym się zajmuje? Może jest bankowcem? Chyba nie, oni chodzą do pracy w czarnych garniturach, jak grabarze, a ten nosi popielate, a raz założył nawet śliwkowy. Sieć komórkowa? To możliwe. Mój pustaczy Tatusiek z Książki jest maklerem, ale teraz dochodzę do wniosku, że to banalny wybór. Zresztą obawiam się, że za mało wiem o giełdzie, żeby wypadło wiarygodnie.

Odkładam lornetkę i siadam przy komputerze. Czytam ostatni akapit. Dobre. Ja to napisałam. Gdy Książka już będzie skończona, gdy się ukaże... Och! Przeszywa mnie dreszcz rozkoszy. Powiem Bekonowi, żeby się pierdolił. Użyję właśnie tego słowa. Już widzę ich miny. Widzę miny wszystkich. Rozdepczę ich jak mrówki.

Kto ma być pedofilem? Tatusiek? Zbyt oczywiste. Niech to będzie ktoś, kto już pojawił się w ich życiu, może nawet jest w nim od dłuższego czasu. Musi być obcy, ale oswojony. Ktoś, kogo widują często, z kim nawet zamieniają co jakiś czas kilka zdawkowych słów. Zamaskowany potwór, wilk w babcinych papilotach. Sąsiad oczywiście. Czy Pustaki mają już jakichś sąsiadów? Chyba nie pisałam o nikim takim. Musiałabym przeczytać wszystko od początku, ale jakoś nie mam siły.

Przesuwam dokument w górę, potem w dół. Dwadzieścia trzy tysiące słów, każda litera jest moja. W radosnym uniesieniu przebiegam wzrokiem tekst. Wyłapuję kilka literówek, tu brakuje przecinka. To trzeba zmienić. Ale później, później. Teraz piszę...

Przewijam dokument do samego dołu, klikam kursorem w ostatni wiersz i opieram dłonie na blacie biurka. Czy Wiera to dobre imię? Trochę niedzisiejsze, ale jakże oryginalne. Choć czy nie za bardzo jedzie ruszczyzną? Niewskazane nawiązanie, a przecież to ruskie imię! Wcześniej kojarzyło mi się z dwudziestoleciem międzywojennym, dopiero w tej sekundzie mnie olśniło...

– Fak! – rzucam na głos, odchylając się na fotelu.

Przymykam oczy i czuję, jak w ułamku sekundy ogarnia mnie irracjonalna wściekłość. Czy jednak rzeczywiście irracjonalna? Tkwię unieruchomiona w tym moim życiu jak mucha opleciona pajęczyną w pułapce pająka, szamoczę się, a każdy ruch krępuje mocniej moje ciało i duszę! Bekon, serial, ludzie! Nawet Paweł i Gośka! Wszyscy bez przerwy czegoś ode mnie chcą, szarpią mnie w tę i nazad jak szmacianą kukiełkę, jak te psy wściekłe wyrywające sobie z pysków ochłap mięsa! Pieniądze, pierdolony Leon, ten dom mój prawie, ale wciąż nie całkiem, ta baba upiorna, co się w nim zalęgła! Gaz zapłać, prąd zapłać, wodę! Śmieci segreguj, szkło oddzielnie, jasne – butelki, słoiki – ale co z nakrętkami? Nie wiem, nie powiedzą człowiekowi. Gdzie indziej wyrzucać? Zostawiać?

Jeść daj, ugotuj, kup, sprzątnij! Sprawy co chwilę nowe jakieś, niecierpiące zwłoki. Natychmiast myśl o tym, zajmuj się! No przecież ja się nie mogę skupić w ogóle, nie mogę funkcjonować w tej matni! Jak mam tworzyć?! Jak wznieść się na ten poziom wyższy wewnętrzny, oświecony?! Harmonia jest niezbędna do tego! Cieplarnia psychologiczna! Równoważnia emocjonalna! Pisarz potrzebuje swobody psychicznej, jakiejś przestrzeni własnej nieskażonej, warunków odpowiednich. Wsparcia! O, właśnie! Wsparcia mi trzeba! Ale nieinwazyjnego, nie osaczającego! Nie pytań w rodzaju: „Ile już napisałaś?". Co cię to, do kurwy nędzy, obchodzi, ile ja napisałam? Tyle napisałam, ile trzeba mi było napisać! Będę chciała, napiszę dwa słowa albo dwieście tysięcy, nic nikomu do tego! Zresztą przecież nie liczy się ilość, nawet nie jakość, ale przekaz! Ta myśl istotna ujęta celnie, wyrażona, olśnienie jakieś ze słów bijące! Synteza! A inni publikują, piszą, wydają co rusz jakieś gówno nowe. I to się ukazuje, bo oni – te beztalencia cwane – wiedzą, komu wsadzić, komu obciągnąć właściwemu, komu wylizać jak trzeba, żeby wypromować ten swój szajs, tę kiłę-mogiłę niewartą nawet splunięcia! I jeden drugiego lansuje, głaszcze po główce i rączka rączkę myje. Bo dziś tekst sam się nie obroni! Trzeba się wypiąć, wystawić, obnażyć do kości, skompromitować spektakularnie, zaszokować, cokolwiek! Pedałem być czy lesbijką jakąś, dendrofilem, nie wiem, żeby do telewizji zaprosili, w gazecie opisali. Żeby pokazali człowieka, o książce powiedzieli i ludziom w oczy zaświecili, uwagę zwrócili, wmówili, że to coś warte! A ludzie głupieją z dnia na dzień. Już nie wiedzą, co dobre, co złe. Lecą jak lemingi do sera, kupują ten cały chłam, te książki do dupy niepodobne! Popyt spada, na rynku coraz ciaśniej, bo teraz nikt czytać nie chce, ale każdy chce pisać, każdemu się wydaje, że może, bo to nic nie kosztuje. Walenie konia w klawiaturę! Kiedyś to przynajmniej na papier trzeba było wydać, na taśmę do maszyny, kiedyś to był jakiś trud fizyczny, co tych leniwych najbardziej zniechęcał, odstręczał. A teraz byle każdy Worda sobie otworzyć może i wysrać z głowy całe szambo, co mu między uszami bulgocze. I na dodatek słownik mu to poprawi, nawet błędów nie będzie, choć dziś przecież sami dyslektycy w tym kraju żyją, co drugi to dyslektyk. I jeszcze z dumą to oznajmia, a przecież kiedyś błąd ortograficzny to był wstyd i kompromitacja! Dyslektycy! Matoły, lenie pieprzone, a nie dyslektycy, uczyć im się nie chciało! Kiedy ja do szkoły chodziłam, to w ogóle nikt takiego słowa nie znał – dyslektyk. Pisał człowiek dyktanda, tak długo przepisywał, po dwieście razy, aż się nauczył wreszcie, że rzeżucha, że grzegrzółka, że skuwka... O, Borze jedyny!

Trzęsę się cała, nie! No, ja nie mogę pisać w takim stanie!

Z wściekłością zamykam Worda. W ostatniej chwili przytomnieję, bo mało brakowało, żebym nie zasejfowała zmian. Wchodzę do poczty i ściągam gazetowego mejla. Chcą czegoś? O, chcą!

Czytam szybko. Dwie notki o książkach, tłumaczenia, nic nadzwyczajnego, mogę napisać z palcem w nosie. Recenzja. Z czego? Och, znam tę cipę, co to spłodziła. Kiedyś pracowałyśmy razem, jeszcze w „Profilach", sto lat temu. Była zastępcą sekretarza redakcji, fleja straszna, tłusta na dodatek. I taka książkę wydaje! To już naprawdę upadek, dno dna. Poddno. Co to jest? Powieść. No, tak. „Blaszane serduszko". Szkoda, że nie blaszany fiut. O czym? Przysłali mi całość w pedeefie, ale jeszcze nie upadłam na głowę, żeby życie marnować na czytanie takich popłuczyn.

Otwieram nowe okno w przeglądarce i wchodzę na stronę Empiku. Izabela Perkoć. Szukaj. Och!

Gapię się na monitor oniemiała. Ona wydała już cztery powieści. Jak to możliwe, że do tej pory o niej nie słyszałam? Kiedy ukazała się ostatnia? Dwa lata temu. Wtedy nic nie robiłam jeszcze dla dziennika, zresztą było gorąco w serialu, miałam urwanie głowy przez ponad pół roku. Jeszcze nawet nie zaczęłam Książki, ogólnie ją tylko planowałam, więc niespecjalnie mnie obchodziło, kto i co u nas pisze, bo umówmy się – polska literatura jest tak samo do dupy jak polski film i polska piłka nożna. Chociaż... O, ten tytuł chyba mi się o uszy obił, tylko nazwiska nie skojarzyłam. Dlaczego te książki mają takie wysokie rejtingi? Pewnie wydawnictwo zapłaciło. Albo sama sobie laurki pisze!

Przeskakuję do przeglądarki i szukam recenzji. Ile tego! Nie tylko blogerskie, są i prasowe. Ważne tytuły się nad nią pochyliły, jak ona to sobie załatwiła? No, na pewno nie tą obwisłą dupą! O Boże! I ten ją chwali? I ta też?!

Co ja mam zrobić? Odmówię, to ktoś inny jej wysmaży peany. Bo już widzę, że ją się chwali! O czym właściwie jest to zasrane serduszko? Czytam notkę od wydawcy:

Barbara i Jan nawiązują płomienny romans (było to już gdzieś! Zerżnęła imiona!). *On mieszka w jednym z warszawskich aparta-*

mentowców. Wiedzie pozornie spokojne, dostatnie i poukładane życie. Pracuje w jednej z wielkich korporacji...

Nie mogę tego czytać! Robi mi się gorąco. Koncept mi ukradła, pizda jedna! Już ja ci napiszę recenzję! Ale jakoś tak, żeby na pozór nie była zła, żeby właściwy przekaz dopiero po wnikliwszym czytaniu do mózgu dotarł. Podprogowo tak. Okej:

Izabela Perkoć przyzwyczaiła swoich czytelników do... Do czego? Do gówna ich przyzwyczaiła! Nie, inaczej:

Powieści Izabeli Perkoć (Pierdoć raczej) *przypadają do gustu niewybrednym, podobnie jak niewyszukane romantyczne komedie serwowane przez Hollywood i przekąski w niedrogich restauracjach. Jest płytko, kolorowo, słono i tłusto, wzruszenia są powierzchowne, postaci jednowymiarowe – łyka się to łatwo i szybko. Najnowsza propozycja Perkoć nie odbiega...*

Nie, nie można tak. Nie puszczą tego.

Chce mi się płakać. Po krótkim namyśle odpisuję, że ze względu na brak czasu nie zdążę przeczytać „Blaszanego serduszka", więc nie zdołam się wypowiedzieć pisemnie na jego temat. Za dużo mnie to kosztuje, nie mogę sobie serwować takich toksycznych emocji.

Recenzję jednak kończę. Poczekam kilka dni i wkleję ją chociaż do opinii czytelników w necie. Tymczasem daję każdej z książek Perkociowej po jednej gwiazdce, żałując, że w tym serwisie nie ma opcji z ujemnymi ocenami.

Wyłączam komputer i włączam lampy w gabinecie, a po namyśle gaszę je i idę do salonu.

– Paweł?

Nie ma go. Zaglądam do pustej sypialni, a potem chwytam za klamkę drzwi do łazienki.

Siedzi w wannie.

– O, tutaj jesteś – mówię. – To co, oglądamy coś?

– A która jest?

Sprawdzam godzinę na komórce.

– Jedenasta dochodzi.

– Nie, nie dam rady. Muszę być w studiu o szóstej rano. Idę spać.

Oczywiście. Akurat jak przydałaby mi się jakaś rozrywka, to ten idzie spać. A gdy piszę, to mi z głowy nie schodzi.

– Dobra – kiwam głową. – Chyba za gorącą wodę sobie nalałeś, jesteś purpurowy.

IV

Nie spuściłem się przez nią. Dobrze, że w ogóle usłyszałem, jak otwiera drzwi, właśnie przerwę sobie zrobiłem w waleniu. Co prawda parę razy już mnie nakryła, nawet się z tego potem śmieliśmy, ale tym razem... Opadł mi natychmiast, gdy ją zobaczyłem. Leżę przez chwilę w gorącej wodzie, dotykam się, ale już nic z tego. Było, minęło. Zresztą naprawdę późno się robi, rano będę nieprzytomny.

Wychodzę z wanny, wycieram się. Czyszczę nitką zęby, myję twarz i nakładam krem, który wetknęła mi Jolka charakteryzatorka, bo to „już najwyższy czas", jak powiedziała. Pewnie miała rację. Choć ogólnie nie jest jeszcze tak źle (*on czuje do ciebie miętę*).

W sypialni nastawiam budzik w komórce i jeszcze na wszelki wypadek drugi, z radiem, który stoi na szafce po mojej stronie łóżka. Otwieram ajpada i sczytuję główne tematy na jutro przysłane z niusrumu – teoretycznie to treść porannego wydania niusów, chyba że w nocy wydarzyłoby się coś dramatycznie ważnego. Zmartwychwstanie Jezusa albo eksplozja bomby atomowej. Na ogół jednak to, co przysyłają mi wieczorem, niemal słowo w słowo powtórzone jest następnego dnia na teleprompterze. Oczywiście Rosja, Obama, Merkel, roztopy, jakiś wynalazek. Nie umarł nikt ważny. Okej. Odsyłam mejla z potwierdzeniem, że mam. Odpalam sobie jeszcze „Temple Run II" – ale tylko do drugiej śmierci. Całkiem niezły dystans wychodzi, udaje mi się znaleźć po drodze dwa bonusy i cztery szmaragdy. Gdy ginę, roztrzaskując sobie łeb o łuk mostu (nie cierpię tej przeszkody, rozwalam się na niej prawie za każdym razem), odkładam ajpada i gaszę światło – oczywiście poza diodową lampką nad poduszką Anki, bo inaczej by się wściekła. Leżę na wznak, słucham, jak bije mi serce. Potem obracam się na bok. Szkoda, że się nie spuściłem, wieczorny wytrysk to dla mnie zawsze najlepszy środek nasenny. Coś czuję, że szybko nie uda mi się...

– Paweł! – Anka szarpie mnie za ramię, wbijam głowę w poduszkę.

– No co? – mamroczę. – Zostawiłem ci światło.

– Zaspałeś!

Przez sekundę majaczy mi myśl, że zwariowała, bo przecież jest dopiero jedenasta wieczorem, no, może dziesięć po, ale nagle dociera do mnie, co powiedziała. Zrywam się i siadam na łóżku.

– Co?!

Chwytam komórkę, wduszam przycisk, lecz ekranik ajfona pozostaje ciemny. Rozładował się! Ale budzik... Radio szumi. Boże, ktoś musiał przestawić skalę, mogłem nawet sam to zrobić niechcący. Dlaczego nie kupiłem elektronicznego budzika, tylko trzymam tego przedpotopowego rzęcha z pokrętłami?!

– Która godzina? – wyskakuję z łóżka.

– Za dziesięć – Anka jest potargana, mruży oczy, gapiąc się na trzymanego w ręku smartfona.

– Kurna! Ale która za dziesięć?

– Szósta.

Szósta. Czuję jednocześnie ulgę i niechęć. Gdyby to chociaż była ósma! Świat co prawda by mi się zawalił, ale przynajmniej mógłbym powiedzieć: „Trudno, stało się". A to pieprzone dziesięć minut to jednak szansa. Oczywiście nie dotrę do telewizji w tym czasie, ale mogę zjawić się przed wejściem na antenę, bo niusy startują o wpół do siódmej. Najwyżej nie zdążę się wypacykować.

– O Jezusie – wzdycham i pędzę do garderoby.

Gatki, skarpetki – niech będą wczorajsze. Koszula, krawat. Ten był wczoraj? Nie pamiętam. Wezmę niebieski, dawno go nie zakładałem. Popielaty garnitur, wczoraj mi go stylista wcisnął, jak dobrze, że zabrałem do domu, nie będę się musiał przebierać na miejscu. Miałem przymierzyć, ale w końcu Dominik ubiera mnie od dwóch lat, lepiej wie, co na mnie pasuje, niż ja sam.

Odrywam metki, wciągam spodnie – dobre. Jeszcze pasek. Buty. Marynarka.

Pędzę do łazienki, rozwiązany krawat powiewa za mną. Dopadam umywalki, myję zęby. Kurde, dezodorant, trudno. Nie będę się już rozbierał. Na wszelki wypadek zlewam się większą ilością hermesa niż zazwyczaj.

Pędzę po portfel do salonu, ajpad... Jest. Kurtka i kluczyki. Kluczyki...

Haczyk przy drzwiach, na którym zawsze wiszą, jest pusty.

– An...!!! – zaczynam, ale urywam natychmiast, bo przecież zabierałem je wczoraj wieczorem, gdy leciałem po fajki.

Dlaczego nie odwiesiłem na miejsce? To odruch! Bluza! Która godzina?

Sięgam po ajfona, zapominam, że jest rozładowany. Zresztą co mi to da, jeśli będę wiedział? Szybciej się nie przemieszczę. Kluczyki są w kieszeni bluzy z kapturem – mikroulga. Wypadam z mieszkania, drzwi trzaskają za mną głośno. Winda wlecze się nieznośnie. O tej porze nie ma korków, jedno, co dobre. Jak mogłem zaspać? Nigdy, przenigdy wcześniej mi się to nie zdarzyło!

Z piskiem opon wypryskuję z podziemnego parkingu i pędzę przez Marinę. Racławicka, Wołoska... Przejeżdżam dwa razy na czerwonym świetle, dodaję gazu – trudno. Jeśli radar mnie złapie, zapłacę mandat, i tak prawie nie mam karnych punktów. Skręcam w Koszykową, wypadam na plac Konstytucji. Szósta szesnaście. Och, komórka!!! Miałem podłączyć ją do ładowarki, szlag by to...

Parkuję auto przed wejściem do studia, gnam na łeb, na szyję po schodach.

– Paweł!!! – Agnieszka spada na mnie jak jastrząb tuż za progiem. – Co się stało?!

– Ja... – zaczynam, ale w ostatniej chwili włącza się mój instynkt samozachowawczy i macham tylko ręką: – Ech!

Robię przy tym minę „cud, że żyję", całkiem wiarygodnie wypada, bo widzę, że jej wściekłość słabnie.

– Masz sześć minut do wejścia! – mówi i wpycha mnie do charakteryzatorni. – Prędko! Dlaczego wyłączyłeś telefon?! Dzwoniłam milion razy!

Rzucam kurtkę na podłogę, Alka dopada do mnie z pędzlem, nie ma czasu na podkład.

– Prędzej!!! – piekli się Agnieszka i wyskakuje na korytarz.

– Masz szczęście, że zdążyłeś – szepcze Alicja. – Zadzwoniła po tego fiutka, ale przyjechałeś pierwszy. Chodź, dokończę cię na materiale.

Biegniemy korytarzem. Marta czeka na mnie za progiem studia, wpycha nadajnik mikroportu do kieszeni w marynarce.

– Pięć, cztery... – odlicza Michał.

Staję na podeście, szukam wzrokiem kamery. Jest, czerwona dioda.

Uśmiecham się zawodowo – niezbyt szeroko, niezbyt wesoło. Przyjaźnie, ale odrobinę melancholijnie. To taki rodzaj uśmiechu, po którym można bez problemu opowiedzieć zarówno o bohaterskim psie ratującym rodzącą z odmętów wezbranej rzeki, jak i o masowym mordzie. Jeśli tylko w nocy nie umarł prezydent USA, Rosji albo nasz, układ wiadomości się nie zmienił, a adrenalina podskoczyła mi tak, że pamiętam wszystko, co czytałem przed zaśnięciem.

– Dzień dobry. Konflikt zbrojny w... – zaczynam głosem energicznym i rześkim, ale także spokojnym i tchnącym pewnością siebie.

Przechylam lekko głowę, bo Agnieszka zaraz zacznie mi nadawać do ucha i podrzucać te swoje ukochane nawiązania z cyklu: mężczyzna wyskoczył z okna, a skoro o skakaniu mowa, w fabryce obuwia sportowego firmy Adidas, ulokowanej w południowym okręgu Chin, rozpoczął się strajk głodowy pracowników. Głód natomiast nie grozi obywatelom rosyjskim pomimo sankcji, bowiem... Cisza? Na ułamek sekundy tracę wątek. Ucho!

Marta nie dała mi suflera! Kątem oka widzę Agnieszkę, która wypada z reżyserki, trzymając się obiema rękami za głowę. Mówię dalej płynnie, lodowata bryła wyparowuje nagle z mojego żołądka. Zerkam na teleprompter, nie odrywając oczu od kamery – tego triku uczyłem się najdłużej. Nie ma żadnych zmian, nic się nie wydarzyło istotnego. Słowa same układają się w mojej głowie, czekają grzecznie w kolejce do ust. Od lat nie czułem nic podobnego. Teleprompter właściwie nie jest mi potrzebny. Zgrabnym ściegiem sunę do pierwszego materiału, schodzę z wizji.

– Minuta trzydzieści! – woła Michał.

Alicja dopada do mnie z pędzlem, pędzi ramię w ramię z Martą, która próbuje wcisnąć mi suflera do ucha. Mam ochotę ją odepchnąć, bo uświadamiam sobie, że to jest właśnie to, czego nie znoszę w tej pracy najbardziej. Nie sztucznego uśmiechu, nie czytania z teleprompera, ale słów, które sączą mi się do mózgu. Potrafię bez problemu je powtórzyć, nie mrugając przy tym nawet okiem i nie przerywając mówienia, ale te podszeptywane kwestie zagłuszają moje własne myśli, zostaje tylko instynkt. Dlaczego ona sądzi, że wie lepiej, w jakie słowa ubrać to, co mam powiedzieć?

– Dziesięć sekund! – woła Michał.

Oczywiście ucho jest mi potrzebne. Jeśli wydarzy się coś nieprzewidzianego, spłynie istotny nius, teleprompter będzie bezużyteczny. Informacja wsączy mi się do ucha. Byleby tylko Agnieszka nie podsuwała mi gotowych zdań.

– Aga, dzisiaj mi nie sufluj, okej? – mówię do niej. – Dam sobie radę.

Stoi obok kamerzysty blada jak ściana, włosy ma w nieładzie, nieprzytomny wzrok.

– Co? Jak to...

– Roztrzęsiony jestem, pogubię się – kłamię.

– Pięć, cztery... – odlicza Michał.

Płynę przez niusy jak motorowy jacht przez spokojny ocean pod bezchmurnym niebem. Nie tylko nie mylę się ani razu, ale nie umyka mi też ani na chwilę wątek, nie gubię kamery – przeskakuję wzrokiem od jednej do drugiej z gracją, niczym primabalerina baletu między jednym a drugim partnerem w tańcu. Zapomniałem, jaka ta praca może być przyjemna. Podprowadzam pogodynkę, zamieniam z nią kilka słów, dziewczyna nawet ma refleks. Dobijamy do mety, żegnam się. Światła przygasają.

– Finito – oznajmia Michał.

Marta gapi się na mnie jak sroka w gnat. Oddaję jej mikroport i ucho, a potem wychodzę ze studia lekkim krokiem.

Słoik siedzi na krześle w charakteryzatorni z pochyloną nisko głową. Gdy wchodzę, rzuca mi bolesne, pełne wyrzutu spojrzenie. Ma podkrążone oczy.

– Spałem dwie godziny – mówi.

– Przyzwyczajaj się – odpowiadam, a Jolka uśmiecha się do mnie w lustrze.

Kiedy zaczynam ścierać puder, na progu pokoju staje Agnieszka. Przygląda mi się bez słowa. Spinam się w sobie, zaraz pewnie dostanę najgorszą zjebkę w życiu.

– Dzięki – mówi wreszcie. – Wyszło zarąbiście.

No i proszę. Teoretycznie nawaliłem jak nigdy wcześniej, a ona mi dziękuje.

– Nie ma sprawy – mrugam do niej.

•

Nie chce mi się jechać do domu. Parkuję samochód przy placu Trzech Krzyży – cudem, akurat zwolniło się miejsce. Odruchowo zmierzam w stronę Szpilki, ale przecież tam na pewno spotkam jakiegoś znajomego, a na to też nie mam ochoty. Co tu jest jeszcze? Mam wrażenie, że sto lat upłynęło, odkąd stałem sobie ot tak po prostu na ulicy i zastanawiałem się, gdzie by tu wstąpić na kawę. No, sto lat może nie, ale kilka na pewno. Wybieram wreszcie sieciówkę na rogu, w której co prawda zamiast kawy serwują zaledwie gorące mleko o jej smaku, ale dziś mi to nie przeszkadza. Dziś nic mi nie przeszkadza. Sebastian, praca, Anka, ten gówniarz, pieniądze, fanpejdże – w tej chwili wydają mi się nieistotne i dalekie. A jeśli nawet stracę tę pracę, to co? Już się zemściłem – o ile w ogóle można to nazwać zemstą. Przepracowałem w tej stacji pełne osiem lat – zacząłem, gdy tylko ją sprzedał. Nie spełniła pokładanych w niej nadziei, podobnie jak ja i matka. Więc się jej pozbył.

Ojciec założył TV9 w 1991 roku, w tym samym, w którym zdawałem maturę. Prawdopodobnie był przekonany, że w krótkim czasie podbije medialny rynek, zakasuje TVP i zostanie numerem jeden, ale nie wyszło. Na pewno nie z jego winy, bo przecież zdaniem ojca zawsze ktoś inny jest winny. Ktoś inny jest rozczarowująco słaby, nie spełnia oczekiwań. Za mało z siebie daje. W słowniku mojego tatusia nie ma takich słów jak talent czy zdolności. Daj z siebie wszystko, a wszystko osiągniesz, obojętnie, czy masz do tego zdolności, czy ci ich brakuje.

Ja miałem zostać zastępcą prezesa – oczywiście, gdy tylko skończę odpowiednie studia. A w przyszłości... Kolejna marchewka, podobnie jak pieniądze i dom na Rzymskiej. Rób, co każę, a dostaniesz, co mam. Gdy mi o tym powiedział, natychmiast złożyłem papiery na psychologię – jedyny kierunek, co do którego miałem pewność, że budzi skrajną pogardę ojca. Naprawdę musiało mi zależeć, żeby mu dopiec – wtedy podań złożyło pięć razy tyle osób, ile było miejsc, a ja się dostałem, choć w liceum orłem wcale nie byłem.

Nie odzywał się do mnie przez trzy miesiące i oczywiście przykręcił kurek, ale dałem sobie radę. Roznosiłem nawet ulotki, żeby zarobić kilka groszy na fajki, które już wtedy paliłem. Po tych trzech miesiącach odpuścił. Niewykluczone, że zaimponowała mu moja determinacja. A może postanowił zmienić taktykę – mimo wszystko dyplom z psychologii jest lepszy niż brak dyplomu w ogóle, a z takim wykształceniem też właściwie mógł mnie wrobić w zarządzanie swoim „imperium". Gdy tylko oswoił się z psychologią, przeniosłem się na socjologię, a potem na kulturoznawstwo. W tym czasie poznałem Ankę i ożeniłem się z nią. Czy tylko po to, żeby go rozwścieczyć? No, nie tylko, ale także. Była oczywiście w ciąży, co niespecjalnie ją radowało, ale zniechęciłem ją skutecznie do skrobanki – dzięki Bogu. Małżeństwo i dziecko w wieku dwudziestu trzech lat – zdaniem ojca trudno podjąć trafniejsze decyzje, by zmarnować sobie życie. Jednak nie tracił nadziei, że mnie w końcu przydusi do ściany, złapie w garść i wtłoczy w foremkę, którą tak starannie dla mnie przygotował. Zacząłem więc pracę w telewizji – ale nie tej należącej do niego i nie pod jego nazwiskiem – jako Paweł Sieniawski, bo tak nazywała się przed ślubem matka. To też oczywiście go ubodło. Kiedy wreszcie zacząłem występować na wizji, i to z pewnym umiarkowanym powodzeniem, postanowił... Co? Poddać się? Ukarać mnie? W każdym razie sprzedał tę swoją stacyjkę. Gdy umowa została sfinalizowana i sprawę podano oficjalnie do wiadomości, natychmiast zacząłem się starać, żeby mnie tu przyjęli. Nie było to trudne – przenosiłem się z TVP, gdzie już zdążyłem sobie wyrobić pewną markę. TV9 było wtedy – i nadal jest – co najmniej pięć poziomów niżej. Przyjęli mnie z pocałowaniem ręki. Większość ludzi, którzy pracowali tu za czasów królowania ojca, została wywalona i naprawdę zaskakująco dużo czasu minęło, zanim mnie zidentyfikowali jako jego syna.

Popijam gorące mleko, patrzę przez szyby kawiarni na plac Trzech Krzyży. Tydzień, dwa i drzewa się zazielenią. Wiosny jeszcze nie widać, ale już czuje się ją w powietrzu.

To zabawne, jak wielu wyborów w życiu dokonałem tylko po to, żeby zrobić ojcu wbrew. Żeby go zabolało. A może jednak nie tylko po to? Może miało to służyć jakiemuś głębszemu, bardziej skomplikowanemu celowi? Na przykład temu, żeby jednak na własny użytek stworzyć ojcu alibii, uzasadnić tę jego odwieczną dezaprobatę, którą mi okazywał, i ten nieznikający z twarzy grymas rozczarowania, jakie mu przynosiłem, odkąd pamiętam.

Studiowałem psychologię niecałe trzy lata i proszę – odbija mi się czkawką do dziś.

W każdym razie naprawdę lubiłem pracę na wizji. Zamieszanie, adrenalinę, tremę. To, że gdy zapalało się światełko kamery, nagle wszystko stawało się takie łatwe. Zdania same się układały w mojej głowie, ręce były spokojne, plecy proste. To poczucie panowania nad sytuacją, a tym samym – panowania nad swoim życiem. Jednak – jak to ujął mój tatuś – przestałem się rozwijać. Ma rację, stanąłem w miejscu, niewykluczone, że także jemu na złość. Pozwoliłem się sformatować i zrównać z resztą telewizyjnych kukiełek powtarzających słowa z reżyserki albo klepiących wszystko z teleprompter. Nawet nie wiem, kiedy to się stało, ten proces trwał latami. Dziś było tak jak wtedy. Jak w 1999, w zeszłym stuleciu. Dziś przez tych kilkanaście minut panowałem nad światem. I nad swoim życiem.

Która godzina? Wyjmuję komórkę z kieszeni, oczywiście wciąż jej nie naładowałem. Tak czy siak, muszę wracać.

•

Wychodzi zza rogu Zamglonej w tym samym momencie, kiedy wrzucam kierunkowskaz, żeby w nią skręcić. Przez chwilę widzę panikę na jego twarzy, mało brakowało, żeby odwrócił się na pięcie i zwiał. Jednak błyskawicznie bierze się w garść, unosi jedną brew i z lekkim uśmiechem kiwa mi głową. Mój dobry nastrój wyparowuje w mgnieniu oka. Znika, jakby go nigdy nie było. Hamuję z piskiem opon na środku ulicy, wyskakuję z samochodu i podbiegam do niego.

– Cześć – mówi.

– Możesz mi powiedzieć, co tu robisz? – cedzę przez zęby.

Kris milczy. Przygląda mi się rozbawionym wzrokiem, choć na jego twarzy widzę cień niepokoju. Jestem wyższy od tego chłopaka, możliwe, że silniejszy. No i w końcu jestem dorosły!

– O co ci chodzi? – z trudem panuję nad rękami, bo mam ochotę złapać go za tę dżinsową kurtkę obszytą białym miśkiem i potrząsnąć jak szmacianą kukiełką.

– Czemu się pan na mnie złości? – pyta.

– Ja się nie złoszczę! Ja ci zaraz, kurde, powiem, czemu ja się złoszczę! – rzucam przez zaciśnięte zęby.

Ktoś trąbi za moimi plecami.

– Zablokował pan ulicę – mówi Kris. – Nie mają jak objechać.

– Czego od nas chcesz?

– A kto panu powiedział, że chcę czegoś od was?

– Hej! – wrzeszczy ktoś za mną. – Weź, palancie, rusz dupę!

– Po co tu przyszedłeś?

– Musi pan przestawić auto, bo będzie afera. On zaraz wyskoczy i spuści panu wpierdol – Kris kiwa głową w stronę ulicy za moimi plecami.

Odruchowo oglądam się przez ramię – furgonetka DHL stoi tuż za moim zderzakiem.

– Przestań – mówię do chłopaka.

– Co mam przestać?

– To, co robisz!

– Ja nic nie robię – wzrusza ramionami. – To pan się wścieka nie wiadomo o co.

– Masz się od nas odczepić! – cedzę. – A przede wszystkim zostaw w spokoju Małgosię. Bo...

– Bo co?

– Skontaktuję się z twoimi rodzicami! I zawiadomię policję. Jesteś już pełnoletni, zajmą się tobą.

– I co im pan powie? Że mnie pan spotkał na ulicy?

Słyszę, jak za mną trzaskają drzwiczki samochodu.

– Ja ci, kurwa, dam! – odgrażam się z bezradną wściekłością.

– Super – Kris puszcza do mnie oko.

Czerwona płachta przesłania mój wzrok.

– Panie, coś pan, ocipiał? – ktoś kładzie mi rękę na ramieniu. Ten gest wyzwala we mnie furię. – Na środku ulicy pan auto zostawiasz?

Odwracam się na pięcie, zaciskając pięści.

– Spierdalaj – cedzę.

Facet jest starszy ode mnie. Pewnie koło pięćdziesiątki. Łysy, z siwym wąsem. Dobroduszna okrągła twarz, czerwone policzki pokryte pajęczyną popękanych naczynek. Gdyby zapuścił brodę, mógłby się wcielić w Świętego Mikołaja w centrum handlowym. Wlepia we mnie bladoszare oczy, irytacja na jego twarzy ustępuje zdumieniu.

– Człowieku, spokojnie – mówi, cofając się o krok. – Wszystko w porządku?

– Powiedziałem: spierdalaj!

Mężczyzna wpatruje się we mnie z troskliwym politowaniem.

– Ludzie, wam tu, w tym mieście, zdrowo odpieprza pod sufitem – mruczy wreszcie.

Cofa się o krok, a potem wraca do szoferki furgonetki.

Odwracam się do Krisa, ale chłopaka nie ma już na chodniku. Zwiał. Rozglądam się, nigdzie go nie widać. Oddycham głośno przez nos. Ta chora, niezrozumiała wściekłość nieoczekiwanie ustępuje miejsca zażenowaniu.

Podchodzę do auta.

– Przepraszam – mówię do faceta w furgonetce, który musi mnie słyszeć, bo okno po stronie kierowcy nadal jest otwarte. – Bardzo pana przepraszam.

Milczy. Przygląda mi się zarówno ze współczuciem, jak i z odrazą. Wsiadam do volvo i skręcam w Zamgloną.

V

– Nie mam pojęcia! Dlaczego nie poprosiłeś Dominika?

– Zapomniałem – wzdycha Paweł i wpatruje się we mnie wyczekująco. – No, może tak być czy nie?

– Chyba może. Nie rozumiem, jak mogłeś zapomnieć. Umówiliśmy się miesiąc temu, że idziemy na tę imprezę!

– Właśnie. Miesiąc temu – stwierdza Paweł. – Nic dziwnego, że zapomniałem. Może lepiej założę koszulę?

Czy to nie dziwne, że gdy wychodzimy razem, dłużej zastanawiamy się nad tym, co on ma włożyć na siebie, niż nad tym, co założę ja? Wybrałam sobie ciuchy już dawno, a on czekał do ostatniej chwili. Ma stylistę w pracy, wystarczyło poprosić o pomoc!

Czarne dżinsy, biały T-shirt i marynarka z dresowej bawełny. Do tego ciemnozielone conversy. Na moje oko w porządku, na luzie, wygląda w tym dobrze. Ale czy conversy jeszcze się nosi? Niby to rozdanie nagród, ale nie Nobla, umówmy się. Te całe Złote Anteny są śmiechu warte, jednak zdjęcia będą potem wszędzie, a to jego branża. Gdyby sam dostał nagrodę, no może wtedy smoking, ale też raczej tylko góra...

– Czy ty na pewno nie chodziłeś już gdzieś w tej marynarce? – upewniam się.

– Nie pamiętam! Mogłem chodzić, lubię ją, często w niej chodzę, ale nie wiem, czy na jakieś iwenty wkładałem – jęczy. – Dlaczego Małgosi nie ma? Ona od razu by wiedziała, czy jest dobrze, czy nie!

– Czekaj. Daj mi telefon.

– Po co?

– Zrobimy ci zdjęcie i wyślesz Dominikowi.

– Upadłaś na głowę? Bez przesady – przegląda się w lustrze zamontowanym na ścianie holu. – Dobrze jest. Idziemy?

– Nie! Jeszcze ja się muszę ubrać!

– To ty nie jesteś ubrana?

Potrząsam tylko głową i sięgam po sukienkę, która wisi na drzwiach garderoby w fizelinowym pokrowcu. Makijaż mam zrobiony, uczesana jestem od trzynastej. Od siedmiu godzin poruszam się, jakbym była zrobiona ze szkła, chociaż przy ilości lakieru, której użył, pewnie i atomówka nie zaszkodziłaby tej fryzurze. Sukienka jest beżowo-brązowa, w kwadraty, okropnie wąska.

– Zapnij – mówię, stając do Pawła plecami, a gdy dopina suwak, odwracam się i pytam: – Dobrze?

– Wyglądasz jak... Ślicznie.

– Jak co wyglądam?

– Bardzo dobrze wyglądasz.

– Powiedz to, co chciałeś najpierw!

– Bardzo dobrze wyglądasz – powtarza. – Chodź, już po siódmej. Wracamy zaraz po nagrodach za seriale, tak?

– Tak – kiwam głową. – Później nic ciekawego nie ma, a na bankiecie i tak przecież nie zostaniemy.

Nie zostaniemy, bo oczywiście jutro musi być w studiu o świcie, chociaż jest sobota, a weekendy ma na ogół wolne. Zgodził się zastąpić Marię – no, ta to się potrafi urządzić.

– Jeśli chcesz, możesz zostać.

– Sama? Chodź, taksówka już jest.

Czekam, aż wyjdzie z mieszkania, wbijam kod do alarmu i zamykam drzwi. W windzie rozchylam futro i jeszcze raz przeglądam się w lustrze.

– Nie podoba ci się ta sukienka? – pytam.

– Podoba mi się.

– Widzę, że ci się nie podoba. Nie rozumiem dlaczego.

– Podoba mi się. Zresztą czy to ważne?

– No, jakby ważne! – mówię. – Ty masz bardzo przeciętny gust, więc jeśli tobie się nie podoba, to nikomu nie będzie.

Paweł przygląda mi się z namysłem.

– Właściwie nie wiem, czy to, co powiedziałaś, powinienem odebrać jako komplement, jako obelgę czy jako samokrytykę – oznajmia wreszcie i mruga do mnie okiem.

Uśmiecham się i zapinam futro. Tym zawsze potrafił mnie ująć – nie tyle inteligencją, choć przecież głupi nie jest, ile nieprzewidywalnością. Pomimo tych dwudziestu lat ciągle jeszcze potrafi mnie zaskoczyć. Wciąż nie umiem przewidzieć, co powie, przynajmniej nie zawsze. To drobiazg oczywiście. Ale cenny.

•

Wysiadamy z taksówki przed teatrem. Tłum się kłębi z lewej, z prawej jest pustawo. Do drzwi po lewej stronie prowadzi zadeptany czerwony chodnik, miotają się przy nim fotografowie, przy drzwiach z prawej dwóch osiłków sprawdza zaproszenia.

– Tutaj – mówię, ciągnąc Pawła za ramię w stronę chodnika.

– Błagam cię – mruczy. – Nikt nas tam nie woła.

– Idziemy chodnikiem – szepczę, rozpinając futro.

– Anka, po co ci to?

– Potrzebne.

Nie będę mu przecież tłumaczyła, że przez własną nieuwagę zostałam zdystansowana przez jakiegoś zapyziałego babona, z którym pracowałam lata temu w redakcji „Profili". Perkoć nieoczekiwanie okazała się orlicą współczesnej polskiej prozy, ale przecież nie za sprawą tych swoich pożal się Boże wypocin. Wydeptała to sobie! A skoro ona mogła, to ja też. Zacznę od deptania po tym kawałku spsiałej wykładziny rozpostartej na chodniku. Żałuję, że przez tyle lat pozwalałam Pawłowi wprowadzać się na podobne imprezy bocznym wejściem. Nie twierdzę oczywiście, że dziś gazety pękałyby w szwach od naszych zdjęć, ale coś w agencjach jednak by zostało, przynajmniej w archiwach.

Mocniej chwytam go za łokieć i z szerokim uśmiechem wchodzę na dywanik. Sępy gapią się na nas zdziwionym wzrokiem, mina odrobinę mi rzednie, ale na szczęście nim docieramy do końca wykładziny, błyska jednak kilka rachitycznych fleszy.

– O Jezusie... – stęka Paweł, gdy mijamy przeszklone drzwi. – Zwariowałaś chyba. Po co to zrobiłaś?

Zerkam na niego i widzę, że pot mu wystąpił na czoło. Jest czerwony jak burak.

– Dla ciebie – mówię jakby nigdy nic. – Nie możemy pozwolić, żeby ten cały Sebastian zapędził cię w kozi róg. Myślisz, że on wchodził tu prawymi drzwiami?

– Kurde, ale to masakryczna żenada.

– Wcale nie żenada – odszeptuję, podając zaproszenia ochroniarzowi. – Robili zdjęcia? Robili.

– Zrobiliby nawet kozie, gdyby tamtędy lazła – stwierdza Paweł. – Wiesz, jak tego nie cierpię.

– Ale szczerzyć zęby do kamery to cierpisz – mówię półgłosem, holując go w stronę szatni.

– Anka? – Larwa, na którą prawie wpadłam, gapi się na mnie okrągłymi oczami. – Nie wiedziałam, że też będziesz.

– A dlaczego miałoby mnie nie być?

– Bekon nic mi nie mówił.

– Bekon? – spoglądam na nią czujnym wzrokiem i czuję ukłucie niepokoju. – Jak to Bekon? On też jest?

– No, tak – bąka Larwa. – Z Donatanem. Przecież „Okna" są nominowane.

– Aha – rozluźniam się na sekundę, odwracam głowę i nagle robi mi się zimno.

„Okna" dostały nominację. Nawet o tym nie wiedziałam. Larwa tu jest. W porozumieniu z Bekonem. I z Donatanem. Czy jest jeszcze ktoś ze scenarzystów? Aśka, Hanka? Piotrek? Dlaczego nikt nic mi nie powiedział?

– A ty sama przyszłaś? – pytam, rozglądając się dookoła z beztroskim, mam nadzieję, uśmiechem.

– Ja? Nie, no... – kręci Larwa. – Jakby tak. I nie.

– Aha – uśmiecham się nadal. – Z Maciejem?

Wszyscy przecież wiedzą, że z nim sypia, no, ja w każdym razie jestem tego pewna. Dlaczego Larwa dostała zaproszenie, a ja nie? Nie, no oczywiście dostałam zaproszenie, ale jako żona, a nie podmiot. I nie ma ono nic wspólnego z serialem.

– Nie – Larwa oblizuje szybko usta.

Przyszła z Bekonem. Albo z Donatanem. Na pewno. Zapunktowała pedofilem! Taka Larwa, histeryczka, została zaproszona, a ja nie. Chociaż przy „Oknach" pracuję prawie od samego początku, a ona doszła dwa lata temu. Nie żeby mi zależało. W dupie mam ten serial. Jeśli jednak teraz Larwa posuwa Bekona albo Donatana, to jej akcje wzrosną. Nie lubię jej ani ona mnie. Obie to wiemy. Ja nie mogę stracić tej pracy! Jeszcze nie! Paweł ma tylko te marne niusy, nawet piętnastu tysięcy miesięcznie nie wyrabia! Jeśli nam odpadnie moje osiemnaście z serialu...

– O! – mówi Larwa, gdy rozpinam futro. – Masz sukienkę jak te stare zasłonki z PKP! Świetna.

– Jak co? – pytam i zerkam w lustro wiszące na pobliskim filarze.

Ona ma rację! Przecież kiedyś w wagonach pociągów wisiały zasłonki w bardzo podobny wzór: brązowo-beżową szachownicę. Co prawda miały logo PKP, a na materiale mojej sukienki nie ma nic podobnego, ale odcienie są identyczne! Dlaczego ja tego nie skojarzyłam? Nie, no coś tam skojarzyłam. Ogólnie materiał wydał mi się znajomy, dlatego kupiłam tę kieckę. Bo budziła we mnie sympatyczne, bliżej niesprecyzowane odczucie. Teraz się sprecyzowało. Pociągami za PRL-u jeździłam wyłącznie na wakacje, to dlatego. Ale kto dziś pamięta, jak były urządzone przedziały wagonów kolejowych dwadzieścia lat temu?

VI

Drugi szwadron paparazzich – tych lepszych – kłębi się przy płachcie zadrukowanej zwielokrotnionym logo Złotych Anten. Żeby tylko nie wpadło jej do głowy, aby się pchać przed ten baner... Gapi się w lustro z niewyraźną miną. Dziewczyna, z którą rozmawiała przed chwilą, rzuca mi zaciekawione spojrzenie.

– Jestem Paweł – mówię więc do niej. – Mąż.

– Monika – uśmiecha się do mnie.

Nawet ładna, ale ta wąska twarz i ogromne, trochę wytrzeszczone oczy nasuwają mi skojarzenie z jakimś gatunkiem trwożliwego gryzonia.

– Pracuję z nią – dodaje wyjaśniająco. – Znaczy z Anią.

– Ja z nią mieszkam – mrugam do dziewczyny, chichocze.

– Gdzie siedzisz? – pyta Anka.

– W piątym rzędzie.

– My w czwartym. To na razie – odwraca się i ciągnie mnie za łokieć do szatni.

– To nie było zbyt grzeczne – rzucam półgłosem.

– Dlaczego mi nie powiedziałeś? – syczy.

– Czego?

– Że ta sukienka wygląda jak firanka z PKP!

– Myślałem, że wiesz – mówię. – A to źle?

– Oczywiście, że źle! Chciałam się ubrać, a nie przebrać!

– Udawaj, że to celowe – wzruszam ramionami, po czym dodaję z nieśmiałą nadzieją w głosie: – Chyba że jednak wolisz stąd iść?

W odpowiedzi rzuca mi tylko złe spojrzenie. Oddajemy okrycia, chowam numerek do kieszeni spodni.

– Idziemy już na widownię?

– Powinniśmy jeszcze pochodzić trochę. Zacznie się dopiero za piętnaście minut – mówi Anka, przyglądając się zamyślonym wzrokiem ustawionej z boku holu ściance.

– Błagam cię, nawet o tym nie myśl – szepczę i odciągam ją w stronę stołu z kieliszkami, przy którym jeszcze jest dość luźno.

– Paweł?

Zerkam w bok. To Agnieszka.

– A to ty jesteś? – wpatruje się we mnie jak cielę w malowane wrota.

– Dlaczego miałoby mnie nie być?

– No, bo ty przecież nigdy nie przychodzisz na takie...

– Dziś przyszedłem. To moja żona. Ania.

– My się przecież znamy – mówi Anka.

Agnieszka nie wygląda na przekonaną, ale po króciutkim wahaniu uśmiecha się i kiwa głową.

– Świetna kiecka – stwierdza. – Ten materiał z czymś mi się kojarzy...

– Może jednak usiądźmy – Anka chwyta mnie pod ramię. – Bo potem się tłok zrobi przy wejściu na salę.

Odwracam się i staję twarzą w twarz z Sebastianem.

– Łoł – wykrzykuje. – Jest nasz master!

– Cześć – bąkam i pokazuję mu Ankę. – To moja żona.

– Cześć, żona – mruga do niej. – Fajnie mieć takiego męża?

Przecież to debil! Szczerzy te swoje zęby od ucha do ucha. Wyglądają, jakby zostały wyprodukowane.

– Są sytuacje, w których się przydaje – Anka rozpływa się w cielęcym uśmiechu.

– Na razie – mówię chłodno, przyciskam jej rękę do mojego boku i ciągnę w stronę wejścia na widownię.

– Rękę mi wyrwiesz! – mruczy. – Zwariowałeś?

– Mogłabyś wykazać się większą lojalnością – szepczę.

– O czym ty mówisz?

– Mało się nie zesrałaś na widok tego słoika.

– Upadłeś na głowę, kochanie – Anka wzrusza ramionami i rozgląda się po widowni.

– Jesteś nadal na jego fejsowym fanpejdżu? – pytam po krótkim namyśle.

– Co w ciebie wstąpiło, Paweł? Nie rób scen.

– Nie robię. Po prostu mi odpowiedz.

– Robisz. Wszyscy się gapią.

– Nikt się nie gapi.

Siadamy na naszych miejscach.

– Dlaczego wszyscy tak się dziwią, że przyszliśmy? – pyta Anka szeptem.

– Bo nigdy nigdzie nie chodzimy.

– Mam wrażenie, jakbyśmy się już nie liczyli.

– Liczyli? – ze zdziwienia zapominam, że jestem na nią zły. – A to my się liczyliśmy kiedyś w taki sposób?

– No, wiesz... Jakby tak. A przynajmniej sądziłam, że możemy, jeśli przyjdzie nam na to ochota.

– Myślałem, że nigdy ci nie zależało na takim cyrku.

Milczy. Poprawiam się na fotelu, obciągam marynarkę. Jakbyśmy się nie liczyli... A co tu się liczy? Rozglądam się ukradkiem. Przed nami z prawej siedzi facet, który rok temu jurorował w jakimś talentszoł. Program okazał się niewypałem, zszedł z anteny po drugiej serii, nawet nie pamiętam, jak się nazywał – i facet, i program. Gość ma kilka syfów na twarzy zamalowanych zbyt ciemnym korektorem, siedzi bokiem do sceny i głodnym wzrokiem przebiega po twarzach wchodzących na widownię gości. Łatwo skończyć w ten sposób. I nawet nie problem w tym, że człowiek jara się rozpoznawalnością czy trzaskaniem fleszami po oczach. Problem w tym, żeby się zorientować we właściwym momencie, że to się kończy, i wycofać się na czas na z góry upatrzoną pozycję. Celebryctwo to cholernie ciężka robota. Monstrualny wysiłek, który nie daje trwałej satysfakcji i z którego nic nie wynika poza bezustannym strachem. To ciągłe balansowanie na krawędzi śmieszności, życie w papierowym zamku postawionym na ruchomych piaskach. Czy dla Anki naprawdę stało się to atrakcją? Mógłbym przysiąc, że nie myśli w ten sposób. A może jednak? *Mogliśmy się liczyć, gdyby przyszła nam na to ochota.*

– Dlaczego? – pytam.

– Co dlaczego?

– Dlaczego ci zaczęło na tym zależeć?

– Oj, nie przesadzaj – wzrusza ramionami. – Nie jest tak, że mi zaczęło jakoś Bóg wie jak zależeć. Po prostu...

– Co po prostu?

– Po prostu nie chcę mieć wrażenia... że przemijam bez śladu. Nie chcę zniknąć tak całkiem.

– Zniknąć? – rzucam jej zdumione spojrzenie. – Sądzisz, że to cię utrwali? Że dzięki udziałowi w tej całej paradzie błazenków staniesz się istotniejsza? Czy to, że dużo osób będzie wiedziało, jak masz na nazwisko, sprawi, że staniesz się lepsza od nich?

– No, niby nie – zamyśla się na moment i dodaje niepewnie: – Ale jakoś tak.

– Czy to dlatego, że Małgosia jest już właściwie dorosła?

Spogląda na mnie rozeźlonym wzrokiem. Chyba trafiłem – to przynajmniej jeden z powodów.

– Jeżeli masz ochotę bawić się w psychoterapeutę, przeanalizuj na początek siebie!

– Boisz się tego, co będzie, gdy przestanie cię potrzebować? Naprawdę myślisz, że nic nam wtedy nie zostanie?

Milczy przez kilka sekund, potrząsa lekko głową, patrzy mi prosto w oczy i spokojnym, prawie obojętnym głosem pyta:

– A co nam zostanie?

•

Wychodzę sam podczas burzy mechanicznych oklasków, które wstrząsają widownią, gdy ogłoszone zostają nagrody dla najpopularniejszego serialu. Wygrały „Okna miłości". Anka była niechętnie uradowana – to chyba najtrafniejsze określenie jej wyrazu twarzy. Powiedziała, że powinna jednak zostać na bankiecie, zresztą ten cały Bekon niejako zmusił ją do tego, wymieniając podczas podziękowań i machając ręką w kierunku tej części widowni, gdzie siedzieliśmy. Ładnie z jego strony.

W szatni wskazuję swoją kurtkę – zostawiłem Ance numerek. Szatniarka nie dyskutuje. Może dlatego, że mnie poznała. A może dlatego, że położyłem jej na ladzie dziesięć złotych.

Zamawiam taksówkę, hol jest prawie pusty. Przy drzwiach odbieram od hostessy torbę z giftami i ostatnim egzemplarzem „Anteny", w którym już opublikowano relację z rozdania nagród, choć podobno do ostatniej sekundy nikt nie znał wyników. Gdy wychodzę przed teatr, trzaska kilka fleszy. Rozglądam się w poszukiwaniu mojej taksówki.

– Można prosić o autograf? – jakaś dziewczyna podsuwa mi wymięty zeszyt i długopis.

– Pewnie – podpisuję się zamaszyście, a poniżej wpisuję datę.

Dziewczyna odbiera ode mnie brulion, marszczy brwi i spogląda na to, co jej namazałem.

– A jak się pan nazywa? – pyta.

– Stefan Karwowski – mówię bez namysłu.

Starannie, dużymi, okrągłymi drukowanymi literami wpisuje imię i nazwisko pod moim autografem.

A co nam zostanie?

– Na Marinę proszę – mówię, wsiadając do taksówki.

Taksówkarz rusza, dojeżdżamy do Krakowskiego Przedmieścia, przecinamy Świętokrzyską. Mam papierosy w schowku auta, całą paczkę. Zabiorę je na górę, Anka pewnie wróci koło drugiej w nocy, a Małgosia śpi dziś u Natalii. Miały się uczyć razem do matury. „Trochę się uczyć” – przynajmniej była szczera. Mam z godzinę tylko dla siebie, nieczęsty przypadek. Sam w domu! Poprawia mi się humor – co zrobić z tym czasem? Długa kąpiel i zabawa w wannie? A może zabrać się za „Titanfall” – przedwczoraj ściągnąłem sobie tę grę na lapka, ale jeszcze nawet nie obejrzałem intro. Nie, chyba jednak kąpiel. Nie mam siły przegryzać się przez interfejs gierki, wygląda na skomplikowaną, a poza tym to multiplejer. Zresztą muszę jeszcze sczytać niusy na jutro.

Wysiadam pod domem, daję taksówkarzowi zbyt duży napiwek. O wiele za duży, który sprawia, że przez jego twarz w przyspieszonym tempie przewija się gama emocji: najpierw niedowierzanie, potem zadowolenie, aż wreszcie złość. Bogaty palant z Mariny.

Ruszam w stronę drzwi do klatki schodowej. Noc jest całkiem ciepła, zupełnie jakby to był już maj albo... Sięgam do kieszeni, potem do drugiej... Nie mam kluczy! Zostały w futrze Anki, na śmierć zapomniałem! Ręce mi opadają. Co robić? Wracać do teatru?

Sięgam po komórkę i dzwonię do Anki, ale oczywiście nie odbiera – po kilku sygnałach włącza się poczta głosowa. Nagrać się? I tak teraz nie odsłucha.

Zawracam i podchodzę do krawężnika. Zaraz będzie jedenasta, nie wyśpię się. Niedobrze mi się robi na samą myśl o wstawaniu za pięć godzin. O, poprawka! Za cztery godziny. Jutro przechodzimy na czas letni, kradną nam godzinę. Wzdycham i klikam w ikonkę MyTaxi na ekranie ajfona.

– Paweł? Cześć! – odzywa się ktoś półgłosem po drugiej stronie ulicy.

Podnoszę głowę i patrzę ze zdziwieniem.

– Chcesz? Tym razem mam ze sobą całą paczkę.

Wojtek stoi między betonowymi klombikami ustawionymi przy samej jezdni, żeby nikt nie mógł zaparkować tam samochodu. Pokazuje mi pudełko papierosów.

VII

Bekon się poci, ja się uśmiecham. Już mnie bolą mięśnie twarzy od tego grymasu. „I oczywiście Ania, która jest tu dziś razem z nami". Co prawda na końcu, ale jednak. Larwę wymienił przede mną, lecz to chyba jej zawdzięczam, że w ogóle o mnie pamiętał. Musiała mu powiedzieć, że się spotkałyśmy. Czy ja powiedziałabym na jej miejscu? Raczej wątpię.

– Po tym na pewno nas nie zamkną, co? – szepcze Larwa i szczerzy się od ucha do ucha.

Nawet nie chciałam być uwzględniona w tyłówce. Teraz stoję obok niej i Bekona, pozwalam, żeby mnie ściskała za łokieć, a refleksy światła odbitego od tej tandetnej kupki pozłacanego plastiku ustawionej na okrągłym barowym stoliku rażą mnie w oczy. Bekon puszy się jak paw. Jego tłusty, czerwony kark połyskuje potem.

Znowu trzaska flesz, strzela mi prosto w oczy, staram się nie mrugać.

Nie powinnam była mu tego mówić. Paweł ma swoje wady. Bywa trochę bezwolny, ma za mało siły przebicia – teraz, bo kiedyś było inaczej. Przynajmniej jeśli w grę wchodziło działanie na złość Leonowi. Wolałabym, żeby miał w sobie więcej ognia, ale z drugiej strony – czy nadal bylibyśmy małżeństwem, gdyby miał?

– Nie odpowiedziałaś mi.

Spoglądam zaskoczona na faceta, który staje przy mnie. Sebastian. Patrzy mi prosto w oczy, uśmiecha się miękko.

– Słucham?

– No, na pytanie – wyjaśnia. – Czy fajnie mieć takiego męża jak Paweł?

– Nie bardzo rozumiem – strząsam rękę Larwy ze swojego łokcia i odwracam się do niej plecami.

On naprawdę jest niewiarygodnie przystojny. Bez skazy, taką cerę mogłaby mieć kobieta. Sama chciałabym taką mieć! Nie dostrzegam choćby jednego zaskórnika na jego doskonałym nosie.

– Bo taką żonę jak ty to na pewno dobrze mieć – oświadcza. Jest tak bezczelny, jak twierdzi Paweł. Albo nawet bardziej.

– To my jesteśmy na ty? – pytam.

– A nie jesteśmy? Mógłbym przysiąc, że tak. Mam wrażenie, jakbym cię znał pół życia.

W jego przypadku to niezbyt długo. Ofiarą równie topornych podrywów padałam już wtedy, kiedy faceta nie było jeszcze na świecie. Jego słowa mnie bawią, oczywiście interpretuje to jako zachętę.

– Napijesz się ze mną?

– Mleka? – pytam, robiąc niewinną minę.

– Co? Nie. Dlaczego mleka? Drinka.

Właściwie mogę się napić. Czemu nie?

– Kto to? – szepcze mi Larwa do ucha, gdy Sebastian sunie w stronę bufetu z alkoholami.

Przyglądam mu się. Ma jednak pewną skazę – trochę krzywe nogi. Jak mawiała moja matka – prostowane na beczce. Paradoksalnie to spostrzeżenie sprawia, że wydaje mi się jeszcze bardziej atrakcyjny.

– Kolega Pawła z pracy – odpowiadam. – Nikt specjalny.

– Myślałam, że aktor albo kelner.

– Dlaczego kelner?

– Nie widziałaś jacy tu są kelnerzy? Chyba robili nabór na AWF-ie!

Zerkam na nią spod oka, Larwa odsłania twarz. Kryptonimfomanka. Ile ona ma lat właściwie? Na pewno jest młodsza ode mnie.

– Prowadzi sport w TV9 – mówię.

– O! A twój mąż co robi?

– Prowadzi serwis informacyjny w TV9 – wyjaśniam cierpko.

– Naprawdę? Oj, sorry. Nie oglądam tej stacji.

– Szykują się wielkie zmiany. Widzowie będą zaskoczeni – nawija Bekon do mikrofonu z radiowym logo, który podtyka mu pod nos jakaś dziennikarka. – Ale o tym może więcej powie...

Bekon rozgląda się wokół.

– Pani to będzie montowała? – upewnia się.

– Oczywiście – dziennikarka kiwa głową.

– Bo najlepiej, jakby Donatan coś powiedział, ale nie wiem... – Bekon spogląda na Larwę. – Gdzie on jest? Przecież dopiero co tu był!

– Nie wiem.

– No, to ty coś powiedz.

– Ja?! – przeraża się Larwa. – A że co ja po-po-powiedzieć mam?!

– Nie, ty lepiej nic nie mów – Bekon zmienia zdanie, chwyta mnie za ramię, żebym przypadkiem nie uciekła, i mówi do mikrofonu: – Ale o tych zmianach więcej powie Anna Lewandowska, która jest jednym ze stałych współscenarzystów „Okien miłości".

Dziennikarka nagłym ruchem wyrzuca rękę z mikrofonem do przodu, zupełnie jakby pozorowała cios karate. Zezuję na pomarańczową gąbkę, która wyrasta mi przed nosem. Bekon zezuje na mnie.

– Niewiele mogę powiedzieć... – zaczynam, urywam, nabieram tchu.

Jak ja się w to wpakowałam? Tej stacji radiowej wszyscy słuchają. Dziennikarka postanawia mi pomóc.

– Niech pani powie, jak się pani nazywa i kim pani jest – mówi.

– Nazywam się Anna Lewandowska. Jestem scenarzystką serialu „Okna miłości" – mówię posłusznie, po czym w przypływie nagłego zaćmienia mózgu, a może w przebłysku geniuszu prostuję: – Nazywam się Anna Lewandowska. Jestem pisarką.

– Jakie zaskakujące zwroty akcji przygotowuje dla wielbicieli serialu „Okna miłości" jego scenarzystka, pisarka Anna Lewandowska? – pyta dziennikarka, nie mrugnąwszy nawet okiem.

Bekon gapi się na mnie jak sroka w gnat.

– Uch – bąkam pod nosem i czuję, jak różowieją mi policzki, ale szybko biorę się w garść. – Cóż, niewiele mogę powiedzieć, bo nasze plany są na razie objęte absolutną tajemnicą. Ale mogę zapewnić i panią, i radiosłuchaczy, że wydarzenia w serialu nabiorą tempa, a fabuła wzbogaci się nie tylko o zaskakujące wątki, ale przede wszystkim o zupełnie nowe postaci. Zarówno te pozytywne, jak i negatywne, bo przecież to one w dużym stopniu odpowiedzialne są za emocje i napięcie towarzyszące akcji.

– Gdzie szuka pani inspiracji do swoich książek i scenariuszy? – pyta dziennikarka.

Książek i scenariuszy. Przez ułamek sekundy wpatruję się w nią jak urzeczona, wreszcie odchrząkuję i mówię płynnie:

– Nie muszę ich szukać. Przecież życie samo mi ich dostarcza. Wystarczy wyjrzeć przez okno.

VIII

– Tamto, widzisz? – pokazuję mu okno gabinetu Anki. – To ciemne.

– Trzecie piętro, tak? – upewnia się Wojtek.

Kiwam głową i zaciągam się papierosem.

– Zawsze palisz mentolowe? – pytam.

– Nie, od niedawna – wyjaśnia. – Przedtem paliłem jagodowe winstony. Próbowałeś? Trzeba zgnieść kulkę w ustniku, żeby był smak.

Naprawdę sympatyczny facet, zero zadęcia. Ciekawe, czy wie, co robię. Chyba nie, gdyby wiedział, jakoś by do tego nawiązał.

– Czym się zajmujesz? – pytam.

– Pracuję w kancelarii prawnej – uśmiecha się. – Ale nie jestem prawnikiem. Raczej kimś w rodzaju, hm, sekretarki.

– Sekretarki?

– Powiedzmy. Siedzę w recepcji.

Pracuje w recepcji i stać go na mieszkanie tutaj? No, ale może stać na to jego żonę.

– Jesteś żonaty? – pytam.

– Nie – śmieje się cicho. – A co, zastanawiasz się, skąd mam kasę na mieszkanie na Marinie?

– Sorry, to nie moja sprawa.

– Spoko. Nie mieszkam tutaj. Przynajmniej nie na stałe. Można powiedzieć, że pomieszkuję. U rodziny.

Nie pyta, czy jestem żonaty, a jakoś niezręcznie mi to komunikować.

– No, dobra – Wojtek rzuca papierosa na chodnik i przydeptuje go starannie. – Wracam na górę.

– Dzięki za fajkę – mówię. – Uratowałeś mi życie.

– Po prostu kup sobie paczkę, nie będę ci potrzebny – mruga do mnie. – Albo wiesz co? Nie kupuj. Masz telefon przy sobie?

– Mam.

– To wbij – podaje mi numer, trochę jestem zaskoczony, ale wpisuję go do ajfona. – Wojtek. Wpisałeś?

– Wpisałem.

– No, to jak będziesz miał chęć na papierosa, przyślij esemesa albo nawet strzałkę wyślij. Zawsze fajniej zapalić z kimś, niż wystawać pod ścianą w pojedynkę jak kloszard.

Mieszkamy tu od ładnych kilku lat, a on jest pierwszym człowiekiem z Mariny, do którego mam numer telefonu i z którym nie jestem związany zawodowo. Nie, poprawka. Mam jeszcze numer do sąsiadów, a właściwie do właścicieli mieszkania z naszego piętra. Podali nam go, gdy się wyprowadzali i wynajmowali te swoje cztery pokoje, bo nie byli pewni nowego lokatora, ale szczęśliwie okazał się równie mało kłopotliwy jak oni. Tu w ogóle wszyscy są mało kłopotliwi – panuje tu półsenny, wytężony spokój charakterystyczny dla osób regularnie zażywających antydepresanty. Pozorna harmonia na granicy załamania nerwowego. Ale Wojtek przecież nie jest z Mariny.

Podaję mu rękę, a gdy wbiega do klatki, wybieram numer telefonu Małgosi. Jest piętnaście po jedenastej, na pewno jeszcze nie poszły spać. Włącza się poczta głosowa – albo z kimś rozmawia, albo wyłączyła telefon. Albo jej się rozładował. Powinniśmy jednak mieć tu, na Marinie, kogoś zaprzyjaźnionego czy raczej znajomego. Jakichś sąsiadów, z którymi zawarlibyśmy rodzaj paktu – my mielibyśmy ich klucze, oni nasze. Taki układ nie wymagałby nawet sympatii i rozmawiania. Ani oczywiście składania sobie wizyt.

Jednak muszę wrócić do teatru. Zajmie mi to z godzinę, w domu będę po dwunastej. Zanim się wykąpię i sczytam układ wiadomości na jutro, będzie pierwsza. Cztery godziny snu. Mój ajfon dzwoni zaraz po tym, gdy zamówiłem taksówkę.

– Małgosia? – podnoszę komórkę do ucha. – Wspaniale, że oddzwaniasz!

– Coś się stało?

– Zapomniałem kluczy, a mama została na imprezie.

– Sama została?

– Nie. Z ludźmi z pracy, dostali nagrodę za serial. Zapomniałem wziąć od niej klucze, nie mogę wejść do domu.

– Aha.

– Już zamawiam taksę i zaraz będę u Natalii na Etiudy Rewolucyjnej. Dam ci znać, że jestem, to mi wyniesiesz klucze. Okej?

Cisza.

– Halo? Jesteś tam?

Małgosia wzdycha.

– No, jestem – mówi.

– To jadę.

– Aha. Z tym że jest problem...

– Jaki problem? – pytam. – Nie wzięłaś kluczy?

W komórce znowu na chwilę zapada cisza, wreszcie moja córka się odzywa:

– Mogłabym tak powiedzieć. Nawet nie wiesz, jaką mam na to ochotę. Ale jednak nie powiem i mam wielką nadzieję, że to docenisz.

– Słucham?

– Bo ja nie jestem na Etiudy Rewolucyjnej.

– Co?! A gdzie jesteś?

– Na Żoliborzu.

– Na Żoliborzu?! Przecież miałaś spać u Natalii!

– I nadal mam ten zamiar. Z tym że później.

– Przestań mi mącić! – prawie krzyczę. – Co robisz na Żoliborzu?

– Jestem na takim niby melanżu.

– U kogo?

– U Krisa. Ale Natalia też tu jest.

Okłamała nas. Powiedziała, że jedzie się uczyć, a pojechała na imprezę i to w dodatku do tego porąbanego chłopaka. Małgosia! Ona prawie nigdy nie kłamała, czasami wręcz wydawało mi się, że to nienormalne, że ona jest bardziej dojrzała i rozsądna niż ja czy Anna. Nawet gdy miała dziesięć lat. To jego wina!

– Adres!!! – warczę przez zaciśnięte zęby.

– Tata, ale nie rób siary. Naprawdę nic się...

– Adres podaj!!!

– Myśmy tego wcale nie planowały, naprawdę miałyśmy się uczyć, ale...

– Kurwa!!! Adres!!! Natychmiast!!!

– Felińskiego siedemnaście ce – odpowiada drżącym głosem, którego jeszcze u niej nigdy nie słyszałem.

Ale też sam nigdy wcześniej nie mówiłem do niej w równie agresywny sposób.

– Mieszkania?!

– To dom jest. Willa. Szeregowa. Czyli bliźniak.

– Będę za piętnaście minut.

– Tato, to ja zejdę na dół i będę czekała przy...

– Nie! Nie zejdziesz na dół! Ja tam wejdę.

– Ale tu jest trudno trafić, lepiej będzie, jeśli ktoś wyjdzie po...

Rozłączam się i sprawdzam na mapce MyTaxi, gdzie jest taksówka, na którą czekam. Właśnie wjeżdża na Marinę.

IX

Ręce drżą mi leciutko. Kamerzysta odchodzi. Chłopak, który przeprowadzał wywiad, kiwa mi głową.

– Fajnie wyszło – stwierdza. – Dzięki.

Trzeci wywiad. Po radiowym była rozmowa dla portalu internetowego, a teraz telewizja. Chwytam kieliszek wina i wypijam je jednym haustem.

Bekon zerka na mnie spod oka.

– Czemu nic nie mówiłaś, że piszesz książki? – pyta.

– Och... – bąkam. – No, wiesz...

– Skończyłaś? – pyta Sebastian, który wciąż sterczy przy naszym stoliku.

– Chyba tak – rozglądam się, sprawdzając, czy do rozmowy ze scenarzystką serialu „Okna miłości", pisarką Anną L. nie szykuje się kolejny dziennikarz.

Najwyraźniej zaspokoiłam media, nikogo chętnego nie widzę. Larwa stoi za Bekonem, rzuca mi zagadkowe spojrzenie. Podziw? Nagana? Nie, chyba niesmak. Głupia cipa.

– Skończyłam.

– To cię porywam – oznajmia Sebastian, biorąc mnie pod rękę.

– Dokąd?

Nie odpowiada, pozwalam, by pociągnął mnie za sobą. Ile wypiłam? Nie mam pojęcia, dużo. Ale język mi się nie plącze, myślę klarownie. Ba, klarowniej niż kiedykolwiek. Mam wyostrzony umysł i wzrok, wyczuwam wszystkie zapachy, sensory mojej skóry odbierają każde muśnięcie powietrza, każdą zmianę temperatury. Jestem superkobietą. Mam to – myślę, bezwolnie podążając za Sebastianem. To jest to, mój strzał w dziesiątkę. Dlaczego wydawało mi się, że sukces wymaga pracy i wysiłku? Nic bardziej mylnego. Cóż, może kiedyś tak było czy, powiedzmy, bywało. Ale nie dziś. Dziś jest to wyłącznie sprawa szczęścia. Jak wygrana na loterii czy w bingo. Wszyscy mamy równe szanse, grunt to znaleźć się w odpowiednim miejscu o odpowiednim czasie. Stanąć w świetle i dać dostrzec.

Nie zastanawiam się, co będzie jutro. Owszem, to, czego się dopuściłam, jest jedną wielką mistyfikacją. Ale kto powiedział, że nie mogę wyrobić sobie nazwiska, zanim dokonam czegokolwiek? Mało osób postępuje w ten sposób? Teraz to już przecież bez znaczenia. Stałam się pisarką, bo tak się określiłam. Co z tego, że nic nie napisałam? Ale napiszę, wiem to. Ba, przecież piszę! Nikt tego nie czytał poza mną, ale czy to ma znaczenie? Czy teraz ktokolwiek czyta cokolwiek? Może jakieś nawiedzone blogerki, nikt poza nimi. Na pewno nie ci, którzy rozdają karty. Liczy się marketing i promocja czy raczej autopromocja. Albo układy. A najlepiej jedno i drugie. Układów nie posiadam oszałamiających, ale pewne już przecież mam. Zresztą nie liczą się karty trzymane w ręku podczas gry, ale blef! A moje karty nie są wcale takie złe, w końcu piszę scenariusz najbardziej kochanego serialu w tym kraju! Tworzę ten serial! W dodatku nagradzany! Czy to mało? To jest bardzo dużo! Nie, no ja w ogóle nie zdawałam sobie sprawy, jaką mam silną pozycję! Muszę wyjaśnić to nieporozumienie z tyłówką. Dlaczego się uparłam, żeby tam nie było mojego nazwiska? Poważny błąd! Poza tym recenzuję książki dla jednego z najważniejszych dzienników, sama ludziom wskazuję drogę, mówię im, co czytać, a czego nie! Mam apartament na Marinie, volvo, jogę ćwiczę, medytuję – może nieregularnie, ale jednak – zdrowo się odżywiam, męża mam z telewizji. I teścia też! A teściowa świętej pamięci była jedną z najpopularniejszych spikerek w latach siedemdziesiątych, moja matka ją uwielbiała, pamiętam! Co z tego, żeśmy się nigdy nie poznały? Inspirowała mnie, spokojnie tak mogę mówić w wywiadach. Cała moja rodzina z Puław ją uwielbiała! No, może o Puławach nie będę wspominała tak od razu.

Bezmyślnie pozwalam się prowadzić po jakichś schodach. Kolejny flesz trzaska mi w oczy, mrugam oślepiona błyskiem światła i gubię krok. Sebastian podtrzymuje mnie w ostatniej chwili, mało brakowało, a zleciałabym z tych cholernych schodów na łeb.

– Robię w garderobie – przeraźliwie chudy, blady jak wosk chłopak doskakuje do mnie z aparatem fotograficznym.

– Proszę? – pytam zaskoczona.

– Tytuł mojej rubryki – wyjaśnia. – Bardzo ciekawa kreacja.

– Ta rubryka? – nie mogę zebrać myśli.

– Nie. Pani sukienka. Czyj projekt?

Sukienkę kupiłam w sklepiku na Koszykowej, zobaczyłam ją na wystawie. To na pewno nie była żadna sieciówka, zdaje się, że te baby same szyły, ale za nic nie mogę sobie przypomnieć, jak się nazywał butik.

– Och – robię mądrą minę. – To chyba oczywiste.

Gapi się na mnie.

– Anna Lewandowska – mówię wyraźnie. – Pisarka.

– O! Chyba nie słyszałem o tej projektantce.

– Nie, nie. To ja... Ja sama – próbuję uściślić.

Jakoś trudno mi skupić myśli. I wzrok. Wszystko się kołysze. Sebastian znowu ciągnie mnie za sobą, chudy chłopak rozpływa się w powietrzu.

– Boże – mówię, starannie artykułując słowa. – Ile tych schodów. Ja nie wiem, chyba powinnam iść w dół, a nie w górę...

– Tutaj będzie spokojniej – Sebastian uśmiecha się do mnie i mruga okiem.

Mógłby reklamować pastę do zębów. Wybielającą.

– Ale ty masz zęby – wzdycham z podziwem.

Docieramy na jakiś podest czy piętro. Nisko tu, prawie szorujemy głowami po suficie – na wszelki wypadek pochylam się nisko i zerkam w górę. Nie, no ten sufit jest na normalnej wysokości, coś mi się przywidziało. Tylko co drugi kinkiet świeci na ścianach. Każdy obwieszony prostokątnymi kryształkami. Ładnie wyglądają, ale do mycia coś potwornego...

– O, tutaj – Sebastian otwiera jakieś drzwi i wpycha mnie do środka.

Środka jest znacznie więcej niż tego co na zewnątrz. Na krótką chwilę odejmuje mi mowę, bo mam wrażenie, jakbym znalazła się w budce telefonicznej Doktora Who z tego starego angielskiego serialu. Dopiero gdy mój wzrok przyzwyczaja się do półmroku, dociera do mnie, że jesteśmy na widowni teatru. A dokładniej – na balkonie.

– Tutaj nic nie ma, nikogo nie ma, nic się nie dzieje – mamroczę i próbuję zawrócić. – Ja muszę zejść, bo tam na mnie czekają.

– Zaraz zejdziemy – mówi Sebastian i przysuwa się bliżej.

Zadzieram głowę i spoglądam mu w oczy. Są olbrzymie.

– Ale ty masz oczy – bełkoczę.

Jednak tych kilka (kilkanaście?) kieliszków wina w końcu na mnie podziałało. Jestem zapruta w sztok. Wręcz skuta. Totalnie. Opieram się plecami o ścianę, oczy Sebastiana robią się coraz większe. Dopiero gdy czuję jego usta na swoich, dociera do mnie, że się nade mną pochylał.

– Ja nie... – próbuję powiedzieć, ale gdy rozchylam usta, knebluje mnie językiem.

Przez kilka sekund rejestruję to z całkowitą obojętnością. Jego język wypełnia mi usta, wije się w nich jak pozbawiony skorupki ślimak. Ma całkowicie neutralny smak – zawsze zaskakiwało mnie podczas pocałunków, że mężczyźni smakują tak samo jak ja, a przecież powinno być inaczej. Powinni być inni, gorzkawi, może słoni. Korzenni z nutą pieprzu, jak przeżuwany kawałek grubej, wygarbowanej skóry. Jak rzemień. Oczywiście Paweł, kiedy palił, miał inny smak, ale to był tytoń, nie on. Nigdy nie całowałam kobiety, może powinnam, może wtedy wychwyciłabym różnicę.

Sebastian opiera dłoń na moich plecach, sunie niżej. W dole krzyża czuję mrowienie. Torebka wysuwa mi się z ręki, upada na podłogę.

Odrywa usta od moich. Pochyla głowę i liże mnie po szyi, dociera do tego specjalnego miejsca, gdzie łączy się ona z ramieniem – to mój słaby punkt. Ale nie protestuję. W ogóle nic nie mówię, bo słowa usankcjonowałyby jakoś tę sytuację, urzeczywistniły, nadałyby jej znaczenie. Dopóki milczę, dopóki nie protestuję ani nie wyrażam zgody, nic się właściwie nie dzieje. Jestem przecież pijana, właściwie nieobecna. Mało przytomna. Z niczego nie zdaję sobie sprawy. Niewykluczone, że dosypał mi czegoś do wina. O, tak. To bardzo prawdopodobne.

Jego druga dłoń nagle dotyka mojego uda, czuję, jak sukienka pełznie po nim w górę. Sama z siebie, jakby była zbędną skórą, z której wyrosłam i którą właśnie zrzucam. Jak on to robi... Jego palce muskają moje krocze, z wysiłkiem tłumię jęk, zaciskam zęby.

– Mogę? – szepcze mi do ucha.

Nie chcę, żeby się odzywał, przeczekuję. Zastyga w bezruchu, przyklejony do mnie, z palcami tuż przy moim kroczu. Przez cienką bawełnę bielizny czuję bijące od nich gorąco.

– Nie chcesz? – pyta.

Dlaczego nie może się zamknąć?! Chwytam jego dłoń między moimi udami i dociskam z całej siły do siebie. Wpycha we mnie dwa palce przez majtki, przeszywa mnie ostry dreszcz. Porażenie prądem. Wyrywa mi się jęk. Nigdy nie czułam niczego takiego. Rozkładam ramiona, opieram dłonie o ścianę. Nie chcę go dotykać, chcę, żeby to on...

Znowu całuje mnie głęboko, jest wyższy o głowę, musi się pochylać. Otwieram szeroko usta, czuję jego spływającą ślinę, a gdy cofa język, żeby ją przełknąć, chwytam go za kark i przyciągam do siebie. Nie chcę, żeby mi ją zabrał, chcę mieć wszystko. Wchłonąć w siebie.

Przecież ja nie znam tego mężczyzny. W dodatku jest absolutnie niewłaściwy – młodszy ode mnie, pociągający co prawda, ale nie wydaje mi się, żebym chciała z nim rozmawiać. Narcystyczny, bezczelny, zapewne głupi. Nie jestem go ciekawa jako człowieka, podoba mi się tylko jak torebka albo buty. Nie byłam jeszcze w podobnej sytuacji, nawet nie przypuszczałam, że mogłabym być zdolna do takich... Chcę go tylko dostać, posiadać przez chwilę – to wystarczy, żebym zaspokoiła pragnienie. Czy właśnie tak funkcjonują mężczyźni? Widzą w nas tylko ciepłe, podrygujące worki mięsa, które chcą rozpłatać, skonsumować i wchłonąć, a potem odrzucić jak skórki wypatroszonej pomarańczy?

Jego drżące, niepowstrzymane palce odciągają krawędź moich majtek, wpełzają we mnie, a raczej się wślizgują, bo jestem tak wilgotna, jak jeszcze nigdy nie byłam. Rozsuwam uda, wspinam się na palce, wypycham biodra do przodu i ramionami obejmuję jego kark, prawie na nim zawisam. Niech on wreszcie rozepnie te spodnie...

Jego dwa palce zagłębiają się we mnie, czubkiem kciuka bezbłędnie odszukuje właściwy punkt, przesuwa po nim najpierw delikatnie, a potem mocniej, szybciej. Z piersi wyrywa mi się nieartykułowany dźwięk, który wpycham mu w usta razem ze swoim językiem. Sięgam po omacku, próbuję odnaleźć jego pasek, opuszczam dłoń niżej. Przez naprężony materiał wyczuwam nabrzmiały, obły kształt. Rozporek jest zapinany na guziki, cholera, co za pomysł... Przez kilka sekund Sebastian poddaje się moim nieporadnym manipulacjom przy swoim rozporku, ale gdy udaje mi się odpiąć dwa guziki i wsunąć tam palce, nagle cofa biodra.

X

– Proszę poczekać.

– Długo? Bo ja już chciałem kończyć pomału. Jeżdżę od dwunastej – taksówkarz nie wygląda na uszczęśliwionego.

– Pięć minut. Zabiorę córkę i wrócimy na Marinę. Tu na pewno jest siedemnaście ce? – wyglądam przez okno na ciemną ulicę. – To miał być dom, a widać same bloki.

– Według dżipiesu tu.

Wysiadam z auta i podchodzę do najbliższego budynku. Gdzieś tu musi być tabliczka z numerem, niewiele widać. Te latarnie stylizowane na gazowe lampy prawie nie dają światła... Przechodzę przez trawnik, skręcam za blok. Podwórko, jakieś drabinki, piaskownica, ławki. Gdzie tu, do cholery, są wille?

Ktoś porusza się w mroku tuż przede mną; stoi przy pniu jedynego rosnącego na podwórku drzewa. Przestraszony, cofam się odruchowo o pół kroku.

– To ty? – pyta chłopak.

– Co? Nie. Ja...

Trudno trafić. Ktoś musi wyjść po ciebie.

– Chodź – chłopak rusza szybkim krokiem w stronę bloku.

– Ale... – ruszam za nim.

– Pospiesz się – rzuca przez ramię.

Docieramy do klatki schodowej, blada żarówka oświetla tabliczkę przykręconą do muru. Siedemnaście. Przecież miało być siedemnaście ce.

Chłopak wbija kod do domofonu, otwiera drzwi do holu i wchodzi do budynku. Drzwi się zamykają, chwytam je i przytrzymuję.

– To chyba pomyłka – mówię.

– Jasne – nawet na mnie nie patrzy. – Tędy.

Mija windy, skręca w korytarz za nimi.

– No szybciej – ponagla mnie, oglądając się przez ramię.

Nosi okulary. Wiem, że to pomyłka. Tego chłopaka nie przysłała Małgosia. Tylko tracę czas. W dodatku to może być niebezpieczne, może chcieć mnie okraść. Te myśli jednak są stłumione, drugoplanowe. Moje ciało ich nie słucha. Idę za nim. To zejście do piwnic. Zatrzymuję się u szczytu ciemnych, wąskich schodów. Chłopak stoi na dole, drzwi są szeroko otwarte. Żarówka zamknięta w szklanym kloszu oświetla go dokładnie. Odrzuca kaptur na plecy, podnosi głowę i patrzy na mnie. To wcale nie chłopak. Jest drobny i szczupły, ale na pewno dobiega trzydziestki. Przeciętny facet, niezbyt przystojny.

– No rusz się – mówi. – Mam mało czasu, wyszedłem niby tylko po fajki na stację benzynową.

Serce mi wali. Patrzę z góry na faceta. Chcę odwrócić się na pięcie i odejść. Ale tego nie robię.

– No co? – mężczyzna przechyla głowę, światło żarówki odbija się w jego okularach. – Nie pasuję ci?

Milczę, zasycha mi w gardle. Facet podchodzi do schodów, stawia stopę na najniższym stopniu. Cofam się o krok.

– Chodź – mówi. – Nie pożałujesz. Ja zajebiście ciągnę. Zero reklamacji, powaga.

– To pomyłka – udaje mi się wreszcie wykrztusić.

– Taaa, pomyłka – facet uśmiecha się krzywo, jest już prawie przy mnie. – Zestrachałeś się, co? Nie ma co się strachać. Spodoba ci się. Wiem, że ci się spodoba.

Robi mi się niedobrze. Czuję mrowienie w podbrzuszu, a mój kutas kurczy się, prawie znika. Oddycham szybciej.

– Fajny jesteś. Jakbym cię znał skądś w ogóle... – mówi facet. – Wszystko ci zrobię, co zechcesz. Rowa też wyliżę. Serio, zero przeszkód.

Chcę go uderzyć. Dłonie zwijają mi się w pięści, aż strzelają stawy palców.

– Spierdalaj – mówię.

Odwracam się i prawie biegnę w stronę wyjścia z klatki schodowej. Niemal spadam z betonowych schodów prowadzących na chodnik. Zatrzymuję się przy piaskownicy i próbuję złapać oddech.

– Cześć – odzywa się ktoś półgłosem.

Odwracam się błyskawicznie i spoglądam w bok.

– To ja jestem – mówi.

W półmroku nie widzę jego twarzy. Ma na sobie wełniany płaszcz, jasny szalik.

– Z ogłoszenia – dodaje.

– Pomyłka, kurwa! – warczę.

Cofa się szybko, traci równowagę i prawie przewraca się na chodnik. Z trudem udaje mi się nad sobą zapanować, żeby nie rzucić się na niego z pięściami. Mój żołądek jest zaciśnięty jak supeł, mięśnie drżą.

Muszę do niej zadzwonić. Próbuję wyłuskać ajfona z kieszeni spodni, przebiegam przez podwórko. Gdzie ta cholerna taksówka? Przecież nie zapłaciłem, nie mógł odjechać. Skręcam za budynek i wychodzę na nieduży zaułek, przy którym stoi ciąg niskich budynków. Szeregówki. Zaledwie kilka domów. Latarnie rzucają na uliczkę ciepłe kręgi miodowego światła. Idealna sceneria do jakiegoś familijnego gówna. Tycie ogródki przed domkami, ganki, kolumienki, łamane dachy pokryte dachówką.

Podchodzę do furtki, za którą ciągnie się krótka brukowana dróżka do pierwszych drzwi. Siedemnaście a. Idę wzdłuż płotu, docieram do trzeciej furtki. Spoglądam w rozświetlone okna, za którymi przesuwają się cienie. Słychać muzykę. Naciskam dzwonek umieszczony na szyldzie żeliwnej skrzynki na listy.

XI

– Nie tutaj – szepcze Sebastian.

Szamoczę się z nim bez słowa.

– Hej! – odzywa się głośniej. – Nie tutaj, mówię! Mogą nas przyłapać.

Niech przyłapią, jest mi wszystko jedno. Kto nas tu zresztą miałby przyłapać? Wszyscy się kłębią przy barze na dole. Tam, gdzie jest właściwe światło.

Sebastian chwyta mnie za nadgarstek i odrywa moją dłoń od swojego krocza.

– Ty, zdaje się, niezły numer jesteś – stwierdza z krzywym uśmiechem, jego zęby połyskują w półmroku.

Próbuję wyrwać rękę, ale jest silniejszy. Przez kilka sekund przebiera jeszcze we mnie delikatnie palcami, ale gdy mięśnie zaciskają mi się w pierwszym skurczu, wyrywa ze mnie dłoń. Doznanie jest dojmująco przykre, sprawia mi fizyczny ból. Stoję przed nim, kolana mi miękną, prawie upadam. Łapię powietrze jak ryba wyrzucona na piasek.

– Ale jazda – szepcze Sebastian, a potem nieznośnie protekcjonalnym ojcowskim gestem poklepuje mnie po głowie i głaszcze po włosach. – Maleństwo chciałoby więcej, tak? Ojej, biedactwo, takie wyposzczone...

Łzy pieką mnie pod powiekami z wściekłości i rozczarowania. Wcale nie jestem tak pijana, jak mi się zdawało, czy raczej – jak sama przed sobą udawałam.

– Ty chuju, ty! – mówię, a on najpierw rzuca mi zdumione spojrzenie, potem wybucha śmiechem i puszcza wreszcie moją rękę.

Poprawiam sukienkę, próbuję ułożyć włosy. Schylam się, żeby podnieść torebkę, ale jest szybszy.

– Oddaj to!

– Spokojnie – wzrusza ramionami, a potem wyjmuje z mojej kopertówki ajfona.

– Zostaw! – próbuję mu go wyrwać, ale odchyla ramię.

– Mówię: spokojnie – przestaje się uśmiechać.

Odblokowuje telefon, teraz żałuję, że nie wprowadziłam zabezpieczenia kodem. Klika szybko i czeka. Dzwoni do Pawła. Wiem to. Nagle rozlega się przygłuszony dźwięk jakiejś idiotycznej melodyjki. Sebastian wrzuca komórkę do torebki i podaje mi ją.

– Masz – mówi. – Wbiłem ci mój telefon.

– Niepotrzebnie – odpowiadam. – Nie zadzwonię do ciebie. Nigdy.

– To ja zadzwonię – mruga do mnie z bezczelnym uśmiechem. – Numer już mam.

Odwracam się do niego plecami, prostuję z godnością i bez słowa ruszam do wyjścia z widowni. Na szczęście ma tyle rozumu, żeby za mną nie iść. Próbuję zatrzasnąć za sobą drzwi, ale mają wmontowaną spowalniającą blokadę. Maszeruję wzdłuż ściany z idiotycznymi kryształowymi kinkietami, docieram do schodów. Opieram rękę na marmurowej poręczy. Odczekuję, aż wyrówna mi się oddech, i schodzę w dół. Nie zostanę w tym budynku ani sekundy dłużej, niż muszę. Zamówię taksówkę z ulicy, zresztą spacer dobrze mi zrobi.

Na dole już się przerzedziło, na wszelki wypadek obchodzę szerokim łukiem tę część foyer, w której stał Bekon z Larwą. Odbieram futro, nie mam drobnych.

– Przepraszam, nie mam pieniędzy – mówię do szatniarki.

– Mąż już to załatwił – uśmiecha się. – Dobrej nocy.

Tak. Mój mąż dzisiaj w ogóle nieźle mnie załatwił. Gdyby nie on, nic by się nie wydarzyło. Gdyby ze mną został, nie wpakowałabym się w tę idiotyczną... W nic bym się nie wpakowała!

Skręcam w stronę Harendy, szybkim krokiem zmierzam do pomnika Kopernika. Krakowskie Przedmieście jest zupełnie puste, nie widać ani jednego samochodu. Zamawiam taksówkę i siadam na kamiennej ławce. Zrobiłam z siebie idiotkę na wszystkich frontach.

– O Boże – pochylam głowę i opieram czoło na dłoni. – Jak ja się teraz pokażę na Chełmskiej?

Prawdopodobnie mogę się już pożegnać z serialem. Jeśli Donatan się dowie, co dziś tu wygadywałam, przejdę do historii prędzej niż kaseta VHS.

XII

– Możemy jechać – Małgosia staje na ganku. – Wszystko wzięłam.

– Otwórz tę furtkę – mówię do niej.

– Ale kiedy nie...

– Gośka! Natychmiast otwórz tę pieprzoną furtkę, bo jak nie, to ją rozjebię za moment! – wywrzaskuję.

Od dnia, gdy ten gnojek zaczął się przy nas kręcić, wszystko mi się sypie! Telewizja, Anka, Małgosia, papierosy. I jeszcze to dzisiaj!

(*nawet rowa ci wyliżę, serio*).

Przymykam na ułamek sekundy powieki i oddycham głęboko.

Małgosia wpatruje się we mnie z przerażeniem. Wyraz jej twarzy sprawia mi ból i zarazem potęguje wściekłość. Znacznie łatwiej jest stracić porozumienie z własnym dzieckiem, niż je zbudować. W przypadku Małgosi utrata jej zaufania do mnie zapewne okazałaby się nieodwracalna – ona jest taka zasadnicza. Oczywiście miłość zostanie, ale miłość wbrew temu, w co każdy chce wierzyć, to nie wszystko. Podobnie jak zaufanie – możesz komuś ufać, ale nie oznacza to, że chcesz się dzielić z nim swoim życiem. W tej chwili balansuję na granicy. Zdaję sobie sprawę, że zaraz mogę zniszczyć naszą przyjaźń. Będzie mnie kochała, będzie mi ufała zapewne, ale postawi mnie z boku. Choć przecież tak być musi. Tak dzieje się zawsze, na tym to polega – rodzice zostają z tyłu. Nie może mi się wydawać, że do końca mojego życia będzie traktowała mnie jak najbliższego sobie człowieka. Nie tylko Anka ma problem z tą sytuacją. Co nam zostanie, gdy Małgosia odejdzie?

Gosia wraca do domu, blokada zamka przy furtce zwalnia z cichym terkotem. Popycham niskie skrzydło bramki – na dobrą sprawę mogłem bez trudu przez nią przeskoczyć.

– Gdzie jest? – pytam wściekłym tonem, gdy przekraczam próg domu Krisa.

– Przyprowadzę go – mówi cicho Małgosia i rusza w stronę schodów prowadzących na piętro.

Ładne wnętrze. Przyjazne. Żółte ściany, kamienna podłoga z terakoty. Południowy styl, teraz całkowicie niemodny. Tak się urządzało mieszkania kilka dobrych lat temu. Na ścianie holu wisi kilka obrazów. Zamaszyste ruchy pędzla, wibrujące, jaskrawe kolory, realistycznie uchwycone postaci. Ojciec powiedziałby, że to droga tandeta, ale ja nie miałbym nic przeciwko temu, żeby powiesić coś takiego w domu. Na jednym z obrazów kobieta w średnim wieku pochyla się nad wózkiem. Nie widać dobrze jej twarzy, ale coś w linii jej ramion, w pochyleniu głowy wydaje mi się znajome.

– Jestem – mówi Kris, stając na szczycie schodów.

Ma na sobie idiotyczne dżinsy z krokiem nad kolanami i niemożliwie wąskimi nogawkami opiętymi na łydkach. Koszmarny, deformujący krój – jestem pewny, że stał się tak modny wyłącznie dlatego, że epatuje nonszalancją. Gdy się ma takie gacie na tyłku, wszystko można mieć w dupie – dają przestrzeń. Kris zaciska usta, przygląda mi się z uwagą. Boi się, to dobrze. Mam przewagę, której dotąd przy nim nie czułem.

– Mówiłem ci chyba, gnoju jeden... – zaczynam niskim głosem, ale Kris kręci szybko głową i zerka nerwowo na zamknięte drzwi z boku holu.

– Nie tutaj – rzuca.

Kiwa na mnie ręką, jakby przywoływał podwładnego, a potem odchodzi od schodów i znika w korytarzu na piętrze. Zatyka mnie z wściekłości, ale wrzaski w pustym holu są pozbawione sensu. Zaciskam dłonie i wbiegam na górę.

Dom jest zaskakująco duży, znacznie większy, niż wydawał się z zewnątrz. Kris stoi w drzwiach na końcu długiego korytarza. Przez szerokie przejście do pokoju znajdującego się najbliżej schodów widzę Małgosię i Natalię, które siedzą obok siebie na kanapie i wpatrują się we mnie jak urzeczone. Jest tam jeszcze parę innych osób – ze trzy dziewczyny, kilku chłopaków. Gra muzyka, ale nikt nie tańczy. W ogóle nikt się nie rusza, wszyscy się na mnie gapią. Zaciskam szczęki i ruszam w stronę Krisa, który wchodzi do pokoju. Przekraczam próg i zatrzaskuję za sobą drzwi.

To jego lokum. Biurko z komputerem, szerokie łóżko. Sprzęt do ćwiczeń, telewizor z podłączonym xboksem 360 – mam taki sam model. Z prawej uchylone drzwi do garderoby, z lewej przejście do łazienki. Podłoga z postarzanych grubych dębowych desek, bladoniebieskie ściany.

– Przepraszam – mówi Kris.

– Przepraszasz? – tracę impet na ułamek sekundy. – Mówiłem ci, żebyś się od nas odpieprzył!

– Wiem – Kris głośno przełyka ślinę. – Ale nie mogę.

– Nie możesz? – znowu brakuje mi słów. – Co to, kurde, znaczy, że nie możesz? Tu nie ma co móc czy nie móc! Po prostu... Po prostu zniknij! I odczep się od mojej córki!

Co to znaczy – nie może? Jak on... Nagle czuję, że brak mi tchu, bo znaczenie tych słów objawia się w moich myślach jak błysk lampy stroboskopowej. Zrobił jej dziecko! Małgosia jest z nim w ciąży! Wsadził jej... (*dobrze ciągnę, zero reklamacji*). Zaciskam z całej siły szczęki i odwracam się bokiem do Krisa, bo czuję, że jeśli dalej będę na niego patrzył, zrobię coś niewybaczalnego, czego będę żałował do końca życia. Spoglądam na ciąg szafek pod wielkim ledowym telewizorem. Przy xboksie równo poustawiane książki, kolorowe pudełka, ramki ze zdjęciami. Zadziwiający porządek jak na nastolatka. Próbuję zapanować nad nerwami, zmuszam się do równego oddechu. Ona ma niecałe osiemnaście lat.

Ramki ze zdjęciami są trzy. Dwie małe i jedna duża. Mniejsze odbitki są kolorowe, a duża – czarno-biała. To jest właśnie to zdjęcie. Wpatruję się w fotografię przez kilka sekund i czuję pieczenie pod powiekami. Cała wściekłość wyparowuje ze mnie, napięte mięśnie puszczają. Widziałem to zdjęcie ostatni raz ponad trzydzieści lat temu. Nawet nie pamiętałem go dobrze, ale wystarczył rzut oka, żeby wszystko wróciło. Tafla pomarszczonego szkła, zamrożone okno, gumowy Kermit uwięziony w lodowym bloku (*błagam cię, nie stłucz*). Mój tata jest ważniejszy od papieża.

To matka. Profesjonalny portret zrobiony dla prasy. Z tej samej sesji, którą wykorzystano w tygodniku „Ekran", ujęcie podobne do okładkowego. Ale na tamtym była sztywna, gładka, piękna i chłodna. Ta fotografia pewnie została odrzucona – matka chyba właśnie próbowała coś powiedzieć, o coś zapytać. A może po prostu chciało jej się kichnąć. W każdym razie na tym zdjęciu ma nieco zaskoczoną minę. Uchylone usta, niewidzące spojrzenie. Zbyt naturalnie wyszła, żeby nadawało się do publikacji. Właśnie to albo bardzo podobne zdjęcie ojciec położył na stole w salonie, miało trafić do dziennika. Zaginęła, ktokolwiek wie, proszony jest...

Mam w głowie pustkę. Kris milczy, muzyka gra za drzwiami. Zadał sobie aż tyle trudu? Możliwe, że jest po prostu psychofanem, rąbniętym prześladowcą. Występuję w telewizji, muszę się z czymś takim liczyć. Tacy psychopaci potrafią grzebać w śmietnikach, żeby wyłowić strzęp ubrania, paragon ze sklepu czy kosmyk włosów. Potrafią prześwietlić człowieka lepiej niż niejeden detektyw. Tacy jak oni naprawdę mogą być niebezpieczni. Ale w tym przypadku tak nie jest, wiem to. Czuję (*wydaje mi się, że on na ciebie leci*). Czy komuś w całym moim życiu zależało na mnie aż tak mocno?

Nagle braknie mi tchu, wciągam głośno powietrze i gwałtownie odwracam się do chłopaka. Jego oczy są pełne łez, usta drżą. Na policzkach ma nieregularne czerwone placki. Coś pęka we mnie, zrywa się jakieś ścięgno w klatce piersiowej, pod sercem czuję bolesny skurcz. Nogi niosą mnie same, nie wiem nawet, kiedy staję tuż przed tym chłopcem. Zadziera głowę, patrzy na mnie pytającym, pełnym nadziei wzrokiem. Nie zastanawiając się, co robię, obejmuję go i całuję w usta. Są doskonałe. Ich wielkość, kształt i faktura pasują do moich jak brakujący kawałek puzzla. Kris biernie poddaje się pocałunkowi. Dotykam językiem jego zębów, nieśmiało sięgam głębiej. Obejmuję go ciasno, czuję pod palcami jego ciało – mocne, zwarte, wibrujące jak napięta sprężyna. Zupełnie inne, niepodobne do ciał, które kiedykolwiek trzymałem w ramionach. Przyciskam krocze do jego krocza, napieram biodrami. Trwa to ułamek sekundy i całe wieki zarazem. Zamykam go w ramionach, przygarniam do siebie. Doskonałe dopasowanie, którego szukałem, na które czekałem, nawet nie zdając sobie z tego sprawy. Czyżby? Och, nie. Po prostu nie chciałem zdać sobie z tego sprawy. Po prostu...

– Nie! – Kris wyrywa się z odrętwienia, odwraca głowę gwałtownym ruchem i odpycha mnie od siebie. – To nie... Nie o to chodzi!

– Przecież rozu... – zaczynam nieporadnie, ale kręci głową i mówi:

– To nie to. Ja jestem... Ty jesteś moim...

– Czym? Czym dla ciebie jestem? – próbuję się uśmiechnąć i rozluźniam mięśnie, bo pewnie zadziałałem zbyt szybko, a trzeba było delikatniej i on (*co, zestrachałeś się?*) się wystraszył.

– My jesteśmy braćmi – mówi Kris.

XIII

Dlaczego mi się wydawało, że pisanie scenariusza opery mydlanej jest uwłaczającym zajęciem dla pisarza? Soap operę odbiera się jako tandetną właśnie dlatego, że tak bardzo przypomina życie – myślę, starając się nie oddychać przez nos, bo w taksówce okropnie śmierdzi. Serialowe życie jest takie, jakim żyjemy, albo takie, jakim chcielibyśmy żyć. Prawda jest banalna. W „Oknach miłości" wszyscy są dobrze sytuowani – bohaterowie muszą być bogaci, bo przyglądanie się nieszczęściom zamożnych ludzi jest wzruszające i przejmujące, natomiast obserwowane tragedii biedaków przygnębia i psuje nastrój. O ileż bardziej poruszające jest samobójstwo w złotym jacuzzi od tego popełnionego w bloku, w ciasnej łazience wyłożonej glazurą z Castoramy. Nasi bohaterowie są tacy, jacy chcieliby być odbiorcy, czyli – jak na nich mówi Bekon – trzoda. Kochają tak mocno, jak chcieliby kochać wszyscy. Są ułomni na tyle, aby byli bliscy. Mają bardziej skomplikowane problemy niż ich wielbiciele, dzięki czemu ci ostatni zyskują dystans i siłę do walki z własnymi troskami – bo przecież mogłyby być o tyle poważniejsze! Wystarczy obejrzeć ostatni odcinek, żeby się o tym przekonać. Zwroty akcji są dramatyczne, emocje silniejsze, dobro wyraźniej odróżnia się od zła. I wszystko jest możliwe. Tak jak w życiu. Wielka miłość czeka na człowieka tuż za progiem domu, zawrotna kariera rozpoczyna się od telefonicznej pomyłki, oszałamiające bogactwo spada z nieba w postaci odziedziczonego majątku po nieznanym krewnym. Pięćdziesięciolatki zachodzą w ciążę, zapomniane, porzucone przed laty dzieci niespodziewanie pukają do drzwi, dawne miłości ze szkolnej ławki płoną jasnym ogniem, bo okazuje się, że ich żar przez dekady wciąż się tlił pod popiołem codzienności. No, to raczej mało prawdopodobne...

Dlaczego pogardzałam tym serialem? Przecież większość pomysłów, które wykorzystujemy w scenariuszu „Okien", bierzemy z życia – po to na kolegiach wertujemy gazety, po to czytamy blogi, oglądamy tokszoły. W „Oknach miłości" portretujemy rzeczywistość! Cóż, może kreska, którą oddajemy ten obraz, jest niekiedy zbyt wyrazista, a kolory użytych farb zbyt jaskrawe, jednak przedstawiają prawdę! A czy nie na tym polega rola wielkiego artysty – na prezentowaniu i uświadamianiu trzodzie prawdy?

– Trzydzieści pięć – mówi taksówkarz, zatrzymując auto przed wejściem do naszego bloku przy Zamglonej.

– Reszty nie trzeba – podaję mu dwa różowe banknoty dwudziestozłotowe i wysiadam z taksówki.

Noc jest ciepła. Blady blask gwiazd z trudem przesącza się przez bijącą w niebo łunę świateł Warszawy, ale można dostrzec te punkciki – gdy nie spogląda się wprost na nie. Czasem prawdziwy kształt rzeczy możemy ujrzeć, obserwując je kątem oka. Przeżyłam dziś objawienie, a nawet kilka. Mam prawo czuć się zmęczona.

Cicho otwieram drzwi do mieszkania, alarm pika. Dlaczego go włączył? Wbijam kod i rozbrajam system. Wszystkie światła pogasił, wie dobrze, jak tego nie cierpię. Nienawidzę wracać do ciemnego mieszkania. Zrobił to na złość, żeby mnie ukarać za to, że zostałam dłużej. Albo z zazdrości. Zostałam doceniona, zdobyłam nagrodę, a on nie. Oczywiście to nieprawda, Paweł nie jest małostkowy, tego akurat jestem pewna, choć sama myśl, że mógłby być zazdrosny o mój sukces, sprawia mi satysfakcję. A jeszcze ważniejsze jest to, że właściwie miałby o co być zazdrosny. Tyle że nie jest i nie będzie.

Idę do garderoby, zdejmuję sukienkę i rajstopy. Wyjmuję z torebki ajfona i zaglądam do listy ostatnich połączeń.

Mogłabym wykasować ten numer, to bardzo łatwe. Ale wtedy, gdyby zadzwonił, nie wiedziałabym, że to on, i mogłabym odebrać. Dodaję numer do kontaktów. Najpierw chcę go przyporządkować do kategorii „nie odbierać!", w której są doradcy finansowi, były mąż mojej siostry i kilka eksprzyjaciółek, jednak zmieniam zdanie. Jak go podpisać? Jeżeli napiszę po prostu Sebastian, a on jednak zadzwoni, powiedzmy, podczas kolacji, gdy będziemy z Pawłem siedzieli przy stole, a ajfon będzie leżał na blacie. Ekranem do góry. I jeśli Paweł zobaczy... Nie. Jak go nazwać? Uśmiecham się pod nosem i wbijam szybko: „Antychryst". Nawet mi esemesa nie przysłał.

W pewnym sensie zdradziłam Pawła... Nie, no raczej zdradziłam. Najdziwniejsze jednak, że nie czuję z tego powodu przerażenia ani nawet żalu. Nie mam wyrzutów sumienia. Może sens czy znaczenie wszystkiego, co się wydarzyło minionego wieczoru, jeszcze do mnie nie dotarło? Trochę się może boję, że sprawa mogłaby się wydać – byłoby potworne zamieszanie. Ale nawet ten strach jest przygłuszony.

Idę do łazienki i zmywam makijaż. Dobrze byłoby umyć głowę, nie mam pojęcia, co to za lakier – wciąż się trzyma. Ale jeśli położę się z mokrymi włosami, rano znowu będę musiała je myć, bo nie dadzą się ułożyć. Trudno, miejmy nadzieję, że do rana nie wyłysieję. Padam z nóg, choć wcale nie jest bardzo późno – zaledwie dwunasta.

Biorę z kuchni banana i idę do mojego gabinetu. Z przyzwyczajenia nie zapalam światła i staję przy oknie. U Pustaków wciąż się świeci w dużym pokoju. Tatusiek ogląda coś w telewizji rozwalony na kanapie. Mamuśka chyba w sypialni – tak ustawili łóżko, że go prawie nie widać. Muszę ich jakoś podkolorować, potrzebne są wyraźniejsze zwroty akcji. Może podwójna zdrada? Donatan powiedziałby, że to już było. Nudne. Ale pomysł z pedofilem wydaje mi się zbyt drastyczny, jednak z niego zrezygnuję.

Żuję banana i bezmyślnie gapię się w okna Pustaków. Może w Książce powinni być jednak starsi? Dziecko wtedy odegrałoby jakąś konkretną rolę, mogłoby być już nastolatką. Z problemami oczywiście. Albo może właśnie bez? Może to byłoby ciekawsze? Taka stara maleńka, mądrzejsza od swoich rodziców?

Światło w sypialni przygasa, przestaję żuć. Mamuśka leci do salonu, ma na sobie szare legginsy i za duży T-shirt. Ona sypia w legginsach? Mało seksowne.

Wpada do salonu, Tatusiek zrywa się z kanapy. Rozmawiają o czymś, po omacku sięgam po lornetkę. Szkoda, że nie umiem czytać z ruchu ust. Nagle Mamuśka zgina się wpół, przyciska dłoń do ust i pędzi do zlewu w części kuchennej. Rzyga. Znowu zaszła. Tatusiek biega po salonie jak kot, któremu ktoś prysnął na dupę domestosem. Chwyta za komórkę, wybiera numer.

Pewnie pogotowia. Mamuśka powstrzymuje go, coś szybko mówi. Zaszła w ciążę. Z kochankiem? Tatusiek chyba się domyśla, kto nim jest, może chciał zadzwonić i zjebać go przez telefon? Ciekawe.

Wpycham resztę banana do ust. Przyjmijmy, że jednak są starsi. Tacy, powiedzmy, koło czterdziestki – to ciekawy okres w życiu, często czas pozytywnej dekonstrukcji i przewartościowania. Córka dorasta, wkrótce odejdzie. Co wtedy zostanie? Miłość zamieniła się w przyzwyczajenie, seks zanikł, pieniędzy jest już na tyle dużo, żeby nie stanowiły istotnego problemu. Jeszcze człowiek nieźle wygląda, jeszcze się trzyma, jeszcze by mógł, a tu co? Nic. I wtedy Mamuśka zachodzi w ciążę. Wszystko staje na głowie, zaczynamy od nowa. Z jednej strony – no, coś się jednak dzieje – ulga. Z drugiej – szansa na ucieczkę z pułapki maleje do zera – żal. Skoro Tatusiek wytrzymał z nią tych kilkanaście lat, to przecież nie zwieje teraz, gdy będzie nowe dziecko. Ona też go nie wyrzuci, bo jak? Ciąża po czterdziestce podobno bywa fizjologicznie korzystna dla kobiety – kiedy o tym usłyszałam, parsknęłam śmiechem. Dla mnie ciąża była koszmarem. Wszystko mnie bolało, rzygałam jak kot i miałam potworne hemoroidy. W życiu nie czułam się gorzej niż wtedy. No ale powiedzmy, że jednak jakieś tam organy wewnętrzne się uaktywniają, kiedy kobieta zmienia się w fabrykę. Czy taka późna ciąża nie odsuwa też przypadkiem menopauzy o kilka lat? Muszę to sprawdzić.

Tatusiek odkłada telefon. Bierze Mamuśkę w ramiona, kołysze w objęciach. Obraca twarz i widzę, że jest mokra. Popłakał się? Z radości czy z rozpaczy? Nie mam pojęcia, o co tam chodzi. Mamuśka całuje go w policzek, wraca do sypialni. On zostaje w salonie.

XIV

– Braćmi? – gapię się na Krisa jak cielę na malowane wrota.

– Tak – kiwa szybko głową.

Zaraz się rozpłacze, wierzchem dłoni wyciera nos. Nieporadny, dziecinny gest.

– I to ja dlatego... Ja... – mówi nieskładnie. – Nie sądziłem, że ty pomyślisz... Że ci przyjdzie do głowy, żeby... Bo ja po prostu chciałem...

– Co ty mi pieprzysz, dzieciaku? – zaczyna do mnie docierać, co zrobiłem, jak się zachowałem.

Złość znowu wraca, łączy się z gorzkim, gryzącym, niezrozumiałym poczuciem straty.

– Ja to odkryłem dopiero niedawno – wyjaśnia i łzy jak groch zaczynają płynąć mu policzkach. – Że moja mama... To też twoja mama.

– Mama? – powtarzam bezmyślnie.

Znowu robi mi się gorąco. Pocałowałem go. Pocałowałem chłopaka. Z językiem. I to było cudowne, nie wmówię sobie, że nie było. Całkowicie niewłaściwe, niemożliwe i nieprawdopodobne. A jednocześnie wspaniałe. Trzask kry pękającej na rzece podczas pierwszych ciepłych wiosennych dni. Krople spływające po roztapiających się lodowych soplach. Resztki brudnego, zamarzniętego śniegu znikające w ciemnej, wilgotnej ziemi. Rozmrożenie grozi śmiercią – gdzie to było? W jakimś idiotycznym filmie fantastycznym. Niewłaściwe rozmrożenie zahibernowanego organizmu grozi śmiercią.

– Mamy wspólną matkę – mówi cicho Kris. – Dowiedziałem się dopiero niedawno, gdy ona... Gdy to się stało.

– Gdy co się stało?

– Trzeba było przygotować pokój, bo przecież nie może być teraz na piętrze. Porządkowałem rzeczy, przekładałem. Znalazłem gazetę. Ona nigdy nie... Do głowy mi nigdy nie przyszło, że ona mogła być, wiesz, no, znana. Tutaj, w Polsce. Że miała inną rodzinę.

– Co? – próbuję zebrać myśli i pojąć, co ten dzieciak wygaduje.

– Nigdy o tym nie wspominała. W ogóle prawie nic nie mówiła o swoim życiu wcześniej, przed nami. Poznałem ją na tym zdjęciu, było podpisane, więc zacząłem się dowiadywać. I okazało się, że mam brata, więc chciałem... Zrozumieć dlaczego...

– Przecież mówiłeś, że masz brata.

– Nie mam, zmyśliłem to, żeby jakoś się wytłumaczyć. Bo ja wiedziałem, że tamtędy jeździsz. Czasami czekałem pod telewizją, a czasami gdzieś po drodze, przy światłach, bo miałem nadzieję, że... Ale się nie udawało, a nie wiedziałem jak... Bo co? Nie mogłem ot tak zadzwonić! Zresztą nie miałem twojego numeru. A potem udało mi się poznać Margaretę i jakoś samo się udało.

– Czasami czekałeś? – marszczę brwi i wreszcie udaje mi się skupić na jego słowach. – Od kiedy?

– No, od pewnego czasu. Od chwili, gdy się dowiedziałem o tobie. Że istniejesz.

– Kris, czy ty zdajesz sobie sprawę, co za bzdury wygadujesz?! Ja mam prawie czterdzieści dwa lata, a ty dziewiętnaście! Jakim cudem moglibyśmy mieć tę samą matkę? Pomijając już fakt, że moja zginęła – właściwie spłonęła – w wypadku samochodowym trzydzieści parę lat temu! Ale gdyby nie zginęła – jakim cudem mogłaby być twoją matką? Urodziłaby cię z okazji przejścia na emeryturę, żeby sobie życie ubarwić? Ile niby ma lat?

– Moja mama ma sześćdziesiąt trzy lata – mówi martwym głosem Kris. – Urodziłem się w dziewięćdziesiątym szóstym roku. Miała wtedy czterdzieści cztery.

– Co za idiotyzm! – wykrzykuję.

Ile lat miałaby dziś moja matka, gdyby żyła? Urodziła się w pięćdziesiątym pierwszym, więc... Próbuję się doliczyć, ale wszystko mi się miesza, więc sięgam do kieszeni po ajfona i otwieram kalkulator. 1951 + 63 = 2014. Bzdura!

– Kris, nie mam pojęcia, czy wygadujesz te głupoty w jakimś celu, czy coś ci się pomyliło – mówię wreszcie. – Ale moja matka zginęła w wypadku samochodowym latem tysiąc dziewięćset siedemdziesiątego dziewiątego roku. Dokładnie 11 lipca. Pochowano ją na Powązkach. Ta informacja jest wszędzie podana. Nawet w Wikipedii!

– Właśnie nie – Kris splata ręce na piersi, cały się trzęsie. – Nie wiem dokładnie, co zrobiła i jak to się stało. Nie wiem, kogo pochowano na Powązkach zamiast niej. Moja... Nasza matka w tysiąc dziewięćset siedemdziesiątym dziewiątym roku przyjechała z Polski do Austrii. Mieszkała w Wiedniu osiem lat. Pracowała w hotelu, w recepcji. Tam poznała mojego ojca. Wyszła za niego w osiemdziesiątym siódmym roku i przeprowadzili się do Hiszpanii. Ja się urodziłem w Barcelonie, mieszkaliśmy tam aż do śmierci mojego ojca. Gdy umarł, mama sprzedała mieszkanie i wróciliśmy do Polski. To było sześć lat temu.

Gapię się na niego z oniemiałą miną. Ten chłopak święcie wierzy w to, co mówi. Nagle robi mi się go żal.

– Kris, to pomyłka – odzywam się wreszcie spokojnym, cichym głosem. – Nawet jeśli wszystkie daty, które mi podałeś, się zgadzają, takie rzeczy po prostu się nie zdarzają. Ubzdurałeś sobie... Prawdopodobnie one były do siebie podobne i uwierzyłeś...

– To nie jest twoja matka? – Kris wskazuje palcem fotografię.

– Jest – kiwam głową. – Ale na pewno nie twoja.

– To jest moja mama! – chłopak zaciska szczęki tak mocno, że aż jej stawy trzeszczą.

– Nie, Kris...

– Chcesz się przekonać?! – wykrzykuje.

– Jak? – uśmiecham się do niego łagodnie jak do wariata. – Zrobimy badanie DNA? To cię uspokoi?

– Nie. Żadne badanie nie będzie konieczne. Kris szybkim krokiem podchodzi do drzwi i otwiera je na oścież: – Wystarczy, że ją zobaczysz.

– Kogo?

– Naszą mamę. Jest na dole.

Wychodzi na korytarz i idzie w stronę schodów, nawet nie oglądając się za siebie. Oddycham z ulgą. Jeżeli jego matka jest w domu, szybko uda się wyjaśnić tę popieprzoną sytuację. Jego matka jest w domu... Przypomina mi się, co zrobiłem, i lodowaty dreszcz przebiega mi po plecach. Pocałowałem tego chłopaka, chociaż za ścianą była moja córka. I jej znajomi. W dodatku jego matka też tu była! Gdybym się dowiedział, że coś podobnego wydarzyło się u nas, że ojciec, dajmy na to Natalii, zjawił się w naszym mieszkaniu i dobierał się do Małgosi... Zabiłbym go. Naprawdę. Zamordowałbym go. Z gorącą krwią.

Kris staje przy schodach i spogląda przez ramię.

– Idziesz?

Kiwam głową i ruszam przez korytarz. Jedyna nadzieja, że jest zakłopotany tym, co się stało, w podobnym stopniu jak ja. Że nic nikomu nie powie... Gdy mijam przejście do pokoju, w którym siedzi reszta dzieciaków (*i Małgosia*), nawet nie obracam głowy w tamtą stronę.

Schodzimy na parter, Kris zatrzymuje się przed zamkniętymi drzwiami w holu i naciska klamkę.

– Jest późno, trzeba było zapukać – mówię zmieszany.

Nie odpowiada. Wchodzi do mrocznego pokoju i włącza lampkę przy łóżku ustawionym na środku pomieszczenia. To szpitalne łóżko, z metalowym wyciągiem, z którego zwisają dwa plastikowe uchwyty. Jak w autobusie czy tramwaju. Robi mi się cholernie przykro, prawie chce mi się płakać. To dlatego... Mówił, że jego ojciec zmarł i że nie ma rodzeństwa. Skoro matka jest tak stara, Kris z pewnością nie ma też dziadków. Możliwe, że nie ma nikogo. Biedny dzieciak.

Kobieta leży na wznak. Jej ręce spoczywają na kołdrze, sztywno wyprostowane wzdłuż ciała. Szeroko otwartymi oczami wpatruje się w sufit.

– Mamo, masz gościa – mówi Kris, nachylając się nad kobietą i opierając ręką o metalowe wezgłowie. – A właściwie oboje mamy. Bardzo ważnego gościa.

Sięga do sterownika podłączonego kablem do ramy łóżka. Ten pilot przypomina trochę dżojstick od mojego commodore 64, którego dostałem od ojca na dwunaste urodziny. Chłopak przesuwa dźwigienkę. Silnik zamontowany pod łóżkiem buczy cicho, wezgłowie zaczyna się unosić. Wzrok kobiety przesuwa się po suficie, potem po ścianie nad moją głową, aż wreszcie spoczywa na mojej twarzy. Głowa kobiety przechyla się lekko na bok, jakby zdziwiła się na mój widok. Spoglądam w jej oczy. Po bardzo długiej chwili odzywam się obojętnym, głuchym głosem:

– Przepraszam, że panią niepokoiliśmy o tak późnej porze.

– Paweł! – Kris patrzy na mnie z gniewem.

– Przykro mi – powtarzam.

– Ona jest twoją matką!

– Nie – odpowiadam. – To pomyłka.

Odwracam się i wychodzę z pokoju. Na korytarzu miga mi myśl o Małgosi, ale ona przecież da sobie radę. Zresztą jest tu z Natalią. Otwieram drzwi na ganek i wolnym, zadziwiająco pewnym, wręcz spacerowym krokiem idę do furtki.

Oczywiście skłamałem. Tak, ta siwa kobieta jest moją matką. Miałem niecałe siedem lat, gdy widziałem ją po raz ostatni. Zmieniła się, ale nie aż tak bardzo, jak należałoby się spodziewać. Zresztą gdyby nie fotografie, nie umiałbym odtworzyć rysów jej twarzy. Niezwykle trudno jest odtworzyć z pamięci twarze najbliższych, tych, z którymi przebywamy na co dzień. Gdyby ktoś mnie poprosił, żebym stworzył portret pamięciowy Małgosi, też miałbym kłopot. Kolor i aktualna długość włosów, kolor oczu, obrys twarzy – proste. Ale detale? Z jednej strony wystarczy, żebym zamknął oczy, a mogę ją ujrzeć. Tyle tylko, że ten obraz jest niezbyt ostry, rozedrgany, zbudowany z wielu nakładających się na siebie wspomnień – Małgosia ma trzy lata (*szkarlatyna*), siedem (*pierwszy dzień szkoły*), dwanaście (*hotelowy basen na Santorini*), piętnaście (*zima*)... Obraz matki w mojej pamięci jest blady i ogólny. Fryzura, cień do powiek. Zęby (*takie równe*), kolczyki. Opalona skóra – to było w Bułgarii. Twarz jest zamazana niczym oblicze zjawy. Ale obojętne, puste spojrzenie pozostało identyczne. Rozpoznałem je natychmiast. Zawsze patrzyła na mnie w ten sposób.

Staję pod drzewem na podwórku – tym, pod którym czekał tamten facet. Mam pustkę w głowie. Chciałbym zniknąć. Chciałbym, żeby mnie nie było. Nagle wydaję się sobie strasznie stary i śmiertelnie zmęczony.

Ajfon w mojej kieszeni dzwoni przez dobrych kilka sekund, zanim dźwięk dzwonka dociera do mojego mózgu. Sięgam po telefon. Małgosia.

– Myślałam, że już nie odbierzesz.

– Odebrałem.

– Wyszłam stamtąd. Gdzie jesteś?

Gdzie jestem?

– Nie wiem. Na podwórku.

– Tym obok? Poczekaj, zaraz będę.

Rozłącza się. Chowam komórkę do kieszeni. Organizm człowieka ma różne zabezpieczenia – nie tylko umysł, ale też cały system nerwowy. Niektóre schorzenia ustępują, gdy pojawiają się inne, groźniejsze. Tak dzieje się na przykład w przypadku astmy, która często ustaje, gdy człowiek zaczyna chorować na raka czy niewydolność wątroby. Podobnie jest z bólem – większy wypiera mniejszy, który przestaje być rejestrowany przez mózg. Nie znika, ale schodzi na drugi plan. W moim przypadku – teraz – obie rzeczy, które na mnie spadły, są równorzędne. Kris, matka. Nie, raczej mężczyzna i matka. Okazało się, że nie jestem tym, kim sądziłem, że jestem. Naprawdę lepiej by było, gdyby ona nie żyła – o ileż łatwiej byłoby się pogodzić z jej śmiercią niż ze świadomością, że wolała żyć beze mnie!

I o ileż łatwiej byłoby niczego nie czuć. Udawało się przecież przez tyle lat. Och, ja przecież wiedziałem, że ciągnie mnie do facetów, ale tę wiedzę potrafiłem skutecznie ukryć przed samym sobą. Wystarczyło regularnie opróżniać zbiornik – jak najbardziej mechanicznie, jak najbardziej bezmyślnie. Przynajmniej raz dziennie albo dwa. Były okresy, że trzy albo i cztery razy. Kilkakrotnie zrobiłem to nawet w kiblu w stacji, tuż przed wiadomościami. I wszystko działało. Może nie na tyle, żebym czuł się szczęśliwy, ale na tyle, abym był spokojny i syty.

– Jestem – odzywa się Małgosia.

Kiwam głową. Patrzę na ten blok. Okna są ciemne, wszyscy śpią. Czy tamten facet też? Leży na wersalce obok żony, której nigdy przez myśl nie przeszło, że jej mąż, zamiast pobiec na stację benzynową, zszedł do piwnicy, żeby...

(*Zero reklamacji, powaga*)

– W porządku?

Wzruszam ramionami.

– Chodź, pojedziemy do domu – Małgosia przygląda mi się z uwagą. – Powiedziałeś mamie?

– O czym? – odzywam się wreszcie.

– O tym, że nie jestem u Natalii?

– Nie – prycham z lekką pogardą.

Jest przecież tylko dzieckiem. Czym ma się martwić, jeśli nie tym, że mama będzie na nią zła? Tak właśnie powinno być.

– To dobrze – oświadcza Małgosia. – Przynajmniej ten jeden problem mamy z głowy.

Spoglądam na nią uważniej, bo prawdopodobnie nie doceniłem swojej córki. Nie pierwszy raz. Zawsze rozumiała znacznie więcej, niż mi się zdawało.

– Zamówię taksę.

– Powinna czekać – macham ręką w stronę ulicy. – Chociaż pewnie odjechał. Nie zapłaciłem, ale zamawiałem z MyTaxi, a oni mają moje dane. Mówił, że się spieszy. Kurde, pewnie mnie jakoś obciążą.

– No, biorąc pod uwagę całokształt, sądzę, że akurat to zmartwienie możemy spokojnie mieć w dupie – mówi moja córka i klika w ekranik komórki. – Felińskiego siedemnaście. Czekamy pod blokiem.

Małgosia bierze mnie pod rękę i prowadzi w stronę ulicy. Jakby prowadziła chorego. Niecierpliwi mnie ten gest, strząsam jej dłoń.

– Nic nie zmienia tego, że nas okłamałaś – odzywam się cierpko.

– Technicznie rzecz biorąc, nie do końca – zaznacza. – Nie planowałam tego. Kris napisał, że robi imprezę, dopiero wieczorem. Oczywiście powinnam była do was zadzwonić, a tego nie zrobiłam. To nieco mniejszy kaliber przestępstwa, nie?

– Nie – potrząsam głową.

Ulica jest pusta, rzadko rozmieszczone latarnie oświetlają ją skąpo. Przysiadamy na niskim murku odgradzającym chodnik od trawnika pod blokiem.

– Chcesz o tym porozmawiać? – pyta Małgosia.

– O czym?

– Wybierz sobie. Tematów jest, zdaje się, kilka.

– Nie wiem, o czym mówisz – odwracam głowę.

– Oczywiście, że wiesz – wzdycha. – To prawda?

– Co?

– Że to moja babcia? I twoja mama?

– Powiedział ci?! – prawie wykrzykuję.

– No, nie było tak, żeby sam z siebie o tym zaczął rozmawiać. Wydawał się dziwny, więc miałam szeroko otwarte oczy. Byłam już u niego wcześniej. Dwa razy. Sorry.

– No i?

– No i widziałam zdjęcie, a głupia nie jestem. Poprosiłam, żeby pokazał inne, zaczęłam go podpytywać i tak jakoś wreszcie wyszło... Przyznał się. To ona, prawda?

– Nie.

– Ona – stwierdza Małgosia. – Wystarczyła mi twoja reakcja, żeby się upewnić na mur. Co teraz zrobisz?

– Nic. Co miałbym zrobić? To nie ona. A chłopak jest chory na głowę. Nie kontaktuj się z nim. Zakazuję ci.

– Aha – wzdycha z rozczarowaniem. – Jestem już tym poniekąd zmęczona.

– Czym ty jesteś zmęczona?! Zakazami? Ciekaw jestem, ilu twoich znajomych ma równie bezproblemowych starych jak my!

– W tym właśnie problem.

– W czym?

– W tym, że nasz dom ma ściany z waty. Ściany, sufity i fundamenty – zagadkowo odpowiada Małgosia i podnosi się z murka. – Taksówka przyjechała.

– Nie mów matce – odzywam się, wstając.

XV

– Powiesz mi czy nie?! – prawie krzyczę. – Jest po pierwszej w nocy!

W ogóle nie wiedziałam, że nie ma go w mieszkaniu. Nie zorientowałam się. Wykąpałam się i gdy wychodziłam z łazienki, wpadłam na nich. Na Pawła i Małgosię. Właśnie wchodzili. Fakt, że wróciłam do domu i nie zorientowałam się przez dwie godziny, że nie ma w nim mojego męża, choć być powinien, wydaje mi się wstrząsający.

– Mało nie zwariowałam z niepokoju!

– Trzeba było zadzwonić – mówi Paweł.

Otwieram i zamykam usta bez słowa. Nie wiem, co powiedzieć. Cwany jest. Wybieram prawdę – czy raczej może półprawdę:

– Po prostu brak mi słów! A ty miałaś nocować u Natalii!

– Natalia się rozchorowała, nie chciałam siedzieć jej na głowie. To chyba grypa żołądkowa – mówi Małgosia. – Zadzwoniłam po tatę, żeby po mnie przyjechał.

Brzmi wiarygodnie, ale coś mi tu nie pasuje. Nie patrzą mi w oczy – ani on, ani ona. Wtem do głowy przychodzi mi przerażające przypuszczenie niemal graniczące z pewnością. Wiedzą! I on, i ona. Wszyscy już wiedzą, co zrobiłam z Sebastianem! Muszę wykasować jego numer, jestem nienormalna, że go zapisałam w komórce. Ale skąd mieliby wiedzieć? Przecież nie mogą wiedzieć. I w ogóle nic się nie stało!

– Mało nie zwariowałam – powtarzam.

– Cieszę się, że jednak nie – oświadcza Małgosia z ironicznym uśmiechem i całuje mnie w policzek. – Tata, idziesz do łazienki?

– Na razie nie. Możesz się kąpać – Paweł znika w garderobie.

– Jest pierwsza w nocy! A za godzinę będzie trzecia, bo przestawiamy zegarki – zrzędzę, stając w drzwiach do garderoby. – Idź się myć i kładź się. W najlepszym razie zostały ci trzy godziny snu!

– Daj mi spokój.

– Słucham? – nie wierzę własnym uszom. – Ja się tu martwię o ciebie, a ty mi tak...

– Anka, błagam cię – Paweł odwraca się do mnie plecami. – Ja nie mam siły.

– Nie masz siły! – wykrzykuję. – Ty mi będziesz...

Urywam nagle. Atakuję go, bo czuję się winna. Domyśli się, jeśli przesadzę, zna mnie. Lepiej zmienić taktykę.

– A rób sobie, co chcesz – rzucam cierpkim tonem, udaję obrażoną i idę do sypialni.

Kładę się do łóżka i opieram plecy o pikowany zagłówek. Kiedyś nie odezwałby się do mnie w ten sposób. Czuję drobne ukłucie niepokoju.

W każdej bliskiej relacji – nie tylko w związku – występuje drobne zachwianie równowagi. Jednej stronie zależy bardziej niż drugiej. Jedna daje z siebie trochę więcej, druga trochę więcej bierze. Niekiedy ta zależność może się odwrócić, a strony zamienić się rolami, ale chyba ten brak symetrii jest gwarantem trwałości układu. Związek doskonały, w który obie strony są zaangażowane w jednakowym stopniu, jest niemożliwy – podobnie jak utopijny porządek społeczny. Niedoskonałość i potrzeba dążenia do jej wyeliminowania jest motorem wszelkiego działania. Doskonałość jest martwa.

W naszym związku to Pawłowi zależało zawsze bardziej niż mnie. To on bardziej się starał, tak przynajmniej sądziłam. Nieoczekiwanie jednak dociera do mnie, że może tak było kiedyś, ale od pewnego czasu już nie jest. Nawet od dość długiego czasu. Co gorsza, nie zamieniliśmy się rolami. Od jak dawna udaję troskę o niego i pamiętam o jego potrzebach głową, a nie sercem? Sądziłam, że taka miłość jak nasza – spokojna, niespieszna – jest najtrwalszą z możliwych. Że takie uczucie nie zgaśnie, nie rozwieje się, ale okrzepnie i scementuje nas ze sobą na zawsze. Ta świadomość dawała mi poczucie bezpieczeństwa, choć niekiedy nużyła. A co, jeśli jednak nie będziemy ze sobą na zawsze? Jeśli za rok, pięć albo dziesięć lat się rozstaniemy? Co wtedy?

Bawiłam się czasem myślą o rozstaniu, ale przecież każdemu zdarza się marzyć o trzęsieniu ziemi. Przyjemne w takim marzeniu jest to, że towarzyszy mu granitowe przekonanie, że się nie spełni. Teraz przypuszczenie, że moglibyśmy się jednak rozstać, wydaje mi się najzupełniej realne. Czy z powodu zachowania Pawła? Może po części tak, ale nie przede wszystkim. To przeze mnie. Nie chodzi o to, co zrobiłam z Sebastianem na balkonie ciemnej widowni teatru, ale o to, że w ogóle byłam zdolna do czegoś podobnego.

Być może dysproporcja bierze się z tego, że ja wciąż się rozwijam, idę do przodu, a Paweł nie. Mam plany, istotne cele! Książkę, karierę! A on? On ma wszystko za sobą. Może więc powinniśmy... Gdy Małgosia już będzie samodzielna... Ale co z domem na Rzymskiej? A jeśli jednak – choć to wydaje mi się całkowicie nieprawdopodobne – nie przebiję się z Książką, jeśli mnie utrącą, podetną skrzydła (a tak się zdarza przecież, ile dobrych rzeczy wychodzi, a pies z kulawą nogą nie poświęca im uwagi) – jeśli przepadnę jako pisarka? Co wtedy? Te pieniądze to moje ostateczne zabezpieczenie! Ten dom, obrazy, akcje, obligacje, dewizy. Zainwestowałam szmat życia, żeby zagwarantować sobie ich posiadanie! Pogodzenie się z przegraną, gdy już zamieszkam w domu na Saskiej Kępie i będę miała parę milionów na koncie, wydaje mi się możliwe – a nawet eleganckie i romantyczne jakoś, bo cierpienie w luksusie ma pewien szlachetny urok. Natomiast przegrana tutaj, na Zamglonej? Pustka. Serial przecież też się kiedyś skończy. Co, jeśli nie wezmą mnie do następnego? Prasa umiera, mam redagować cudze książki? Ale jakie książki? One też już się kończą! Tworzenie kontentu internetowego nie przynosi dochodów, zresztą teraz byle kto to robi. To nie jest kraj dla mądrych ludzi!

Jeżeli nie będzie Pawła, czy zdołam utrzymać mieszkanie? Możliwe, że nie. A on i tak odziedziczy w końcu wszystko po Leonie, bo kto inny? Nawet jeśli Leon zapisałby majątek w testamencie Kociubie albo fundacji Animals czy komukolwiek,

Pawłowi należy się zachowek! On jest ustawiony, zabezpieczony – cokolwiek by się wydarzyło. O Boże!

Cała się trzęsę, jak ja mam zasnąć? I dlaczego on się jeszcze nie kładzie? Przylezie, gdy zgaszę światło, jestem pewna. Właśnie wtedy, gdy zacznę odpływać w sen, obudzi mnie, zacznie czymś szurać, trzaskać, walić, skakać po łóżku. Wybudzę się, a potem już nie zasnę, ja tak mam! Na złość mi robi!

Otwieram szufladę nocnej szafki. Powinnam zorganizować sobie receptę, zaniedbałam to. Wreszcie między jakimiś szpargałami, przeterminowanymi tabletkami na gardło i kroplami do nosa znajduję listek stilnoxu. Dwie tabletki, ostatnie. Ale sam stilnox to za mało, ja się muszę uspokoić! Co mi po tym, że stracę przytomność cała w nerwach? Jest signopam, ostatni, a przysięgłabym, że powinny być trzy w listku. Wyciskam jedną pastylkę na dłoń. Łykam, popijam wodą i gaszę światło.

Rano wykasuję numer Sebastiana. To będzie pierwsza rzecz, którą zrobię, gdy się obudzę. A jeśli do mnie zadzwoni, po prostu się rozłączę. Chryste Panie, przecież oni pracują razem, co, jeśli to się wyda? Chybabym umarła. A Paweł nigdy by mi tego nie wybaczył. No i rozwód byłby z mojej winy.

XVI

Trzecia. Za trzy godziny muszę być w studiu, no, trzy z kawałkiem. Zdążę.

Nalewam sobie wódki do szklanki, nie włączam światła. Najpierw kładę się na kanapie, ale po chwili wstaję i przenoszę się na fotel obok okna. Na siedząco nie zasnę, a na kanapie mógłbym – choć wydaje mi się to mało prawdopodobne.

Co zrobisz?

Wódka jest mdła, jakby ktoś ją rozwodnił. Był nieogolony. Wciąż czuję jego zarost na górnej wardze. Ten kontrast – szorstka skóra i gorące, gładkie, miękkie usta... Jednym haustem opróżniam szklankę do połowy. Mógłbym wmówić sobie, że pocałowałem i objąłem go tylko dlatego, że mnie wzruszył. Bo zrobiło mi się go szkoda, ujęło mnie jego zainteresowanie czy – jak sądziłem – uczucie, którym mnie obdarzył. Czy komukolwiek kiedykolwiek zależało na mnie w ten sposób? Nikomu. Na pewno nie mojej matce ani ojcu. I nie Ance. Małgosia oczywiście mnie kocha, ale to przecież coś zupełnie innego. A zresztą nie o to tu chodzi, prawda?

Może powinienem iść na terapię? Wszyscy chodzą. Ale rozmowa nie pomoże. Nazwanie problemu po imieniu będzie definitywnym spaleniem za sobą mostu. Nawet nie za sobą, przecież ja na tym moście wciąż stoję, nie dotarłem na drugi brzeg.

Jak to zrobiła? Musiały jechać tym samochodem: moja matka, ciotka Iga i... Kim była trzecia kobieta? Och, to proste oczywiście. Ruska. Nie wydaje mi się, żeby matka zaplanowała taki rozwój wypadków. Zresztą, jak miałaby to zrobić? Umyślnie spowodowała kraksę? Absurd. Po prostu wykorzystała okazję. Iga wpadła w poślizg, samochód uderzył w drzewo od strony kierowcy. Ruska siedziała z tyłu, wtedy nikomu się nie śniło, by montować pasy bezpieczeństwa na tylnym siedzeniu, a zresztą i z przodu rzadko kiedy je zapinano. Ruska przeleciała jak kula armatnia nad przednimi siedzeniami i roztrzaskała sobie głowę o pień, deskę rozdzielczą czy szybę. Iga zapewne zginęła pierwsza. Matka mogła wypaść z samochodu w momencie uderzenia. Widziałem zdjęcia auta w gazetach. Drzwi od strony pasażera leżały w rowie kilka metrów od fiata. Matka nie zapięła pasów i to pewnie uratowało jej życie. Samochód walnął w pień prawą stroną, możliwe, że go obróciło. Wyleciała na ziemię, na pole, coś tam rosło, grunt był miękki, zaorany. Mogła się poobijać, ale nie stało się jej nic poważnego. I co dalej? Iga nie żyła, z Ruskiej została miazga. Wątpię, aby samochód już wtedy płonął. Co zrobiła matka? Musiała działać szybko, miała mało czasu. Ruch na drogach był wtedy znacznie mniejszy niż dziś, ale ktoś mógł przecież nadjechać. A Ruska miała paszport. I to nie tylko taki udawany, na demoludy, ale normalny paszport, uprawniający ją do podróżowania po świecie. I zapewne miała w nim jakieś wizy. Bez przerwy gdzieś jeździła, szmuglowała przecież biżuterię, złoto, kamienie – podejrzewam, że na całkiem dużą skalę. Matka z pewnością nie była jej jedyną klientką. Były podobnego wzrostu, miały podobne sylwetki – z tego, co pamiętam oczywiście. Matka dobrze mówiła po rosyjsku – może nie jak Rosjanka, ale nieźle. Przeprowadzała wywiady w tym języku. Bez kłopotu mogła się więc podszyć, o ile nie wybierałaby się do ZSRR, bo tam szybko by ją zdemaskowano. Ale w innych krajach mogła udawać Rosjankę. Rzuciła swoją torebkę z dokumentami obok wyrwanych drzwi. Zabrała dokumenty Ruskiej i zwiała. Zatrzymała kogoś, wtedy często brało się autostopowiczów. Ruszyła pewnie do Krakowa, a potem przez Czechy do Austrii. Wiele osób tak robiło, łatwy kierunek. Dziwne, że później nie pojechała dalej, w Wiedniu zawsze roiło się od Polaków. Ale przecież niewielu z nich nocowało w hotelach, kombinowali, jak mogli. Nikt jej nie rozpoznał.

Myślę, że tego dnia i tak chciała zniknąć. Szukałem później wiele razy tej różowej puszki po ciastkach, ale nigdzie jej nie znalazłem. Prawdopodobnie Iga odwoziła ją do Kołbaskowa – matka miała paszport na demoludy, a do Berlina Zachodniego jakoś by się przecież dostała. Szczególnie z takim majątkiem, jaki wiozła. Trochę mnie dziwi, że pracowała w hotelu, ale może kosztowności, które udało jej się zgromadzić, były tam warte mniej, niż sądziła.

To oczywiste, że chciała nas zostawić, starannie się do tego przygotowała. Po co więc ta cała mistyfikacja? Odpowiedź też jest prosta.

Z dokumentami Ruskiej miała otwarte drzwi na Zachód. Nie musiała kombinować, dawać łapówek. To pierwszy ogromny plus tej sytuacji. A drugi jest taki, że fingując swoją śmierć, gwarantowała sobie święty spokój. Mój ojciec jej nie szukał, miała z głowy małżeństwo. I miała z głowy mnie. Mogła zacząć od zera, z czyściutką kartą. Nie przekroczyła jeszcze trzydziestki.

Niewiele ją kosztowała ta operacja, ryzyko nieznaczne, a biorąc pod uwagę jej plany – łut szczęścia, niczym wygrana na loterii.

Szóstka w totka. Bingo. Oczywiście najważniejsze było, aby rzecz się nie wydała. Sądzę, że podpaliła wrak. Drobiazg. O ile ciotka Iga i Ruska rzeczywiście już nie żyły, a nie dogorywały w męczarniach. A nawet gdyby wpadła, gdyby ją zatrzymali, jakoś by się wyłgała, bo w końcu przeżyła poważny wypadek samochodowy. Miała prawo być w szoku, mogła mieć nawet amnezję, czemu nie? Mocno naciągane alibi, ale jednak jakieś.

Dlaczego więc wróciła? Sześć lat temu, czyli dość dawno. Kris powiedział, że przeprowadzili się po śmierci jego ojca. Wyszła powtórnie za mąż bez rozwodu, to bigamia. Po co wracała? Tęskniła za krajem? Śmiechu warte, wątpię. A może jednak tak? Ludzie miękną na starość. Podejrzewam też, że jej majątek tutaj mógł być wart więcej niż tam. Może się bała, że po śmierci męża zabraknie jej pieniędzy? Ale Polska przecież się zmieniła, teraz mamy Zachód u nas. Nasza nowa rzeczywistość musiała być jej obca. Ciekawe, czy odwiedzała Warszawę przez te wszystkie lata. I czy w Wiedniu żyła pod nazwiskiem Ruskiej. Czy minąłem ją kiedyś na ulicy? Widziała mnie w telewizji? A jeśli tak – co pomyślała? Czy w ogóle myślała cokolwiek na mój temat? Nie, to wcale nie jest ciekawe. Mam to gdzieś.

Walczę z pokusą, bo najchętniej napełniłbym szklankę ponownie, ale nie mogę tego zrobić. Nie wytrzeźwieję do szóstej, a przecież jestem odpowiedzialny. Ktoś musi być. Więc jestem. Ale, Boże święty, jakże cholernie mnie to już męczy!

Rozdział 4

I

Hop!

Pisarka i scenarzystka serialu „Okna miłości" Anna Lewandowska (34) w towarzystwie młodego przyjaciela. Brawo za odwagę i poczucie humoru w wyborze kreacji!

Gapię się na rozłożoną gazetę okrągłymi oczami.

– Masz? – pyta matka piskliwym od emocji głosem.

– Co? Tak. Mam – odpowiadam, przyciskając komórkę do ucha.

– Mało się nie zesrała, mówię ci!

– Kto?

– No, Maryśka! Przyleciała do mnie z tym czasopismem prosto z kiosku, w samym swetrze! Zamknęła, rozumiesz?

– Co zamknęła? – próbuję zebrać myśli.

– No, kiosk! Przecież ona w kiosku siedzi, wiesz, przy Kaniowczyków. Ty spałaś?

– Spałam. Tak. Ale kiedy?

– Teraz, jak dzwonię! Bo jakaś przetrącona jesteś! Dlaczego nic nie mówiłaś?

– Mamo, poczekaj – potrząsam głową i siadam przy stole. – Spałam w nocy, teraz jest prawie jedenasta. Wstałam już dawno, jestem po śniadaniu. Piję kawę. To jest, piłam, zanim kazałaś mi iść po gazetę. No przecież byłam w sklepie, rozmawiałyśmy wcześniej. Wiesz, że nie spałam.

– Ale dlaczego nic mi nie powiedziałaś?! Gdyby nie Maryśka, pewnie wcale bym się nie dowiedziała, bo ja tego nie kupuję!

– Nie wiedziałam.

– Jak mogłaś nie widzieć? Nie wmówisz mi, że piszą o tobie w gazecie bez pytania!

– Tak właśnie robią – wyjaśniam.

Jestem w „hopach" ze względu na sukienkę z wagonowych zasłonek. Nie, nie z zasłonek, ale z materiału, który „w żartobliwy sposób nawiązuje do peerelowskiego dizajnu". W towarzystwie młodego przyjaciela. Sebastian wygląda na fotografii jak model. Ja całkiem nieźle, chociaż cycki mi spłaszczyło.

– Pisarka i scenarzystka Anna Lewandowska – odczytuje głośno matka po raz enty. – Czemu jest trzydzieści cztery w zanawiasie?

– W nawiasie – poprawiam ją odruchowo. – Uznali, że mam tyle lat.

– Przecież masz czterdzieści jeden...

– Tak, ale nie sprawdzili. Uznali, że mam mniej. Na oko.

– Na oko! Trzydzieści cztery! Jak miło z ich strony, prawda?

– Owszem. Mogli równie dobrze napisać, że mam pięćdziesiąt.

– Przepięknie wyglądasz – wzdycha matka. – A kto to ten facet?

– Kolega Pawła z pracy.

– Kolega? A napisali, że przyjaciel...

– Mama, naprawdę nie należy wierzyć w to, co się czyta w takich gazetach.

– W innych też jesteś?

– Nie wiem. Mam nadzieję, że... Dlaczego robisz z tego sprawę? Przecież już się pojawiałam w takich czasopismach.

– To co innego. Tam byłaś z Pawłem.

– No i?

– Pokazywali cię jako żonę. Tutaj jesteś sama.

– Jestem z „młodym przyjacielem".

– Tak, ale bez nazwiska, znaczy on. A twoje jest! Pisarka. Poproszę Maryśkę, żeby przejrzała inne.

– Wolałabym... – zaczynam, ale zmieniam zdanie: – Dobrze, tak zrób. A gdyby coś znalazła jeszcze w jakimś piśmie...

– Natychmiast zatelefonuję! – wpada mi w słowo matka. – Dlaczego ty mi nic nie mówisz? Zawsze taka skryta byłaś, siłą trzeba z ciebie wszystko wyciągać. Człowiek się przypadkiem dowiaduje... Pisarka! Rozłączam się, przecież ja muszę zadzwonić do Budźki. Pa!

– Mama! – w słuchawce zapada cisza.

Postawi na nogi całe Puławy. Z powodu jednego głupiego zdjęcia w jakiejś, jak to Paweł mówi, podcirdupie. Odkładam telefon i jeszcze raz patrzę na zdjęcie. Naprawdę nieźle wyszłam. Właściwie sama sobie dałabym na tej fotografii trzydzieści cztery lata. No, góra trzydzieści pięć. Młody przyjaciel... Dziwne, że go nie podpisali, przecież jest już trochę znany. Na pewno bardziej niż ja. Telefon rozdzwania się Vivaldim – ten sygnał mam zarezerwowany dla obcych numerów. Przez chwilę się waham, czy odebrać, ale przecież Sebastian by się wyświetlił...

– Słucham?

– Anna Lewandowska? – pyta jakaś kobieta, młody głos.

– Tak.

– Lewandowska nazwisko? – upewnia się.

– Zgadza się. Słucham.

– Dzwonię z Glittera, przygotowujemy materialik o pani.

– O mnie? – wybałuszam oczy. – Z Litera?

– Z Glittera – poprawia mnie kobieta. – Gie na początku. Gie jak... Na pewno pani Lewandowska?

– Tak, Lewandowska moje nazwisko – mamroczę. – Ale jak to, materialik? O mnie? Skąd pani w ogóle ma mój numer?

– Z działu promocji i marketingu serialu „Okna miłości". Ma pani czas teraz?

– Czas? Mam czas... Ale o czym dokładnie ma być ten materialik?

– No, o pani.
– Ale że co?
– To ja może zadam pytania. Ma pani czas teraz?
– Chryste panie – mówię. – Tak, ale ja nie wiem, o co chodzi!
– Anna Lewandowska nazwisko?
– Tak!!!
– Pierwsze pytanie, uwaga. Bo ja to nagrywam, wie pani – informuje mnie dziewczyna.
– Nagrywa pani? To jest dla radia?
– Nie. Dla Glittera, mówiłam już. Uwaga! Czy sądzi pani, że związek z młodszym mężczyzną jest dla kobiety budujący czy destruujący?
– Słucham?– robi mi się słabo. – Destruujący? Nie jestem pewna, czy takie słowo istnieje. Dlaczego pani o to pyta?
– No, do materiału, który przygotowuję. Proszę odpowiedzieć, bo ja nagrywam.
– To zależy od rodzaju związku – odpowiadam ostrożnie.
– Nie mogę tak napisać – stwierdza dziewczyna. – Więcej pani powie. Chyba że unika pani odpowiedzi na moje pytanie. Tak mogę napisać.
– Ja nie unikam! – mówię w lekkim popłochu. – Dlaczego miałabym unikać? Wydaje mi się, że... Że w dzisiejszych czasach różnica wieku między partnerami nie ma takiego znaczenia jak kiedyś. Zresztą wiele zależy od środowiska... Wśród artystów tego typu małżeństwa były dosyć częste. Choćby Samozwaniec i Niewiadomski...
– Jaki samozwaniec? – pyta dziewczyna. – Mnie chodzi o różnicę lat między hetero, a nie między gejami.
– Magdalena Samozwaniec – wyjaśniam. – Pisarka. Jej mąż był młodszy od niej o dwadzieścia lat.
– Naprawdę? – dziwi się dziewczyna. – To Polka jest?
– Owszem. Była Polką, nie żyje już od... Nie wiem, już od jakiegoś czasu. Córka Kossaka. Malarza. Wie pani chyba, kim był Kossak?

– Tak, tak. Sprawdzę sobie jeszcze w necie. Pani się to podoba, tak?

– Kossak?

– Nie, no takie małżeństwo. Z młodszym o dwadzieścia lat mężczyzną.

– Proszę pani, ja nie wiem, czy mi się podoba, czy nie. Mój mąż jest starszy ode mnie, co prawda niewiele, ale jednak. Jesteśmy razem od...

– To pani ma męża?! – wykrzykuje dziewczyna. – I jemu to nie przeszkadza?

– Co mu nie przeszkadza? – pytam słabym głosem.

– Że się pani spotyka z młodszym o dwadzieścia lat chłopakiem?!

– Proszę pani, ja się z nikim nie spotykam! Mówiłam, że Samozwaniec!

– Skoro on jest młodszy o dwadzieścia lat od pani... – dziewczyna myśli, słyszę ten wysiłek. – To on jest niepełnoletni! Ma czternaście lat, skoro pani ma trzydzieści cztery! To chyba nie jest legalne? On wcale nie wygląda na czternaście lat.

– Proszę pani! Ja się nie spotykam z żadnym chłopakiem. I na pewno nie z czternastolatkiem! Ja jestem mężatką! Bardzo szczęśliwą! I wcale nie mam trzydziestu czterech lat!

– Jak pani nie ma?! Przecież ja mam informację, że pani ma! To ile ma pani lat?

– A co to panią obchodzi?! – wykrzykuję. – Ja się w ogóle nie zgadzam na żaden materialik!

W słuchawce na moment zapada cisza.

– Ale pani nie może się nie zgodzić – mówi wreszcie dziewczyna. – Bo my mamy wolność prasy i słowa. Jak będę chciała, to sobie mogę napisać, o kim chcę.

– Ale nie co się pani podoba!!! – wrzeszczę i rozłączam się, a potem ciskam telefon na stół.

Rany boskie! Ręce mi się trzęsą. Mam wrażenie, jakbym niechcący potrąciła kamyk w drodze na górski szczyt, a on pociągnął za sobą lawinę. I przedziwnym sposobem ta sterta kamieni, zamiast pędzić w dół, wali się na mnie.

Telefon znowu dzwoni Vivaldim. Patrzę na aparat jak myszoskoczek na polującą pod obłokami sowę, wreszcie sięgam ostrożnie i podnoszę aparat do ucha.

– Halo?

– Pani Anna Lewandowska? – pyta ktoś, tym razem mężczyzna.

– Nie wiem – mówię.

– Nie wie pani? – dziwi się mężczyzna. – Dzwonię do pani Anny Lewandowskiej. Dostałem kontakt z „Okien miłości". Czy mogę z nią rozmawiać?

– Powiedzmy, że pan rozmawia – odzywam się po chwili. – O co chodzi?

– Chciałem tylko uściślić kilka informacji.

– Jakich informacji?

– Na pani temat.

– Po co?

– Do notatki.

– Do jakiej notatki? Skąd pan dzwoni?

– Fleszem.pl. Publikujemy fotorelację ze Złotych Anten.

– Co pan chce wiedzieć?

– Widzi pani, bo ja nie mogę znaleźć tego w sieci. Przepraszam bardzo.

– Czego pan nie może znaleźć?

– Informacji o pani książkach.

– O moich książkach... – podłoga kołysze się pode mną, włosy stają mi dęba na głowie.

– Tak – wzdycha mężczyzna. – Ja wiem, że to mało profesjonalne, proszę o wybaczenie. Ale niestety, w żadnej bazie danych nie mogę znaleźć ani jednego tytułu, którego autorką byłaby Anna Lewandowska. Czy byłaby pani tak uprzejma i udzieliła informacji naszym internautom na temat tego, co pani napisała?

– Co ja napisałam? – toczę wokół błędnym wzrokiem, to jakiś senny koszmar!

– Właśnie.
– Widzi pan... – oblizuję nerwowo usta. – Sęk w tym, że...
– Tak?
– Że ja nie mogę panu udzielić takiej informacji.
– Dlaczego? – dziwi się mężczyzna.
Dlaczego nie mogę? Bo, kurwa, nic dotąd nie napisałam! Boże święty, jakim cudem wpakowałam się w tę całą kabałę?
– Bo widzi pan... Widzi pan... – bełkoczę trochę i nagle spływa na mnie objawienie: – Bo ja publikuję książki pod pseudonimem.
– O?! A jakim?
Właśnie, jakim? Bo ja wiem, może Jelinek, czemu nie, ha, ha, ha... Prawie dostaję migreny od gorączkowego myślenia.
– Eeeee... – beczę, lecz łaska objawienia spływa ponownie. – W tym właśnie sedno sprawy! Pseudonim jest po to, żeby nikt nie wiedział, jakie książki publikuję.
– Dlaczego?
– Bo one są... Takie, wie pan... Śmiałe obyczajowo! Właśnie, śmiałe są! Ukrywam się pod pseudonimem ze względu na dobro rodziny.
– A to te książki nie są dobre?
– O, wręcz przeciwnie! Znakomite, same dobre recenzje, co do joty, ogromna satysfakcja, spełnienie i tak dalej... Nagrody ważne różne są. Wie pan, ja niestety muszę kończyć, bo rodzina... Rozumie pan.
– Rozumiem.
Odsuwam telefon i już mam się rozłączyć, ale przychodzi mi do głowy jeszcze jedna myśl.
– Proszę pana, jest pan tam jeszcze?
– Tak, jestem.
– A to nie jest żart, co?
– Jaki żart?
– No bo dziś mamy prima aprilis, wie pan... To nie jest żart, tak?
– Ale co konkretnie?
– Nie jest – kiwam głową. – No, dziękuję panu. Do widzenia.

Odkładam aparat na stół. Co ja narobiłam? Po krótkim namyśle wyciszam ajfona i idę zrobić sobie kawę. Nie wolno się przejmować, przecież to nie ma znaczenia. Jednodniowa sensacyjka, jutro nikt nie będzie pamiętał. Po prostu nie należy się wdawać w jakiekolwiek rozmowy, odpowiadać na pytania ani odbierać telefonu. Po południu już o mnie zapomną.

– Anka? – Paweł odzywa się tuż obok mnie, o mało nie padam na serce.

Wcale nie słyszałam, że wchodzi do mieszkania.

– Co?!

– Dlaczego ty taka wściekła jesteś? – pyta, przyglądając mi się zagadkowym wzrokiem. – Dzwoniłem z pięć razy, ale cały czas było zajęte.

– Rozmawiałam z mamą – wyjaśniam i odwracam się do ekspresu.

– Widziałaś? – pyta, a mnie trafia nagły szlag.

– Nie widziałam!!! Byłam zajęta!!! Ja też pracuję, jakbyś nie wiedział! Też mam obowiązki!!! I milion spraw na głowie! Problemy mam! Bardzo bym chciała móc tak siedzieć sobie tylko na kanapie i gapić się w telewizor od...

– Ale ja pytam, czy to widziałaś – przerywa mi Paweł głuchym głosem. – Nie chodzi mi o mnie i o niusy.

– A o co? – odwracam się do niego.

Przygląda mi się spod lekko zmarszczonych brwi, nie wiem, jak zinterpretować jego spojrzenie. Podaje mi dziennik. „Blaski i Oklaski" – w życiu nie miałam tego w ręku, a niewielu może to o sobie powiedzieć w naszym kraju. Mają jakiś monstrualny nakład, nawet bez darmowych gadżetów sprzedają około miliona egzemplarzy.

– Siódma strona – mówi Paweł.

Czy ja na pewno chcę to zobaczyć? Sięgam po gazetę i rozkładam ją na blacie kuchennej wyspy. Strona siódma. Artykuł zajmuje połowę kolumny. Właśnie szłam z Sebastianem na balkon. Za moimi plecami widzę kawałek Larwy. Sebastian prowadzi mnie pod rękę, uśmiecha się do aparatu i przymyka jedno oko, ta mina nadaje mu wyraz lubieżnego trzpiota. Trzymam go pod rękę... Ale przecież to on mnie trzymał, pamiętam dobrze! Odchylam tu głowę do tyłu, śmieję się. Zdjęcie nawet niezłe, zresztą jakość druku jest kiepska. Wyglądam młodo. Zerkam na tekst.

Pisarka Anna Lewandowska (34 l.), która podczas tegorocznej gali Złotych Anten uhonorowana została nagrodą za scenariusz serialu „Okna miłości", wraz z partnerem, dziennikarzem Sebastianem Wysockim (23 l., TV9), nie zabawili na bankiecie zbyt długo. Nasz reporter uchwycił parę kochanków, gdy wspólnie opuszczali przyjęcie, nie ukrywając tego, że wychodzą z bankietu razem. Tego typu związki nie są dziś rzadkością. Ponad połowa Polek między 30. a 40. rokiem życia deklaruje gotowość do nawiązania intymnej relacji z młodszym partnerem. Także współcześni mężczyźni angażują się w te lajtowe, jak się to określa, układy znacznie chętniej niż przed choćby dekadą. Relacja ze starszą partnerką nie wymaga zabiegów i wysiłku. Dojrzałe kobiety są znacznie bardziej tolerancyjne, a także bardziej otwarte i gotowe na więcej pod względem seksualnym. Nie bez znaczenia jest także to, że częstokroć są sytuowane znacznie lepiej od swoich młodocianych kochanków.

Lodowaty pot występuje mi na czoło. Poniżej jest ramka z wypowiedziami znanych osób – wśród nich aktorki grającej w naszym serialu Marię, jedną z głównych postaci.

Anka zawsze była szalona, ale przecież każdy twórca jest trochę nieprzewidywalny. Sądzę, że właśnie ta iskra nieobliczalności sprawia, że Ania jest tak znakomitą pisarką i dzięki niej właśnie „Okna miłości" są tym, czym są.

Anka? W życiu nie spotkałam ten kobiety na żywo! Jest też wypowiedź lekarza...

Dla nas to pomyślna perspektywa. Dziś jeszcze te trzydziestolatki czy czterdziestolatki prezentują się atrakcyjnie, jednak co będzie za pięć lub dziesięć lat, gdy proces starzenia zacznie postępować? Będą musiały zrobić wszystko, aby zatrzymać swoich młodszych partnerów, by nadal wydawać się im pociągające. To przecież przyszłe klientki naszych klinik chirurgii plastycznej. Zachęcam wszystkie kobiety, aby wiązały się z młodszymi od siebie partnerami. Moja żona zresztą jest starsza ode mnie o jedenaście lat i nasze małżeństwo jest najszczęśliwszym z moich dotychczasowych (do tej pory dr Morawski [44 l.] żenił się czterokrotnie. Mecenas Kinga Popławska-Morawska [55 l.] jest jego piątą żoną. Para pobrała się w 2012 r. Red.).

– Ja ci to mogę wytłumaczyć... – mówię.

– Uprzedzałem cię – stwierdza Paweł i sięga po mój kubek z kawą stojący pod ekspresem.

– Względem czego?

– Względem Sebastiana. I względem takich rzeczy – wskazuje na gazetę i podnosi kubek do ust.

– To przecież przypadek, on... Ja... My wcale! No, ja nie wyszłam z nim! – mówię pospiesznie. – Przecież widzisz, że wypisują tu same bzdury! Trzydzieści cztery lata?

– Idę się położyć – wzdycha Paweł. – Padam z nóg, a muszę być w niusrumie o szesnastej.

– Ale to są same kłamstwa!

– To naprawdę nie ma znaczenia. Po prostu bądź ostrożniejsza – przeciera oczy dłonią i odstawia kubek. – Twoja kawa, sorry.

– Wypij, jeśli chcesz. Zrobię sobie drugą. I dlaczego to niby nie ma znaczenia? Oczywiście, że ma znaczenie! Mnie z nim nic nie łączy!

Paweł kiwa głową i wychodzi z kuchni. Idę za nim.

– Paweł, słyszysz, co mówię do ciebie?

– Słyszę. Naprawdę jestem wykończony.

– Ale... – nie wiem, co jeszcze mogłabym powiedzieć. – A jak poszło w ogóle? Rozłożył się? Bo dziś razem prowadziliście, tak?

– Tak – Paweł przystaje przy drzwiach sypialni i spogląda na mnie przez ramię.

II

– Niestety, się nie rozłożył – mówię cicho. – Był świetny. Niestety.

– Oj, na pewno przesadzasz – Anka kręci głową. – Na pewno nie był.

– Był – mówię, wchodzę do sypialni i przymykając drzwi, dodaję: – Ten słoik jest lepszy ode mnie.

Taka jest prawda. A zresztą ja byłem w wyjątkowo słabej formie, od dwóch dni jestem w wyjątkowo słabej formie. Mam bezustanne wrażenie oddzielenia od rzeczywistości, jakbym zastygł pod taflą wody w wielkim akwarium. Przez jego ścianki widzę wszystko, docierają do mnie dźwięki, ale moje ruchy, myśli i reakcje są spowolnione.

Znakomicie się przygotował, a tego się nie spodziewałem. Myślałem, że całą uwagę skupi na swoim wyglądzie – Dominik od kilku dni przywoził mu przecież garnitury do przymiarki. Dziesiątki garniturów, więcej, niż ja założyłem przez całe życie. Jolka się nabijała, że Sebastian nie wychodzi od kosmetyczki, wczoraj pędził na złamanie karku do najlepszego fryzjera w Warszawie. Byłem więc pewny, że dziś na wizji usiądzie obok mnie wypacykowany, ekskluzywny manekin. Że będzie jedynie szczerzył zęby do kamery, kontrolował w monitorze ujęcia i robił miny. Ale tak się nie stało. Był opanowany, konkretny i rzeczowy. Prawie nie czytał z telepromptera, bo wykuł wiadomości na blachę – może potknąłby się, gdyby zaszło coś nieprzewidzianego, ale treść niusów pozostała niezmieniona od wczorajszej nocy. Nie potrafię być nawet na niego wnerwiony, bo zachowywał się wobec mnie bardzo w porządku – nie wpadał mi w słowo, nie podkradał kwestii, okazywał szacunek. Cwany jak diabli. A może po prostu znacznie bardziej inteligentny, niż mi się wydawało. Cóż, powiedzmy sobie prawdę – Sebastian jest lepszy ode mnie.

Najdziwniejsze, że wcale nie przejąłem się tym tak mocno, jak powinienem. A przecież jest się czym martwić. To oczywiste, że jeśli nie wydarzy się nic nieprzewidzianego, pochłonie mnie mrok. Ten słoik mnie zastąpi – znacznie wcześniej, niż podejrzewałem. Może mnie nie wyrzucą, ale zapewne stracę niusy. Co zamiast? Blok sportowy? Nie mam o tym zielonego pojęcia. Ale nie czuję paniki, nie ściska mnie w żołądku. Cała ta sytuacja jakoś cholernie mało mnie interesuje.

Słońce świeci prosto na łóżko, ale nie mam siły, żeby wstać i zaciągnąć zasłony. Żyjemy w domu, który – jak to powiedziała Małgosia – ma ściany, sufity i fundamenty z waty. Kiedy spogląda się na niego z dystansu, można odnieść wrażenie, że konstrukcja jest wcale solidna i porządnie osadzona w ziemi. Jednak gdy podejdziesz bliżej, wyciągniesz rękę i dotkniesz – mury ugną się pod palcami. Są nieco tylko gęstsze od powietrza, umowne. Wystarczy silniejszy podmuch wiatru, aby rozdarły się na strzępy i poszybowały w niebo.

Zastanawiałem się nad tym, w jaki sposób matka nas opuściła. Czy ojciec wie, że nie zginęła w wypadku razem z ciotką Igą? Czy powinienem mu o tym powiedzieć? Nigdy właściwie nie rozmawialiśmy o tym, co się stało. Jedyne uwagi na temat matki rzucał w gniewie i na ogół były mało cenzuralne. Czy ją kochał? Absurdalne pytanie. Czy on potrafiłby kochać kogoś poza sobą?

Na stoliku przy łóżku wibruje telefon. Przez chwilę leżę bez ruchu, ale wreszcie sięgam po niego. Nie zapisałem tego numeru w kontaktach, choć to już... Który? Pięćdziesiąty esemes od niego? Coś koło tego.

prosze

Jedno słowo, w dodatku małą literą, brakuje nawet ogonka przy „ę". Poprzednie esemesy były znacznie bardziej rozbudowane, niektóre trzeba było przewijać bez końca, żeby przeczytać całość. To jedno słowo jednak ma znacznie większą siłę niż setki tamtych. O co mnie prosisz, Kris? O to, żebym jej wybaczył? Żebym się nią zajął i zdjął ci problem z głowy? Żebym cię zaprosił na obiad, żebyśmy sobie usiedli z piwkiem i pogwarzyli o niej? O tobie? O mnie? Na co liczysz, dzieciaku? Co z tego, że obaj wyszliśmy z podobnego genetycznego koktajlu? Czy to, że twoje i moje DNA są zapewne w pewnej mierze identyczne, ma sprawić, że porozumiemy się bez słów? Biorąc pod uwagę moje życiowe doświadczenie z obojgiem rodziców, sprawa wydaje mi się mocno wątpliwa. Prosi mnie. Oczy pieką mnie nagle tak mocno, jakby wiatr sypnął w nie piachem. To jedno niechlujnie napisane „prosze" brzmi jak ostatnie słowo tonącego, któremu brak już sił i nadziei.

Odkładam telefon i obracam się na łóżku na bok – tyłem do świecącego za oknami sypialni słońca.

•

Wychodzę z niusrumu o osiemnastej. Wszyscy byli dla mnie uprzedzająco grzeczni, wręcz przemili – w taki sam sposób, w jaki zachowują się znajomi wobec kogoś, komu postawiono ostateczną diagnozę. Masz raka, zostały ci dwa miesiące życia. W tym akurat przypadku mogą to nie być aż dwa miesiące.

Jest jeszcze jasno, wciąż nie przestawiłem się na nowy czas, zaskakuje mnie niebieskawe niebo nad Warszawą o tej porze. Na myśl o tym, że mam wracać na Marinę, robi mi się niedobrze.

Anka daje się wkręcać. Widziałem tę stertę szmatławców, którą Karolina pospiesznie przykryła wydrukami z PAP-u, gdy wszedłem do openspejsu. To oczywiste, że jeśli w „Blaskach i Oklaskach" zrobili pół kolumny niejako zainspirowanej przez Ankę i przez Sebastiana, w innych podcirdupach też musi być mnóstwo zdjęć i idiotycznych komentarzy. Zupełnie mnie to nie dotyka, czuję tylko lekkie zdziwienie. Znam ją od dwudziestu lat, nie przypuszczałem, że chciałaby się wplątać w tę karuzelę. A wplątała się celowo, bo choć pismaki mają sporą fantazję, nikomu nie przyszłoby do głowy, żeby nazwać ją „pisarką". Tak się przedstawiła, ogromny błąd. Ślęczy nad tą swoją książką od jakichś dwóch lat. Przeczytałem po kryjomu fragment, zamordowałaby mnie, gdyby wiedziała. To, co pisze, nie jest wcale złe. Ma lekkie pióro, trafne, choć nieco powierzchowne spostrzeżenia. Całkiem niezłe ucho. Ale daleko temu tekstowi do wybitności – szczególnie gdy weźmie się pod uwagę czas, który poświęca na jego tworzenie. Nie wiem, jak gruba ma być ta książka, myślę, że dotarła mniej więcej do połowy. Pewnie ktoś jej to wyda, czemu nie? Nawet może zdobyć czytelników. Jeśli jednak sądzi, że ta powieść ją unieśmiertelni, obawiam się, że przeżyje spore rozczarowanie. Szczególnie jeśli teraz się ośmieszy. Pisarka, która nic jeszcze nie napisała. Aktorka, która nie zagrała żadnej roli. Sportowiec, który nie uprawia żadnego sportu. Piosenkarka, która nie śpiewa. Dziennikarz, który nie ma własnej opinii. Mało jest takich? Funkcjonują wyłącznie dzięki tej całej wirującej koślawo, rozklekotanej, tandetnej karuzeli plotek. Nasze gwiazdki ploto polo. Palą się jasnym, ale nietrwałym i niezdrowym ogniem magnezji, a jedyne, co pozostaje, gdy gasną, to swąd spalenizny, który ciągnie się za nimi przez resztę życia.

Nie chce mi się jednak rozmawiać z nią o tym – Anka doskonale wie, co myślę. Jeśli ma ochotę na występy w cyrku, nie mogę jej tego zabronić.

Naprawdę nie planowałem, że tu przyjadę. Orientuję się, że jadę Francuską, dopiero po dłuższej chwili. Saska Kępa.

(*prosze*)

Parkuję volvo przy Rzymskiej, parę domów od naszego. Siedzę w samochodzie przez kilkanaście minut, niebo staje się fiołkowe. Kiedyś lubiłem tę porę – dzień się kończy, wciąż żyjemy, więc dajmy sobie spokój. Już nie ma się co wysilać. Świat zwalnia bieg. O tej porze dnia – między zachodem a zmrokiem – czułem zazwyczaj ulgę. Tak było kiedyś.

Wzdycham, wyjmuję kluczki ze stacyjki i wysiadam z auta.

– Pawełek? – Kociuba unosi czarne brwi niemal do linii równie czarnych włosów. – Nie wiedziałam, że przyjedziesz.

– Ja też nie – mówię, całując ją w policzek. – Muszę porozmawiać z ojcem.

– Jesteśmy w ogrodzie – oznajmia. – Znaczy się, Leon jest. Bo ja przyszłam otworzyć. Myślałam, że to kurier. Czekam na kuriera. Jesteś jakiś blady czy mi się zdaje?

– Jestem zmęczony.

– Może coś zjesz? Mam bitki. Trochę suche wyszły, ale...

– Nie jestem głodny. Przyjechałem, żeby zamienić słowo z ojcem.

– Och – Kociuba przygląda mi się uważnie.

Martwi się. O mnie czy o niego? Pewnie o nas obu. W przeciwieństwie do Anki nigdy nie uważałem jej za cwaną czy podłą.

– On ma dzisiaj dobry dzień – mówi wreszcie.

– Mariola, za każdym razem, gdy tu przyjeżdżam, oznajmiasz, że on ma dobry dzień – rzucam cierpko, choć wcale nie chcę jej sprawić przykrości. – Po co to mówisz? Po to, żeby mnie uspokoić czy zaszantażować?

– Zaszantażować? – Kociuba wlepia we mnie barani wzrok.

– Tak. Od razu zaczynam czuć się winny, że przeze mnie ten jego cudownie dobry dzień zaraz się spieprzy.

– Ja nie... – Kociuba naprawdę wygląda na zmartwioną. – Ja nie w tym celu tak mówię. Ja tylko chcę... Próbuję... Wiesz, żeby było miło.

– Niestety, nie jest. W ogóle w życiu rzadko kiedy jest miło.

– Tak. Ale trzeba przecież próbować, prawda? Żeby jednak było, przynajmniej od czasu do czasu – dotyka mojego ramienia. – Pawełku, co się stało? Nigdy tak do mnie nie mówiłeś...

– Nie robiłem bardzo wielu rzeczy, które chciałem albo które powinienem był robić – delikatnym ruchem odsuwam jej dłoń. – I lepiej nie przychodź do nas. Bo wiesz... Tam nie będzie miło.

Ojciec klęczy na ścieżce. Ma na rękach pomarańczowe rękawiczki. Starannym, metodycznym ruchem wpycha w ziemię jakąś cebulkę, a potem ostrożnie ją zasypuje. Przyglądam mu się zza przeszklonych drzwi tarasu. Jeszcze mogę się odwrócić i wyjść.

Opiera dłonie na kolanach i podnosi twarz w stronę nieba. Widzę go od tyłu, wygląda jak modlący się muzułmanin. Okropnie się postarzał, bardziej niż matka. Otwieram drzwi i wychodzę na patio.

– Podaj mi konewkę – rzuca ojciec przez ramię. – Kolana mi wysiądą za chwilę.

Zielona konewka stoi przy trawniku, na krawędzi wykładanej piaskowcem posadzki patio. Podnoszę ją i podchodzę do ojca.

– Proszę – mówię.

Ogląda się na mnie przez ramię. Nigdy dotąd nie widziałem go z tej perspektywy – klęczącego przede mną.

– To ty – stwierdza ojciec i zabiera ode mnie konewkę. – Nie wiedziałem, że przyjedziesz.

– Ja też nie wiedziałem, że przyjadę – mówię.

Milczy. Zaraz skomentuje dzisiejsze niusy, jestem tego pewny. Liczę, że to zrobi, chcę, żeby mnie wyprowadził z równowagi. Złość da mi siłę do walki. Jednak on dalej nic nie mówi. Skończył podlewanie zasadzonej dopiero co cebulki i znowu spogląda w niebo.

– Tulipany – wyjaśnia. – Nie wiem, czy nie za późno. Chyba lepiej było je zasadzić w marcu.

– Też nie wiem. Nie znam się na tym.

Nigdy w życiu nie zajmował się ogrodem. Oddycham głęboko, mobilizuję siły.

– Wiedziałeś, prawda? – pytam.

– Wiem sporo… – ojciec wyciąga do mnie rękę. – Pomóż mi wstać, ścierpły mi nogi.

Po sekundzie wahania biorę jego dłoń i podciągam go do góry. Zdejmuje rękawiczki, otrzepuje spodnie. Spogląda na mnie z namysłem.

– Wiem sporo – powtarza. – Ale nie jestem wróżem i nie wiem, o co konkretnie pytasz.

– O matkę.

– Ach. O nią – kiwa głową, nie wydaje się zdziwiony. – Lepiej wejdźmy do domu, chłodno się robi.

– Ona nie zginęła w tym wypadku – mówię. – I ty o tym wiedziałeś.

Ojciec przechodzi przez patio, znika w salonie. Chcąc nie chcąc, muszę iść za nim.

– Przymknij, bo ciągnie – kiwa głową w stronę wyjścia na taras i sięga po jedną z butelek ustawionych na chromowanym barku. – Tobie nie proponuję, bo pewnie jesteś samochodem.

– Ona nie zginęła – powtarzam. – Nie umarła wtedy.

– A czy to cokolwiek zmienia? – ojciec odstawia butelkę i siada na swoim fotelu ze szklanką w dłoni.

Bawi się nią, przelewa miodowy płyn od ścianki do ścianki. Niespodziewanie podnosi ją do góry, przymyka jedno oko, a drugim spogląda na mnie przez szkło – idiotyczny gest, którego nigdy bym się po nim nie spodziewał.

– Dla ciebie i dla mnie chciała umrzeć – uśmiecha się krzywo i upija łyk koniaku. – Zadała sobie spory trud, żebyśmy uwierzyli w jej śmierć.

– Kiedy się dowiedziałeś? – pytam.

– Usiądź. Denerwuje mnie, jak tak sterczysz i patrzysz na mnie z góry.

– Nie rozkazuj mi!

– Mogę robić, na co mam ochotę – stwierdza ojciec. – Tak samo jak ty. Nikt ci nie każe mnie słuchać. Jeżeli chcesz przeprowadzić tę rozmowę, zrób to po prostu jak należy.

– Jak to mi nie każesz?! Przez całe życie mi rozkazujesz!

– No i co z tego? – wzrusza ramionami ojciec. – Taki już jestem. Zawsze wydaje mi się, że wiem lepiej. I najczęściej wiem. Mogłem ci rozkazywać, jak miałeś dziesięć czy piętnaście lat. Wtedy musiałeś mnie słuchać. Ale już dawno nie musisz. Więc czym się przejmujesz?

– Jak... To nie... – próbuję coś na to odpowiedzieć, ale brakuje mi słów.

Siadam więc na kanapie i zaplatam ręce na piersi. Ta rozmowa miała przebiegać zupełnie inaczej.

– Matka żyje – mówię w końcu. – Wyjechała wtedy z Polski, mieszkała w Wiedniu. Potem wyszła za jakiegoś faceta i przeprowadzili się do Hiszpanii. Ma syna. Drugiego. I teraz mieszka w Warszawie. Od sześciu lat.

– No i?

– Co: no i?! – wykrzykuję. – Jeżeli o tym wiedziałeś, jak mogłeś mi nie powiedzieć?!

– Czy uważasz, że uświadomienie dziecku, że matka je porzuciła i wymazała z pamięci wspomnienia ze swojego wcześniejszego życia, byłoby dla niego zdrowsze i lepsze niż pozwolenie na to, aby wierzyło w jej śmierć?

– Co?

– Czego nie zrozumiałeś? Chyba dość przejrzyście ująłem sprawę, nie? Pytam, czy naprawdę uważasz, że byłbyś szczęśliwszy, wiedząc, że cię porzuciła, że wykasowała cię ze swojego życia? Czy to byłoby dla ciebie lepsze niż wiara w to, że umarła?

– I tak chciała odejść od ciebie...

– Nie tylko ode mnie – ojciec dopija koniak i odstawia pustą szklankę, a potem zakłada nogę na nogę i splata ręce na kolanach. – Na logikę miała wszystko, o czym tylko mogła marzyć. Była piękna, bogata. Ludzie ją kochali, pracowała na wizji, a wtedy to naprawdę było coś, naprawdę należała do elity. I jeszcze w dodatku nieźle tam sobie radziła, nie musiałem się jakoś nieziemsko wysilać, żeby jej załatwić pracę w telewizji. Mieliśmy znakomite mieszkanie, potem ten dom. Samochody, sprzątaczkę. A do tego... Do tego ona mnie naprawdę kochała, no, przynajmniej do pewnego momentu. I to jest najbardziej dziwaczne. Ona zabiegała o mnie na początku, a nie ja o nią. Teraz, wiesz, po tych wszystkich latach, widzę, że... Naprawdę się starała. Przez jakiś czas. Próbowała. Ale nie wychodziło. Już mogę to przyznać.

– Ale ja chciałbym... – mówię bezradnie, urywam i ciągnę po kilku sekundach: – Ona mieszka na Żoliborzu. Jest sparaliżowana.

– Tak. Miała wylew. Gdzieś z rok temu – kiwa głową ojciec, wstaje i znowu podchodzi do barku. – Więcej mnie to kosztuje, niż sądziłem. Na pewno nie chcesz jednego? Możesz wrócić taksą.

Kiwam głową na zgodę, ojciec rozlewa koniak do szklanek, podaje mi jedną, a potem znowu siada w fotelu.

– Jak się dowiedziałeś? – pyta.

– Jej syn... Ten chłopak mnie odnalazł.

– Och, on. Tak. Musiała zgłupieć, żeby rodzić dziecko w takim wieku, ale może chciała coś naprawić. Może wydawało jej się, że skoro tobie zrobiła to, co zrobiła, wyrówna szkody przy drugim podejściu. Debilny mechanizm, ale często spotykany. Nie da się naprawić zła wyrządzonego jednemu człowiekowi, będąc dobrym dla innego. Co najwyżej można uciszyć wyrzuty sumienia. Ile on ma lat?

– Dziewiętnaście.

– Głupia fizda – stwierdza ojciec. – Koniec końców zrobiła mu to samo co tobie, nieprawda? Oczywiście jest trochę starszy, niż ty byłeś, gdy dla ciebie umarła, ale ty przynajmniej miałeś mnie. Ten dzieciak chyba nie ma nikogo. Poza tobą.

– Nie ma mnie. Ja go nie znam. To obcy człowiek – oznajmiam.

– No, w sumie tak. Ale jeszcze przemyśl sprawę. Tak... – wzdycha i zamyśla się na moment. – Czy to dobrze, że już wiesz?

– Dobrze? – patrzę na niego ze zdumieniem. – Chyba w taki sposób nie da się określić tej sytuacji! Ale właściwie tak, cieszę się, że znam prawdę. Chyba...

– Zawsze miałeś z tym kłopoty. Z akceptacją prawdy – oznajmia ojciec, przechyla głowę i unosząc brew, dodaje: – W pewnym sensie ją ukarałem.

– Ukarałeś?

– Zorientowałem się. Że robi te swoje... – tu ojciec puszcza oko – zapasy na drogę.

– Masz na myśli biżuterię?

– Tak. Biżuterię, kamienie, złoto. Dolary. Wydawało się jej, że jest sprytna. Sporo kupowała za swoje pieniądze, nieźle zarabiała. Ale nie powinna była ściągać tej Rosjanki do domu. Dość prędko się zorientowałem. Wiesz, co zrobiłem?

– Nie mam pojęcia.

– Podmieniłem jej ten cały chłam.

– Jak to podmieniłeś?

– Zwyczajnie. Prawie wszystko, co trzymała w tej durnej puszce. Zamieniłem na fałszywki. Gdy tylko znikała z domu na dzień czy dwa, a sporo chałtur brała, pamiętasz pewnie? Kołobrzeg, Opole, jakiś festyny, imprezy w zakładach pracy. Gdy tylko miałem pewność, że wyjechała, zanosiłem każdą nową dupe-relę do takiego sprytnego jubilera na Pragę. Robił kopie, wydałem na nie masę pieniędzy. Zabrała ze sobą garść szkiełek, mosiądz i tombak. No, dolary były prawdziwe, ale jak na realia zachodnie niezbyt imponująca kwota.

– To dlatego pracowała w hotelu... – mamroczę, gapiąc się na niego osłupiałym wzrokiem. – W Wiedniu.

– Owszem – ojciec uśmiecha się do mnie i unosi szklankę gestem parodiującym toast. – Udało mi się w pewnym stopniu utrudnić jej to nowe wspaniałe życie. Mam wszystko. Ten jej piracki łup. Chcesz?

– Jak to, czy chcę?

– No, czy chcesz go sobie wziąć? Właściwie trzymałem te świecidełka dla ciebie. Czasami je sobie oglądałem, ale to było kiedyś. Od pewnego czasu już tego nie robię. Możemy też dać ten skarb w posagu Małgorzacie, starczy na porządny dom. Ale ona się nie wybiera?

– Gdzie się nie wybiera? – w głowie mi się kręci.

– No, za mąż? Nie wybiera się?

– Raczej nie. Ma dopiero siedemnaście lat.

– No tak... Leżały trzydzieści lat, mogą poleżeć jeszcze trochę. Jakbyś je jednak chciał, to powiedz – ojciec jednym haustem wychyla szklankę do dna. – Napijesz się jeszcze?

– Za chwilę.

– Nie wiedziałem tak od razu – ojciec ogląda się przez ramię pochylony nad barkiem. – Naprawdę przez jakiś czas myślałem, że umarła. Ale coś mi zaczęło świtać, gdy zorientowałem się, że razem z nią zniknęła ta puszka. Nie znaleźli jej we wraku. Ktoś to oczywiście mógł świsnąć po wypadku, w końcu kupa forsy. Przynajmniej na oko. Ale jednak sprawa była podejrzana. Wynająłem takiego jednego. Dziś byśmy powiedzieli – detektywa. Namierzył ją po roku w tym całym Wiedniu. Podejrzewam, że pierwotnie chciała prysnąć dalej. No, ale nie miała za co.

– Chciałbym zrozumieć... – bąkam.

– Tak, ja też chciałem. Ale czy zrozumienie zmieni fakty? Zrobiła, co zrobiła. Nie będę ci dawał rad, jak masz postąpić. Jesteś już chyba za stary, a z pewnością ja jestem.

– A co powinienem zrobić twoim zdaniem?

– Machnąć na nią ręką, ale zająć się tym chłopakiem. Tak sobie myślę, nie żeby mi się to podobało nadzwyczajnie. Jeśli tego nie zrobisz, kiedyś możesz żałować. I tyle. Ja, wbrew temu, co sądzisz, żałuję wielu rzeczy, których nie zrobiłem, gdy jeszcze było to możliwe.

Czy powinienem być na niego wściekły? Wyjść stąd, trzasnąć drzwiami i zapomnieć o nim, tak jak zapomniała matka? Okłamywał mnie przez te wszystkie lata.

– Jeszcze jakieś złote rady? – pytam ironicznie.

– Nie chcesz ich słuchać, to po co pytasz?

Za oknami zapadł już zmrok. Lampy na patio włączyły się automatycznie, w salonie zrobiło się ciemno. Sięgam i włączam jedną z lamp ustawionych na stolikach po bokach kanapy. Odchylam się na poduszki, ojciec zerka na mnie i odwraca wzrok. Nie wiem, jak mam go teraz dalej nienawidzić. Napięcie opada ze mnie, czuję śmiertelne znużenie.

– Jestem homoseksualistą – mówię.

III

Szesnaście nieodebranych połączeń. Same nieznane numery. I jeden esemes od Sebastiana. Na razie do niego nie zaglądam, nie mam siły. Wzięłam dwa xanaxy, ale i tak mam wrażenie, że lada moment mogę dostać ataku paniki.

– Jest coś do jedzenia? – Gośka zagląda do mojego gabinetu.

– Coś tam jest. Ale może pizzę zamów, co? – mówię, nie odrywając oczu od monitora.

– Dobra, zjem u Natalii. Będziemy się uczyć.

– Świetnie.

– A potem się może z kimś puknę.

– Super, tylko wróć przed dziesiątą – odpowiadam nieuważnie.

– Mama, ty się dobrze czujesz? – Gosia pochodzi do mnie, pochyla się i próbuje zajrzeć mi w oczy.

– Doskonale, a czemu? – mówię i nagle spoglądam na nią przestraszonym wzrokiem: – Dlaczego miałabym się źle czuć? Coś się stało? Ktoś do ciebie dzwonił, wypytywał o coś?

– Nikt nie dzwonił. Kto miał dzwonić? Słyszałaś, co mówiłam do ciebie?

– No, oczywiście!

– To co mówiłam?

– Że będziesz się uczyć.

– A dalej?

– Że u Natalii. I że... – marszczę brwi, dopiero teraz dociera do mnie, co powiedziała, uśmiecham się mimowolnie. – Piszę.

– A, okej – Gosia namyśla się przez chwilę. – Myślałam, że to przez tatę. Mówił coś?

– O czym miał mówić? – spoglądam zdziwiona.

– No, o... – Gośka przygląda mi się z wahaniem, a po chwili potrząsa głową. – Ma teraz trudny czas.

– On ma trudny czas?! On?! Dlaczego niby?

– W pracy i tak dalej. Przez Sebastiana, wiesz. Bądź miła dla niego.

– A czy ja kiedykolwiek nie jestem miła dla ojca?

– Dobra. Róbcie, co chcecie – Gosia unosi obie ręce, odwraca się i wychodzi z pokoju. – Będę koło dziesiątej. A jakby co, przyślę esemesa.

Po chwili trzaskają drzwi na korytarzu. Mam wyrzuty sumienia, trzeba było jednak zrobić jakiś obiad, no, chociażby zamówić. Która godzina? Już po siódmej, Paweł powinien wrócić niebawem. Sięgam po ajfona. *Zjedz coś na mieście, nie wyrobiłam się* – piszę i wysyłam. Jedno z głowy. Opieram dłonie o blat biurka i patrzę na ekran.

– Nie wiem – Wiera z chmurną miną odrzuciła kosmyk włosów z czoła.

Czego ona nie wie? Czegoś miała nie wiedzieć, Gośka mi przeszkodziła i myśl umknęła. Rany boskie, ślęczę przy klawiaturze od czwartej i napisałam zaledwie pół strony! Ale nie o ilość tu chodzi, to nie jest praca na akord. Spokojnie.

Wstaję, biorę lornetkę i podchodzę do okna. Pustaczątko siedzi po turecku na dywanie przed telewizorem w salonie. O tej godzinie powinno spać, no, przynajmniej leżeć w łóżku! Mamuśka rozwalona na kanapie, gnuśne babsko. Tatuśka nie widać, pewnie siedzi w korpo. Albo lata z wywalonym fiutem po mieście. Do czego zresztą ma się spieszyć? Na pewno nawet obiadu nie przygotowała.

– Zrób coś, krowo! – jęczę pod nosem.

Mój Boże, jak ja mogę pisać, skoro nie mam o czym?! Obserwowanie Pustaków to jak gapienie się na farmę mrówek urządzoną w płaskim akwarium w sali do biologii, tej, w której odbywają się wywiadówki w liceum Małgośki. Ciekawe nawet, ale na dłuższą metę cholernie monotonne.

Ciskam lornetkę na fotel i wracam do biurka.

– Nie wiem – Wiera z chmurną miną odrzuciła kosmyk z czoła.

– Wiesz dobrze – Makary wyszeptał te słowa przez pobielałe wargi.

Pobielałe wargi, to dobre. Ale co dalej? Kurwa, mam blokadę twórczą, czop jakiś intelektualny. Nie umiem pracować pod presją!

Sejfuję plik i odsuwam się od biurka.

Przecież człowiek, pisarz, znaczy się, żeby dobrze pisać, musi mieć pożywkę do tego! Życie musi mieć barwne, interesujące, nietuzinkowe. Doświadczenia różne oryginalne! A ja co? Moje życie to parada banału! Nic się nie dzieje, no, teraz może się dzieje, ale tego akurat nie mogę wykorzystać, bo jak? Opiszę, że się Wiera macała z chłopakiem na jakimś balkonie w teatrze? Wyjdzie na to, że o sobie piszę! Napisałabym nawet, ciekawe w końcu, ale zdemaskuję się i problemy przez to będą! Co mam opisać, oddać słowem, odmalować? Mogłabym o tym dzisiejszym wywiadzie z kretynką napisać, zabawne nawet, znaczące w pewnym sensie, symbol czasu jakby nie było, ale jak mogłabym to opisać, skoro od takich półmózgów moje być albo nie być zależy?! Obsmaruję jedną, drugą idiotkę w pierwszej książce, to w życiu mnie nie poprą, nie podpromują, a jeszcze obszczekają i naszczają na to, co spod serca sobie wydarłam. Ja nawet nic nie wiem o współczesnych problemach z dziećmi, bo Gośka w życiu mi problemów żadnych nie przysporzyła. Uczyła się dobrze, narkotyków nie brała, nie kradła, nie kłamała nawet. Dzięki Bogu oczywiście, bobym się wykończyła nerwowo.

To nie jest dobry pomysł jednak, żeby Wiera i Makary byli koło czterdziestki, lepiej niech dziecko będzie małe. Szkarlatynę opiszę, świnkę – wiem, jak to jest, a też dramatyczne wydarzenia. Teść oziębły uczuciowo, wymagający, krytyczny – no, to jakiś temat na wątek trzecioplanowy. Ale on to przecież może przeczytać! Gdzie tam może, przeczyta na pewno! I co wtedy? Nigdy mi nie wybaczy, a na to też sobie pozwolić nie mogę. Mam związane ręce i palce!!!

Żeby jeszcze Paweł... Nie wiem, seksualnie był rozbuchany, pełen fantazji, zaskoczeń nieprzewidzianych! Ale gdzie tam! Robot, nie człowiek. Emocje płaskie, poukładany w każdym calu, zaplanowany, metodyczny, systematyczny, przewidywalny. No, dobry człowiek, ale co z tego? Mogłabym się skupić na tym seksie bez seksu, na tym niespełnieniu, braku, bo co to za pożycie jeden czy dwa stosunki w roku? Tyle że my jesteśmy dwadzieścia lat po ślubie! Cud, że jeszcze jego fiuta w stanie wzwodu widuję raz na kilka miesięcy, pewna jestem, że przy takim stażu to rzadkość. Co prawda niewiele się zmieniło, bo jakbym się zawzięła i policzyła wszystkie nasze momenty, to pewnie bym zdołała, a samo to świadczy o tym, jak mało ich było. Ale mnie to specjalnie nie przeszkadzało, tyle miałam na głowie. Ja zresztą nigdy nie byłam jakoś aktywna nadzwyczajnie w tej dziedzinie, powiedzmy sobie szczerze. Dopiero Sebastian coś ze mną takiego zrobił... A ja mogłabym być jego matką! No, może nie jest to wybitnie oczywiste, ale mogłabym, gdybym się zawzięła!

Przecież muszę pisać! Muszę – jak najprędzej! Bo jeśli się ode mnie nie odczepią, jeśli mnie zaczną na poważnie prześwietlać, wyda się wszystko! Gdybym Książkę dokończyła, mogłabym wszystkim gęby nią zatkać.

Wstaję z krzesła, biorę lornetkę i wracam do okna. Pustaczątko już zdaje się u siebie, nigdzie nie widzę bachora. Mamuśka przy kuchence stoi, podgrzewa ani chybi to, co z Batidy zamówiła, pewnie Tatusiek zaraz się pojawi.

O czym ja mam pisać?! Powinnam chyba jednak wątek zboczony mniej lub bardziej wprowadzić. Jakąś ekstrawagancję, a choćby i niezwykłość erotyczną. Żebym chociaż coś konkretnie wiedziała na ten temat! Ale nic nie wiem. Nawet żadnej lesbijki głupiej czy geja w życiu nie poznałam bliżej!

IV

Ojciec przygląda mi się z beznamiętnym wyrazem twarzy. Wreszcie odchrząkuje i wychyla koniak do dna.

– No, coś podobnego – mruczy. – Dzień pełen niespodzianek. Widzę, że nadrabiamy czterdzieści lat w ekspresowym tempie.

– Słyszałeś, co powiedziałem? – pytam, ze wszystkich sił próbując zapanować nad skurczem przełyku.

Mam wrażenie, jakbym spadał.

– Jeszcze, Bogu niech będą dzięki, nie ogłuchłem – stwierdza ojciec i zerka na szklankę, a potem przenosi wzrok na barek. – Jeden więcej i będzie mnie musiała zbierać z podłogi.

– Słyszałeś, co powiedziałem przed chwilą?! Powiedziałem ci, że jestem...

– Słyszałem. No i co?

– Co i co? – gapię się na niego jak sroka w gnat.

– No, czego oczekujesz?

– Oczekuję?

– Co mam ci powiedzieć? Że się cieszę? Nie cieszę się.

– Ale ja... bo... – próbuję wyjąkać, lecz słowa zamierają mi na ustach.

– Mam ci powiedzieć, że jestem dumny? – ojciec uśmiecha się pod nosem i wstaje. – A czort z tym, jeden więcej mnie nie zabije. Ciebie też nie.

Podchodzi do mnie, zabiera moją szklankę i idzie do barku.

– W ogóle nie pamiętam, żebym kiedykolwiek pił z tobą alkohol. Piłem? – spogląda na mnie przez ramię.

– Nie wiem. Zwisa ci to?

– Co mi niby zwisa? – podaje mi szklankę i znowu siada na fotelu.

– To, co powiedziałem.

– Oczywiście, że nie. Nigdy mi nie zwisało. Ale jeśli oczekujesz teraz oklasków, to raczej się nie doczekasz. To nie jest powód do dumy dla rodzica, kiedy przez kilkadziesiąt lat przygląda się, jak jego dziecko żyje w zakłamaniu, unieszczęśliwiając nie tylko siebie, ale też ludzi dookoła.

– Ja nie żyłem w zakłamaniu! – wykrzykuję. – Po prostu nie... Po prostu...

– Co po prostu? Paweł, ja wiem, kim jesteś, odkąd skończyłeś dwanaście lat. Nie uszczęśliwiła mnie ta świadomość, ale znam takich ludzi. Zawsze znałem, w telewizji kręciło się ich mnóstwo i niektórzy całkiem otwarcie przyznawali się do tego, jacy są. Wtedy, wierz mi, naprawdę trzeba było mieć jaja, żeby to zrobić. Nie powiem, żeby mnie to nie brzydziło. Ale zawsze szanowałem ich za odwagę. A ty okazałeś się tchórzem. Tego nie potrafiłem zaakceptować.

– Nie jestem tchórzem!!! – mam ochotę zmiażdżyć szklankę trzymaną w ręku i cisnąć mu szkło w twarz. – Zdałem sobie sprawę... Zrozumiałem to dopiero teraz!

Ojciec przymyka jedno oko i lekko przechyla głowę. Naprawdę jestem gotów rzucić się na niego z pięściami.

– Taaaa... Jasne – krzywi usta w ironicznym grymasie. – Nie pojmuję, po co dalej brniesz w kłamstwa, skoro ostatecznie jednak zdecydowałeś się powiedzieć to na głos.

– Nie kłamię!

– Masz czterdzieści jeden... Nie, czterdzieści dwa lata. I próbujesz mi wmówić, że dotąd nie zdawałeś sobie sprawy z tego, że staje ci do chłopa, a nie do baby? Masz mnie za kretyna?

– Naprawdę nie wiedziałem! Czy też... Nie zastanawiałem się!

– Nad czym tu się zastanawiać? To się nie bierze z głowy! Tak się dzieje albo nie. Mężczyzna wie, co sprawia, że mu... Co go pociąga... Że ty... W mordę, co to za rozmowa jest! – upija łyk ze szklanki i zakłada nogę na nogę.

– Wyłączyłem to – mówię cicho. – Nie wiem. Jeżeli naprawdę wiedziałeś, to dlaczego...

– Dlaczego co? Dlaczego ci nie powiedziałem? Chyba oszalałeś.

– Ale jak mogłeś wiedzieć, skoro ja sam...

– To było więcej niż oczywiste.

– Przecież nigdy nie byłem... Nie wiem, zniewieściały! Nie udawałem dziewczyny, uprawiałem sport! Nie bawiłem się lalkami, wolałem samochody, klocki... Nie pasuję do schematu!

– Kiedy miałeś pierwszą dziewczynę?

– Nie pamiętam, w liceum jakoś chyba...

– Tuż przed maturą – mówi ojciec. – Miałeś dziewiętnaście lat.

– To jeszcze nie oznacza, że...

– Nigdy nie miałeś grupy kumpli, nie należałeś do paczki...

– Ale przecież miałem kolegów!

– Owszem. Zawsze miałeś jednego stałego przyjaciela i jakichś tam znajomych. Mniej więcej co pół roku, może trochę rzadziej, zaprzyjaźniałeś się z kolejnym chłopakiem.

– To byli tylko kumple!

– Tak, ale wszyscy mieli ze sobą coś wspólnego. Piotrek, Kacper, Sylwek. Jeszcze był ten, jak mu tam... Konio chyba albo jakieś podobne debilne przezwisko miał.

– Jakim cudem ty ich pamiętasz? – bąkam pod nosem. – Ja dawno zapomniałem.

– A ja nie. Bo wbrew temu, co ci się wydaje, ty byłeś najważniejszym człowiekiem w moim życiu.

– I co oni niby mieli ze sobą wspólnego?

– Wszyscy byli przystojni. Wyglądali na starszych od ciebie, bardziej dojrzałych. Pewni siebie, wiesz, z jajami do przodu.

– O Jezu – pojękuję. – To przecież jakieś bzdury.

– Nie bzdury, tylko wzorzec. Jeżeli facet zaprzyjaźnia się z drugim, to nie dlatego, że tamten wygląda albo zachowuje się w taki czy inny sposób. Kumpli wybiera się z racji wspólnych zainteresowań, poczucia humoru czy charakteru.

– Ale przecież my mieliśmy wspólne zainteresowania!

– Akurat! Dopasowywałeś się do każdego z nich. Jeden grał w piłkę, to i ty zaczynałeś grać, choć wcześniej miałeś ją głęboko w dupie. Drugi miał hopla na punkcie komputerów, to przez pół roku mi jęczałeś, żebym ci kupił tego commodore. Wtedy na tapecie był Kacper, zdaje się... Tak, on. Dostałeś komputer, Kacper przestał przyłazić i zabawka wylądowała na pawlaczu.

– Może mi imponowali po prostu? Mogłem ich sobie stawiać za wzór!

– Ty sobie ich nie stawiałeś za wzór! Ty się do nich łasiłeś! Zabiegałeś o ich względy jak dziewczyna o uwagę chłopaka. W każdym po kolei byłeś najzwyczajniej w świecie zakochany!

– Nieprawda!

– Prawda. Nie trzeba być wybitnym psychologiem, żeby to zauważyć. Dostawałeś wypieków na twarzy, kiedy tylko któryś aktualny właśnie zadzwonił. Oczy ci zaraz świeciły, wszystko inne przestawało mieć znaczenie. Leciałeś na złamanie karku.

– To byli tylko koledzy. Ja nigdy... Nic, z żadnym z nich.

– Hm... Może dlatego w końcu wymieniałeś jednego na drugiego. Bo liczyłeś, że ten następny będzie tym, kim chcesz, żeby dla ciebie był. Przez pewien czas myślałem, że ona się na to godzi. Ale kiedy się zorientowałem, że o niczym nie wie... No, lepiej, żebyś nie wiedział, co o tobie myślałem.

– Kto się godzi?

– Ania. Mogłem zrozumieć, że jej zmajstrowałeś dzieciaka przypadkiem, zresztą Bogu dzięki za to. Ale małżeństwo?! Po jaką cholerę się z nią ożeniłeś?!

– Przecież ty...

– Co ja? Od początku próbowałem wybić ci ten pomysł z głowy! Mówiłem, że marnujesz życie i jej, i sobie!

– Sądziłem, że to dlatego, że... Dopiero co stworzyłeś TV9, liczyłeś, że będę prezesem. Myślałem, że wnerwia cię to, że biorę sobie na głowę rodzinę, dziecko, chociaż dopiero skończyłem dwadzieścia parę lat.

– No, wiesz, to nie było rozsądne posunięcie, biorąc pod uwagę, że jeszcze nie miałeś dyplomu i skakałeś z wydziału na wydział jak konik polny. Ale przede wszystkim szkoda mi było tej dziewczyny. Nie jest to może perła nad perłami, potrafi być kurewsko irytująca. Jednak jak każdy człowiek zasługuje na uczciwe traktowanie i szczęście, a nie na odgrywanie przez całe życie roli parawanu, żebyś mógł udawać normalnego faceta.

– Kiedy ja się nie ożeniłem z nią dla kamuflażu!

– A po co?

– Po to, żeby... – urywam i odwracam wzrok.

Ożeniłem się z nią, żeby zrobić mu na złość. Bo wiedziałem, że nie akceptuje tego pomysłu. Chciałem mu dokopać. Mnóstwo rzeczy w życiu zrobiłem tylko po to, żeby mu dokopać.

– Myślę, że byliśmy ze sobą całkiem szczęśliwi – odzywam się wreszcie. – Mimo wszystko.

– Wątpię. Wystarczyło na was spojrzeć.

– To znaczy?

– Zawsze miałeś ściśniętą dupę. Wyglądałeś, jakbyś kij połknął. Jakby coś ci się non stop tliło pod tyłkiem. A ona? Rany boskie, przecież ta kobieta jest na zmianę albo bezustannie wkurwiona, albo przygnębiona! Chodząca neuroza! Każda baba by taka była, gdyby ani razu przez ćwierć wieku nikt jej nie zerżnął jak należy. Facet zresztą też. Szczęśliwi! Oboje skupialiście się wyłącznie na Małgosce. Cud, że wyrosła na normalnego człowieka, że jej nie zadusiliście. Większości dzieciaków na jej miejscu kompletnie odbiłaby szajba. Rozumiem, że trzeba troszczyć się o swoje dziecko, ale... Rany boskie! Mało żeście dziewczyniny tą całą swoją dobrocią nie zajebali! Małoście jej nie zaciukali na śmierć.

– Tak! Tobie nigdy się nie podobało ani to, co robię, ani jak! – wykrzykuję z furią.

– Nie podobało mi się, że żyjesz w kłamstwie. Poza tym jednym, przyznasz, dość istotnym elementem, radziłeś sobie... No, byłem z ciebie... – ojciec urywa i potrząsa głową. – Nie jestem w tym dobry i nigdy nie byłem. Nie potrafię słodzić. Ale jesteś niezłym dziennikarzem. Może nie wybitnym, ale dość dobrym, a mógłbyś być znacznie lepszy, gdybyś sobie na to pozwolił. Mógłbyś być, kimkolwiek byś zechciał.

– Ale ja chcę robić to, co chcę! Nie potrzebuję olśniewającej kariery, Bóg wie jak wielkiego majątku czy sławy! Chcę być sobą, a nie tobą!

– No to, żeż w mordę, bądź sobą! Najwyższy czas! – krzyczy ojciec z gniewem.

W salonie zapada cisza. Kręci mi się w głowie. Siedzimy w milczeniu przez dobrych kilka minut. Nagle coś stuka cicho w ciemnym holu.

– Leoś, bo ja się denerwuję. Powiedz coś – odzywa się Kociuba płaczliwym głosem.

Ojciec podrywa się jak dźgnięty nożem, spogląda na mnie wściekłym wzrokiem, ale po chwili w jego oczach migoczą iskierki rozbawienia. Uśmiecham się też mimo woli, choć ogólnie wcale mi nie do śmiechu.

– Leoś?!

– A czym ty się, kobieto, denerwujesz znowu? – rzuca ojciec.

– Bo się wystraszyłam, czy nic ci nie jest...

Ojciec kręci głową z niedowierzaniem, zaraz wybuchnie śmiechem.

– Gdybyś się wystraszyła, że coś mi jest, tobym jeszcze zrozumiał... – stwierdza ojciec i puszcza do mnie oko.

•

Taksówka sunie przez most Świętokrzyski, wyjątkowo pusty, choć jeszcze nie ma dziewiątej. Nie wiem, czy mi ten koniak nie zaszkodził, ciągle mnie muli.

Co teraz? Muszę poczekać, aż Małgosia zda maturę, aż dostanie się na studia. Jakoś jej to wynagrodzę, im obu. Ale jak? Jak mam wynagrodzić to Ance?

A co ważniejsze, jak mam żyć bez niej? Nie potrafię sobie wyobrazić świata bez niej. Nie wiem, czy będę umiał żyć sam dla siebie. A ona? Co zrobi beze mnie? Czy mam prawo, żeby teraz, po tych wszystkich latach, uświadomić jej, że nasze życie było w pewnym sensie fikcją? Kurde, nawet jej nie uprzedziłem, że dopiero wracam, nie wie, co się ze mną działo!

Sięgam po telefon. Tylko jeden esemes. Nie wyrobiła się. Mam zjeść na mieście. Dopiero gdy to czytam, uświadamiam sobie, że umieram z głodu. Telefon wibruje w moim ręku. Anka? Nie.

Palimy?

Wojtek. O Boże, tak! Potrzebuję tego – nie tyle papierosa, choć chce mi się palić jak diabli. Potrzebuję czegoś z zewnątrz, kogoś obcego, kogoś bez problemów. Rozmowy o bzdetach...

Właśnie wracam. Muszę coś zjeść, nic nie ma w domu. Skoczymy do Batidy?

Wysyłam. Taksówka pnie się ulicą Idzikowskiego. Szczerze mówiąc, dosyć okrężna droga, nie zwróciłem nawet uwagi, którędy wiezie mnie ten kierowca. Facet co rusz zerka na ekranik dżipiesu, chyba jednak nie próbuje mnie naciągnąć na droższy kurs.

– Pan z Warszawy? – pytam.

– Co? Nieee... – odpowiada. – A że niby tu, w tym mieście, to w ogóle jest jeszcze ktoś z Warszawy?

– Fakt – uśmiecham się pod nosem.

Zdaje się, że przesadziłem. Nawet nie odpisał. Co innego wypalenie fajki pod blokiem, a co innego wypad do restauracji. Przecież ani ja nie znam jego, ani on mnie.

Jasne. Puść strzałkę z dołu, zejdę.

Humor mi się poprawia. Wybieram numer Anki i wpisuję nową wiadomość.

V

Esemes przychodzi akurat wtedy, kiedy jestem w połowie skomplikowanej operacji zmieniania Makarego w Marka. Na pewno przeoczyłam gdzieś to imię, raz albo drugi, trzeba brać pod uwagę literówki, ale to się wyłapie. Marek będzie lepszy, geniusz tkwi w prostocie. Czy dziś ktoś jeszcze nazywa dziecko Makary? No, pewnie nazywa... Doszłam jednak do wniosku, że trochę pretensjonalnie brzmi. Zerkam na ekranik ajfona z duszą na ramieniu. Sebastian? Nie. Paweł.

Przeciągnęło mi się. Jeszcze coś zjem i będę.

Matko jedyna, dwudziesta pierwsza! Nawet się nie zorientowałam, że tak późno.

OK

Wysyłam esemesa i wracam do Worda.

Przeciągnęło mu się. Może powinnam być zaniepokojona, ale nie jestem. Nawet lepiej, że jeszcze nie wrócił, mam trochę spokoju.

No, ale teraz Wiera nie pasuje. Ją też trzeba uprościć. Wiktoria? Ciut trąci arystokracją. Nie musi być właściwie na „W", chociaż mi to pasowało, bo to pionowe odbicie „M". Ona na „W", on na „M". Ale czy ktokolwiek by to zauważył? Wątpię. Może Weronika? Kieślowski, nie. Wanda? Topielica i patriotka na dodatek, szalenie nie na czasie. Odpada. Wiesia? Jasne, tylko ją posadzić przy maselnicy obok studni z żurawiem. Coś wymyślę, nie muszę już teraz, od razu. W ogóle muszę sobie zrobić małą przerwę, bo mi głowa prawie nie pracuje.

Kończę przeróbkę Makarego na Marka, sejfuję i podchodzę z lornetką do okna. Mamuśka siedzi przy laptopie, telewizor oczywiście włączony. Ile można filmów oglądać? Nie to, żebym nie lubiła od czasu do czasu, ale nie umiem wyłączyć mózgu. Zawsze mnie irytują błędy albo przekłamania. To, że ludzie, wchodząc lub wychodząc z mieszkania, nie zamykają za sobą drzwi na przykład. Idiotyzm, kto tak robi? Nie zamykają, żeby kamera się za nimi zmieściła, wiem to. Denerwuje mnie też, że aktorki, szczególnie te bardziej znane, w scenach erotycznych mają na sobie biustonosze. Zdejmują niby majtki pod kołdrą, a staników nie? Przecież to – po pierwsze – cholernie niewygodne, a po drugie – co? Ich faceci nie mają ochoty na miętoszenie cycuszków? Zależy im tylko, żeby wsadzić? Jasne! Irytuje mnie też to, że bohaterki chodzą po mieszkaniach w butach na wysokim obcasie i sypiają w pełnym makijażu. Że ludzie nie gaszą świateł, wychodząc wieczorem z domu... Nie potrafię nie zauważać tego wszystkiego. Oczywiście zdarzają się filmy, w których życie pokazane jest bardziej realistycznie, ale jest ich mniej niż tych naciąganych. Mamuśka gapi się w telewizor jak leci.

Tatusiek staje na progu salonu, mówi coś. Chyba wychodzi z domu, ma kurtkę na sobie. Gdzie on może leźć o tej porze? Biega? Nie, raczej nie biega się w dżinsach, a założył. Naprawdę żałuję, że nie potrafię czytać z ruchu warg. Może powinnam sobie sprawić szpiegowski mikrofon, taki z dalekim zasięgiem...

Muszę sprawdzić, co ona wrzuciła ostatnio na Fejsa, nie zaglądałam tam od kilku dni. Wracam do komputera i wchodzę do przeglądarki. No, oczywiście nic ciekawego. Link do jutubowego filmiku z kotem, kwiatki. Cieszmy się każdym dniem. Mój Boże!

Zerkam w okienko wyszukiwarki w górnym, prawym rogu okna. Nie ma mowy. Czasami ignorancja jest błogosławieństwem. Lepiej nie wiedzieć pewnych rzeczy. Wykluczone.

Przesuwam kursor i klikam w okienko. Będę tego żałowała. Wiem. Wpisuję:

Anna Lewandowska.

Nie klikaj! Nie rób tego! Klikam i wstrzymuję oddech.

Jestem tu. Może nie w tysiącach wyników, ale jestem prawie na samej górze. Wyprzedza mnie jakaś ginekolog, która nazywa się tak samo jak ja.

Fleszem.pl – to był ten facet, który dzwonił. Jest Glitter, też portal plotkarski. Kim jest Anna Lewandowska? Czy chcę poznać odpowiedź na to pytanie? Najeżdżam myszką na link.

Cztery zdjęcia z imprezy. Na trzech jestem z Sebastianem, na jednym z Pawłem. Idziemy po czerwonym chodniku. Nie wyszłam zbyt korzystnie, zadarłam głowę i zrobił mi się długi nos. Paweł natomiast idzie przygarbiony, gapi się w ziemię. Futro dobrze wyszło, wygląda na prawdziwe. Ale to chyba niedobrze, nie wiem. Czy teraz się nosi prawdziwe futra?

Kim jest Anna Lewandowska?

Anna Lewandowska, pisarka i scenarzystka, która zwróciła na siebie uwagę kreacją podczas gali wręczenia Złotych Anten oraz towarzystwem znacznie młodszego, przystojnego kochanka, na pytanie, czy podobnie jak Magdalena Samozwaniec, także pisarka, która wybrała sobie młodszego o dwie dekady męża, planuje zalegalizować swój związek z dziennikarzem Sebastianem Wysockim, za wszelką cenę usiłowała wykręcić się od jasnej odpowiedzi. Nic dziwnego. Okazało się bowiem, że autorka poczytnych bestsellerów jest już od dawna mężatką! Jej życiowym partnerem jest Paweł Sieniawski, także – czy to zaskakujące? Wcale! – dziennikarz, a co więcej, współprowadzący blok informacyjny w TV9. Z kim mąż Lewandowskiej program prowadzi? Otóż z nikim innym jak z kochankiem żony, Wysockim. Czy świeżo upieczona celebrytka postanowiła zamienić starego męża na nowszy, młodszy model? Czy też zachłannie tworzy sobie harem telewizyjnych przystojniaków? I czy waszym zdaniem jej postępowanie to kolejna manifestacja zgnilizny moralnej gwiazdek naszego szołbiznesu, czy też może jednak to znak czasu, w którym silna, utalentowana kobieta przejmuje rolę alfy w stadzie, a samców dobiera sobie według chęci i upodobania?

O mój Boże! Dlaczego to w ogóle jest w formie pytania? Co to za pytania?! Komentarze...

Taka sama szmata jak one wszystkie.

Naciągała się, stare pudło. Nos ma robiony

Piękna kobieta

Zostawcie ją w spokoju! Ona też ma prawo do miłości!

Uwielbiam jej książki.

Kto to jest?

A ja mam ją w dupie, bo od dwóch miesięcy zarabiam 2000 PLN nie wychodząc z mieszkania.

Jezus ją osądzi.

Dwieście komentarzy. Włosy stają mi dęba. Jezus mnie osądzi. Drżącą ręką przesuwam myszkę po blacie biurka, żeby zamknąć okno przeglądarki. Dwieście osób skomentowało, a ile przeczytało? Jej mężem jest... A nie – jest żoną... Przełykam z trudem gulę, która urosła mi w gardle.

Wchodzę na mojego Fejsa – przy ikonce znajomych czerwieni się prostokącik z liczbą nowych zaproszeń. 116. Akceptuję wszystkie. Mam teraz w sumie prawie sześciuset znajomych na Fejsie. Mogę więc chyba założyć, że przynajmniej tylu czytelników będzie miała Książka – gdy się ukaże. A przecież do tego czasu liczba zlinkowanych ze mną osób wzrośnie!

Swoją drogą, ciekawe, czy... Wracam na stronę Glittera i wpisuję do okienka w wyszukiwarce „Izabela Perkoć". Zero wyników. Napisała cztery książki, a nawet tu o niej nie wspomnieli. W ciągu kilku dni stałam się bardziej znana od niej!

Dostaję nagłych dreszczy, zęby mi szczękają. Zamykam okno przeglądarki i obejmuję sama siebie ramionami. To przecież dopiero początek. Co będzie dalej?

Może powinnam wydać Książkę w kilku tomach? Nie, to głupie. Nawet nie wiem, co będzie w niej dalej. W ogóle nie wiem, co będzie. Wszystko się dzieje zbyt szybko. Może powinnam znaleźć menedżera? Zdaję sobie sprawę, że tego typu sensacje często okazują się słomianym ogniem – błysną i niemal natychmiast gasną. Muszę jakoś podtrzymać ten płomień do premiery Książki! Muszę uaktywnić się na Fejsie, na Twitterze, na Instagramie! Ale co tam pokazywać? Co pisać? Jak się sprzedawać? Prowokować? Tak, z pewnością, ale w jaki sposób? Może powinnam zatrudnić stylistę?

Nie, przede wszystkim powinnam pisać, pisać i jeszcze raz pisać! Nie potrzebuję tego cyrku na stałe, niech kręci się do premiery. Niech potem tylko mnie czytają. Trzeba to umiejętnie rozegrać. Paweł mógłby mi pomóc, ale oczywiście nie pomoże, wiem, co o tym sądzi. Wyrastał w takim a nie innym domu. Matka była sławna, ojca pokazywali w gazetach, sam pracuje w telewizji od lat. W takiej sytuacji można mieć popularność w nosie, nic od niej nie zależy. Ja się dopiero przebijam, dopiero rozwijam skrzydła. Gdy już zrobię nazwisko, gdy mnie będą pokazywali, fotografowali, komentowali – och, wtedy będę mogła nasrać im na głowy i powiedzieć, że mnie to mierzi. Ale on mi nie pomoże, wiem to, jestem pewna. Kto mógłby mi pomóc?

Zerkam na komórkę, biorę ją do ręki. Wiadomości.

jestesmy slawni widzialas??? spotkamy się. wyobracam cie jak kurczaka na roznie ;-)

Matko święta... No, ale ten uśmieszek oznacza, że on żartuje. To taki żart, zresztą chłopak ma dwadzieścia trzy lata, dzieciak. Czego się można spodziewać? Jak kurczaka na rożnie... Robi mi się trochę słabo. Co mu odpisać? Na razie nic. Powinnam odpisać, tylko nie wiem, jakich słów i emotikonów użyć, żeby nie wyjść na starą babę. *Spoko ;-)*? Żałosne!

Mam wrażenie, jakbym tonęła. Bardzo powoli i nieodwołalnie. Nie w jeziorze czy w rzece albo morzu. Raczej w bagnie. W czymś gęstym i lepkim, co jest ciepłe i aksamitne w dotyku, lecz nie pachnie zbyt przyjemnie.

VI

– Cześć – Wojtek wychodzi z klatki schodowej i przygląda mi się badawczo. – Wiesz co? Może wolałbyś wpaść do mnie? Zrobię naleśniki.

– Do ciebie? – bąkam pod nosem.

– Tak, wiesz... – uśmiecha się przepraszająco – ...ciągle jem w Batidzie i już mi trochę nosem wychodzi. Mam ochotę na coś prostszego.

– Ale... Mówiłeś, że nie mieszkasz sam, nie chciałbym robić kłopotu... – jestem trochę zmieszany, nie spodziewałem się takiego rozwoju wypadków.

– No, nie sam. Mieszkam z siostrą, a ściślej rzecz biorąc, u niej. Ale ona nie ma nic przeciwko temu, powiedziałem jej o tobie. Zresztą bez przesady, w końcu to tylko głupie naleśniki, nie?

– Nie, wiesz... – mówię niepewnym głosem.

Ale właściwie – dlaczego nie? Jeżeli okaże się palantem, mogę przecież wyjść.

– Dobra – uśmiecham się do niego.

Wjeżdżamy windą na drugie piętro. Układ korytarza taki sam jak w moim domu pod drugiej stronie Zamglonej, jednak mieszkanie Wojtka... Nie, jego siostry jest większe niż nasze. Szeroki korytarz, drewno na podłodze. Wykończenie całości tip-top, zaskakuje mnie wyposażenie, które sprawia wrażenie kupowanego trochę pospiesznie. Dużo mebli z Ikei.

– Prosto i do końca – Wojtek zdejmuje bluzę i rzuca ją na wieszak. – Rozbierzesz się, nie?

– A, oczywiście – bąkam i ściągam kurtkę.

Dziwna sytuacja.

– No, zaciągnąłem go jakoś – mówi Wojtek, wchodząc przede mną do salonu.

– Fajnie. Jestem Kaśka.

Dziewczyna siedzi na kanapie, ogląda telewizję. Ma na sobie szary, obcisły dres. Jasne włosy związała w prosty koński ogon. Wyjątkowo ładna, a nawet nie jest umalowana. Czuję się trochę niezręcznie, przechodzę przez pokój i wyciągam rękę.

– Paweł.

Przez ułamek sekundy spogląda na moją dłoń z lekkim zaskoczeniem, ale unosi rękę i podaje mi palce. Teraz, gdy patrzę na nią z bliska, widzę, że coś jest z nią nie tak. Ładna wydaje mi się nadal, ale na jej twarzy wyraźnie widać zmęczenie. Białka ma przekrwione, ciemne placki pod oczami. Włosy wydają się sztywne. Są matowe i trochę posklejane, jakby nie myła ich od dawna.

– To peruka – Kaśka odwraca oczy i patrzy w telewizor.

– Przepraszam – mówię zmieszany.

– Za co? Przecież nie wiedziałeś. Wojtek mówił, że mieszkasz pod drugiej stronie?

– Tak. Naprzeciwko.

– Czasami mam wyrzuty sumienia, że nie może palić w domu – Kaśka odchyla głowę i kładzie ją na oparciu kanapy. – Fajnie, że znalazł sobie brata w nałogu i nie musi sam sterczeć na ulicy.

– Hm, tak... No, też jestem zadowolony. Chociaż ja tak właściwie nie palę – drapię się po karku.

– Siadaj – Wojtek obchodzi wyspę kuchenną i wskazuje mi jeden z ustawionych przed nią hokerów. – Napijesz się czegoś? Piwa?

– Oj, nie! – mówię pospiesznie, bo wciąż czuję ten koniak, który wlałem w siebie u ojca. – Koli albo czegoś zimnego.

– Ja już się będę zbierała – Kaśka podnosi się z kanapy, posykuje nagle i ściąga brwi. – Szlag by to... Sorry. Zajrzę jeszcze do Olki i się kładę. Nie będę wam siedziała na głowie.

– Przecież nie siedzisz – wzrusza ramionami Wojtek. – Myślałem, że też zjesz.

– Nie. Miło było cię poznać – dziewczyna kiwa mi głową. – Naprawdę cieszę się, że Wojtek znalazł tu sobie kogoś. Fajnego wieczoru.

Kaśka wychodzi z salonu. Zdejmuję marynarkę, rzucam ją na jeden z foteli i siadam na hokerze. Nie bardzo wiem, co powiedzieć.

– Mogą być na słodko albo na słono – Wojtek zagląda do stalowej lodówki, która wygląda jak wejście do luksusowej windy.

– Wolę na słono. Nie jadłem obiadu.

– A, okej. Szynka parmeńska, pleśniak. Może jeszcze wędzony kurczak – wykłada produkty na kamienny blat. – Gdzieś była żurawina... Jest!

Duży facet. Wyższy ode mnie, solidnie zbudowany, ale porusza się lekko, nawet z pewnym wdziękiem. Ukradkiem patrzę na jego dłonie, kark, na całkiem wyraźną wypukłość w kroku. Kiedy odwraca się i schyla do szafki po patelnię, mój wzrok pada na jego wypięty tyłek. Dżinsy są trochę przyciasne, widać gumkę bokserek... Pospiesznie odwracam oczy.

– Długo tu mieszkasz? – pytam.

– A nie mówiłem? Prawie półtora roku. Kaśka kupiła to mieszkanie dwa lata temu, po rozwodzie. No, a potem... Potem się wprowadziłem. Chcesz pomóc?

– Pomóc? – zerkam na niego zaskoczony.

– No, przy naleśnikach – uśmiecha się.

Broda naprawdę mu pasuje. Teraz co drugi zapuszcza brodę, ta moda nie potrwa zapewne długo, bo mało komu do twarzy z gęstym zarostem. Broda Wojtka jest krótka, taka trochę od niechcenia. Wygląda na miękką, a w świetle lamp zamontowanych pod wiszącymi kuchennymi szafkami połyskuje miedziano, choć wydawało mi się, że jest szatynem.

– Możesz pokroić kurczaka, nie lubię tego za bardzo – podsuwa mi opakowane w folię udko i deskę z nożem. – Przez kości, wiesz, i stawy. Za bardzo mi ta czynność przypomina sekcję zwłok. Nie mam nic przeciw jedzeniu mięsa, dopóki nie widzę, skąd się bierze. Myślisz, że to hipokryzja?

– Pewnie trochę tak – uśmiecham się mimowolnie. – Moja córka nie je mięsa od trzech lat.

– O! Córka – Wojtek pochyla się nad miską i wlewa do niej mleko. – Ile ma lat?

– Prawie osiemnaście. Małgosia.

– Czyli już prawie dorosła.

– Prawie. W tym roku zdaje maturę. Dobrze sobie radzi.

– Kaśka ma córkę Olę. Ma niecałe dziewięć.

Naleśniki są pyszne, zupełnie nie przypominają tych, które robi Anka, choć jej też mi smakują. Te są kwadratowe, poskładane jak koperty. Wojtek zapiekł je na końcu w gofrownicy.

Jemy przy ławie, siedząc na kanapie pod oknem.

– Genialne – sapię, łapczywie pożerając jedzenie.

– Bo byłeś głodny – śmieje się Wojtek. – Na pewno nie chcesz piwa?

– Na pewno – bełkoczę z pełnymi ustami. – Wypiłem po południu ze cztery koniaki. U mojego ojca. Trudna rozmowa.

– O czym?

Zerkam na niego speszony.

– A, o takich różnych sprawach, o których nigdy nie rozmawialiśmy.

– To dobrze, nie? Że porozmawialiście?

– Nie wiem.

– Ja żałuję, że nie zdążyłem porozmawiać z rodzicami o różnych sprawach, gdy jeszcze mogłem.

– Przykro mi.

– Mnie też – Wojtek upija łyk piwa i odsuwa talerz. – Ale się obżarłem.

– Oboje nie żyją? – pytam bezmyślnie i zaraz się mityguję. – Przepraszam, nie powinienem...

– No, no dlaczego? Żadna tajemnica. Zmarli pięć lat temu. Ojciec pierwszy, a mama kilka miesięcy po nim. Jedno i drugie na raka. No, to było... Było trudne. Ale byliśmy z nimi. I ja, i Kaśka. Do końca. Wtedy, gdy to się działo, wiesz, no, myślałem, że zwariuję. Codziennie chciałem zwiać. Nie patrzeć i nie wiedzieć, zabrać walizkę i zniknąć. Całe szczęście, że tego nie zrobiłem, bo dziś nie potrafiłbym sobie wybaczyć. A te twoje różne sprawy?

– Skomplikowane.

– A, okej. Nie pytam. Pracujesz w telewizji?

– Tak.

– Widziałem cię. Lubisz tę pracę?

– Kiedyś lubiłem. Ale teraz. Nie wiem. Chyba trochę się... Pomału zaczynam myśleć, że jestem już na to za stary.

– Za stary? A ile masz lat?

– Czterdzieści dwa – znowu mimowolnie się uśmiecham, bo ta jego bezpośredniość jest rozbrajająca.

– Ja mam trzydzieści osiem. Uważam, że to mało – puszcza oko.

– Na pewno mniej – mrugam do niego porozumiewawczo.

Przygląda mi się przez długą chwilę, przechyla lekko głowę. Spoglądam mu w oczy. Są szare. Nie, raczej zielonkawe. Przez moment mam wrażenie, jakby mnie zahipnotyzował, nie potrafię oderwać wzroku. Sytuacja robi się krępująca, zaraz zacznę się pocić.

– Masz żonę, nie? – pyta wreszcie Wojtek.

Kiwam głową, oblizuję usta.

– A ty?

– Nie! No co ty?

Siedzi pół metra ode mnie. Lekko rozchyla uda, jego kolano dotyka mojego. Podskakuję, jakby mnie prąd poraził.

– Chyba muszę iść.

– Musisz? Czy chcesz?

Przymyka jedno oko, uśmiecha się takim trochę zakłopotanym, a trochę zawadiackim uśmiechem. Przełykam głośno ślinę.

– Nie wiem – mówię idiotycznie.

Siedzę jak na rozżarzonych węglach, mięśnie napinają mi się jak postronki. Wojtek przesuwa nogę, jego kolano ponownie dotyka mojego, a ja znowu podskakuję. Po plecach przebiega mi dreszcz, potem kolejny. Zupełnie jakbym miał gorączkę.

– Ja nie po to... – zaczynam. – Nie wiedziałem... Chyba to... Bo wiesz, ja...

Wojtek przysuwa się bliżej, kładzie mi palec na ustach.

– Mogę cię pocałować? – pyta.

– Nie... – zachłystuję się. – Nie wiem...

Przysuwa się jeszcze bliżej. Jego udo dotyka mojego uda, łydka opiera się o moją łydkę. Nagle dostaję tak silnego wzwodu, że to aż boli. Stękam i poprawiam się na siedzeniu kanapy. Wojtek dotyka palcami mojej twarzy, przesuwa dłoń po policzku. Oczy mi wilgotnieją, pojękuję nieświadomie. Jego wskazujący palec dociera do mojego ucha, muska je leciutko, odruchowo przechylam głowę, żeby przycisnąć jego rękę do ramienia. Rozchylam usta w westchnieniu, a Wojtek przysuwa się jeszcze bliżej, obejmuje ręką mój kark i przyciąga moją głowę...

VII

Mrużę oczy i po omacku sięgam po lornetkę. Co się tam dzieje? No, coś się dzieje. Z kim on siedzi na tej kanapie? Kurwa, nie mogli jej ustawić bokiem do okna? Telewizor przecież stoi na wprost, słońce się odbija, jak tak można telewizję oglądać? To na pewno nie jest Mamuśka! Obściskuje się z kimś innym. Z kim?! Ciemne włosy, widzę tylko czubek głowy.

Zginam się wpół i nie odrywając oczu od okien salonu Pustaków, usiłuję odszukać na siedzeniu fotela lornetkę. Jest! Chwytam ją w dłoń, podnoszę do oczu...

– Mama?

Odwracam się błyskawicznie.

– Co?

– Co ty robisz?

– Nic nie robię, co mam robić?

– Ty chyba dostałaś emeryckiej choroby okiennej – stwierdza Małgosia i sięga do włącznika światła.

– Nie zapalaj! – wołam pospiesznie.

Nieruchomieje i gapi się na mnie ze zdumieniem.

– Wiesz, że to chore?

– Co jest chore?

– Podglądanie ludzi.

– Nikogo nie podglądam!

Gośka kiwa głową z politowaniem i podchodzi do okna, a potem wygląda przez firankę.

– Przecież i tak ma zasłonięte okna – oświadcza.

– Kto?

– No ten ciastek, co go podglądasz. Nic nie widać.

– Ja nikogo nie podglądam! – zerkam na okna Pustaków.

Nad oparciem kanapy widzę tylko plecy i wypięty tyłek Tatuśka, który akurat włazi na tę babę, co jej czubek głowy sterczał...

Rany boskie! A Mamuśka jest za ścianą! Dziecko za drugą, a ten... Z kim?! Kto to jest?!

– Mama! – rzuca Gosia zagniewanym głosem i szybkim ruchem zaciąga zasłonę.

– Oszalałaś?! – chwytam brzeg zasłonki, ale blokuje mi dostęp do okna.

– Co się z tobą dzieje? – pyta.

– Ze mną? Nic!

Kurczę, przez tyle miesięcy żyli jak te patyczaki w terrarium, a gdy w końcu następuje tam jakiś zwrot akcji, dziecko mi staje na drodze!

– Wiesz, że jesteś na Gliterze? – pyta Gosia, przyglądając mi się spod zmarszczonych brwi.

– Wiem. No i co? – odwracam się i idę do biurka.

Znudzi się zaraz i pójdzie. Najważniejsze, żeby się nie zorientowała, że mi na tym zależy, żeby poszła.

– Z Sebastianem – mówi z potępieniem w głosie.

– Przecież wiesz, jakie oni bzdury wypisują. Sfotografowali nas razem na Złotych Antenach i robią sprawę z niczego.

– Tata już wie?

– Oczywiście, że wie. Zresztą tu nie ma nic do wiedzenia! Sam mi przywiózł rano gazetę z tymi, pożal się Boże, sensacjami. Obśmialiśmy się.

– Obśmialiście? Aha – Gosia przysiada na brzegu fotela i dalej wpatruje się we mnie ze skupieniem.

Wzdycham zniecierpliwiona i patrzę na ekran komputera. Cały spektakl mnie ominie. Boże, może oni są słingersami?! Nie przyszło mi to do głowy! Szkoda, że nie przyjrzałam się, co robi Mamuśka w sypialni!

– I co? To ty teraz będziesz popularna, tak?

– Popularna? – zerkam na Gosię ze zdziwieniem. – No, wiesz. A czemu nie? W końcu ja też mam swoją karierę.

– Mogłaś poczekać przynajmniej z pół roku – wzdycha moja córka.

– Czekałam całe życie. Co tu zmienia pół roku?

– No, dużo. Zdam maturę i zacznę studia – wylicza na palcach Gosia. – W sierpniu się wyprowadzę...

– Wyprowadzisz?! Chyba oszalałaś! Dokąd?

– Do Krakowa – wzrusza ramionami Gosia. – Składam papiery na Jagielloński, mówiłam przecież.

– Mówiłaś, że składasz też tutaj!

– Na wszelki wypadek. Gdybym się nie dostała do Krakowa, pójdę tutaj.

– Och, nie dostaniesz się. Tam jest tylu... – mówię prędzej, niż myślę, i urywam w pół słowa.

– Dzięki – Gosia kręci głową i uśmiecha się z niedowierzaniem. – Ale nawet jakbym się nie dostała, to i tak mam zamiar się wyprowadzić.

– Za co?! Dokąd?

– Na Rzymską do dziadka. Już go pytałam, zgodził się.

– A mnie pytałaś?! Ojca?

– Już będę pełnoletnia, nie muszę was pytać o zgodę. Jeśli się nie dostanę na dzienne do Krakowa, pójdę na zaoczną orientalistykę tutaj i będę pracowała.

– Ale dlaczego?!

– Sama opowiadałaś, że nie mogłaś się doczekać matury, żeby wyjechać z domu.

– Ale to zupełnie co innego! Ja mieszkałam w Puławach, czy ty wiesz, jakie człowiek ma perspektywy w Puławach?! Żadne! Ty masz tu wszystko! A jeżeli ci się wydaje, że u dziadka będziesz robiła, co ci się żywnie podoba, to się grubo mylisz! On ci żyć nie da! Wrócisz do nas po dwóch tygodniach. Góra!

– Myślę, że nie. Odda mi przybudówkę z garażami, już i tak nie jeździ samochodem. Sama mówiłaś, że mogłaby być oddzielnym domkiem.

– Ale tam remont trzeba zrobić! Za co? Wydaje ci, że on to sfinansuje, tak?!

– Dziadek to raczej wątpię. Ale babcia bez problemu.

– To nie jest twoja babcia! Babcia! Za co ona niby ma zamiar robić remont?

– Och, babcia ma całkiem sporo kasy – oznajmia niedbałym tonem Gosia.

– Którą wyciągnęła od Leona!

– Nie. Powiedziała mi, że to z takiego jakby odszkodowania.

– Odszkodowania? Za co ona dostała odszkodowanie?

– Za siostrę, niewiele o tym mówiła. Jej siostra miała wypadek, samochodowy chyba. Lata temu. Ktoś ją potrącił, a potem płacił babci Marioli, żeby się tą siostrą miała za co opiekować, jak była połamana. A babcia za to kupowała świnki, to takie złote monety są, wiesz. Dużo ich nazbierała i teraz dopiero zaczęła sprzedawać.

– Za siostrę? – gapię się na Gosię podejrzliwie. – Skoro ta siostra żyje, to ona powinna dostać te pieniądze...

– Umarła w końcu, bo to był poważny wypadek.

Czyli za to ten babon postawił pergolę na tarasie. Co mnie to obchodzi zresztą? Skoro Kociuba ma forsę, tym lepiej. Będzie się jej można pozbyć z Rzymskiej bez większych skrupułów. Postanawiam wrócić do głównego tematu:

– Nie mogę uwierzyć, że zaplanowałaś z nimi to wszystko bez pytania nas o zgodę! Ja cię nie poznaję!

– Dlaczego robisz aferę? Przecież wiedziałaś, że prędzej czy później to nastąpi.

– Ale ty jeszcze nie masz osiemnastu lat! Do czego tak ci się spieszy?!

– No, do życia chyba – wzrusza ramionami Gosia. – Boisz się, że się stoczę? Nie mam zamiaru. Ja naprawdę jestem całkiem ogarnięta, dobrze wiesz. Ale jeśli teraz masz zamiar być celebrytką i bić się o fejm, to będzie trudniej.

– Nie mam zamiaru być! Takie rzeczy nie wynikają z planowania!

– Piszą o tobie, że jesteś pisarką.

– Przecież wiesz, że nią jestem!

– Niby nic jeszcze nie napisałaś...

– Ale piszę!!!

– Dobra, zostawmy to. Rób, co chcesz, ja tylko pytam, żeby się przygotować.

– Do czego ty się chcesz przygotowywać?!

Boże, ja tu jestem matką! A czuję się podczas tej rozmowy, jakbym była na dywaniku u siostry przełożonej!

– No do tego, co będzie. Zrobisz sobie teraz operację plastyczną i rozwiedziesz się z ojcem?

– Co?!

– No bo one tak zazwyczaj robią. Jeśli któraś zaczyna się podawać do konsumpcji, najpierw robi botoks, potem operację plastyczną, a następnie rozwodzi się ze starym mężem i bierze sobie nowego – z pierwszej albo z drugiej ręki.

– Gośka, czy ty zwariowałaś? Nie mam zamiaru robić sobie żadnej operacji plastycznej ani nawet botoksu i nie mam zamiaru rozwodzić się z ojcem!

– To po co ci ten Sebastian?

– Idź do siebie! – wybucham. – Ta cała rozmowa jest w ogóle do dupy niepodobna!

– Tata ma teraz poważne problemy i... – zaczyna Gośka, a ja ostatecznie wychodzę z siebie.

– JA mam teraz problemy!!! I mam teraz zamiar myśleć o MOICH problemach! Całe życie myślałam wyłącznie o tobie i o ojcu! A teraz nareszcie przyszedł czas, żeby myśleć o sobie! I jak będę chciała, to sobie zrobię botoks! Żebyś wiedziała, wszystko sobie ostrzyknę, łącznie z uszami! Mam dopiero czterdzieści lat! Całe życie jeszcze przede mną, no, może połowa. A ja niczego jeszcze nie zrobiłam... Jakby mnie wcale nie było! Nie mam zamiaru przesiedzieć kolejnych czterdziestu lat w baraku na Chełmskiej albo w tym zapieprzonym pokoju!

Gosia wpatruje się we mnie przez kilka sekund osłupiałym wzrokiem, wreszcie potrząsa głową, wzdycha i wstaje z fotela.

– NO I?! – pytam wściekłym głosem. – Nic mi nie powiesz?

– Nie – odwraca się, wychodzi z mojego gabinetu, a potem powoli i ostrożnie zamyka za sobą drzwi.

Czuję, że za moment się rozpłaczę. Chyba nigdy jeszcze się tak na nią nie darłam.

– Chcesz być dorosła, to masz – szepczę przez zaciśnięte zęby, a potem opieram łokcie na blacie biurka i chowam twarz w dłoniach.

Będę zapuchnięta przez dobę. Zawsze tak mam. Nienawidzę płakać, wystarczy, żebym płakała przez minutę, a wyglądam potem, jakby mnie ktoś pobił. Jak ja jej teraz spojrzę w oczy? Zawsze byłam taka opanowana, Gosia nigdy nawet nie widziała, żebyśmy się pokłócili na poważnie. Nigdy na nią nie krzyczeliśmy. Co się ze mną dzieje? Mam wrażenie, jakby było mnie za mało na to wszystko. Jakbym była płatem naciągniętej do granic możliwości folii, która w końcu pęka i drze się na strzępy. Sierpień. Zaledwie cztery miesiące. Żołądek podjeżdża mi do gardła. Nie, na pewno się nie dostanie. Na Jagielloński jest mnóstwo chętnych. Ona ma dobre oceny, ale mimo wszystko. Jeżeli zamieszka na Rzymskiej, to jeszcze nie będzie koniec świata. To nie jest daleko... Ale o czym ja myślę? To nawet nie wchodzi w grę, nie pozwolę na coś podobnego! Pełnoletnia czy nie, nadal będzie na naszym utrzymaniu i będzie musiała robić to, co jej każemy!

Boże, o czym będziemy rozmawiali? Co robili? Jeżeli Gosia stąd zniknie, to nasz dom zamieni się w jakieś... Nie wiem, w jakieś pierdolone mauzoleum!

Podrywam głowę i sięgam po telefon. Piszę szybko i klikam w „wyślij".

Tak

VIII

– Tak... – szepczę, kiedy przytula mnie i kładzie się na mnie całym ciężarem ciała.

W głowie mi wiruje, czuję łzy pod powiekami. Jest go tak dużo. Wszędzie.

Wojtek muska czubkiem języka moją szyję tuż pod uchem, plecy wyginają mi się w łuk. Jak mogłem tego nie wiedzieć, nie czuć przez tyle lat? Dotyk jego skóry, jej smak, zapach. Sprężystość ciała, sposób, w jaki wpasowuje się w moje... Jego brzuch na moim, uda między moimi udami. Odbieram to wszystko jako absolutną harmonię. Ekstatyczny zawrót głowy i ten potworny, piekący żal, że dopiero teraz, że tak długo na to czekałem... Szorstkie, twarde, a jednocześnie delikatne dłonie, jego oddech... Obracam głowę i szukam jego ust swoimi. Całuje mnie głęboko, głębiej, niż ktokolwiek kiedykolwiek całował. Kurczowo zaplatam ręce na jego plecach, przyciągam Wojtka do siebie z całej siły. Miażdżę i wchłaniam...

– Ale nie pójdziemy na całość, dobra? – odchyla głowę i patrzy na mnie spod przymkniętych lekko powiek.

– Co? Dobrze... Nie wiem... – mamroczę, bo nie rozumiem za bardzo, co mówi.

Jaką całość? Nic nie wiem, nie zastanawiałem się, co będzie dalej, czas i przestrzeń skurczyły się dla mnie do tej jednej maleńkiej chwili i do tej kanapy – do tego momentu zamkniętego granicą wytyczoną przez jego ramiona. Bez przedtem i bez potem.

– Bo wiesz... – uśmiecha się przepraszająco.

– Tak, rozumiem – szepczę mało przytomnie, usiłując zebrać myśli. – Ona siedzi za ścianą...

– Nie, nie to. Kaśka od zawsze o mnie wie, a mój pokój jest z drugiej strony korytarza. Można by tam grać na perkusji, a nic nie słychać ani u niej, ani u Olki – głaszcze mnie po czole, a potem przesuwa palcem po mojej brwi. – Ale ja nie za bardzo mam doświadczenie w takich natychmiastowych akcjach.

– Och. No, ja też nie bardzo – bąkam.

W życiu zapewne nie wypowiedziałem słów, które miałyby w sobie więcej prawdy.

– I tak mi się trochę trudno odnaleźć, rozumiesz? W tej całej sytuacji. Nie mówię, że to dla mnie jakiś wielki problem, bo jeszcze nie wiem. Zresztą w tej chwili, umówmy się, w ogóle raczej nie myślę – śmieje się cicho. – To znaczy myślę, ale głównie o jednym.

– No, tak. Ja też nie wiem, jak się w tym... Z tym... Nie wiem, co myśleć.

– To może lepiej zastopujemy na dziś, co? Bo nas będą jajka bolały. Ja swoje już czuję – puszcza do mnie oko. – Dość dużo czasu minęło od mojego ostatniego razu.

Całuje mnie jeszcze raz i siada na kanapie. Natychmiast zaczyna mi go cholernie brakować przy mnie, na mnie, to aż prawie boli – jakby ktoś odjął mi od ust szklankę wody, gdy właśnie miałem upić pierwszy łyk.

– Ale masz rumieńce – chichocze cicho Wojtek. – Cholernie słodko z nimi wyglądasz.

Zmuszam się do uśmiechu i też siadam na kanapie. Nie wiem, co powiedzieć. Gdybym był z kobietą, powiedziałbym teraz coś miłego w rodzaju „bardzo mi się podobasz" albo „nigdy nie spotkałem takiej dziewczyny jak ty". Ale co w takiej sytuacji mówi się do faceta? Stary, jesteś zajebisty? No, może coś w tym stylu, ale podobne słowa nie przejdą mi przez gardło.

– Dzięki – bąkam zmieszany. – Chyba już pójdę.

– Tak, pewnie już pójdziesz – wzdycha Wojtek. – Chociaż wcale nie chcę, żebyś szedł. To głupie, nie? Wcale się nie znamy.

– Która godzina? – sięgam po telefon. – Jedenasta prawie. Jutro muszę być w pracy o szóstej.

– O szóstej rano? – Wojtek wytrzeszcza oczy. – Jezu, gdyby mi płacili sto tysięcy miesięcznie, nie dałbym rady. Już to, że muszę codziennie jeździć do kancelarii na dziewiątą, mnie wykańcza.

– Można się przyzwyczaić – odzywam się tylko po to, żeby coś powiedzieć.

– To kancelaria Kaśki – wyjaśnia Wojtek. – Siedzę tam... No, dopóki się wszystkiego nie pozamyka.

– Nie pozamyka?

– Tak. A w ogóle to robię takie różne obrazki – zerka na mnie trochę nieśmiało. – Jestem grafikiem.

– Komputerowym?

– Nie, no raczej nie. Chociaż oczywiście, jak trzeba, to mogę. Ale wolę raczej klasyczne techniki. Mieszam je i... Zresztą nieważne, zaraz ci opowiem całe swoje życie – śmieje się cicho.

– Chciałbym, żebyś opowiedział.

– Mówisz? – robi kpiącą minę. – No, to może następnym razem. Będzie?

– Czy co będzie?

– Następny raz?

A mogłoby go nie być? Nagle uświadamiam sobie, że taka perspektywa wydaje mi się przerażająca.

– Bardzo bym chciał – oświadczam.

– Ja też! – kiwa głową, a potem znowu do mnie mruga i śmieje się cicho. – Ech, te cioty, co? Pięć minut, a już sobie budują w głowie plany do dziesiątego pokolenia w przód.

Cioty. No tak, jestem ciotą. Pedałem, czyż nie? Najzabawniejsze, że wcale mnie to nie dotyka. Robi mi się lekko na duszy, mam ochotę skoczyć w górę, unieść się nad tą kanapą i zrobić kilka kółek w powietrzu pod sufitem. On buduje sobie plany...

Uśmiecham się do Wojtka, nieśmiało wyciągam rękę i dotykam palcami tej jego trochę niesfornej, potarganej teraz brody o miedzianym połysku.

– Nigdy nie sądziłem, że można kogoś poznać w taki sposób – mówi. – Oczywiście w filmach czy w książkach takie sytuacje są nagminne, ale w życiu... Pewny byłem, że się nie zdarzają.

– To znaczy?

– No, że można poznać faceta na ulicy – wyjaśnia. – Nie w klubie czy w necie, ale zwyczajnie pod blokiem. Zdarzyło ci się kiedyś coś podobnego?

Czy mi się zdarzyło?

– Nie. Bo ja wiesz... Ja...

Chyba zwariowałem. Co? Mam mu powiedzieć, że w tym temacie jestem prawiczkiem? Czterdzieści dwa lata i wciąż dziewica? To dopiero wiadomość na nius dnia!

– Ja też nikogo nigdy nie poznałem w taki sposób – kończę trochę kulawo.

W korytarzu całuje mnie na pożegnanie. Ten pocałunek trwa bez końca. Nie potrafię się od niego oderwać, obejmuję go zachłannie. W pewnym momencie obaj tracimy równowagę i kurczowo w siebie wczepieni, przewracamy się na ścianę, po czym lądujemy na podłodze.

– O, panie Jezu... – wzdycha, gdy po dobrych kilku minutach odsuwa się ode mnie. – Skąd ty się wziąłeś, Paweł? Mam wrażenie, że cię sobie po prostu wymyśliłem.

Oczy natychmiast zasnuwa mi mgiełka i usta same rozciągają mi się od ucha do ucha.

– To najmilsza rzecz, jaką kiedykolwiek usłyszałem – szepczę.

IX

– W życiu nie powiedziałam jej nic gorszego – mówię do Pawła, gdy ściąga garnitur w garderobie. – Po prostu straciłam panowanie nad sobą. Jak mogła nawet nas nie uprzedzić?

– O czym? – pyta nieuważnie.

– No, o swoich planach! O tym, że ma zamiar się wyprowadzić. Słyszałeś, żeby uprzedzała?

– Mówiła coś chyba – odpowiada, wciągając spodnie od dresu.

– I ty to tak spokojnie przyjmujesz?!

– Nie wiem.

– Co się z tobą dzieje? Przecież ty jesteś jakiś kompletnie rozkojarzony! – rzucam zagniewanym głosem, ale obserwuję go czujnie.

Niemożliwe, nic nie wie, skąd mógłby wiedzieć? Absurdalny pomysł. Zresztą wymieniłam z Sebastianem raptem kilka esemesów, nic się nie stało. Jeszcze. Poza tym co już się wydarzyło na bankiecie... E, tam. Na złodzieju czapka gore i tyle.

– Jestem trochę zmęczony – oznajmia Paweł. – Wiedzieliśmy przecież, że prędzej czy później będzie się chciała wyprowadzić. A ile ty miałaś lat, kiedy przyjechałaś do Warszawy?

– Ale ja mieszkałam w Puławach! – unoszę ręce jak żydowska płaczka. – Na litość boską! I zresztą miałam dziewiętnaście lat.

– Przyjechałaś na studia. Zaraz po maturze. Ona też chce studiować.

– Niech sobie studiuje. Dobrze, rozumiem Kraków. Jeżeli dostanie się na Jagiellonkę, trudno. Ale jeśli zostanie w Warszawie, może spokojnie mieszkać tutaj, a nie u twojego ojca!

– O co ci chodzi? Przecież on ją kocha.

– Kocha ją?! Błagam cię! A my jej nie kochamy? – tupię nogą. – Nieważne! Idź i natychmiast z nią porozmawiaj.

– Anka, ona jest już prawie dorosła.

– Prawie robi różnicę – stwierdzam. – I tego właśnie się boję! A w ogóle to podejrzewam, że ona z kimś spała. Że już to zrobiła.

– Co ty pieprzysz?! – kręcę głową z niedowierzaniem.

– Wiem, co mówię! Jest jakaś zblazowana jak na swój wiek. Mam złe przeczucia. Sama nie wpadłaby na równie niedorzeczny pomysł jak wyprowadzka. Ktoś nią manipuluje, ktoś jej nawkładał bzdur do głowy. Jestem pewna.

– Ania...

– Nie „Ania", tylko tak!

– Nawet jeśli, co możemy z tym zrobić?

– No, przeciwdziałać!!!

– Jak? A ile zresztą ty miałaś lat, jak poszłaś z kimś do łóżka po raz pierwszy?

– Ale ja mieszkałam w Puławach! Tam się człowiek nie miał czym zająć!!!

– Byłaś młodsza, niż Małgosia jest teraz. Mówiłaś mi.

– To nie ma nic do rzeczy! – wykrzykuję szeptem. – Zresztą, tak! Tak było! I bardzo tego żałuję. I chcę mojej córce oszczędzić tego doświadczenia. Niech się uczy na moich błędach, po to się ma rodziców, tak? Żeby powiedzieli ci, co robić, a czego nie.

– Mówiłaś, że kochałaś tego chłopaka i że było ci dobrze...

– A co ja wtedy wiedziałam?! Nie miałam porównania. Cudem tylko sobie życia nie zmarnowałam! Idź i z nią pomów.

– O Boże... – stęka Paweł.

Wciąga T-shirt, kręci głową i robi zrezygnowaną minę.

– Dobra – wzdycha.

– No! – rzucam spokojniejszym głosem. – Sprawdzałeś skrzynkę? Na listy, na dole?

– Nie sprawdzałem. Przecież i tak, jeśli coś nam do niej wrzucają, to tylko ulotki. Czekasz na coś?

– Nigdy nie wiadomo. Zjadę i sprawdzę. A ty idź do niej, przemów jej do rozumu. Teraz!

Wychodzę do przedpokoju i czekam, aż Paweł podejdzie do drzwi pokoju Małgosi. Idzie jak na ścięcie. Kiedy puka, biorę futro z wieszaka i wychodzę na korytarz. Dlaczego nie pomyślałam o tym wcześniej? Po tych wszystkich pierdołach, które na mój temat opublikowali przez ostatnie dni, powinnam dostać jakieś zaproszenia na imprezy, na spędy jakieś, gdzie się ludzi fotografuje. To jest przecież najważniejsze w tym całym zamieszaniu – jeśli człowiek chce, aby go dostrzegano, musi się pokazywać!

Zjeżdżam na parter, podchodzę do skrzynki i zaglądam. Coś jest! Otwieram i wyjmuję ze środka... Menu pizzerii. Wpycham je do przegródki ze zwrotami i wracam na górę. Do Pawła od czasu do czasu przychodzą jakieś zaproszenia, ale już nawet nie pamiętam, kiedy było ostatnie. Parę lat temu pojawiało się ich sporo, ale prawie każde lądowało w śmietniku. Nic dziwnego, że się zniechęcili i przestali przysyłać.

Jeszcze u niej siedzi. Przystaję pod drzwiami pokoju Małgosi i nadstawiam uszu, ale gra u niej muzyka, a oni rozmawiają półgłosem – słyszę tylko mamrotanie.

Idę do gabinetu. U Pustaków w salonie ciemno. Świeci się lampka w sypialni, ale nic nie widać. Zmarnowała mi się taka szansa! Sięgam po ajfona. Sebastian napisał!

chcesz jutro

Jutro? Wykluczone. Muszę skończyć swoje sceny, a w czwartek mamy nasiadówkę na Chełmskiej. Odpisuję.

Nie mogę. W piątek?

Odpowiedź przychodzi niemal natychmiast.

gud

Co to jest „gud"? Gapię się na ekran. Jesteśmy umówieni czy nie jesteśmy? Może „gud" to skrót? Ale od czego? Siadam do komputera i wpisuję słowo w wyszukiwarce. Jakieś bzdury wyskakują...

– Gud – mówię na głos i dopiero kiedy sama słyszę, co powiedziałam, dociera do mnie znaczenie tego słowa.

Fonetycznie napisał. Dobrze. No więc – dobrze.

X

– Nie boisz się? – pytam.

Małgosia siedzi po turecku na łóżku, przechyla głowę i uśmiecha się do mnie przekornie.

– Trochę się boję, pewnie – kiwa głową. – Ale chyba to właśnie jest w tym najfajniejsze. Zawsze mogę wrócić, jakby co, nie?

– Oczywiście, że możesz. Wiesz doskonale.

– Jesteś zły?

– O co?

– Że chcę zamieszkać u dziadka?

– Nie jestem. Byłem dzisiaj u niego.

– O! – przygląda mi się badawczo. – Powiedziałeś mu o niej i o Krisie?

– Powiedziałem.

– No i co?

– Wiedział.

– Tak sądziłam, że on wie – kiwa głową Małgosia. – Myślę, że dlatego się nie ożenił z babcią.

Spoglądam na nią zaskoczony.

– A wiesz... Pewnie masz rację. Nie wpadłem na to.

– Teoretycznie ciągle ma żonę. Aczkolwiek, jak znam dziadka, gdyby chciał się ożenić z Mariolką, toby się ożenił. Nie bardzo do siebie pasują, prawda?

– Dziadek i Kociuba? Zdecydowanie nie pasują.

– Mama powiedziała, że dziadek jest z babcią tylko po to, żeby zaoszczędzić na kucharce.

– No, to niezbyt miłe. Mam nadzieję, że nie powtórzyłaś?

– Oczywiście, że nie! – Małgosia skubie kapę przez chwilę, wreszcie pyta: – Myślisz, że ją kocha? Dziadek babcię Mariolkę?

– Kocha? Nie mam pojęcia.

Nigdy się nad tym nie zastanawiałem. Mariolka po prostu zjawiła się w naszym domu, chyba matka skądś ją ściągnęła, nie jestem pewien. Teraz dopiero dociera do mnie, że już od początku pozycja Kociuby w naszym domu była dość niezwykła jak na sprzątaczkę – dostała pokój na piętrze taki sam prawie jak mój, jadała obiady razem z nami...

– Babcia go chyba kocha, ale on jej... – urywa Małgosia, zastanawia się przez kilka sekund, po czym ciągnie: – On jej raczej nie. Przywiązał się do niej oczywiście, ale niekiedy mam takie wrażenie, że jest z babcią raczej z przymusu niż z chęci.

– Z przymusu? Nie wyobrażam sobie, co mogłoby zmusić dziadka do czegoś takiego! Mariolka ma swoje zalety. Jest dobra i lojalna.

– A twoja mama? Jaka była?

– Nieobecna – mówię bez namysłu. – To chyba najlepsze określenie.

– No, ale zanim uciekła...

– Taka sama.

– Nie kochała cię?

– Nie wiem. Nie lubię o tym myśleć. Kris się odzywa do ciebie?

– Nie.

– A uważasz, że ja powinienem?

– Nie mam pojęcia. Bardzo niedobrze jest doradzać ludziom, staram się tego nie robić. Szczególnie w ważnych sprawach, które mnie nie dotyczą.

– To akurat mimo wszystko ciebie dotyczy...

– No, tak trochę średnio. Nie gniewaj się. Mam swoje zdanie na temat całej sytuacji i jestem ciekawa, co z niej wyniknie.

– Mimo wszystko chciałbym wiedzieć, co myślisz. Boisz się, że jeśli postąpiłbym według twojej rady, mógłbym mieć później do ciebie pretensje?

– Nie, no co ty? Nie o to chodzi – patrzy na mnie ze zdziwieniem. – Po prostu sprawa dotyczy twojego życia. Hm, jak to wytłumaczyć? Sami mnie przecież uczyliście, że niektóre błędy po prostu trzeba popełnić. To tak jak z chorobami zakaźnymi – lepiej je przejść w pewnym wieku, żeby się uodpornić.

– Czyli jesteś przekonana, że popełnię błąd – uśmiecham się niewesoło.

– Nie! Ale sama nie wiem, co właściwie trzeba by zrobić. Na logikę powinieneś się nimi zająć, ale sama nie jestem pewna. To w końcu tylko geny – poza nimi niewiele was łączy. Wszystko zależy od ciebie. Jeśli się porządnie zastanowisz, czego chcesz, i tak zrobisz, to będzie najlepsze możliwe rozwiązanie.

– Ty też jesteś spokrewniona z tym chłopakiem. I z nią.

– Niby tak. Ale w życiu, wiesz, sporo o tym myślałam... Chyba wolę być blisko z ludźmi, z którymi łączy mnie przyjaźń, a nie biologia – oznajmia Małgosia z bardzo poważną miną.

– Masz dopiero niecałe osiemnaście lat – uśmiecham się do niej. – Twoje „myślenie" zmieni się jeszcze pięć tysięcy razy.

– Och, nie mogę tego wykluczyć. Ale nie sądzę. W każdym razie zrób to, co jest dla ciebie najlepsze. Ja cię poprę bez względu na twoją decyzję. Powiesz mamie?

– Na razie nie. Ona ma teraz swoje... Hm, cele.

– A, tak. Chce być znana.

– Chce mieć poczucie, że coś osiągnęła w życiu.

– Powiedziała mi o tym. Myślę, że mówienie czegoś takiego swojemu dziecku nie jest poprawne politycznie. Ale rozumiem. Chyba.

– Bardzo przejmuje się tą swoją książką. Nie skacz jej po głowie za bardzo.

– Nigdy nie skakałam. Myślę jednak... Ale w sumie, co ja tam wiem?

– Nie, dokończ, proszę.

– Hm... Myślę sobie, że jeżeli pisze się książkę czy maluje obraz albo robi się coś innego, co ma związek z tworzeniem, to chyba najistotniejsza jest w tym motywacja.

– Motywacja?

– Tak. Chodzi o to, czy piszesz książkę, żeby ją napisać, czy też piszesz ją po to, aby została napisana. Tak mi się wydaje. Mama pisze, żeby napisać. Cokolwiek. A to nie rokuje dobrze.

– Rany boskie... – gapię się na Małgosię przez kilka sekund, wreszcie odchrząkuję i mówię: – Błagam cię, nigdy jej o tym nie mów, dobrze?

– No coś ty? Na mózg jeszcze nie upadłam!

•

Trochę trudno odnaleźć mi się w tej sytuacji

Przewracam się na drugi bok, plecami do Anki i otwieram szeroko oczy. Nic. Zero senności. Serce tłucze mi się w klatce piersiowej tak mocno, że czuję na skórze dotyk unoszącej się w jego rytm kołdry. Powinienem był poprosić Ankę o stilnox, ale w życiu wziąłem coś na sen może trzy czy cztery razy, a rezultaty i tak były prawie żadne. Denerwowałem się, że zaśpię albo będę nieprzytomny na wizji – ten niepokój sprawiał, że adrenalina i tak niwelowała działanie tabletki.

Chyba cię sobie wymyśliłem

Przewracam się na plecy i patrzę w sufit. Do czego mnie to doprowadzi... Starannie omijam tę myśl, spycham na dno, odwracam się od niej. Brak mi sił, żeby się z nią teraz zmierzyć.

Zakochiwałeś się w każdym z nich.

Oczywiście, że tak. Ma rację, teraz to rozumiem. Czy dlatego, że jako dziecko nie byłem kochany, nie potrafiłem rozpoznać miłości, gdy zacząłem dorastać? Trochę prostacka psychoanaliza.

Naprawdę zapomniałem o każdym z tych chłopaków, latami o nich nie myślałem. A w tamtych relacjach rzeczywiście był wzorzec. Nie potrafię sobie przypomnieć, w jaki sposób zaczynała się każda z tych moich seryjnych przyjaźni na śmierć i życie. Nie wszyscy chodzili ze mną do klasy. Kacper był z innej szkoły. Gdzie go spotkałem? Na podwórku? Na basenie? Tak, chyba na basenie. Czy raczej – pływalni, tak się wtedy mówiło. Basen kojarzył się z wakacjami, na basen chodziło się latem nad Wisłę. Ciekawe, czy nadal istnieje?

Kacper był starszy ode mnie o rok. A jak go poznałem? Czy raczej – jak go poderwałem? Chyba na „Bajtka", pierwsze w Polsce czasopismo komputerowe. Tak, zobaczyłem, że ma „Bajtka" w torbie. Następnym razem przyszedłem z własnym egzemplarzem i ostentacyjnie położyłem go na ławce w przebieralni. Mnóstwo wysiłku włożyłem w to, żeby zaciągnąć tego chłopaka do siebie, dopiero teraz to widzę. Wtedy postępowałem podświadomie, cały plan realizowałem jak zdalnie sterowany robot. Czy podglądałem Kacpra w szatni? Zapewne tak, ale tego nie pamiętam. Musiał mi się podobać, był bardzo rozwinięty jak na swoje lata, ładny. Ale nie zwracałem uwagi na jego ciało, najbardziej zależało mi na bliskości. Wiedziałem, że jeśli uda mi się go ściągnąć do domu, będę miał chłopaka w garści. Mieszkał na Przyczółku Grochowskim. Dwa pokoje – on, jego starszy brat, rodzice i jamnik. To było oczywiste, że jeśli zobaczy mój dom, moje zabawki, słoiki z nutellą i butelki z coca-colą w lodówce, zacznie mnie uwielbiać. Oni wszyscy mnie za to uwielbiali. Wyłącznie za to. Zawsze przychodził moment, gdy sobie to uświadamiałem, i wtedy następowało zerwanie. Przestawałem ich do siebie zapraszać, nie podchodziłem do telefonu, gdy dzwonili, nie chciałem wychodzić z domu, gdy stawali przed furtką. Ale to nie była wina tych chłopaków, tylko moja. To ja zarzucałem przynętę. Do głowy mi nie przychodziło, że mogliby chcieć przyjaźnić się ze mną, a nie z moimi rzeczami. Choć oczywiście miałem nadzieję. Kurde, przecież ja byłem cholernie nieszczęśliwym dzieciakiem! Dlaczego nikt mi nie pomógł?

Przewracam się na bok, poprawiam poduszkę. Ale kto miał mi pomóc? Ojciec? Ciągle go nie było, pracował w dzień i w nocy. Czasami znikał na kilka dni. Mariolka? Och, ona się starała, naprawdę. Tyle że dla niej najważniejsze było, żebym zjadł, umył uszy i założył czyste majtki. W jej świecie to wystarczało, żeby dzieciak był najszczęśliwszym stworzeniem na ziemi.

Mogę cię pocałować?

O Jezu... Znowu mi staje, chociaż po powrocie zwaliłem konia dwa razy. Pierwszy zaraz po rozmowie z Małgosią, a drugi – pod prysznicem, gdy szykowałem się do łóżka. Całe podbrzusze mam obolałe, nasieniowody mnie ciągną, chociaż połknąłem dwie no-spy.

Przysłał mi w esemesie całusa, nic więcej. To dobrze czy źle? Odpisałem *dziękuję*, a potem dosłałem jeszcze buziaka, chociaż czułem się jak palant, wpisując dwukropek, myślnik i gwiazdkę. Nawet Małgosia nie używa emotikonów w swoich wiadomościach. To, zdaje się, jest teraz kompletnie passé. Nic nie wiem o tym facecie. Dlaczego wydaje mi się, jakbym znał go całe życie albo i dłużej? Tylko dlatego, że się obściskiwaliśmy, że mnie całował?

Przewracam się na brzuch i przyciskam sterczącego, obolałego kutasa do materaca, żeby mi przestał podrygiwać, bo każdy z tych drobnych skurczów tylko potęguje erekcję.

Anka posapuje przez sen. Leży na boku z ręką na głowie i kolanami przyciągniętymi do brzucha, owinięta w swoją kołdrę jak naleśnik. Zawsze tak sypia. Pozycja obronna. W ten sposób kazali nam się układać na wypadek wojny atomowej na lekcjach w podstawówce. Położyć się pod oknem, przy samej ścianie, najlepiej pod stołem. Skurczyć się i zakryć głowę. Jakby parapet czy blat biurka mogły obronić człowieka przed falą uderzeniową. Instynktownie uważałem wtedy, że najbezpieczniejsza jest łazienka – nie ma zazwyczaj okien, można położyć się w wannie, wtedy były wyłącznie żeliwne, niezła ochrona. Ale i pod oknem człowiek miał szansę – jeśli dom się zawali, może udałoby mu się wydostać. Im bliżej serca budynku, tym nadzieja na wykopanie się spod gruzów malała.

Wyciągam rękę i biorę telefon ze stolika. Podciągam kołdrę na głowę i odblokowuję aparat.

*;-**

Trzecia dwadzieścia. Nawet gdybym teraz zasnął, rano byłoby tylko gorzej. Po dwóch godzinach snu czułbym się jak zombi. *Spotkamy się?* Nie, sam przecież pytał, czy będzie następny raz. *Kiedy się spotkamy?* Trochę suche, nawet obcesowe. *Chciałbym się z tobą spotkać.* Tak, dobry komunikat, nieinwazyjny. Klikam i wysyłam szybko, zanim zacznę mieć wątpliwości i się rozmyślę. Poszło. Odpisze pewnie rano. Jeśli jeździ do kancelarii na dziewiątą, pewnie wstaje koło siódmej... Sygnał przychodzącego esemesa rozbrzmiewa jak dzwon, skóra na mnie cierpnie. Obudziła się? Nasłuchuję przez moment, ale Anka śpi. Ostrożnie odblokowuję telefon.

Ja też :-) Możesz w piątek? Wyjeżdżam na dwa dni

Tak, cieszę się. Do zobaczenia w piątek – odpisuję.

W piątek. Wstaję najciszej, jak umiem, zakładam spodnie od dresu. Gdy zamykam ostrożnie drzwi sypialni i ruszam do kuchni, telefon pika znowu.

Super!

I prawie natychmiast przychodzi następny esemes:

Nie mogę zasnąć przez ciebie ;-)

Uśmiecham się od ucha do ucha i wrzucam nabój z kawą do ekspresu.

•

– Doskonale wypadłeś, po prostu genialnie! – Agnieszka wije się wokół mnie jak hinduska tancerka w bollywoodzkim filmie.

Podnoszę kubek z kawą do ust, upijam łyk i zerkam na nią badawczo. Dlaczego mi słodzi? Czyżby miała mi za chwilę zakomunikować radosną wiadomość, której spodziewam się oczywiście, ale najwcześniej za miesiąc albo dwa. Blok sportowy? Jeśli dobrze pójdzie. No, ale gdyby miała mnie zwolnić, nie właziłaby mi tak w tyłek. W ogóle pewnie nie dopuściłaby do rozmowy sam na sam.

– Znakomicie spuentowałeś sprawę górników! – szczebiocze. – Niepotrzebnie ci nadawałam do ucha przez tyle lat, sam najlepiej wiesz, co mówić. Szkoda, że nie zorientowaliśmy się wcześniej!

Ile razy dawałem jej do zrozumienia, że dyktowanie przez suflera całych wypowiedzi wnerwia mnie i rozprasza? Milion co najmniej. Albo dwa.

– Rewelacyjnie się dopasowujecie, nawet nie podejrzewałam, że tak znakomicie się to sprawdzi! Ty masz w małym palcu politykę, Sebastian cudownie wyczuwa lżejsze tematy i kulturę. Przyznasz sam, no nie? Właściwie dzięki niemu ty nabierasz klasy, większego kalibru. O pierdołach nie musisz mówić, skupiasz się na najistotniejszych kwestiach.

– Dziękuję, Aga – uśmiecham się krzywo. – Powiedz, do czego zmierzasz?

– Ojej – robi zmartwioną minę. – Nie podzielasz mojej opinii? To dla nas ważne, żebyś miał poczucie, że wszystko gra! Żebyś był zadowolony z obrotu sytuacji...

Mam gdzieś obrót tej sytuacji. Wcale się nią nie przejmuję. Rzeczywiście lepiej teraz wypadam – ale dzięki temu, że mi nie zależy, że przestałem się spinać. Na pewno nie dzięki Sebastianowi, który przez każde wydanie niusów kroczy, błyskając zębami, rozkładając szeroko ramiona i kręcąc biodrami niczym supermodelka na wybiegu. Oczywiście nie dosłownie – raczej mam na myśli emanację.

– Nie jestem niezadowolony – oznajmiam. – Aga, zbyt długo się znamy, żeby sobie mydlić oczy. O co chodzi? Odsuwasz mnie? Jeśli tak, nie będę robił scen. Załatwmy to po prostu.

– Co? – wykrzykuje z autentycznym przerażeniem na twarzy. – Ależ skąd! Jak mogłeś pomyśleć... Wręcz przeciwnie!

– Przesuwasz Sebastiana na weekendy?

– Nie! Chodzi mi o to, żebyś się po prostu dobrze czuł i...

Wzdycham głęboko, unoszę wysoko brwi i rzucam jej znaczące spojrzenie.

– Nigdy nie mieliśmy lepszej oglądalności w niusach – mówi wreszcie i robi błagalną minę. – W ogóle TV9 nigdy nie miało lepszej oglądalności. Nigdy. Przez całe osiemnaście lat istnienia.

– I sądzisz... Twoim zdaniem to zasługa tego, że prowadzimy razem?

– T-t-tak – cedzi z namysłem. – Nawet nie sądzę, a wiem.

– Ale dlaczego, na litość boską?!

– No, przez całą tę aferę.

– Przez jaką aferę?

– Paweł, każdy chce zobaczyć jednocześnie na ekranie telewizora męża i kochanka tej samej kobiety, którzy ramię w ramię prowadzą program. Dlatego, błagam cię... Proszę, żebyś spróbował... Dział reklamy nigdy do tej pory nie miał takich zamówień! Wiesz, co to oznacza dla nas wszystkich? Zrobił nam się prajmtajm o szóstej rano! Żadna inna stacja nie ma czegoś takiego, jesteśmy bezkonkurencyjni! Więc to naprawdę bardzo ważne, żebyś...

– Męża i kochanka? – wytrzeszczam na nią oczy. – O czym ty mi tu pieprzysz... O, Boże! Mówisz o tych pierdołach, które wypisywali w podcirdupach dwa dni temu?

– N-n-no nie tylko dwa dni temu... – bąka Agnieszka. – Ja wiem, że to bzdura, przecież wy jesteście ze sobą sto lat. No, a ona ma ze cztery dychy jak nic, umówmy się... Prawda? Wiesz, że mnie możesz powiedzieć.

– Mam ci powiedzieć, ile Anka ma lat?!

– Nie. Że to bzdura. Bo to bzdura, oczywiście! Tak?

– Tak!!! Oczywiście, że to bzdura! Nie mam z tym wszystkim najmniejszego problemu. A przynajmniej nie miałem do tej pory... Naprawdę aż tak nam skoczyła oglądalność?

– Ponad tysiąc procent.

– Rany boskie... To jest... – usiłuję zebrać myśli – ...przerażające. Przecież podajemy niusy. Dziś głównym tematem była katastrofa autobusu na Śląsku, zginęło dwadzieścioro dzieciaków. A ludzie nas oglądają tylko dlatego, bo myślą, że jeden z dziennikarzy pierdoli żonę drugiego?

– No, wiesz – Agnieszka robi mądrą minę. – To raczej rzadko spotykane.

– Moim zdaniem to nagminne!

– Ale nie na wizji.

– Aga, nikt tu nie pierdoli niczyjej żony na wizji!

– Ale wszyscy myślą, że robi to poza kadrem. Paweł, ja wiem, że to szczyt dna, ale tak teraz wygląda świat. Takie rzeczy ludzi interesują, a my żyjemy z zainteresowania ludzi.

– Wydawało mi się, że żyjemy z ich informowania...

– Wiesz dobrze, o czym mówię. Dlatego bardzo ważne, żebyś nie zrobił jakiegoś głupstwa teraz.

– A co ja mogę zrobić?!

– Ważne, żebyście dalej razem prowadzili niusy.

– Myślałem, że tak właśnie ma być...

– A, to dobrze – Agnieszka się rozluźnia. – Bo teraz, wiesz, otwierają się różne perspektywy.

– Perspektywy?

– Tak, no wiesz, mówiłam ci o podwyżce.

– Ty mi mówiłaś o podwyżce? To ja...

– Rozmawialiśmy o pieniądzach, tyle że dotąd nie bardzo miałam jakiś ruch. Ale wczoraj byłam na górze i on sam zaproponował, żeby ci dać więcej.

– Aha... – mam wrażenie, jakbym grał w filmie Buñuela. – Prezes zaproponował, że mi więcej zapłaci, jeśli zgodzę się występować z facetem, który, jak wszystkim się wydaje, rucha moją żonę?

– No, wiesz, no jest to jakaś rekompensata, tak?

– Agnieszka, rany boskie... My tu mówimy o serwisie informacyjnym, a nie o tokszole czy programie parada gwiazd.

– Właśnie. Dlatego chciałam z tobą przedyskutować kilka opcji.

– Opcji?

– Żeby trochę życia wprowadzić na wizji.

– Życia?

– Tak, no wiesz, wywołać może jakiś rodzaj interakcji między wami.

– Między nami? Ale on podobno ma ochotę na moją żonę, a nie na mnie...

– No i ty powinieneś jakoś zareagować na to!

– Jak mam zareagować?!

– A dobrze ci z tym?

– Z niczym nie jest mi dobrze...

– No to daj temu wyraz!

– Jak?! Chcesz, żebym pobił Sebastiana na antenie? A może go zastrzelił? Udusił? Wykastrował, o to by było dobre! Nożem introligatorskim. Co ty na to?

– Och, oczywiście, że nie. Nie ma mowy o żadnych drastycznych rzeczach. Ale moglibyście, no, tak jakoś w dyskusji, no, wiesz, no... Poprzekomarzać się trochę. Ty mu słowo, on tobie. Wiesz, inteligentnie tak, złośliwie. Ale bez chamstwa. No i cenzuralnie oczywiście, bo dzieci mogą patrzeć, szczególnie do ósmej rano.

Gapię się na nią jak cielę na malowane wrota. Nie wiem, co powiedzieć. To musi być żart, ale po co? Kogo by to miało rozśmieszyć? Nagrywają naszą rozmowę? Może gdzieś tu jest kamera. Zerkam na boki odruchowo. Pusto.

– Ja ci chętnie coś podrzucę przez suflera, nie przejmuj się – deklaruje Aga i próbuje poklepać mnie po ręku, ale błyskawicznie odsuwam dłoń. – Możemy to wszystko omówić na spokojnie. Nic na siłę.

– Chyba oszalałaś. Albo ja zwariowałem... Mówimy o serwisie informacyjnym! Chcesz, żebym przekomarzał się z Sebastianem między podawaniem informacji o ludobójstwie i trzęsieniu ziemi? Muszę iść.

– Ale porozmawiajmy o tym, proszę! Paweł! Taki jest szołbiznes, nic na to nie poradzimy!

Zrywam się z krzesła, plastikowy kubek z niedopitą kawą przewraca się, brązowa breja chlusta na blat. W niektórych filmach w ten sposób pokazują scenę mordu – przedmioty przewracają się, krzesło upada, coś gęstego płynie po jasnej płaszczyźnie. Hitchcock wpadł na to pierwszy.

Wybiegam na korytarz i pędzę po schodach, przeskakując po dwa stopnie naraz.

XI

– Nigdy o nic cię nie prosiłam – mówię do niego, siląc się na spokój. – A teraz proszę. O pomoc. Moja kariera od tego zależy.

– Jaka kariera? – Paweł łapie się za głowę. – O czym ty mówisz?

– Mówię o mojej pozycji w mediach – wyjaśniam.

– Anka, ty nie masz pozycji w mediach innej poza tymi z kamasutry!

– Nie bądź głupi – obruszam się. – Doskonale wiesz, że to tylko na pokaz. Nic mnie nie łączy z Sebastianem.

A przynajmniej niewiele. Na razie – myślę.

– Ale trzeba z tej sytuacji wyciągnąć tyle korzyści, ile się da. W końcu to mi robi nazwisko! – dodaję.

– Ania, mylisz popularność z prestiżem, a ludzkie wścibstwo bierzesz za oznakę szacunku – Paweł odzywa się po chwili takim tonem, jakby mówił do dziecka, co wybitnie mnie irytuje. – To tak nie działa.

– Jak nie działa! Oczywiście, że działa. Wiesz, ilu mam już ludzi na Fejsie? Prawie dwa tysiące! I nawet z „Firmamentu" do mnie dzwonili, a to jeden z najlepszych dwutygodników na rynku! Wystarczy tylko tym wszystkim umiejętnie zarządzać.

– Tym się nie da zarządzać – woła Paweł. – Tego się nie da kontrolować! To tak, jakby świnia jadąca pasem transmisyjnym do rzeźni sądziła, że jeśli wypnie się właściwą stroną ciała, pogłaszczą ją, zamiast zarżnąć!

– Nieprawda. Można to kontrolować, choć przyznaję, jest to trudne. Ale może gdybym znalazła agenta...

– Agenta! Ania, proszę, opamiętaj się. Chcesz pisać, pisz. Skup się na książce. Dokończ ją. Wydaj. Zrobię wszystko, żeby ją dobrze zareklamować...

– Gdzie? – prycham. – W niusach na TV9? Och, ty zawsze miałeś z tym problem. Całe życie się wszystkiego boisz. A ja się nie będę bała. Los podrzucił mi szczęśliwy kupon w totka i ja mam zamiar go wykorzystać. I zrobię to! Sama, jeśli będzie trzeba. Ale jednak proszę cię o pomoc. Po prostu nic nie rób. Prowadź dalej te durne niusy z Sebastianem. Nie chcesz, daruj sobie sprzeczki na wizji, przecież sam powiedziałeś, że Agnieszka tylko je sugerowała, a nie kazała w to brnąć.

– Na razie. Ale jeśli sprawa potrwa dłużej, będzie chciała mnie zmusić, żebym odstawiał z tym debilem cyrk na antenie.

– Wtedy się będziemy martwić.

Wzrusza ramionami i spogląda w okno.

– A tobie to nie przeszkadza?

– Co czy mi nie przeszkadza? – pytam.

– No, że wychodzisz na jakiegoś skończonego kurwiszona, który robi w chuja męża z jego kolegą?

– Po pierwsze, zdania w tej sprawie są podzielone, bo nie wszyscy myślą w podobny sposób. A po drugie, nie ma chyba potrzeby, żeby używać takich wulgaryzmów. Świat się zmienił. Dziś kobieta też ma prawo do pewnych wyborów.

– Aha. Czyli teraz jesteś orędowniczką równouprawnienia? Kieruje tobą – przynajmniej według oficjalnej wersji – nie chcica, ale misja? O, mój Boże... – Paweł wstaje z krzesła i podchodzi do okna. – A Małgosia? Pomyślałaś o niej?

– Oczywiście, że myślę o niej! Ale sam mówiłeś, że ona jest już właściwie dorosła – rzucam trochę zgryźliwie.

– Wkrótce zdaje maturę. Powinniśmy ją wspierać.

– Wspieram ją! Moja praca nie ma nic wspólnego z Gośką! Och, mój Boże! Wychowała się w tym środowisku. Pokazujesz się w telewizji, odkąd pamięta, jej koledzy i koleżanki zawsze o tym wiedzieli. Jest przyzwyczajona.

– Do czegoś takiego nie jest – oznajmia Paweł, wzdycha i dodaje: – Dobrze. Będę dalej prowadził ten program. Z nim. Jak długo?

– Co jak długo?

– Ile to ma potrwać? Kiedy skończysz książkę?! Kiedy ona wyjdzie?

– A skąd ja mogę wiedzieć! To jest proces! Twórczość, nie produkcja! Tego się nie da zaplanować co do godziny!

– Ale ogólnie chociaż. Miesiąc? Dwa miesiące? Rok?

– Powiedzmy pół roku, może trochę krócej – odzywam się po zastanowieniu.

– Czyli do lata... – zamyśla się Paweł. – W lipcu rozwiążę kontrakt z TV9. Właściwie to dobry czas. Małgosia będzie po egzaminach. Będę mógł spokojnie pomóc jej w przeprowadzce.

– Chyba oszalałeś! – zrywam się z krzesła. – I co potem? Przecież ty nic innego nie umiesz robić! A poza tym co będzie, jeśli nie skończę książki do tego czasu?! A jeśli mimo wszystko na niej nie zarobię? Z czego będziemy żyli?

– Odpocznę trochę i czegoś poszukam na spokojnie. Nie musimy się śpieszyć. Mówiłaś, że twojego serialu nie zlikwidują jeszcze przez następny sezon...

– No, chyba nie sądzisz, że będę dalej robiła ten serial, kiedy wydam książkę? Paweł, opamiętaj się. Jak mam być uważana za poważną pisarkę, jeśli dalej będę pisała scenariusz opery mydlanej?

Przecież ten człowiek jest jak dziecko we mgle! Wiecznie tylko „ja, ja, ja!". Po prostu ręce opadają. Czy on w ogóle jest w stanie myśleć o kimś poza sobą?! Wpatruje się we mnie z całkowicie nieruchomą twarzą.

– Masz rację – odzywa się wreszcie spokojnym głosem. – Nie pomyślałem. Muszę pojechać do niusrumu.

– Teraz? Jest dopiero dwunasta.

– Mam jeszcze coś do załatwienia po drodze.

– Dobrze, to zjedz coś na mieście. Gośka powiedziała, że po lekcjach idzie z Natalią na pizzę. Chyba że jednak wolisz w domu, to coś zamówię...

– Zjem.

– A mogę mieć jeszcze jedną prośbę do ciebie?

Spogląda pytająco. Słońce odbija się w oknach budynku po drugiej stronie ulicy, złote refleksy padają na policzek Pawła. W tym świetle nie wygląda na czterdzieści lat, ale dopiero teraz widzę, jak bardzo powiększyły mu się zakola.

– Możesz mi dać telefon do Dominika?

– Do jakiego... – urywa i kiwa głową. – Jasne. Tylko wiesz, że on przede wszystkim ubiera facetów?

– No, ale może mi kogoś polecić, nie?

Wychodzi. Siedzę przy stole, bębnię palcami w blat. Powinnam zabrać się do pracy, zostały mi jeszcze do rozpisania trzy sceny. Piotrek podesłał w nocy swoje, ma z głowy. Okropnie nie chce mi się nad tym siedzieć.

Sięgam po ajfona i wybieram numer Dominika.

– No? – odzywa się po kilku sygnałach.

– Dzień dobry – zaczynam, ale dochodzę do wniosku, że mój ton jest zbyt ugrzeczniony, więc odchrząkuję i ciągnę bardziej od niechcenia: – Cześć. Mówi Anka Lewandowska, może mnie kojarzysz.

– Nie bardzo.

Nie bardzo! Stylista! Chyba powinien być lepiej zorientowany w bieżących tematach!

– Jestem żoną Pawła.

– Jakiego Pawła?

– Sieniawskiego. Z TV9. Pomagasz mu z garderobą. Prowadzi niusy.

– A, Pawła – rzuca, milczy i wreszcie odzywa się nieco milej: – Aaaa! To ty! Narobiłaś trochę zamieszania, co?

– Dzwonię, bo chciałam prosić cię o pomoc.

– Mnie? O jaką pomoc?

– Możliwe, że będę potrzebowała wkrótce jakichś... kreacji.

– Hm... Chcesz się ubrać, jasne. Ale ja raczej się nie bawię w babskie szmaty.

– Może mógłbyś mi coś doradzić.

– Może bym i mógł. Ale w jednorazówki też się nie bawię, nie mam na to czasu.

– W jakie jednorazówki?

– No, w wypożyczanki. Wiesz, bierzesz ze sklepu kieckę, raz zakładasz, a potem mi każesz oddawać. Nie mam czasu.

– Ja nie myślałam, żeby wypożyczać. Po prostu chcę trochę odświeżyć szafę.

– Odświeżyć, mówisz. No, dobra, możemy pogadać. Wpadnij do Bistro za jakąś godzinę.

– Do jakiego Bistro?

– No, tu obok. Przy Sheratonie. Oj, łatwo chyba nie będzie. Na razie – wzdycha.

– Przyjadę... – zaczynam, ale rozłącza się, zanim udaje mi się dokończyć.

No, co za cham! Łatwo nie będzie! Gówniarz jeden. W co mam się ubrać? Godzina. Trzydzieści minut muszę odjąć na dojazd. Matko święta, nawet nie jestem porządnie umalowana!

Zamawiam od razu taksówkę na wpół do pierwszej i pędzę do łazienki.

•

Spóźnił się prawie dziesięć minut. Siedzę wkurzona nad zimnym cappuccino przy stoliku, którego blat ma rozmiar znaczka pocztowego. Taboret przypomina rowerowe siodełko. Straszne miejsce, w dodatku wyraźnie czuję dym trawki. Paweł tu przychodzi? Wątpię. Tłum ludzi, kilka osób mnie chyba rozpoznało, bo gapią się, gdy sądzą, że nie widzę. Udaję, że sprawdzam coś w telefonie. Jaka szkoda, że nie zabrałam laptopa albo ajpada.

– Sorki, przeciągnęło mi się – mości się na sąsiednim siodełku.

Ile on ma lat? Z daleka robi wrażenie młodego chłopaka, ale z bliska widzę, że może być już w moim wieku. Nieogolony, potargany i w dresie Adidasa! I taki człowiek dyktuje ludziom, w co się ubierać, a w co nie.

– No, pokaż się – spogląda na mnie krytycznym wzrokiem. – Wyguglowałem cię trochę. Jesteś zupełnie surowa. Na pewno chcesz w to brnąć?

– W co czy chcę brnąć? – odwarkuję.

Ta rozmowa powinna zacząć się zupełnie inaczej! Powinien być ciepły i sympatyczny, no mniej więcej jak moja kosmetyczka albo poprzednia fryzjerka! Surowa? Co to niby znaczy?

– Jesteś za tłusta, masz kurze łapki i lwie zmarchy jak szyny tramwajowe. Wyglądasz staro. Nie ćwiczysz, zdaje się, obojczyki ci sterczą, na pewno źle dobierasz staniki, sądząc z tego, co się dzieje pod twoim swetrem. A ta szmata, bajdełej, totalnie nie do przyjęcia. I końcówki ci się rozdwajają. Masz włosy jak siano.

Mrugam oniemiała. Mam wrażenie, jakbym dostała w twarz, w oczach stają mi łzy.

– Jesteś pewna, że tego chcesz?

– Jak... Jakim prawem... – próbuję wyjąkać.

– Ty sama dajesz mi to prawo – oznajmia Dominik z obojętną miną. – Nawet nie tyle mnie, co wszystkim. Po co ci to? Paweł to taki sympatyczny gość.

– Ty chamie – cedzę przez zęby, próbując się wziąć w garść.

– Chamie? Wszystkim to będziesz mówiła? Wszystkim, którzy będą sobie tobą wycierali gęby, hejtowali cię w komentarzach, i to nie tylko w anonimach, ale w oficjalnych też? Tchu ci zabraknie.

– Wychodzę!

– Sama widzisz – wzrusza ramionami. – Jesteś totalnie nieprzygotowana. Nie mam na myśli tego, jak wyglądasz. Wyglądasz przeciętnie. Widać, że masz trochę kasy, jak na swoje lata trzymasz się nieźle. Ogólnie spoko. Jesteś nieprzygotowana psychicznie. Po co ci to?

– Gówno cię to obchodzi! – stwierdzam i sięgam po torebkę.

– Chciałaś, żebym ci pomógł. To pomagam.

– Takiej pomocy nie potrzebuję od ciebie, gnoju jeden!

– To tylko drobny przedsmak tego, co cię czeka – wyjaśnia Dominik bez mrugnięcia okiem.

– Nieprawda!

– Oczywiście, że to prawda. Od ilu dni cię widzą? Od tygodnia? Góra. Na razie jeszcze nic nie wiesz.

– Pierdol się – rzucam wyniośle i ciskam na stolik dychę.

– Okej – zaczyna się śmiać. – A cappuccino, bajdełej, kosztuje tu szesnaście złotych.

Mam ochotę trzasnąć go torbą w łeb. Powstrzymuję się ostatkiem sił. Przymykam oczy, odliczam w myśli do pięciu i znowu sięgam po portfel.

– Słuchaj, prywatnie cię przepraszam – odzywa się ten palant. – Prywatnie nic do ciebie nie mam i podejrzewam, że jesteś spoko. Ale zadzwoniłaś do mnie zawodowo i w sprawie biznesowej się spotkaliśmy. Naprawdę lubię Pawła. Sebastiana średnio. Narobiłaś trochę sensacji, okej, pokazują cię. I co dalej? Każdy ruch, który możesz teraz zrobić, to schodek w dół.

– Jaki, do cholery, schodek w dół?!

– Rozważ wszystkie opcje – zaplata ręce na piersi i dotyka palcem wskazującym brody. – Co możesz zrobić? Po pierwsze, rozwieść się z Pawłem.

– Nie mam zamiaru! I to są moje prywatne sprawy!

– Nie, kochanie – uśmiecha się Dominik wyrozumiale, jak do opóźnionej w rozwoju umysłowym. – To już nie są twoje prywatne sprawy. To są sprawy publiczne, bo tak zadecydowałaś. I nawet jeśli jutro przestaniesz się pokazywać, zmienisz adres mejlowy, telefon, wykasujesz profil na Fejsie i zaczniesz chodzić po ulicy w habicie, każdy będzie miał prawo do tego, żeby wyciągnąć wszystko na twój temat, kiedy tylko przyjdzie mu na to ochota. Wyszłaś przed szereg i pozwoliłaś się dostrzec. Jesteś celem, czy chcesz, czy nie.

– Bzdura! – potrząsam głową, ale czuję, że robi mi się trochę gorąco. – I oczywiście absolutnie nie mam zamiaru rozwodzić się z Pawłem.

– Okej. Badajmy więc kolejne warianty rozwoju sytuacji. Zostajesz z Pawłem i rozstajesz się z Sebastianem. Żałosne. Stara baba zrobiła skok w bok z młodym gościem, który kopnął ją w dupę. Bez względu na to, jak będzie, i tak wszyscy na mur będą sądzili, że to on puścił cię w trąbę, a nie ty jego. Sympatia publiki będzie po stronie Pawła, ty dostaniesz po tyłku. Jest tylko jedno wyjście, które gwarantuje ci podtrzymanie zainteresowania, choć raczej wątpliwą sympatię tłumów.

– Jakie?

– Rzucasz Pawła i wiążesz się z Sebastianem. Pokazujecie się często razem, jesteście przy tym bardzo szczęśliwi ze sobą. Mogłabyś zajść w ciążę, o ile to jeszcze w ogóle możliwe w twoim przypadku. Takie rozwiązanie zapewniłoby ci świecznik na trochę dłuższy czas. Ale to bajka. Na tyle dobrze znam Sebastiana, żeby wiedzieć. Może cię używać przez jakiś czas, ale abstrahując od wszystkiego – różnicy lat, urody, pozycji, pracy itd. – wejście w taki układ na dłuższą metę jest dla niego niekorzystne. Stawia go w złym świetle. Chwilowo wychodzi na młodego, jurnego gostka, który wplątał się w romans ze starszą babką. Ale jeśli to potrwa dłużej, po pierwsze, uznają go za kutafona, który rozwalił małżeństwo kolegi z pracy, a po drugie, za – bez urazy – gerontofila. Co innego romansik z babką, która mogłaby być jego matką, a co innego związek. A Sebastian jest cholernie zawzięty na karierę. I w przeciwieństwie do ciebie jest na nią gotowy.

– Ale ja jestem pisarką! Wkrótce ukaże się moja książka!

– I co to ma do rzeczy? – Dominik wytrzeszcza ze zdumienia oczy. – Żebyś nawet rozwiązała i opatentowała zagadkę zimnej fuzji, nikogo to nie zainteresuje. Zwariowałaś? Musiałabyś dostać Nobla, no, może to zmieniłoby optykę. Ale i tak wątpię.

Teraz dla odmiany robi mi się zimno.

– Ja chciałam tylko, żebyś pomógł mi dobrać spódnicę i jakiś żakiet... – mówię żałosnym głosem.

– Żakiet? – Dominik stawia oczy w słup. – Chcesz zgrywać jego babkę, a nie matkę? Dobra, chcesz się ustroić. Bierz proste kroje, mało dodatków, szarości, beże. Pastele. Wiesz, szaromyszowato. Nie pokazuj kolan, uważaj na łokcie, fasony raczej zabudowane pod szyją. Będziesz wyglądała jak aseksualny, zabiedzony wymoczek, ale możesz wyrobić sobie markę. Będą mówili, że co prawda stara z ciebie nimfomanka, ale jednak z klasą. Wiesz, że masz dobry gust.

– Ale ja jestem artystką!

– A mówiłaś, że pisarką?

– No, właśnie! Powinnam się jakoś wyróżnić. Na Złotych Antenach miałam sukienkę, która...

– Tak, widziałem. Jednorazowy strzał, w życiu bym tego nie skojarzył co prawda z Peerelem, ale okej. Udało się. Powtórzyć tego nie możesz. No nic, dobra, jeśli to cię kręci i wolisz robić bardziej za dziwną niż za piękną, twoja sprawa. Tylko drożej cię to wyniesie. Potrzebujesz trochę pstrokatych szmat z dobrymi metkami, nieseryjnych. Wcięte w pasie, żeby wyglądało, że masz talię. Krótkie fasony, najlepiej za krótkie, do tego grube rajstopy. Pojechane buty. Uważaj na łokcie, nie pokazuj dekoltu – raczej odsłaniaj dół. Maluj się mocno. Będą mówili, że choć co prawda stara z ciebie nimfomanka, ale przynajmniej z fantazją.

– Pomożesz mi coś wybrać czy nie? – tracę cierpliwość. – I już bez uwag!

Przygląda mi się z namysłem przez kilka sekund.

– Paweł wie, że do mnie zadzwoniłaś?

– Oczywiście, że wie! Sam mi dał numer. W ogóle cała ta sprawa z Sebastianem jest tylko na pokaz! Paweł wie o wszystkim i niesamowicie mnie wspiera.

– Mogę pomóc – wzdycha Dominik. – Ile masz kasy?

– Powiedzmy pięć tysięcy.

– O Jezu... Na ile zestawów?

– Na trzy?

– Dwa – kręci głową. – Albo półtora, wiesz, coś do łączenia z czymś w dwóch konfiguracjach. Normalnie jestem na procencie od zakupów. Od dziesięciu do piętnastu, zależy od przypadku i wyzwania. Ale szkoda mi ciebie, więc wystarczy, jeśli po zakupach postawisz mi solidny obiad i piwko. Może być?

– Tak, dziękuję. Myślałam też jeszcze o agencie czy menedżerze. Może znasz...

– Kochanie – Dominik protekcjonalnym gestem poklepuje mnie po ręku. – Zacznij ty lepiej od kupna solidnych, elastycznych majtek modelujących. Przede wszystkim one są ci teraz niezbędne. Uwierz mi.

XII

Opieram głowę na zagłówku fotela. W dziennym świetle ten blok wydaje się przytłaczający. Jak można żyć w takiej termitierze?

Zaparkowałem auto po drugiej stronie Felińskiego. Nie widać stąd szeregówek, przez korony rachitycznych drzew prześwitują tylko ich dachy. Gałęzie już okrywają się zieloną mgiełką.

Teraz jestem zły, że do niego napisałem. Odjechałbym najchętniej, ale dopadło mnie takie zmęczenie, że nie mam siły nawet przekręcić kluczyka w stacyjce. Zerkam na wyświetlacz komórki. Siedemnaście połączeń nieodebranych, trzydzieści esemesów od obcych numerów. Dzięki Bogu, że odłączyłem pocztę głosową i nie mogą się nagrywać. Oczywiście wszyscy wydzwaniają w sprawie Anki i Sebastiana. Musiałbym upaść na głowę, żeby z nimi rozmawiać.

Esemes od niego przychodzi po kilku sekundach.

Tak. Możesz już?

Nie mogę. Obracam telefon w dłoni, mam pustkę w głowie. *Jeśli porządnie pomyślisz, czego chcesz, i tak zrobisz, to będzie najlepsze możliwe rozwiązanie.* Ale ja nie wiem, czego chcę. To znaczy wiem (*Wojtek*). I chcę spokoju.

Drugi esemes.

Paweł? Jestem w domu

Dlaczego on jest w domu? Powinien być w szkole... No właśnie! To mi grozi. Przejmowanie się następnym dzieciakiem, kiedy jeszcze mój nie całkiem stanął na własnych nogach. Co ja wiem o wychowywaniu chłopaka? Nic nie wiem. Zresztą Małgosia w wieku pięciu lat miała więcej rozsądku niż większość dorosłych, których znam. Tak naprawdę niewiele wiem o wychowywaniu dzieci.

Dlaczego nie w szkole?

Nie. Wykasowuję tekst. Nie ma mowy, żebym od razu ustawił się w takiej roli. Każda relacja między dwojgiem ludzi kształtuje się w ciągu kilku czy kilkunastu pierwszych spotkań. Jeżeli zacznę od łajania i okazywania, że się nim przejmuję, będzie tego oczekiwał już zawsze.

Trzeci esemes.

Paweł, proszę. Możemy się spotkać? Przyjadę, gdzie chcesz.

Są polskie znaki i interpunkcja, stara się najwyraźniej. Kląskam językiem z irytacji i wstukuję:

Jestem na Felińskiego. Możemy porozmawiać

Chcę jeszcze dopisać, że siedzę w czarnym volvo, ale przecież on doskonale wie, czym jeżdżę. Wysyłam esemesa i przecieram zaspane oczy.

Mija może minuta, widzę go. Przechodzi przez podwórko. Nie spieszy się. Idzie przygarbiony, z rękami w kieszeniach spodni. W ogóle nie jest do mnie podobny. Ma zupełnie inną budowę ciała, ciemne oczy, kręcone włosy, śniadą cerę. Mariolka zawsze mi mówiła, że przypominam bardziej ojca niż matkę, ale mimo wszystko – skoro urodziła nas obu – czy nie powinno być między nami choćby śladowego podobieństwa?

Zatrzymuje się przy krawężniku po drugiej stronie ulicy. Przekręcam kluczyk w stacyjce i opuszczam szybę.

– Wsiądź – mówię.

– Może gdzieś pójdziemy usiąść?

– Nie mam siły łazić. Jeśli jesteś głodny, możemy podjechać do McDonalda i wziąć coś przez okienko.

Kręci przecząco głową, przechodzi przez ulicę i otwiera drzwi po stronie pasażera.

– Na pewno nie wolałbyś gdzieś usiąść? – upewnia się. – Możemy iść do mnie.

– Nie ma mowy – odzywam się kategorycznie. – Albo wsiadasz, albo jadę.

Zastanawia się przez sekundę, ale wreszcie wsiada do samochodu i zatrzaskuje drzwi.

Nie patrzę na niego ani on na mnie. Gapię się na tył furgonetki, za którą zaparkowałem. Spod grubej warstwy brudu ledwo przebijają wyklejone folią litery. Szybkie i tanie rozbiórki. Poniżej ktoś domazał palcem „chętnych babek". Idiotyczne.

Kris milczy.

– Chciałeś ze mną rozmawiać, to rozmawiajmy – odzywam się wreszcie.

Nie patrzę na niego, ale kątem oka dostrzegam, że obraca twarz w moją stronę.

– Czego ode mnie oczekujesz? – pytam.

– Boję się – mówi.

– Rozmowy? – odbijam piłeczkę, choć oczywiście wiem, że nie o to chodzi.

Nie jest głupi, nie odzywa się. Czeka.

– Kris... Albo Krzysiek. Bo tak masz na imię naprawdę, racja?

– Nie. To skrót od Cristóbal. Po portugalsku. Tam się urodziłem i...

– Okej! Kris. Rozumiem. Ona już raz dla mnie umarła. Nawet jeśli ta kobieta kiedyś mnie urodziła, nie jest moją matką. Nie chciała nią być.

– Ale ja... Ja nie jestem nią! Nikogo nie mam. Tylko ty jesteś. Ona tu nie miała żadnych znajomych, nie wiem, bała się chyba poznawać ludzi. Ale po co wróciła w takim razie? Nie rozumiem tego. Tam było tylu przyjaciół dookoła, tyle osób do nas przychodziło. A tu... – milknie na moment i zaczyna mówić szybko: – Nic nie trzeba robić, ja sobie radzę ze wszystkim. Miałem osiemnaście lat, jak to się stało, i prawniczka mi pomogła. Mam dostęp do kont, wszystkiego pilnuję. Jest Ukrainka na stałe, prawdziwa pielęgniarka, nie jakaś byle tam. Lekarz przychodzi dwa razy w tygodniu, regularnie ją biorą na badania. Przychodzi masażysta i fizykoterapeutka. Mówili, że ona powinna być w hospicjum, ale przecież nie mogę tak... Bo jak bym mógł? Daję radę. Tylko czasami, wiesz... Czasami...

Urywa, nabiera tchu, stara się nad sobą zapanować. Nadal nie patrzę na niego, wpatruję się w „Szybkie i tanie rozbiórki chętnych babek". Z wielką uwagą.

– Czasami tak... Tak cholernie się boję – mówi łamiącym się głosem.

– Wiem, Kris – kiwam lekko głową, te cholerne rozbiórki jakoś mi się zamazują przed oczami.

Potem już nie rozmawiamy. Kris całkiem szybko przestaje płakać. Włączam radio. Siedzimy obok siebie w aucie prawie godzinę.

– Muszę wracać – odzywa się wreszcie.

– Chodzisz w ogóle do szkoły? – pytam i spoglądam na niego po raz pierwszy.

Przedtem wydawało mi się, że to, co dostrzegam w jego oczach, to cynizm. Sądziłem, że jest zepsuty. Ale, swoją drogą, robił, co mógł, żeby mnie upewnić w tym przekonaniu.

Wpatruje się we mnie z uwagą tymi swoimi starymi oczami. Badawczo. Ale już bez kpiny, za którą wcześniej się chował.

– No? – ponaglam go. – Uczysz się czy nie?

– Mam taki niby urlop dziekański.

– Dziekański? W liceum?

– Tak. Dyrektorka jest spoko, wie o wszystkim. Mogę wrócić, gdy... Gdy będę mógł. Oczywiście od początku roku szkolnego i do młodszej klasy.

– Zostało więc ci jeszcze pięć miesięcy. Wracasz od września, lepiej zacznij przyzwyczajać się do tej myśli – rzucam tylko.

Uśmiecha się do mnie, oczy mu wilgotnieją.

– Jasne – mówi i robi taki ruch, jakby chciał mnie dotknąć, nie wiem, poklepać po ramieniu, przytulić się.

Natychmiast odsuwam się i napieram ramieniem na drzwi. Jego uśmiech na ułamek sekundy przygasa, ale prawie natychmiast wraca.

– Spoko. Nie mam z tym problemu. Ja też taki jestem, rozumiem.

– Z czym? Jaki jesteś? – marszczę brwi.

– No wiesz, bi. Więc nie przejmuj się. To na razie – otwiera drzwi i wyskakuje z samochodu.

Rozdział 5

I

– Jesteś pewna, że chcesz? – Sebastian przymyka jedno oko i odsłania zęby w uśmiechu.

Ten grymas bardziej kojarzy mi się z warczeniem agresywnego psa niż z wyrazem radości.

– Tak – przełykam ślinę.

– Zdejmij futro.

– Ale dlaczego?

– Dlatego, że tak mówię.

Okropnie się denerwuję. Bardziej, niż sądziłam. Niechętnym ruchem zwalniam zatrzask futra i zsuwam je z ramion.

– Uuu, nieźle – orzeka, taksując mnie wzrokiem. – Rozepnij sukienkę na górze.

– Sebastian. Ja... – zaciska gniewnie wargi, więc posłusznie rozpinam górny guzik.

Dominik wybrał mi tę sukienkę. Jest okropnie krótka, czarna, z dyskretnym gorsetem, nad którym ma wstawkę udającą koszulową bluzkę. Wyglądam w niej jak uczennica przedwojennej pensji dla dziewcząt. W życiu nie miałam bardziej perwersyjnego ubrania. I w życiu w żadnej sukience moja figura nie wyglądała lepiej, choć jest to także zasługa tych upiornych popielatych majtek, które Dominik kazał mi kupić. W dotyku przypominają teflon. Mój tyłek jest w nich wypukły w takich miejscach, w których nigdy wcześniej nie był. Nie sądziłam, że podobny efekt można uzyskać bez odsysania tłuszczu i kompleksowej chirurgii modelującej sylwetkę.

– Jeszcze.

– Naprawdę, może poczekajmy z tym chwilę...

– Miałaś robić, co każę. A ja każę ci rozpiąć jeszcze jeden z tych cholernych guzików. O, Jezu, ale mi stanął – rozpina rozporek i wsuwa rękę do slipek. – Uff, lepiej. Zajebista ta kiecka. Skąd ją masz?

– Dominik mi ją wybrał.

– Dominik? Ten od nas? Nie trawię cioty. Bo to ciota jest, wiesz?

– Nie wiem.

– Najlepsze, że hetero. Ciota hetero, pełno teraz takich. Ma dwoje małych dzieci. Dwoje! Niewiarygodne, co?

Zerkam na niego. Jeśli Dominik jest hetorociotą, to kim jest Sebastian? Heterogejem. Sama, co prawda nie znam żadnego homoseksualisty, ale przecież pewne sprawy są oczywiste. Narcyzm, przesadna dbałość o wygląd, epatowanie własną seksualnością, egocentryzm – standardowe cechy pedalskie. No i zniewieścienie, ale tej cechy Sebastianowi akurat brakuje. Niemniej gdybym nie poznała go osobiście, a ktoś powiedział o nim „gej", nie byłabym zaskoczona. Możliwe, że to znak naszych czasów – męskie pedały i ciotowaci faceci. Muszę to zapamiętać. Do Książki.

– Ale ty masz cycki w tym. Jak dwie torpedy – sięga i kładzie dłoń na mojej piersi.

Odruchowo wyrywa mi się cichy okrzyk, chociaż jego dotyku prawie nie czuję. Stanik kupiłam w tym samym sklepie co majtki. Ma wkładki żelowe i fiszbiny z czegoś, z czego podobno robi się poszycie awionetek. Podejrzewam, że spokojnie można by do mnie strzelić, a nie odniosłabym obrażeń. O ile oczywiście ktoś celowałby w serce.

– Kurwa, beton! – woła Sebastian. – Co to jest?!

– Stanik – wyjaśniam i z irytacją strącam jego rękę z piersi.

– Nie mam pojęcia, jak możesz w tym oddychać – dziwi się Sebastian. – No, dobra. Zaczynamy. Jesteś gotowa?

Biorę kilka głębokich wdechów, głośno wypuszczam powietrze.

– Jestem – kiwam głową.

– No, to jazda! – Sebastian szczerzy zęby w hollywoodzkim uśmiechu i wysiada z samochodu.

Zaparkowaliśmy na najwyższym poziomie, powietrze jest lodowate. Szczękam zębami, ale chyba przede wszystkim ze zdenerwowania. Kilka kroków i jesteśmy przy wejściu. Sebastian puszcza do mnie oko, a gdy przeszklone skrzydła rozsuwają się przed nami, bierze mnie za rękę i razem wchodzimy do Galerii Mokotów.

II

– Jeszcze tego nie zrobili, ale to tylko kwestia czasu – mówi Kazik, jeden z redaktorów. – Oficjalne stanowisko zostanie ogłoszone pewnie w poniedziałek po południu.

– Jeżeli mamy podać informację rano, potrzebny jest materiał – odzywam się. – Jakaś setka przynajmniej, niech ktoś coś powie, no, ze dwa zdania. Nie możemy przez połowę niusów sterczeć przed kamerą jak dwie pacynki i tylko kłapać dziobami.

Siedzimy w niusrumie nad rozpiską porannego serwisu. Sebastiana oczywiście nie ma, przez te dni, odkąd prowadzimy program wspólnie, zjawił się tu może ze dwa razy. Teoretycznie nie ma takiego obowiązku i tak dostanie grafik mejlem, ale nie rozumiem, dlaczego nie chce brać udziału w jego tworzeniu.

– Wiesz... – bąka jedna z redaktorek. – Właściwie to...

– Co właściwie? – nie pamiętam, jak się nazywa, więc unikam jej wzroku.

– Taka jest sugestia. Z góry.

– Sugestia z góry? – marszczę brwi. – Żeby nie było wstawek reporterskich?

– Mniej więcej.

– Ale co? Żeby taniej wyszło czy jak?

Zerkają na siebie niepewnie, Kazik chrząka, jedna z dziewczyn pospiesznie pochyla się nad trzymanymi w ręku wydrukami.

– No, dajcie spokój! – wołam. – To już chyba lekka przesada?!

– Mamy dać wam więcej czasu – odzywa się Karolina, która w TV9 pracuje dłużej ode mnie.

– Na co?

– Na komentarze? – Karolina unosi brwi i uśmiecha się znacząco.

– To już naprawdę są kpiny – mówię i rzucam podkładkę z tabelą tematów na stół. – Ręce opadają. A może zamiast tego kretyńskiego szklanego blatu postawimy w studiu cztery słupki i rozciągniemy między nimi gumowe taśmy? Wiecie, taki jakby ring bokserski wyjdzie. I wcale nie będzie trzeba miksować, zero dodatkowych materiałów, w ogóle pojedziemy na jednym ujęciu!

– Lepiej im tego nie podpowiadaj – odzywa się Karolina po krótkiej chwili.

– Dobra, róbcie, co chcecie – rozkładam ręce i kręcę głową.

– Zdajesz sobie sprawę, że nie musisz się zgadzać? – mówi półgłosem Kazik.

– Na co nie muszę się zgadzać?

– Na odstawianie całej tej szopki. Możesz się po prostu postawić i odmówić.

Zerkam na niego ze złością i już mam mu powiedzieć coś do słuchu, ale gryzę się w język. Wszyscy gapią się na mnie wyczekująco, w niusrumie zapada całkowita cisza. Zaciskam usta, wstaję z krzesła i zabieram kurtkę.

– Paweł? – odzywa się Karolina. – Wiesz, że my wszyscy jesteśmy za tobą?

– To bardzo miłe, dzięki – mówię zgryźliwie. – I może jeszcze powiesz, że jak odejdę, wy także złożycie wymówienia? Taka świadomość na pewno doda mi mnóstwo woli do walki. Okej, na razie.

Wychodzę z niusrumu, nie czekając, aż któreś z nich cokolwiek mi odpowie. Szybkim krokiem zmierzam do wyjścia. Ile potrwa ten cyrk? Tydzień, dwa góra. Dziś po porannym dyżurze zmusiłem się, żeby przejrzeć ostatnie podcirdupy – tylko w dwóch napisali coś o Ance, Sebastianie i o mnie, w dodatku na dalszych stronach. Temat zdycha szybciej, niż się spodziewałem, wystarczy to przeczekać.

– Paweł?! – oglądam się przez ramię i widzę Agnieszkę, która pędzi w moją stronę na złamanie karku.

– A co ty tu jeszcze robisz? – pytam.

– Szukałam cię, w niusrumie powiedzieli, że dopiero co spłynąłeś. Dobrze, że cię złapałam. Jest sprawa – dobiega do mnie lekko zdyszana i rozciąga usta w przymilnym uśmiechu.

– Jaka sprawa?

– Jesteś bardzo zajęty w niedzielę?

– Dlaczego?

– Promocja ustawia sesję dla prasy, ale nie mogli się do ciebie dodzwonić.

– Jaką sesję? – pytam, spoglądając na nią czujniejszym okiem.

– Chodź na pięć minut, oni jeszcze wszyscy siedzą.

– Aga, jestem umówiony.

– No, pięć minut! – łapie mnie za łokieć. – To ważne.

Ciągnie mnie za sobą do schodów. Wdrapujemy się na pierwsze piętro, na którym ostatni raz byłem grubo ponad rok temu. Aga przykłada kartę magnetyczną do czytnika i otwiera przeszklone drzwi do działu promocji i reklamy. Rzeczywiście wszyscy jeszcze siedzą w pracy, ruch taki, jakby ktoś wpuścił lisa do kurnika. Agnieszka holuje mnie za sobą do gabinetu za openspejsem.

– Pawełek! – wykrzykuje radośnie Kinga, szefowa PR. – Cudownie! Boże, jak ty wspaniale wyglądasz. Jesteś coraz przystojniejszy, jak ty to robisz?

– Próbuję się starzeć z godnością – oznajmiam cierpko. – O co chodzi?

– Siadaj, proszę! – chwyta mnie za ramię żelaznym uchwytem i popycha w stronę kanapy pokrytej czerwoną imitacją skóry, a potem mówi do jednej z dziewczyn: – Gdzie jest Patryk? Zawołaj go!

Dlaczego one wszystkie ubrane są na beżowo? Standard czy co?

– Dzwoniłam do ciebie tysiąc razy!

Dzwoniła pięć razy, a ja oczywiście nie odbierałem, bo nigdy nie odbieram telefonów z promocji i reklamy. Nie żeby często się zdarzały, ale jeśli już, za każdym razem okazują się jednym wielkim zawracaniem dupy, z którego ostatecznie i tak nic nie wynika. Zresztą od dwóch dni mój afjon jest praktycznie cały czas wyciszony, bo ciągle bombardują mnie telefonami podcirdupy.

– Napijesz się czegoś?

– Nie, dzięki. Spieszę się.

– Kawy, herbaty zielonej? A może, wiesz... – porusza znacząco brwiami.

– Nie, wiesza też się nie napiję – kręcę głową. – O co chodzi?

– No, więc... – zaczyna, ale w tym momencie w drzwiach staje jakiś chudy chłopak, którego wcześniej nie widziałem.

Ten przynajmniej nie jest ubrany na beżowo.

– Patryk! – woła Kinga. – To jest Paweł. Siadaj.

Facet podchodzi do mnie i nonszalanckim ruchem wyciąga z kieszeni marynarki wizytówkę.

– Patryk – mówi, podając mi kartonik.

Trzyma wizytówkę między wskazującym i środkowym palcem jak papierosa. Odruchowo po nią sięgam. Projekt menedżer.

– Koncepcja jest taka... – zaczyna Patryk, siadając obok mnie na kanapie i zakładając nogę na nogę. – À la Bond.

– À la Bond? – odkładam wizytówkę na szklany stolik.

– Tak. Świetny lokal jest, na Mińskiej. Ciemna przestrzeń. Punktowe światło. Domin załatwia czarne garniaki, jutro będą do przymiarki. Złote rewolwery, weźmiemy je od kinkietów Starcka, nikt się nie połapie...

– Kurde – potrząsam głową. – Nie nadążam. O co chodzi konkretnie?

– Potrzebna jest sesja fotograficzna do preskitów i do reklam – oświadcza Kinga. – Myślałam, że wiesz. Przecież ci się nagrałam.

– Nie odsłuchuję poczty – mamroczę. – Jaka sesja?

– No, fotograficzna. Formuła niusów się zmieniła, przygotowujemy info.

– Jak się zmieniła?

– Halo! Przecież prowadzicie teraz we dwóch. Ty i Sebastian. Dostaliśmy budżet na promocję. Całkiem sensowny budżet.

– Poczekaj – próbuję zebrać myśli. – Chcecie reklamować nasze niusy?

– Oczywiście!

– W prasie?

– W prasie i na sitilajtach. Próbujemy też dogadać bilbordy, ale jest kłopot z terminami.

– Chcecie reklamować poranny serwis informacyjny na przystankach autobusowych i na bilbordach?!

– Tak. W końcu te niusy to filar naszej stacji.

– Od kiedy?! – wołam i dodaję szybko: – Nie, nie musisz odpowiadać. Wiem.

– Ekipa jest już ustawiona na niedzielę o dwunastej, żebyście się mogli obaj porządnie wyspać. Doskonała koncepcja. W klimacie „Bonda". Filmów, rozumiesz. Czy może raczej teledysków z „Bonda". Jeszcze nie mamy stu procent pewności, co do sloganu...

– Sloganu? – pytam słabym głosem.

– Oczywiście – kiwa głową Patryk. – Slogan jest szalenie istotny. Jest kilka propozycji trawestacji tytułów, badamy respons.

– Jakich tytułów?

– No, „Bondów" – wyjaśnia Kinga i sięga po jeden z komputerowych wydruków leżących na jej biurku. – Mamy... Tak. Czekaj, zacznijmy od góry. „Tylko dla waszych oczu". Potem: „Żyj i pozwól się informować". To głupie akurat, raczej odpada. „Świat to za mało". Niezłe. „Jutro nie umiera nigdy". Mniej mi się podoba. „Informacje nadejdą jutro"? Słabe. „Licencja na informowanie". „Informacje są wieczne"... No, jeszcze myślimy.

– „Informacje są wieczne"... – powtarzam ze zbaraniałą miną. – I my mamy być na zdjęciach ze złotymi pistoletami? W czarnych garniturach?

– Tak. Rozumiesz, nie? Genialny skrót! – zapala się Patryk. – Dwaj agenci wywiadu, którzy ramię w ramię walczą o pozyskanie najlepszych wiadomości dla naszych widzów.

– Ramię w ramię...

– Myśleliśmy jeszcze o czymś w rodzaju pojedynku – ostrożnie dodaje Kinga. – Rozumiesz, dwóch agentów z dwóch różnych wywiadów, którzy walczą ze sobą o zdobycie jednej... informacji. Coś jak w tym starym klipie Madonny, pamiętasz?

– Pamiętam. Torturowali ją w nim.

– No, właśnie o tym mówię!

Upewniam się, czy nie żartują, ale najwyraźniej nie. I Kinga, i Patryk wpatrują się we mnie tępym, rozradowanym wzrokiem. Agnieszka patrzy w podłogę.

– Nie zgadzam się – mówię.

– Co? – Kinga wytrzeszcza oczy.

– Nie możesz się nie zgodzić – odzywa się Aga. – Podpisałeś kontrakt. Masz obowiązek brania udziału w reklamach i udzielania wizerunku w materiałach promujących stację.

– Nie ma mowy! – wykrzykuję i zrywam się z kanapy. – Chyba wam na mózgi padło.

– Będziesz mógł zatrzymać garnitur. A wiesz... – Kinga robi porozumiewawczą minę – ...będą od Armaniego.

– Nie wezmę w tym udziału – oświadczam, cedząc słowa przez zęby. – Odmawiam.

Odwracam się na pięcie i wychodzę z pokoju.

– Przemyśl sprawę, na pewno zmienisz zdanie! – woła za mną Kinga. – Sesja zaczyna się o dwunastej, nie spóźnij się. Nawet nie zdajesz sobie sprawy, jak trudno się było dobić do tych fotografów! I oni biorą od godziny!

III

– Nie widzę ich – szepczę do Sebastiana, starając się nie otwierać ust.

– I o to chodzi – odpowiada Sebastian, nie przestając się uśmiechać ani na ułamek sekundy. – To nie są jakieś byle obszczymurki, ale zawodowi paparazzi.

Puszcza moją rękę i obejmuje mnie w talii, gdy wchodzimy na ruchome schody i spływamy nimi na niższy poziom galerii handlowej.

Oblecieliśmy już całą górę z restauracjami, kupiliśmy bilety do kina – nawet nie jestem pewna do końca, na jaki film. Zjedliśmy sałatkę z tofu, jedną na nas dwoje, słabo sobie radzę z pałeczkami, a poza tym bałam się, że popsuję sobie makijaż, więc właściwie tylko udawałam, że jem. Do seansu została jeszcze godzina.

– Gdzie teraz? – pytam.

– Najpierw szmaty, a potem biżuteria.

– Jaka biżuteria?!

– Normalna. Uśmiechaj się – rzuca przez zęby. – Widzisz, jak się gapią?

Owszem, gapią się. Wyglądam, jakbym urwała się z planu francuskiego filmu porno, a Sebastian przypomina modela z reklamy luksusowych zegarków. Nic dziwnego, że się ludzie gapią, sama bym się gapiła.

Docieramy na niższy poziom, idziemy wolnym krokiem wzdłuż przeszklonych witryn. Udaję, że coś zainteresowało mnie na wystawie, przeglądam się w szybie.

Mam bardzo dużo włosów, dwa razy więcej niż w rzeczywistości. Część to dopinki i jakaś dziwaczna, powiększająca objętość fryzury pianka. Salon fryzjerski też polecił mi Dominik. Makijaż, który zrobili mi tam do kompletu z lwią grzywą, bardziej przypomina charakteryzację. Różne elementy mojej twarzy są namalowane tam, gdzie nie ma ich naprawdę. Mam wyżej umiejscowione usta i szerzej rozstawione oczy. To taki mejkap, po którym każdy od razu dochodzi do wniosku, że kobieta jest piękna

– jeszcze zanim się jej przyjrzy. Wyglądam młodo, a zarazem staro. Twarz poza wiekiem. Manekin.

– Wesracze – Sebastian popycha mnie w stronę wejścia do sklepu.

Oglądamy ubrania, ukradkiem zerkam przez szybę na korytarz centrum. Nie widzę ani jednego fotografa. Twierdzi, że załatwił sprawę z dwoma portalami plotkarskimi i jednym brukowcem, ale może to nieprawda? Może po prostu bawi go sam happening w publicznym miejscu albo robienie ze mnie idiotki...

– O, maleńka! – wykrzykuje Sebastian i sięga po jakąś apaszkę. – W tym będzie ci świetnie!

Zarzuca mi szmatę na szyję, uśmiecham się posłusznie. Ciągnie mnie do lustra, owija apaszkę wokół mojego karku, poluzowuje, przekłada, wiąże, rozwiązuje. Skacze dookoła jak małpa.

– Wystarczy – mówi wreszcie szeptem i głośno dodaje: – Poprosimy to!

– Ale to nie moje kolory – szepczę.

– Dominik później zwróci, mamy uzgodnione – syczy mi do ucha.

Wyjmuje z portfela kartę kredytową i ostentacyjnie podaje ekspedientce.

– Proszę zapakować w większą reklamówkę – poleca.

Wychodzimy na korytarz, Sebastian niesie papierową torbę z logo Versace tak, aby było dobrze widoczne. Obchodzimy pół piętra, zawracamy i docieramy do luksusowego butiku z gadżetami, z których najtańszy kosztuje pięćset złotych.

– Ten wisiorek Cartiera chcielibyśmy zobaczyć – Sebastian kiwa ręką w stronę wystawy.

Przymierzam naszyjnik, trwa to jeszcze dłużej niż mierzenie apaszki. Dwa kółka na cienkim łańcuszku, to nawet nie złoto. Trzy tysiące. Sebastian płaci kartą. Wychodzimy z zakupami – on niesie torbę Versace, ja mniejszą, czerwoną, z logo Cartiera.

– Pocałuj mnie – mówi półgłosem.

– Tutaj?

– Oczywiście, że tutaj! A gdzie? Że niby mi dziękujesz.

Przystajemy na samym środku korytarza, całuję go w policzek.

– Wolniej – syczy.

Przed wejściem do kina kupujemy popcorn i wodę mineralną. Wchodzimy do sali, zajmujemy miejsca. Sebastian obejmuje mnie ramieniem. Nie jem popcornu, bo boję się o błyszczyk.

Gdy kończą się reklamy i zaczyna film, Sebastian nachyla się do mnie i szepcze:

– Spadamy.

– Ale dopiero się zaczęło – odszeptuję.

– Mamy chyba lepsze rzeczy do robienia niż siedzenie z plebsem i oglądanie pierdół. Chodź.

Po pięciu minutach siedzimy już w jego samochodzie. Teraz rozumiem, dlaczego zaparkował na dachu – najbliżej stąd do kina, mogliśmy wyjść bez potrzeby kolejnego przemarszu korytarzami galerii.

– Łoł! – zapiewa Sebastian. – To było dobre! Jeszcze nie ma siódmej, zdążą nas dać do sobotniego wydania.

– Czuję się jak kretynka – mówię.

– Nie szkodzi, nie widać. Wyglądasz świetnie – poklepuje mnie po ramieniu. – No, to teraz przed nami jeszcze przyjemniejsza część wieczoru.

– Czyli?

– Czyli jedziemy do mnie – błyska zębami w szerokim uśmiechu i przekręca kluczyk w stacyjce.

IV

Idzie mecz :-(nie ma miejsc

Esemes przychodzi w chwili, gdy wyjeżdżam z parkingu. Już powinienem być na Poznańskiej, za dwie siódma.

Przystaję na moment pod Sheratonem i klikam szybko.

Co robimy?

Ruszam. Odpisuje, gdy objeżdżam plac Trzech Krzyży i skręcam w Mokotowską.

Może mnie zgarniesz? Sylt?

5 min

Wysyłam i skręcam z Mokotowskiej w Wilczą.

Umówiliśmy się z Wojtkiem w Tortilla Factory o siódmej. Kiedy zaproponował, żebyśmy wyskoczyli gdzieś razem, nawet odetchnąłem z ulgą. Z jednej strony nie mogę się doczekać, żeby być z nim sam na sam. Ale z drugiej – trochę się tego boję, szczególnie gdy wzwód mi słabnie. Szczerze mówiąc, takich momentów jest mało od trzech dni. Mam niemal permanentny wzwód. Podejrzewam, że teraz – dzięki Kindze, Agnieszce i Patrykowi – prędko nie wróci.

„Informacje nadejdą jutro". Nie ma mowy, żebym wziął udział w tej sesji zdjęciowej. Jakim cudem wpakowałem się w tę zasraną farsę? No, sam się nie wpakowałem...

Wojtek czeka na mnie na rogu Wilczej i Poznańskiej. Macha mi na powitanie obiema rękami i podskakuje na chodniku. Uśmiecham się mimowolnie, odblokowuję zamki.

– Z próżności do wieczności – rzuca, zapinając pas bezpieczeństwa.

– To znaczy?

– To znaczy, że jak ostatni idiota założyłem tylko T-shirt i cienką bluzę, żeby ci się wydać bardziej maczoseksi – śmieje się. – A piździ jak cholera, przewiało mnie na wylot.

– Zaraz się rozgrzejesz – mówię i podkręcam ogrzewanie.

– Już mi ciepło – oświadcza.

Wyciąga rękę i kładzie dłoń na moim udzie. Nie spodziewałem się tego, odruchowo wierzgam nogą i wciskam gaz, silnik wyje.

– Jeśli ci przeszkadza... – zaczyna, ale mówię szybko:

– Wręcz przeciwnie.

– Słit – stwierdza i przesuwa dłoń po mojej nodze.

Natychmiast dostaję wzwodu. Agnieszka, Kinga, Patryk, „Żyj i pozwól się informować" ulatują w pustkę niczym wypełnione helem balony.

– W porządku? – pyta Wojtek.

– Teraz już tak. Dokąd jedziemy?

– Może do Syltu? Pisałem ci.

– Nie znam tej knajpy.

– Naprawdę? O, jest zajebista! Rozdziewiczysz ją w takim razie.

Robi mi się gorąco, poprawiam się na siedzeniu. Założyłem slipy zamiast tradycyjnych luźnych bokserek, mam kutasa w nogawce, co przy maksymalnej erekcji okazuje się cholernie niewygodne.

– Jedź do Woronicza – mówi Wojtek. – Sylt jest przy Etiudy Rewolucyjnej.

Natalia, koleżanka Małgosi, mieszka przy tej ulicy. Ale wszystko mi jedno.

– A przedtem nie było? – pyta po chwili.

Jego ręka jest gorąca.

– Co nie było?

– No, w porządku. U ciebie.

– Nie bardzo.

– W domu czy w pracy?

– I jedno, i drugie.

– No, tak.

Ciekawe, czy wie o całej aferze. Może wiedzieć. Zerkam na niego. Ma zabawny nos, trochę zadarty. Wpatruje się w drogę przed nami, uśmiecha lekko. Nagle ogarnia mnie taka fala tkliwej czułości, że niemal brak mi tchu i oczy mi wilgotnieją.

– Cieszę się – mówię.

– Ja też – Wojtek przesuwa dłoń wyżej.

V

– Pijesz coś? Jesz? – Sebastian zdejmuje marynarkę i starannie wiesza ją na oparciu krzesła.

Mieszkanie jest niezbyt duże, choć w świetnym punkcie – przy parku, blisko Mariensztatu, w nowym apartamentowcu. Ciekawe, czy je kupił, czy tylko wynajmuje.

– Za momencik. Muszę iść do łazienki. Gdzie jest?

– Tam – macha ręką w stronę wąskich drzwi z czerwonego szkła. – Łazienka, bo kibel jest po drugiej stronie.

– Łazienka.

Zamykam za sobą szklane drzwi, staję przed lustrem. Czy też raczej – przed lustrami. Ich tafle wmurowano we wszystkie wyłożone czarnym marmurem ściany. Widzę siebie z przodu, z boku i z tyłu. Spoglądam na sufit – kolejne lustro. Jestem trollem z wielką głową. Nigdy nie patrzyłam na siebie z takiej perspektywy.

Wzdycham, wyjmuję z torby normalne majtki i stanik, a potem rozpinam gorset sukienki. Zdejmuję rajstopy, ściągam gumowe majty i odpinam zatrzaski sztywnego biustonosza. Co za ulga! Na mojej skórze pozostają po nim czerwone, głęboko odciśnięte pręgi. Piersi wydają się szare, pokryte wyraźną siecią krętych, błękitnawofioletowych żył. Gdybym pochodziła w tym czymś przez cały dzień, pewnie dostałabym martwicy.

Kładę ręcznik na podłodze i podmywam się na wszelki wypadek, bo choć brałam dziś prysznic dwa razy, to jednak nie wierzę, że – o czym mnie zapewniano – skóra oddycha w tej teflonowej skorupie.

Zakładam sukienkę, która teraz okazuje się nieco obwisła na piersiach, myję ręce i smaruję je kremem. Chciałabym rozczesać włosy, ale nie da się tego zrobić. Najpierw trzeba poodpinać treski. Wpycham galoty, stanik i krem do torby, jeszcze raz myję ręce. Ponownie wyjmuję krem. Jestem zdenerwowana. I padam z nóg.

– Wszystko okej? – woła Sebastian z salonu.

– Tak. Już idę!

Mam na ustach tyle błyszczyku, że jeśli będzie mnie chciał pocałować, przyklei się jak mucha do papierowej pułapki. Sięgam po jeden z klineksów sterczących z chromowanej kasety. Chusteczka jest wyjątkowo podłej jakości, drze się na strzępy. Wyglądam, jakbym została obtoczona w pierzu, no, przynajmniej moje usta. Próbuję umyć je wodą, błyszczyk się rozmazuje.

– Anka, co tak długo?

– Zaraz!

Wreszcie jakoś doprowadzam się do porządku. Wargi wydają się teraz blade i wąskie. Maleńkie w porównaniu z resztą twarzy. Obwiedzione czarnym cieniem wielkie oczy, trójkątny pyszczek i maleńkie, nieistniejące prawie usteczka. Czarodziejka z księżyca. Gosia uwielbiała kiedyś tę japońską kreskówkę.

Trzeci raz myję ręce, wycieram i smaruję je kremem. W torebce na pewno poza błyszczykiem mam szminkę. Wyjmuję gacie i stanik, szukam złotego etui. Jest. Maluję usta, teraz jest trochę lepiej. Chowam wszystko. Myję ręce... Orientuję się, że znowu to robię, dopiero wtedy, gdy trzymam już w dłoni mydło. Zła na siebie wycieram ręce, smaruję kremem. Basta.

Prostuję się przed lustrami. Dobrze wyglądam z tyłu, ta sukienka jest naprawdę świetnie skrojona – nawet bez gumowej zbroi pod spodem mam w niej świetną figurę.

Nabieram powietrza i wychodzę z łazienki.

Sebastian siedzi przed laptopem w salonie. Przegląda najnowsze posty na jakimś plotkarskim portalu. Przebrał się, czy też raczej rozebrał – ma na sobie tylko dżinsy.

– No, nareszcie – mówi, oglądając się przez ramię.

Wstaje, pochodzi do blatu wyspy kuchennej i podaje mi jeden ze stojących na nim kieliszków z czerwonym winem. Półnagi jest jeszcze bardziej atrakcyjny niż w ubraniu – to nieczęste w przypadku mężczyzn. Zresztą w przypadku kobiet także. Ma doskonałe ciało, gładsze chyba niż moje. Jego skóra połyskuje jedwabiście. Ciekawe, jakiego balsamu używa.

Podchodzi do mnie blisko, pachnie talkiem i wodą kolońską. Mam wrażenie, jakbym całą tę scenę obserwowała z pewnego oddalenia. Jakby to był dosyć kiepski, ale sprawnie zrobiony amerykański film.

– Za nas – mówi Sebastian, unosząc kieliszek.

– Hm – mruczę.

Wino jest tanie – okruch realizmu.

Kładzie mi rękę na ramieniu, przesuwa ją w stronę szyi, potem sięga do karku, wyżej. Posykuję z bólu, bo pociąga jedną z dopinek.

– Chyba jednak coś bym zjadła – mówię.

– Mogę zrobić makaron albo tosty – drapie mnie lekko po karku, dostaję gęsiej skórki. – Albo coś zamówimy, ale to potrwa...

– Zamówmy coś – wpadam mu pospiesznie w słowo. – Padtaja, mam ochotę.

– Ale makaron mogę...

– Wolę padtaja. Z kurczakiem – całkiem zgrabnie daje mi się wywinąć spod jego ręki.

Siadam na kanapie. Po namyśle wstaję, podchodzę do okna, udaję, że wyglądam, a potem przesiadam się na fotel. O co mi chodzi? Przecież tego chciałam!

Zamawia jedzenie przez internet. Jest piątek, wszyscy coś zamawiają, będziemy pewnie czekali z...

– O, piętnaście minut – stwierdza Sebastian zadowolonym głosem. – Jedzie z Tamki, może być nawet prędzej.

VI

– Weź zupę z homara. Genialna.

Podoba mi się tutaj. Lokal nie jest zbyt duży, urządzony bez przesady – trochę marynistycznych dodatków, ale z wyczuciem. Kwadratowe stoliki z obrusami w granatową kratę, wygodne krzesła. I niewielu klientów.

– Fajnie, nie? – pyta Wojtek.

– Bardzo – kiwam głową. – Nie miałem pojęcia o tym miejscu.

– No, raczej nie przyciąga hipsterów – Wojtek mruży jedno oko. – Kaśka je znalazła jakiś czas temu.

– A jak ona... – chrząkam i ciągnę: – Co u niej?

– Bez zmian. A to już dobrze – Wojtek spogląda w kartę. – Chcesz wiedzieć, co jej jest?

– Nie wiem, czy chcesz o tym mówić.

– Nie bardzo.

– W porządku.

– Ale łatwo się domyślić, nie? Chemia nie pomogła, naświetlania też. Naprawdę miałem nadzieję, że już nie będę w życiu więcej świadkiem... Cholernie szkoda mi małej.

– Oli? A jej ojciec?

– Nie ma ojca. Ktoś oczywiście jest odpowiedzialny, ale Kaśka nie wie nawet, jak on się nazywa. Przynajmniej tak twierdzi.

– Czyli to przypadek?

– Absolutnie – kręci głową i zwraca się do kelnerki, która podchodzi do naszego stolika. – Dwa razy zupę z homara i grzanki z masłem czosnkowym i z łososiem... – zerka na mnie i dodaje po krótkim namyśle: – Albo lepiej ze zwykłym masłem. Nie czosnkowym. I piwo. Jedno bezalkoholowe, a drugie normalne. Za czosnek dziś zdecydowanie dziękujemy.

Mruga do mnie, a ja czuję, że znowu dostaję czerwonych plam na gębie. Zachowuję się jak nastolatek.

– U Kaśki nic się nie dzieje przypadkiem. Poza oczywiście tym, co teraz. Założyła sobie, że będzie miała dziecko, gdy skończy trzydzieści lat, więc je urodziła. Facet był drugorzędny. Ale dobrze go wybrała, bo Olka jest świetnym dzieciakiem.

– A ty? Też taki jesteś?

– Jaki? Świetny? – Wojtek uśmiecha się przekornie.

– O, to akurat wiem. Że tak – mówię i nawet całkiem gładko mi te słowa przychodzą. – Czy jesteś zaplanowany?

– Wręcz przeciwnie! Jestem królem chaosu. Wszystko w moim życiu dzieje się przypadkiem. Ale niektóre z tych przypadków okazują się całkiem trafione. Aż by się chciało zawołać: bingo!

– Tak? A które przypadki? – pytam z cielęcym uśmiechem.

Sam siebie nie poznaję. W życiu nie sądziłem, że mógłbym sprowokować równie infantylną wymianę zdań. I nigdy nie podejrzewałem, że mogłaby być ona tak przyjemna.

– A takie na przykład – Wojtek wyciąga pod stolikiem nogi i zaciska moją łydkę między swoimi.

Wzdycham wbrew sobie i czuję, że moje policzki stają się jeszcze cieplejsze.

– Uwielbiam te twoje rumieńce – stwierdza Wojtek. – Naprawdę najsłodsza rzecz, jaką kiedykolwiek widziałem.

– Nie wiem, skąd mi się to wzięło – z zażenowaniem skłaniam głowę. – Nigdy wcześniej nie miałem... To jest, nie dostawałem takich wypieków.

Kelnerka stawia przed nami szklanki z piwem.

– A czy ty... – dalej wpatruję się w granatowo-biały obrus. – Czy chciałbyś wiedzieć coś o mnie?

– Bardzo. I myślę, że się dowiem. Nie musimy opowiadać sobie historii swojego życia zaraz na dzień dobry. Chyba że tego potrzebujesz?

– Nie wiem – wzruszam ramionami. – Chcę cię poznać.

Bliżej.

– Poznasz – Wojtek ponownie przyciska łydkę do mojej nogi.

VII

To było najszybciej dowiezione zamówienie w moim życiu. Nie minęło nawet dziesięć minut, nim rozległ się dzwonek domofonu. A ja wcale nie jestem głodna.

– Już? – pyta Sebastian, kiedy odkładam pałeczki obok pudełka z padtajem.

– Na razie – mówię. – Ale za chwilę dokończę.

– W porzo.

Odsuwa stolik, nawet się nie zorientowałam, że ta ława ma kółka. Opuszcza się z kanapy na dywan i na kolanach wolno zbliża się do mojego fotela. To nienaturalne, że jest taki przystojny. Niczym zrobiony w fotoszopie.

– Napiłabym się jeszcze wina.

– Napijesz się – kładzie dłonie na moich kolanach, wsuwa je pod sukienkę.

Wzdycham i głębiej wbijam się w fotel. Pochyla się nade mną, przyciska twarz do mojego brzucha.

– To twoje mieszkanie czy wynajęte? – pytam.

– Ładnie pachniesz...

Jego palce przesuwają się wyżej, sprawdza, czy mam na sobie rajstopy czy pończochy. Powinnam była założyć pończochy, nie pomyślałam o tym.

Podczołguje się bliżej, rozchyla moje kolana i wtula twarz w moje piersi. Ciekawe, czy te czerwone pręgi już zniknęły? Jego oddech parzy mnie przez sukienkę.

– Nie zasłaniasz okien? – pytam. – Nie chodzi mi, że teraz, ale w ogóle?

– Nie – próbuje ustami rozpiąć jeden z guzików przy moim dekolcie.

Nie ma mowy, żeby mu się udało – myślę. Bardzo szybko przekonuję się, że jednak byłam w błędzie. Muska czubkiem języka moją skórę.

– A nie przeszkadza ci to... O Jezusie... Nie przeszkadza ci... – jąkam się, bo zaczyna mi brakować tchu.

– Przeszkadza mi ta sukienka.

– ...że cię widzą?

– Kto ma mnie widzieć?

Opiera łokcie na bokach fotela i rozpina szybko pozostałe guziki.

– No, ktokolwiek. Przez okno. Ktoś może cię obserwować. Podglądać.

– Jeżeli ktoś to robi, to powinniśmy się postarać, żeby nie marnował czasu.

Rozchyla górę sukienki i uważnie ogląda moje odsłonięte piersi.

– Zawsze mnie zdumiewają – mruczy. – Jak coś tak praktycznego może być jednocześnie równie piękne? To dopiero perły dizajnu.

– Praktycznego? – pytam słabnącym głosem.

– No a nie? Przecież to przede wszystkim dwa podajniki żywnościowe. Dwa prześliczne, najcudowniejsze dystrybutorki... – próbuje wcisnąć język pod brzeg mojego stanika.

– Poczekaj...

– To wszystko jest genialnym połączeniem funkcji i formy. I one... – całuje moje piersi, a potem szybkim, miękkim ruchem wsuwa rękę między moje uda – ...i ona. Arcydzieło sztuki. Nic, co stworzy kiedykolwiek człowiek, nie będzie się mogło z nią równać.

Opiera płasko dłoń na moim kroczu i poklepuje je lekko. Wyrywa mi się cichy jęk, moje nogi podrygują w skurczu, buty uderzają w podłogę.

– Zaraz się jej dokładnie przyjrzymy – Sebastian uśmiecha się nieco obleśnie. – Tylko pozbędziemy się tych okropnych, ciasnych...

– Poczekaj!

Wpycha rękę wyżej, chwyta gumkę od rajstop i usiłuje je ze mnie ściągnąć, ale to bardzo drogie rajstopy, naprawdę niezłej jakości, trzymają się na mur... A ja właśnie tego chciałam. Tak mi się wydawało. I mogę to mieć. Już teraz, za moment.

Ale wtedy tam, na balkonie zaciemnionej widowni, byłam pijana i niczego nie planowałam. A teraz, tutaj, to działanie z premedytacją. Ustawione, uzgodnione jak transakcja zakupu krowy na targu albo wybór nowego abonamentu w sieci komórkowej. Zdrada to takie głupie, naciągane, wręcz abstrakcyjne słowo. Postępek, którego się nie spodziewa ktoś, kto darzy cię zaufaniem – przyjaciel, mąż, żona, generał, rząd. Paweł mi ufa, jestem jego żoną. Nie umiem zdradzić go z rozmysłem! Nawet jeśli zostałam obwołana jedną z głównych puszczalskich żon w tym kraju – do tej pory nic nie zrobiłam. Ale jeśli teraz pozwolę Sebastianowi na to, na co ma ochotę, i na co – chyba – mam ochotę i ja, to już nie będzie ani komedia, którą mogę zbyć wzruszeniem ramion, ani gierka, którą prowadzę w pewnym celu, na własnych warunkach. Będę kochanką Sebastiana, zdradzę Pawła. Wszystko, co będą wypisywali na mój temat (*to dopiero przedsmak tego, co cię czeka*), będzie prawdą!

A zdradzając go, dam mu prawo do odwetu.

– Nie mogę – mówię głośno i próbuję odepchnąć Sebastiana. – Nie mogę iść z tobą do łóżka.

– Jasne – mruczy i dalej bezowocnie szarpie gumkę moich rajstop. – Kurwa, ale mocna guma. Nie chcę ci ich podrzeć...

Jak można sobie nie dać rady z gumką od rajstop?! Mój Boże! Palant przejmuje się tym, żeby mi oczko w rajstopach nie poszło!

Biorę szeroki zamach i z całej siły walę go pięścią w głowę.

– Pogięło cię?! – wykrzykuje i odskakuje ode mnie jak oparzony, chwytając się za potylicę. – Pojebana jakaś jesteś czy co?

– Jestem – oświadczam z godnością i zapinam guziki sukienki.

– Co ty odpierdalasz? – wściekłym głosem pyta Sebastian. – Wiesz, ile mnie to kosztowało?

– Wiem. Trzydzieści sześć złotych.

– Nie mówię, kurwa, o padtaju, ale o całym tym dzisiejszym popołudniu! I w ogóle o wszystkim! Chcesz to zmarnować? Wiesz, jak trudno się było z nimi dogadać?! Jutro nasze fotki będą w sieci, a ty mi wycinasz taki numer?!

– Nie mogę tego zrobić, no, weź i mnie zabij! Wszystko mi jedno! – odpowiadam podniesionym głosem, wstaję z fotela i poprawiam rajstopy.

Jednak mi je podarł, oczko leci aż do połowy uda.

– To, że mnie uważają za kurwę, mi nie przeszkadza. Dopóki nie jestem nią naprawdę i sama nie myślę o sobie w ten sposób – wyjaśniam i biorę torebkę.

Na pewno mam w niej lakier do paznokci, jak nie zabezpieczę tego oczka, poleci do kostki.

– Ty jesteś rąbnięta – Sebastian gapi się na mnie zdumiony. – Przecież to zawsze jest odwrotnie!

– W moim przypadku nie jest.

– Ale co ci szkodzi?! I tak wszyscy myślą, że dawno mi dałaś dupy na boku.

– Paweł tak nie myśli.

– Paweł jest skończony i ty dobrze o tym wiesz. Lepiej myśl o sobie.

– Właśnie o sobie teraz myślę.

Gapi się na mnie, rusza ustami bezgłośnie. Wygląda zabawnie. Choć przystojny jest nadal.

– Ania, no chodź... – próbuje jeszcze, ale bez większego przekonania.

– Nie wygłupiaj się – potrząsam głową. – Zresztą ja cię wcale aż tak bardzo nie kręcę.

– Kręcisz mnie, oczywiście, że tak!

– Myślę, że przede wszystkim kręci cię cała sytuacja. Jestem tylko jednym z elementów. Dostałeś erekcji na parkingu, zanim weszliśmy do galerii. Sam mówiłeś. I podejrzewam, że staje ci za każdym razem, gdy wchodzisz do studia w telewizji.

– A co to ma do rzeczy? – bąka pod nosem.

– Dużo – stwierdzam i siadam na brzegu ławy, a potem ostrożnie upuszczam kropelkę lakieru na koniec oczka w rajstopach.

– Naprawdę miałem nadzieję, że się wyruchamy. Chce mi się – mówi żałośnie i robi naburmuszoną minę.

Uśmiecham się wbrew sobie, a po chwili zaczynam chichotać.

– No i z czego się śmiejesz? – pyta ze złością.

– Chyba głównie z siebie – odpowiadam. – Nie rób takiej miny. To, że się, jak to ująłeś, nie wyruchamy, nie oznacza, że nie możemy dalej udawać. Na razie i tak nie mam innego pomysłu na życie, więc wyluzuj.

– Robisz to z Pawłem?

– A co cię to obchodzi? – patrzę na niego z autentycznym zdziwieniem.

– Bo ja jestem lepszy od niego.

Lakier przysycha. Zakręcam starannie buteleczkę i wrzucam ją do torebki, a potem zamawiam taksówkę.

– Jesteś tylko młodszy – mówię. – A Paweł ma cechy, których ty nigdy nie będziesz miał.

– Tak? Ciekawe jakie? Nie widziałaś nawet mojego donga!

– Donga?! – wytrzeszczam oczy. – Dobra, darujmy sobie. Zejdę już na dół. Powinna przyjechać za siedem minut.

Opiera się pośladkami o brzeg wyspy kuchennej, zakłada ręce na piersi. Dlaczego się uparł, żeby być dziennikarzem? Powinien być modelem.

– Nie rób takiej miny, dzieciaku – mówię do niego pocieszająco. – Nic się nie zmieniło. Dalej robimy za parę, a ja dalej udaję niewierną żonę.

– Tak, ale ja nie... To już nie jest... – próbuje wyłuszczyć myśl, jednak brakuje mu słów, więc zaciska usta.

– Ale ty już nie kontrolujesz sytuacji – kiwam głową i uśmiecham się do niego. – Nie przejmuj się, jeszcze nieraz w życiu będziesz w takiej sytuacji. Dziękuję za kolację.

Całuję go lekko w smagły, gładki policzek i wychodzę.

VIII

Powietrze jest mroźne, przy każdym oddechu z moich ust ulatuje kłąb pary.

– Zmarzniesz – mówię, ruszając szybko w stronę auta.

Odpalam silnik, włączam podgrzewanie foteli.

– Nie przejmuj się tak – śmieje się Wojtek, ostrożnie ustawiając reklamówkę z jedzeniem na wynos między swoimi stopami. – Ja jestem już duży facet.

– Chyba nie umiem – uśmiecham się także i wyprowadzam auto z parkingu.

– Jak było w Katowicach? – pytam, skręcając w Racławicką. – Pisałeś, że jedziesz.

– A, no tak. W porządku. Musiałem przekazać klientce wszystkie papiery. Kaśka prowadziła jej sprawy od kilku lat, sporo się tego nazbierało. Cała walizka. Przykre to było, one się przyjaźnią... Nieważne. Wejdziesz na górę?

Chyba ustawiłem zbyt wysoką temperaturę w aucie, bo robi mi się nagle gorąco.

– Jeśli nie będę przeszkadzał – bąkam.

– Oj, będziesz okropnie przeszkadzał. Nie mogę się doczekać, aż zaczniesz przeszkadzać – stwierdza i znowu kładzie rękę na moim udzie.

Całuje mnie w windzie, gdy tylko zamykają się drzwi. Przyciska do lustra, nogi miękną pode mną, jakby były z waty. Smakuje tytoniem – wypaliliśmy po jednym papierosie, zanim weszliśmy do budynku.

– O, szit – odsuwa się pospiesznie. – Tu jest kamera. Przepraszam.

– Kamera? – zerkam pod sufit prosto w mały, czarny obiektyw. – No to co?

– No, przecież pokazujesz się w telewizji. Mogą cię poznać – tłumaczy zmieszany.

Wzruszam ramionami i przyciągam go do siebie.

– Po pierwsze, nie wierzę, żeby ktoś w ogóle oglądał te nagrania, a po dwóch tygodniach i tak kasują się automatycznie. Poza tym wszystko mi... – całuję go znowu, winda zatrzymuje się miękko i drzwi się rozsuwają.

Ma zimny nos. Delikatnie dotykam koniuszkiem jego języka, chwytam go w usta i wsysam w siebie. Drzwi się zamykają.

– Idziemy – Wojtek odsuwa się z westchnieniem. – Genialnie całujesz. Nie mam pojęcia, dlaczego tak jest, ale faceci, którzy zadają się z kobietami, całują o niebo lepiej niż zadeklarowani geje.

– Lepiej? W jakim sensie? – pytam.

– Delikatniej. Czulej – wyjaśnia i dodaje: – Nie żebym miał Bóg wie jakie doświadczenie, oczywiście. Nie myśl sobie.

Kaśka akurat wychodzi z łazienki, gdy stajemy na progu mieszkania. Ma na sobie szlafrok i wysoko spiętrzony turban z ręcznika na głowie.

– No i znowu tu jesteś – puszcza do mnie oko. – Wszędzie cię teraz pełno.

– Słucham?

– Najpierw cię widzę rano w telewizorze, potem w gazecie, a wieczorem w przedpokoju. Dziwne wrażenie.

– W gazecie?

– W jakimś tam szmatławcu, nieważne. Jedliście kolację?

– Tak, byliśmy w Sylcie.

– O, dżizas... – wzdycha z tęskną miną. – Jak ja chciałabym się wybrać do Syltu...

– Nie musisz – Wojtek podaje jej reklamówkę. – Sylt przyszedł do ciebie.

– Ogłaszam cię bratem roku – śmieje się Kaśka. – Ale wstaw to do lodówki, dobrze? Zjem jutro. Dziś trochę nie bardzo... Nie mam specjalnie apetytu. Idę się położyć.

– Jest dopiero po ósmej... – Wojtek przygląda się jej z uwagą. – Wszystko okej?

– Okej, okej – macha ręką. – Zajrzyj do małej, nie mogła się ciebie doczekać.

– Chodź, poznasz ją – Wojtek kiwa na mnie ręką. – Wypytywała o ciebie.

– O mnie? – przerażam się lekko.

– Pytała o nowego chłopaka wujcia – Wojtek mruga do mnie porozumiewawczo. – Domyślam się, że chodziło o ciebie, bo nikt inny nie przychodzi mi do głowy.

Nowy chłopak wujcia.

– Ona wie? – bąkam z zakłopotaną miną.

– Oczywiście, że wie – wzrusza ramionami Kaśka. – Czemu ma nie wiedzieć? Zresztą odkąd skończyła roczek, regularnie im ją podrzucałam, robili za bejbisiterów. Przyzwyczaiła się.

– Oni?

– No, Wojtek i Bartek... – Kaśka urywa, bo Wojtek odchrząkuje głośno.

– Bartek? – pytam.

– Bartek to mój eks – wyjaśnia Wojtek. – Nie rozmawialiśmy o tym jeszcze. Dzięki, siostra.

– Nie ma za co – uśmiecha się Kaśka. – Zresztą nie ma się czego wstydzić, sama chciałabym znaleźć faceta, z którym udałoby mi się wytrzymać piętnaście lat.

– Byliście ze sobą piętnaście lat? – pytam. – Z tym Bartkiem?

– Kasia, idź ty się połóż – wzdycha Wojtek.

– Oj, nie złość się. Twoje mroczne tajemnice i tak prędzej czy później muszą wyjść na jaw – Kaśka całuje go lekko w policzek. – No idźcie do niej, bo już powinna spać. Cześć.

Zerka na mnie, przygląda mi się przez moment z uwagą, a potem cmoka także i w mój policzek.

– Chyba zdałeś – śmieje się cicho Wojtek.

– Co zdałem?

– Test na szwagra – mruga okiem. – Ona się mną trochę przejmuje, jest starsza. Wiesz, jak to jest z rodzeństwem.

– Nie bardzo. Nie mam... – urywam i dodaję po krótkiej chwili: – Wychowałem się w pojedynkę.

– Oj, beznadzieja! Fajnie mieć kogoś – Wojtek puka do drzwi obok łazienki i mówi szeptem: – Zawsze pamiętaj, żeby pukać. Trzeba być „kurturalnym".

– Proszę!

Pokój jest zupełnie inny od tego, jaki miała Małgosia w wieku ośmiu, czy dziewięciu lat. Wszystko jest tu żółte, a moja córka przechodziła wtedy ostrą fazę różu, która trwała zresztą ekstremalnie długo w jej przypadku, bo prawie pięć lat.

– Cześć ci, Brunhildo – Wojtek udaje, że salutuje, i podchodzi do łóżka, w którym leży dziewczynka. – Stawiam się na rozkaz.

– Jest strasznie późno – oświadcza Ola z naganą w głosie. – Nie mogłam się doczekać. Mam superksiążkę.

Pokazuje jakąś powieść – całkiem solidną lekturę dla dzieciaka w jej wieku.

– Pożyczę ci, jak skończę – oznajmia. – Jest całkiem fajna, chociaż o biednych ludziach. Nie mają nawet komórek.

– O! – Wojtek przechyla głowę i próbuje odczytać tytuł. – Oj! Mama wie, że to czytasz?

– To książka mamy – mówi Ola.

– Ale to nie jest odpowiedź na moje pytanie.

– Niegrzecznie jest zadawać zbyt wiele pytań – wyniośle odpowiada dziewczynka, błyskawicznie chowa książkę pod kołdrą i zerka na mnie: – To on?

– Tak. To Paweł.

– Ładniejszy do Bartka – orzeka, dokładnie mi się przyjrzawszy.

– Olka!

– No co? A nie? Ile masz lat?

– Ola!

– Czterdzieści dwa – odpowiadam.

– Matko jedyna! Strasznie dużo! No ale co poradzisz, nie? – kręci głową i wzdycha ze smutną miną.

– Owszem – zaczynam się śmiać.

– Śpij. Zanim do reszty skompromitujesz całą naszą rodzinę – Wojtek całuje ją w czoło.

– Dobra, zaraz. Następnym razem przyjdźcie wcześniej, bo jak my się mamy poznać w końcu? – mówi Ola.

Wychodzimy do przedpokoju.

– „Lato nagich dziewcząt" – szepcze Wojtek. – Czytałeś to?

– Chyba nie. Ale to, zdaje się, dość stara książka – odszeptuję.

– Kurde, skąd ona ją wyciągnęła? Idź do salonu, muszę powiedzieć Kaśce. Zaraz przyjdę.

Idę do dużego pokoju, po drodze zdejmuję kurtkę i wieszam ją przy lustrze. Siadam na kanapie, przesiadam się na fotel. Po namyśle wracam jednak na kanapę.

– Okej, może to czytać – mówi Wojtek, stając w progu. – Kaśka powiedziała, że to jakaś ramota i nie ma tam nic specjalnie sensacyjnego. W kółko się słyszy, że dzieci u nas mało czytają, a ta połyka powieść za powieścią, jakby chciała podnieść średnią.

– To chyba dobrze?

Małgosia niezbyt chętnie czytała, dopiero gdy poszła do liceum, zaczęła częściej sięgać po książki.

– Dobrze i niedobrze. Dwa tygodnie temu przyłapaliśmy ją, jak się zabierała za „Grona gniewu". Pewnie i tak nie dałaby rady, to jednak megacegła, a przecież jeszcze nie ma dziewięciu lat. Oświadczyła, że okładką ją zaintrygowała. Zaintrygowała, wyobrażasz sobie? Ja w jej wieku nie miałem bladego pojęcia, że takie słowo w ogóle istnieje.

Przygląda mi się z uśmiechem, a potem przygasza światła i włącza lampę z marszczonym papierowym abażurem ustawioną na podłodze obok telewizora.

– Na czym skończyliśmy? – pyta, klękając przede mną na dywanie.

Rozchyla moje kolana i przysuwa się bliżej. Opiera dłonie na moich udach.

– Na Bartku – mówię, choć przychodzi mi to z pewnym trudem.

– Aha – kiwa głową Wojtek, jednak nie zabiera rąk i nie odsuwa się ode mnie. – Co chcesz wiedzieć?

– Byłeś z facetem przez piętnaście lat?

– No, piętnaście i trochę – przesuwa dłonie wyżej, w spodniach robi mi się okropnie ciasno.

– I dlaczego już nie jesteś?

– Bo Bartek ma teraz fajniejszego faceta ode mnie.

– Zostawił cię?

– Właściwie zostawiliśmy się nawzajem – Wojtek opiera dłonie na moich biodrach, wzdycham i poprawiam się na kanapie. – Doszliśmy do wniosku, że lepiej nam będzie osobno.

– Dawno?

– Ponad rok temu – pochyla głowę i przyciska ją do mojego brzucha.

Jego oddech prawie parzy mnie przez materiał koszuli. Zaczyna mi się trochę kręcić w głowie.

– Ja, wiesz... – mówię cicho. – Wiesz, że mam...

– Wiem. Mówiłeś mi.

– Ale chodzi o to, że...

Przytula się do mnie, opiera brodę na mojej piersi i spogląda mi prosto w oczy. Mam wrażenie, że zaraz rozpłynę się niczym galaretka na słońcu.

– Chodzi o to, że... – mamroczę. – Ja nigdy nie... Ja nie wiedziałem dotąd i nigdy nie...

– Nigdy nie co? – całuje mnie delikatnie w usta, a potem w jeden policzek i w drugi.

Przymykam oczy.

– Co nigdy? – pyta szeptem.

– Nic nigdy – odszeptuję.

Przesuwa głowę, muska ustami moją szyję. Odchylam głowę z cichym jękiem, włosy jeżą mi się na karku, nieznośnie cudowne wrażenie. Dotyka językiem mojej skóry, potem przywiera do niej wargami.

– Och... – wyrywa mi się trochę za głośno.

Mam wrażenie, że kutas rozerwie mi portki. Całe szczęście, że go poprawiłem i zadarłem do góry, nim Wojtek przyszedł tu z pokoju Kaśki. Odginam biodra i czuję, jak żołądź wysuwa się spod paska spodni. Chryste, sterczy mi jak odlany z betonu.

Nagle Wojtek zastyga w bezruchu na sekundę, odchyla się i patrzy na mnie, marszcząc brwi.

– Chcesz powiedzieć, że nigdy tego nie robiłeś?

– Nic nie chcę powiedzieć – mruczę i próbuję przyciągnąć go do siebie, ale stawia opór.

– Nie bzykałeś się jeszcze z facetem? – pyta zdumionym głosem.

– Przecież ci mówiłem...

– Tego mi nie mówiłeś!

– Mówiłem ci, że mam żonę.

– O! Żonę! Wiesz, ilu znam żonatych pedałów?! Sorry za pedałów... Po prostu trudno mi uwierzyć...

– Nie wiedziałem – wyjaśniam.

– Czego nie wiedziałeś?

– Że taki jestem.

– Do kiedy?

Do czasu, aż żona mnie zerżnęła silikonowym dildo? Tego oczywiście nie powiem. Do czasu, aż pewien facio w pewnej piwnicy zaproponował mi zrobienie laski (*zero reklamacji, powaga*)? A może do czasu, nim zacząłem się dobierać do własnego brata? Czy do czasu, jak ojciec mi oświadczył, że od niemal trzydziestu lat o mnie wiedział? Do kiedy nie wiedziałem? Zawsze wiedziałem! Udało mi się tę wiedzę skutecznie zamknąć w prostokątnej bryle lodu i wysłać na moją własną wewnętrzną Antarktydę.

Patrzę na Wojtka. Na jego jasnobrązowe teraz oczy, na gęste brwi, ten zadarty nos, na którym dostrzegam kilka piegów. Na brodę z miedzianym połyskiem – w tym świetle wydaje się prawie czarna. Na potargane, kręcone włosy, na okrągłe, zabawnie odstające uszy. Boże, jak cholernie mnie do niego ciągnie! Nie tylko do jego ciała – do niego całego. Wydaje mi się, że czuję coś takiego po raz pierwszy, a zarazem pragnienie wydaje się znajome. Kacper, Sylwek, Piotrek – nie pamiętam dokładnej kolejności. *Zakochiwałeś się w każdym z nich.* Zakochuję się w Wojtku. Nic o nim nie wiem, nie znam go prawie wcale. Ale widzę... *Wiem* go – to złudna wiedza, mam na tyle dużo rozumu i rozsądku, żeby sobie z tego zdawać sprawę. Projekcja – ktoś nam się podoba, działa na nas, więc nasze mózgi wyposażają go w fałszywą osobowość równie atrakcyjną, jak atrakcyjna wydaje nam się jej powłoka. Zakochujemy się w mirażu.

– Tak naprawdę chyba do teraz – mówię, biorę jego twarz w obie dłonie i opieram swoje czoło o jego czoło.

IX

Wyrywam sobie połowę włosów przy odpinaniu tresek. Chowam je starannie do pudełka, zmywam makijaż mleczkiem (zużywam dziewięć wacików) i wchodzę pod prysznic. Stoję pod strumieniem gorącej wody. Czuję bezpieczny smutek. Bezpieczny – bo jednak tego nie zrobiłam. Smutek – bo jednak tego nie zrobiłam.

Myję włosy dwa razy. Czuję się okropnie stara. Dawno nie czułam się tak stara, podobne uczucie miałam wkrótce po przyjściu na świat Gosi. Mniej więcej między dwudziestym piątym a trzydziestym rokiem życia człowiekowi zazwyczaj zaczyna się wydawać, że wszystkiego już doświadczył. Wrażenie mija niedługo po trzydziestce, gdy znowu dociera do niego, że niczego nie rozumie i niczego nie wie.

– Jakbyś była głodna, to zamówiłam pizzę! – woła Gośka ze swojego pokoju, gdy wychodzę z łazienki. – Leży w kuchni. Prawie połowa została.

– Dzięki! – odkrzykuję. – Idę popracować!

Oczywiście nie mam zamiaru. Na samą myśl o Książce odczuwam lekkie mdłości. Niechęć? Strach? Może rodzaj tremy? Nie skończę jej. Nigdy.

Najciszej, jak umiem, wchodzę do salonu i zabieram z szafki obok telewizora butelkę martini, a potem zamykam się w gabinecie.

Wydarzenia z dzisiejszego popołudnia i wieczora stają się pomału nierzeczywiste, jakbym to nie ja brała w nich udział, a jedynie ktoś mi potem o wszystkim opowiedział. Włączam lampę na biurku, nalewam sobie martini do szklanki i podchodzę do okna.

X

Wojtek rozchyla usta, wpuszcza mój język. Wzdycha przez nos. Kładę rękę na jego karku, wplatam palce we włosy.

– To musi być jak należy – szepcze. – Jeśli to twój pierwszy raz... Musimy to zrobić jak trzeba, nie spieszmy się.

– Chcę się spieszyć – odpowiadam i wciągam go na siebie.

Wsuwam dłonie pod jego bluzę, pod T-shirt. Jego ciało jest aksamitne, zwarte. Twarde i uległe zarazem. Mam głodne dłonie.

– Paweł – szepcze Wojtek. – Poczekajmy...

– Czekałem już – usiłuję wyłuskać go z kangurki. – Dość długo.

XI

Tatusiek siada, unosi ręce. Wcale nie chciałam na nich patrzeć, nie dzisiaj, ale czuję pewien rodzaj podekscytowania. Robią to! Przecież on na kimś siedzi! Na Mamuśce? Wątpię, pewnie na tej drugiej. Co tam tak ciemno? Lornetka...

Nie ma jej za poduszką na fotelu... Zaraz, schowałam przecież do biurka. Jednym susem dopadam do niego i wyciągam szufladę. Przytomnie wyłączam lampę przy komputerze i pędzę do okna.

Tamta właśnie ściąga mu bluzę, koszulka zadziera się wysoko, odsłania brzuch i włochatą klatę. Nie rozumiem, dlaczego tacy się nie golą czy nie depilują? Paweł też ma futro, ale jakoś u niego mi nie przeszkadza, zresztą nie przypomina małpy...

Przyciskam mocniej lornetkę do oczu, przesuwam ją na sąsiednie okno. Świeci się lampka przy łóżku! Czyli Mamuśka jest! Ale może nie, może gdzieś poszła, zostawiła sobie światło na później, ja też często tak robię. Dzieciak? Przesuwam lornetkę w lewo. Świeci się wirująca lampa ledowa, na ścianach kołują blade świetliste kwiatki i gwiazdki. Dzieciak jest na pewno, śpi. Rany boskie! A ci się grzmocą za ścianą! To ma być ojciec?!

Wracam do środkowych okien.

Tatusiek, już z gołą klatą, dalej siedzi okrakiem na tym kimś... Baba prostuje się. Wielka, krótkie włosy. Obejmuje go w pasie, przytula twarz do jego klaty... Zaraz... Przecież ona ma na sobie koszulę. To facet! Tatusiek obmacuje się z facetem! Boże! Cudownie! Pedał! Chichoczę do siebie, przyciskam dłoń do ust. Ale jazda, no, mam temat! Mam wątek! Wszystko nareszcie klika, klocki wskakują na swoje miejsca, wiem, co będzie dalej! Oj, ty głupia kurwo – myślę z prymitywną, podłą satysfakcją. Myślałaś, że taka jesteś szczęściara, co? Apartament na Marinie, zgrabna dupcia, blond włoski, tresowany dzieciak i tresowany mężulek z korpo, który ci regularnie przynosi w zębach kasę, żebyś mogła kisić dupsko na kanapie całymi dniami, wpychać mu do dzioba zamawiane żarcie i gapić się w telewizor! No, to masz teraz tę swoją idyllę! Po prostu cudownie!

XII

– O, Jezu... – mruczę, wciągając jego zapach. – Po prostu cudownie...

Wojtek obejmuje mnie obiema rękami, przytula do siebie z całej siły, opiera policzek na mojej głowie. Przesuwam twarz w bok, dotykam językiem jego sutka – jest słonawy, pachnie pieprzem, ale to pewnie jakaś woda kolońska... Przygarniam go do siebie, najmocniej, jak potrafię, wciskam nos pod pachę... O, w życiu nie czułem czegoś wspanialszego...

– Paweł, mogę śmierdzieć – próbuje się odsunąć. – Pocę się przy tobie z nerwów jak świnia, w knajpie się na pewno spociłem...

– To najcudowniejszy zapach, jaki czułem w życiu – szepczę i nie pozwalam mu się odsunąć. – Mógłbym cię wydestylować i zamknąć w butelce...

– Wariat – śmieje się, a potem przechyla na bok i pociąga mnie za sobą.

Przewracamy się na kanapę, tracę równowagę i spadamy na dywan. Wojtek leży teraz pode mną. Unoszę się na łokciu i pożeram go wzrokiem. Jest znacznie bardziej owłosiony ode mnie, nie podejrzewałem czegoś takiego. W ogóle zresztą nie myślałem o tym, jak wygląda bez ubrania. Dopiero teraz uświadamiam sobie, że nigdy nie chciałem się golić – nie z lenistwa, ale dlatego, że mi się podobają włosy na brzuchu i na klacie. Z tysiąc razy w telewizji robili mi uwagi, żebym zgolił zarost przynajmniej pod kołnierzykiem, ale zawsze odmawiałem. Dopiero teraz rozumiem dlaczego... Kutas skacze mi w portkach, czuję, że moje jajka twardnieją. Kurde, jeszcze chwila, a...

– To niesprawiedliwe... – Wojtek komicznie wygina usta w podkówkę.

– Co jest niesprawiedliwe? – pytam zdławionym głosem, próbując zapanować nad rewolucją, która zaczyna się w moim podbrzuszu i poniżej.

– Że ja jestem do połowy goły, a ty ciągle masz na sobie koszulę – mówi.

Przełykam głośno ślinę, uśmiecham się i siadam na nim okrakiem, a potem zaczynam powoli rozpinać guzik za guzikiem.

XIII

Zniknęli mi z oczu. Wspinam się na palce, cholerny parapet! Przesuwam lornetkę na telewizor. Jest wyłączony, może chociaż odbicie... A skądże, nic nie widać. Patrzę znowu na...

Ten drugi facet siada. Widzę go z profilu. Spogląda w dół, uśmiecha się, rozpina guziki koszuli, a potem rozchyla ją i zsuwa z ramion. Skóra na moim ciele w ułamku sekundy zmienia się w coś, co przypomina korę brzozy. Twardnieje, kurczy się, pęka, obłazi ze mnie suchymi, spoistymi pasmami. Nie oddycham. Temperatura spada do absolutnego zera, znika grawitacja. Wiszę w kosmicznej pustce. Zaraz eksploduję, a może imploduję. Mój mózg wyłącza się jak przeciążone bezpieczniki, niemal słyszę głuche trzaski, gdy wygaszane są poszczególne sekcje. Jakbym przez tę lornetkę zajrzała w twarz Gorgony. Za chwilę obrócę się w kamień, eroduję i rozsypię się w proch. Zniknę.

Wreszcie udaje mi się nabrać tchu. Zachłystuję się powietrzem, jakbym została wyrzucona przez falę na piaszczysty brzeg, jakbym cudem uniknęła utonięcia. Lornetka skacze w moich dłoniach, obraz zmienia się w wibrujące smugi. Zaciskam palce z całej siły, próbuję dojrzeć więcej. Tatusiek też się prostuje, siada, dotyka ustami piersi mojego męża. Paweł zadziera głowę, rozchyla usta, zamyka oczy. Na policzkach ma czerwone placki, drży cały. Nigdy nie widziałam... Nie, raz widziałam takie rumieńce u niego, nie tak dawno...

To moja wina. To moja kara. Sama do tego doprowadziłam. Nie rozumiem, jak, dlaczego. Ale to przeze mnie. Wiem.

Nagle czuję takie parcie na pęcherz, że z ledwością udaje mi się zapanować nad zwieraczami. Mam ochotę krzyczeć. Wyć. Ale nie mogę, Gosia jest u siebie. Gosia! Rany boskie, co ja narobiłam?! Zagryzam dolną wargę z całej siły, tkanka ustępuje pod naciskiem, wcale nie czuję bólu. Mój dom został zmieciony z powierzchni ziemi, jakby przetoczyła się nad nim trąba powietrzna. Stoję na nagiej, kruszącej się skale. Nie mam nic, nic, nic, nic...

Paweł pochyla głowę, ten drugi spogląda mu w oczy.

XIV

– Przepraszam – szepczę.

– Za co? To najsłodsza rzecz, jaką widziałem w życiu – Wojtek wpatruje się w moje oczy zamglonym wzrokiem.

– Najsłodsze miały być te czerwone plamy, których przy tobie dostaję na mordzie – mówię z przekorą w głosie.

– No, dobra. Niech to będzie najsłodsza rzecz numer dwa – opuszcza wzrok i gapi się na moje podbrzusze.

Czubek mojego kutasa wystaje spod paska spodni, ma purpurowy kolor. Wszystko jest zachlapane – mój brzuch, spodnie, krawędź koszuli, brzuch Wojtka. Dziś rano waliłem konia pod prysznicem, więc nie jest to jakieś supergęste, ale z pewnością trysnęło znacznie więcej niż zazwyczaj.

– Ale masz produkcję – Wojtek ostrożnie wyciąga rękę i dotyka palcem czubka mojego kutasa. Przechodzi mnie prąd i odruchowo podryguję biodrami. – O, dżizas, poczekaj, nie ruszaj się. Bo ścieknie na dywan!

Przesuwa palcem po moim brzuchu, zgarnia nasienie na palec, a potem niespodziewanie unosi go do ust.

– O, fu! – wykrzykuję ze zgrozą, a zarazem rozbawieniem. – Nie rób tego!

– Dlaczego nie? Jesteś smaczny – mlaska i dodaje: – Słodkawy i nie za ostry.

– To obrzydliwe...

– No co ty? Masz – wyjmuje palce z ust, zgarnia kolejną kroplę z mojego brzucha i wyciąga palec do mojej twarzy. – Spróbuj sam.

– Zwariowałeś?! W życiu!

– Nie mów, że nigdy nie próbowałeś swojego kisielku? – spogląda z niedowierzaniem. – Nie spotkałem faceta, który przynajmniej raz w życiu nie zrobiłby czegoś takiego. Obojętne, czy hetero, czy geja.

– No to właśnie spotkałeś.

– Spróbuj – dotyka opuszkiem mojej dolnej wargi.

Zaciskam usta, ale po sekundzie rozchylam je i wystawiam koniuszek języka. Wojtek wodzi po nim śliskim palcem. Rozchylam wargi, pozwalam, żeby wsunął go głębiej. Gardło mi się zaciska w suchym skurczu, jednak nie jest tak źle. Trochę piecze... Nie, to jest niewłaściwe słowo, ten smak pozostawia jednak ślad. Miętowy? Nie, też nie. Jest słony i słodki zarazem. Nie wiem, czy mi się podoba, ale nie budzi niechęci. Pasek spodni uwiera mnie w żołądź, dalej mi sterczy na całego.

– No i co? – pyta Wojtek.

– Nie wiem – mówię, przełykając ślinę. – Dziwnie.

– Na dziś wystarczy. Już i tak stało się więcej, niż powinno na drugiej randce – stwierdza Wojtek. – Czekaj, przyniosę jakiś ręcznik. Chyba że wolisz iść pod prysznic?

– Ręcznik wystarczy.

XV

Tatusiek wstaje, wychodzi. Paweł opiera się plecami o brzeg kanapy, widzę teraz tylko czubek jego głowy. To był on, wtedy, kilka dni temu. Robi to od dawna. Pewnie zawsze robił. Ale nie, to niemożliwe! Zorientowałabym się!

Noga mi cierpnie, przenoszę ciężar ciała na drugą. Sterczę zgięta wpół, ręce mi mdleją.

Facet wraca z jakąś szmatą w ręku, klęka przed Pawłem, schyla się. Co oni robią? Nie mam pojęcia, nic nie widzę. Wreszcie Tatusiek się podnosi, wyciąga rękę. Mój mąż wstaje, jest niższy od tamtego, to naprawdę musi być wielki facet. Paweł wychodzi do przedpokoju, ten drugi podchodzi do telewizora... Światło gaśnie, widzę tylko jasny prostokąt drzwi. Nie ma ich.

Gapię się przez lornetkę na ciemne okna, wreszcie opuszczam ręce.

Co mam teraz zrobić? Co teraz będzie? Z gardła wyrywa mi się szloch, ale oczy mam suche jak pieprz.

To kara za to, co zrobiłam z Sebastianem. Za to, czego nie zrobiłam, ale on nie wie, może myśleć, że zrobiłam. A może to nieporozumienie jakieś, może żart? Może zażartował sobie ze mnie, przecież wie, że podglądam Pustaków... Nie, nie wie. Nigdy mu nie mówiłam. Ale może się domyślił? Nieładnie, nie należy tak robić, może więc dał mi nauczkę? Umówił się z tamtym, to wszystko było ustawione. Jak moje dzisiejsze zakupy z Sebastianem w Galerii Mokotów, jak kino – nie naprawdę, tylko na pokaz. Przecież wie, że moje okno wychodzi na tę stronę, że widać ode mnie tamten dom. Jakim cudem w ogóle poznał tych ludzi? Jak się tam znalazł?

Dlaczego on mi robi coś takiego?! Próbuję wydusić z siebie złość, słuszny gniew, ale mi się nie udaje. Czuję pustkę, jestem pustką w pustce. A może po prostu... Nie, słyszałam o różnych przejawach kryzysu wieku średniego u mężczyzn, ale to już zdecydowanie byłaby przesada.

Wypijam resztę martini, a potem podchodzę do biurka i nalewam sobie drugą szklankę.

Gdybym chociaż przespała się z Sebastianem. Wtedy mogłabym pogodzić się jakoś z tym, co widziałam. To byłaby zasłużona kara – w jakimś chorym sensie przynajmniej. Ale nie zrobiłam tego. I nie zrobię, wiem.

Co dalej? Mam udawać, że nie wiem? Może tak byłoby najlepiej, może to jakiś wybryk, może coś wziął, jakieś narkotyki? O, a może Pustaki zorientowały się, że ich obserwuję? Obmyślili zemstę, jakoś dopadli Pawła, podali mu, nie wiem, tabletkę gwałtu? Tyle że on był przytomny i nikt go do niczego nie zmuszał. Chyba. Może mu tylko odbiła palma, nie wiem, chciał się przekonać o czymś? O czym? Nie wiem! Zrobić coś? Nie robić?

Boże, przecież ja nic nie mam! Mój romans jest fałszerstwem, mąż bawi się w pedała, córka się wyprowadza! Książka nie powstaje, jestem pisarką bez pisania. Kochanką bez kochanka. Kobietą bez seksu. Żoną bez męża. Matką bez dziecka! Nie mam absolutnie nic! Rozwód? Co z Rzymską? Co z mieszkaniem? Nawet nie mam prawa jazdy. Będę jeździła taksówkami? A co, jeśli nie będę miała na nie pieniędzy? Metrem? Autobusem? Co z ubraniami? Telefony? Internet?

Jest serial. Mam serial. Mogę pisać więcej recenzji, mogę pisać do gazet, do sieci. Mogę publikować pod pseudonimem! Może jakieś romanse, harlekiny? Tak, mogłabym, czemu nie.

Wypijam całe martini, żołądek odrobinę mi się rozluźnia.

Mogło tak być zawsze. Mogłam być tylko parawanem. Całe moje życie jest kłamstwem. Dlatego ten seks był taki mizerny, jakby go nie było, dlatego tak rzadko... Ale przecież nikt go nie zmuszał, ja go nie zmuszałam do siebie! To on nalegał na małżeństwo. Może się bał? Może wydawało mu się, że skoro pracuje w telewizji, musi udawać normalnego? Ale przecież tam co drugi pedał! Zresztą, gdy się pobieraliśmy, nie było mowy o telewizji, miał być psychologiem.

A może to jednak przeze mnie? Nigdy nie miałam powodzenia. Jakieś miałam, ale byle jakie. Niby mi mówili, że ładna, ale żaden się nie ślinił przesadnie. Więc to może we mnie jest problem? Ale Sebastian chciał! Wiem, że miał w tym swoje cele, ale erekcji nie udawał! Tyle tylko, że Pawłowi też stał, przynajmniej od czasu do czasu. Udawana żona i udawana kochanka. Jestem fałszywką – jako kobieta także. Musi się mną brzydzić. Boże, zawsze się mną brzydził, jak się... Jak byliśmy ze sobą. Ale przecież śpimy w jednym łóżku tyle lat. Czy umiałabym spać z kimś w jednym łóżku, gdyby budził moje obrzydzenie? A wakacje wspólne czy choćby głupie wspólne oglądanie filmów na kanapie? Pocałunki? Nie mogę uwierzyć, że przez cały czas czuł odrazę! Nie czuł, wiem to!

Co mam robić? Może trzeba przeczekać? Może tak będzie najlepiej, przynajmniej do... Do kiedy? Do premiery Książki? Do matury Gosi? Do śmierci Leona? Do kiedy mam czekać? A co, jeśli Leon pożyje jeszcze dziesięć czy piętnaście lat? Będę po pięćdziesiątce. Teraz już nie wydaje mi się to tak dużo jak jeszcze dekadę lub dwie temu, gdy sądziłam, że człowiek po pięćdziesiątce jest już jedną nogą w grobie. Ale co mi wtedy zostanie?

A może powinnam jednak kogoś sobie znaleźć? Jakiegoś prawdziwego, męskiego kochanka? Gdzie go szukać? Jak? Na samą myśl, że miałabym odbywać te wstępne rozmowy, udawać zainteresowanie jego życiem, historią, poznawać nawyki, wady, słuchać, mówić... O Jezu... Robi mi się wręcz niedobrze, jestem zmęczona samą myślą. Poza tym, jak mogłabym teraz, gdy o mnie wszędzie piszą? Oficjalnie mam już kochanka, jeśli mnie przyuważą z kimś innym, zrobią ze mnie Rasputina w spódnicy. A jeśli nawet nie przyuważą, nie zorientują się, ale ten facet tak... Może mnie szantażować przecież! Nie, to bzdura.

Co mam robić? Płakać, krzyczeć? Urządzić mu piekło, potłuc kilka tańszych rzeczy? Podrzeć jego garnitury, pociąć kurtki? Wyrzucić przez okno laptopa, buty? Natychmiast zmienić zamki? Nie wpuścić go do domu? Ale co z Gosią? Ona nie może się o tym dowiedzieć. Co pomyśli o mnie?

Potrzebuję czasu. Muszę przemyśleć wszystko, rozważyć. Nie wolno działać pochopnie, trzeba na zimno, na chłodno. Tylko czy potrafię udawać? On potrafił przez dwadzieścia lat! Ale ja... Czy jestem tak dobrą aktorką? Nie jestem. Czy zresztą jakakolwiek kobieta na moim miejscu byłaby? Wątpię.

Muszę zachować zimną krew. Nie mogę pokazać, że tak mnie to boli, że zadał mi cios śmiertelny, nie wolno dać mu satysfakcji! Trzeba go zmiażdżyć, stłamsić. Rozdeptać jak robaka. Muszę odnieść wielki sukces, muszę być piękna, muszę być rozrywana, żeby zrozumiał, co stracił. Żeby skręcał się z żalu, skomlał i błagał, żebym zechciała... Co zechciała? Przyjąć go? Mam z nim być, wiedząc, że robił za moimi plecami coś takiego?

Ale z drugiej strony, to przecież tylko ciało, tylko seks. Tarcie, fizjologia. Tacy się nie zakochują, w tym nie ma uczucia, chcą tylko wetknąć w dupę jeden drugiemu, wziąć do gęby, wystawić się. Mnie kocha. Kochał. Kocha! Może więc ma to zboczenie, tę wadę jakąś, ułomność, defekt, ale to nie dotyczy serca, tylko fiuta? Może więc pogodzić się z tym trzeba, nie myśleć, nie wiedzieć? Trudno, chodzi do fryzjera, do lekarza chodzi, bo potrzebuje, niech więc chodzi sobie do pedała raz na jakiś czas. Czy gdybym go przyłapała z inną kobietą, byłoby łatwiej? To mogłaby być miłość, mógłby się zakochać. Tamta mogłaby być lepsza ode mnie, ale w tej sytuacji przecież nie mogę się porównywać! Skoro go ciągnie do kutasa, co mogę z tym zrobić? Nie przeszczepię sobie przecież, bo jak? Boże, dlaczego ja wpadłam na pomysł z tym straponem, po co mi to było? Otworzyłam puszkę Pandory. Literalnie. Wszystko przez te artykuły chore, tyle się teraz mówi, że taka zabawa jest coraz popularniejsza, że coraz więcej par coś takiego robi. I to faceci nalegają, chcą być rżnięci w dupy, przecież to nie kobiety wymyślają! Po jaką cholerę ja go namówiłam, sam nie proponował...

Muszę być spokojna. Opanowana. Maska. On nie może się zorientować, że widziałam, że wiem! Xanax... Dwa. Albo może lepiej signopam? Dwa.

Nogi drżą pode mną, gdy wstaję z fotela. Niemal tracę równowagę, zataczam się. Przez to martini, za dużo wypiłam. I za szybko. Ponad połowę butelki.

Trzymając się ścian, idę do sypialni. Wygarniam wszystko z szuflady nocnego stolika, łykam tabletki na sucho. Odczuwam natychmiastową drobną ulgę, choć przecież jeszcze nie zaczęły działać. Zmuszam się do równego oddechu. Zerkam w lustro nad komodą. Rany boskie, wyglądam jak wiedźma! Blada, twarz ściągnięta, zmarchy, opuchnięte powieki, wory pod oczami, błędny wzrok! Ściągam ręcznik z głowy, oczywiście nie wysuszyłam włosów, zwisają oklapnięte strąki.

Wrzucam do szuflady rozsypane na łóżku i podłodze szpargały, a potem lecę do łazienki. Chwytam za suszarkę do włosów, drugą ręką sięgam do kosmetyczki. Najpierw muszę zmyć ten krem, nałożyłam już nocny, zrobi mi się maska, jeśli nałożę na to puder. Przecieram twarz tonikiem, smaruję ją dziennym kremem, wklepuję go pospiesznie. Przecież nie potrzebuję Bóg wie jak solidnego mejkapu, trochę fluidu, może tusz. Drżącą ręką odkręcam etui z maskarą, wtykam sobie w oko szczoteczkę. Zaraz zacznę płakać. Nie mogę płakać!

Zaciskam powieki z całej siły i liczę do dziesięciu. Potem do dwudziestu. Wreszcie otwieram oczy i przysuwam się do lustra. Udaje mi się jakoś nałożyć tusz. Rozczesuję włosy. Lepiej nie będzie.

Spokój. Po prostu muszę zachować spokój.

Trzaskają cicho drzwi wejściowe, a ja mam wrażenie, jakby ktoś chlusnął mi na kark kubłem lodowatej wody. Spokój.

– Jestem – woła Paweł.

Ot tak, po prostu. Jakby właśnie przed chwilą nie lizał się z drugim chłopem. Z kimkolwiek! Z kimś. Jak można zrobić coś podobnego, a potem po prostu wrócić sobie do domu i zawołać: „Jestem”?!

Przyglądam się sobie jeszcze przez kilka sekund. Poprawiam szlafrok – najpierw rozchylam go nieco bardziej, a potem ściągam mocno i związuję pasek na supeł.

– O! – wołam najnormalniejszym głosem, na jaki potrafię się zdobyć. – Jesteś już?

XVI

– Aha – mówię, odwracając głowę. – Trochę mi się przeciągnęło. Przepraszam.

– No, tak – rzuca obojętnie. – Jeśli jesteś głodny, Gosia zamówiła pizzę. Leży w kuchni.

– Nie jestem głodny.

Zdejmuję buty, wchodzę do garderoby i starannie układam je na półce. Trochę zbyt długo. Anka stoi za mną w drzwiach, milczy. Rozpinam marynarkę, zdejmuję. Nagle przychodzi mi do głowy, że przecież są ślady! Mam upaćkane spodnie i koszulę. A brzuch? Niby się wytarłem, ale z tym cholerstwem nigdy nic nie wiadomo. Na pewno włosy mi się posklejały na brzuchu. Rozpinam powoli koszulę, może się znudzi i pójdzie do siebie. Co zrobić z koszulą? Z nią nie ma problemu, zwinę w kłębek, wyniosę. Nie doliczy się. Ale spodnie to gorsza sprawa. Muszę je jakoś upchnąć na wieszaku, jutro rano wyniosę, jeszcze będzie spała. Zawiozę do pralni. A może samemu przeprać? Nie, cholera wie, co z tego wyjdzie. Nie mam pojęcia, z czego jest uszyty ten garnitur.

Boję się. Tego, co będzie. Tego, co może być zaraz. Jeśli popatrzę jej w oczy, od razu się domyśli. Zna mnie jak nikt. Zresztą takie rzeczy przecież widać. Muszę po prostu zachować spokój. Zachowywać się jakby nigdy nic. Czyli jak? Nie mam pojęcia, jak się zachowywać jakby nigdy nic! Zaczyna mi się wydawać, że każdy pocałunek Wojtka wypalił na moje skórze łatwo dostrzegalne piętno. Ale to oczywiście nieprawda. Główny plus – ha, ha – zdradzania żony z facetem, a nie z kobietą, jest taki, że nie zostają ślady. Żadnej szminki na kołnierzyku koszuli, tuszu, cienia do powiek. Nawet zapach jest bezpieczny, męski, podobny do twojego. A jeśli perfumy inne, cóż – w końcu to też męska woda kolońska. Można powiedzieć, że pochodzi z gazetowej próbki, że było się w drogerii, wypróbowało coś, czego używa kumpel w pracy. Chcesz skoczyć w bok, a boisz się konsekwencji? Zrób to z facetem! Dobry pomysł na temat numeru do „Men's Health" albo i „Playboya"...

Boję się. Ale czego? Tego, że ją zranię? Tak. Jednak będę robił to dalej. Będę się z nim spotykał, będę go dotykał, całował, obejmował. Myśl, że miałbym tego nie robić, jest jak śmierć. Czy to właściwie jest zdrada? Gdyby pojawiła się druga kobieta, tak. Ale mężczyzna? Czy to, co zrobiłem, w ogóle można rozpatrywać w kategoriach zdrady? Jestem bezpieczny, nigdy coś takiego nie przyjdzie jej do głowy. Nikomu nie przyjdzie coś takiego do głowy.

Wciągam szybko dres i T-shirt. Odwracam się do niej. Spoglądam jej w oczy. Ona patrzy w moje. Milczy. Za długo. Odwracam wzrok, udaję, że poprawiam węzeł sznurka przy portkach.

– A jak twój dzień? – pytam, uśmiechając się.

Naturalnie, mam nadzieję. Ale chyba nie. Usta mi drżą. Przestaję się uśmiechać.

– Ciekawy – odpowiada głucho Ania.

Wie! mogłaby...

– Super – mówię.

– A twój?

– No wiesz. Męczący.

– Wyobrażam sobie – stwierdza kwaśno.

Coś jest nie tak. Zna mnie za dobrze, wyczuła.

– Jakoś mi tak nie bardzo – mówię trochę za szybko.

– Pewnie się zmęczyłeś.

– Pewnie tak – kiwam głową.

Blokuje wyjście z garderoby. Nie potrafię się zmusić, żeby obok niej przejść, dotknąć jej.

– A czym właściwie? – pyta.

– Słucham?

– Czym właściwie się zmęczyłeś? Wiesz, tak najbardziej.

Wzruszam ramionami, znowu próbuję się uśmiechnąć. Ale nie wychodzi. Wargi drżą mi coraz mocniej, czuję pieczenie pod powiekami. Nie jestem w stanie nad tym zapanować, za skarby świata. Oczy wypełniają mi się łzami, jedna spływa na policzek. Debil, skończony debil!

Anka stoi bez ruchu. Jedna ręka oparta o framugę drzwi, druga w kieszeni szlafroka, zwinięta w pięść. Krtań mi się zaciska, zachłystuję się powietrzem. Druga łza spływa na policzek. Co się ze mną dzieje?!

– To był długi dzień – mówię, głos mi drży. – Wrabiają mnie w jakąś sesję, poza tym... Poza tym...

Milczy. Stoi.

VII

Wszystko minęło. Nie jestem wcale zdenerwowana. Nic a nic. W ogóle niczego nie czuję. Jak papierowa kukła. Patrzę na niego. Płacze, ale nawet to nie budzi mojej pogardy ani zainteresowania. Możliwe, że tabletki zadziałały. Ale chyba nie, to nie one. Nie jestem nawet zadowolona z tego, że Paweł się rozsypuje na moich oczach. Rozłazi w szwach jak stara zabawka, rozlewa jak budyń. Przyglądam się tylko.

– Lepiej będzie, jeśli pościelisz sobie w dużym pokoju – mówię całkowicie obojętnym głosem.

Kiwa głową, wyciera smarki wierzchem dłoni. No, jednak jest to trochę zabawne. A trochę obrzydliwe.

– To nie jest tak, jak myślisz – mamrocze.

– Mam cię w dupie – oznajmiam, bo jednak budzi się we mnie iskierka złości. – I sram na ciebie.

– Kiedy ja nie byłem z żadną kobietą.

– Jeśli myślisz, że pozwolę ci wyznać grzechy i wyszorować sobie sumienie, to się głęboko mylisz – cedzę przez zęby.

Powinnam teraz odwrócić się na pięcie i odejść z wysoko uniesioną głową. Tak powinnam zrobić. Byłoby z klasą. Ale nie umiem się na to zdobyć.

– Ale to naprawdę nie tak – miauczy.

To ma być mężczyzna?

– Od kiedy? – pytam. – Ile razy?

– Ja nigdy wcześniej... Nigdy! I nie spotykam się... z żadną.

– Widziałam cię – rzucam przez zęby. – Widziałam, jak się macałeś z tym cwelem z naprzeciwka. Widziałam przez okno.

Zastyga na chwilę w bezruchu, przestaje oddychać. Na chwilę. A potem – to niewiarygodne – oddycha z ulgą. Widzę ją na jego twarzy, w tym, jak opuszcza ramiona i pochyla lekko głowę. No i tego mi było trzeba! Teraz nareszcie ogarnia mnie furia.

– Ani mi się waż! – wrzeszczę. – Ani mi się waż czuć ulgi! Bo to, że wiem, niczego nie zmienia! Ty...

– Co się dzieje?

Urywam w pół słowa i obracam się jak rażona gromem. Zapomniałam o niej.

– Nic się nie dzieje – mówię trzęsącym się z wściekłości głosem. – Idź do siebie.

Gosia przygląda mi się uważnie spode łba. Potem wyciąga głowę nad moim ramieniem i patrzy na Pawła.

– Aha – wzdycha. – Czyli już wiesz.

Zamieniam się w słup soli. Żona Lota.

VIII

Ziemia usuwa mi się spod nóg. Anka to jedno, ale Małgosia... Ona nie może się dowiedzieć, nie tak! Błyskawicznym ruchem ocieram twarz.

– Nie, nie... – kręcę pospiesznie głową.

– To dobrze, że ci powiedział o wszystkim – mówi Małgosia spokojnie. – Dlaczego robisz aferę? Przecież to nie jego wina.

– CO?! – Anka niemal dławi się tym okrzykiem, osuwa na ścianę i prawie przewraca na podłogę.

– Małgosiu... – próbuję coś powiedzieć.

– Powinnaś go wspierać teraz, a nie wrzeszczeć – oświadcza nasza córka.

– O czym ty do mnie mówisz?! – Anka podpiera się jedną ręką o ścianę, a drugą zaciska na kołnierzu szlafroka pod szyją. – Czy ty wiesz, o czym mówisz? Czy ty wiesz, co ty mówisz?!

– Oczywiście, że wiem – Małgosia patrzy na nią ze zdumieniem. – Kris mi o wszystkim już dawno powiedział.

– K-k-kris?! – jąka się Ania.

– To nie to! – doskakuję do niej. – Gocha, nie o to chodzi.

– Przecież ten chłopak ma tyle lat co ona – mamrocze Anka, nabiera tchu i wrzeszczy: – Ty pierdolony zboku!

– Mama, oszalałaś? – Małgosia cofa się o krok.

– To dlatego on się tu kręcił! Dlatego... Boże, jaka ja jestem głupia! Musicie mnie mieć za skończoną idiotkę! Spotkałeś go przypadkiem w mieście? Tak? Dlatego wtedy przyjechał z tobą.

– Mama, przecież tata o niczym nie miał pojęcia! Co ty wygadujesz?

– Idź do siebie!!!

– Nie pójdę do siebie, skoro ci odwala – wzrusza ramionami Małgosia.

– Dziecko, to nie o to chodzi! Naprawdę, lepiej idź do swojego pokoju. Później porozmawiamy. Proszę... – rzucam Małgosi błagalne spojrzenie.

Przechyla głowę, robi sceptyczną minę, ale wreszcie wzdycha, wznosi oczy do sufitu i odchodzi. Gdy tylko zamykają się za nią drzwi pokoju, Anna bierze szeroki zamach i z całej siły wali mnie w ramię.

– Z kim jeszcze, co? – wykrzykuje. – Z kim?!

– Z nikim. Nic mnie nie łączy z tym chłopakiem. Przysięgam! No, nie TO w każdym razie. Mówię prawdę!

IX

Mam chaos w głowie. Gośka... Zrobił jej wodę z mózgu. Pewnie ich przyłapała. Pewnie widziała, jak się... Ale mimo wszystko nie chce mi się w to wierzyć. Ten chłopiec ma dziewiętnaście lat! A Paweł wyraźnie niechętnie się do niego odnosił. E tam, niechętnie. Wrogo. Dało się wyczuć.

Ręka mnie boli, całkiem porządnie go walnęłam. Podejrzewam, że mnie zabolało mocniej niż jego. Zaraz to chyba ja się rozpłaczę. Prostuję się, unoszę głowę i ruszam do dużego pokoju.

– Ania... – Paweł wlecze się za mną. – Nie wiedziałem, że taki jestem.

– Taki? – pytam z ironią.

– Że jestem gejem.

– Gejem! – prycham i otwieram szafkę przy telewizorze.

Wódka? Może być.

– Nie uświadamiałem sobie tego.

– Nie rozumiem, po jaką cholerę brniesz w kłamstwa.

– Nie brnę.

Siadam na fotelu, osłaniam starannie nogi szlafrokiem. Upijam łyk wódki. Sterczy na środku pokoju, te dresy już dawno powinny trafić do prania. Kolana powypychane, na dupie wiszą mu jak worek.

– Rzygać mi się chce – oznajmiam. – Gdy sobie pomyślę, że miałeś w ustach męski członek, a ja cię potem całowałam, robi mi się niedobrze.

– Po pierwsze, nie miałem – wzdycha, a po krótkim namyśle dodaje: – A po drugie, ty miewałaś w ustach kutasa znacznie częściej, a mnie jakoś to nie przeszkadzało, gdy cię całowałem.

– Oczywiście, że ci nie przeszkadzało! Przecież jesteś gejem! – stwierdzam z jadowitą ironią i jednym haustem dopijam alkohol.

Paweł chce coś powiedzieć, zastanawia się, marszczy brew, kręci głową i jednak zmienia zdanie.

– Możemy porozmawiać spokojnie? – pyta wreszcie.

– Nie możemy – odstawiam szklankę na ławę. – Zabierz swoją poduszkę i kołdrę z sypialni, chcę się położyć.

Bał się ojca. Leona. Dlatego się ze mną ożenił! Bał się przyznać, wykorzystał mnie. Ale... Po co miałby to robić? Powinien wykrzyczeć mu prawdę w twarz i sprowadzić do domu jakiegoś przegiętego, zmanierowanego chłopaka. Na pokaz dać się przyłapać. Wszystko robił zawsze na przekór ojcu. Choć może ta sprawa byłaby przekroczeniem granicy? Nie wiem, co Leon sądzi na temat pederastów, nie przypominam sobie, aby kiedykolwiek w rozmowach z nim pojawił się ten wątek. Może ich nie akceptuje, nienawidzi wręcz? Mógłby się wyrzec syna. Wtedy Paweł straciłby szansę na spadek. Tyle że on przecież ma gdzieś ten dom i pieniądze ojca. To znaczy, tak myślałam. Ale najwyraźniej do dzisiaj myślałam różne rzeczy na temat mojego męża, które w najmniejszym stopniu nie zgadzają się z prawdą.

– Mogę mu powiedzieć, wiesz? Leonowi – rzucam od niechcenia. – O tym, że jego niedorobiony synek lubi obciągać facetom.

– On to wie – mówi Paweł.

– Leon? Nie wierzę!

Ale Paweł nie kłamie. Nie umie kłamać, przekonałam się o tym na mur kilkanaście minut temu. Paweł się kończy – czy nie coś takiego powiedział dziś Sebastian? Wszystko się kończy. Walę szklanką w blat stolika przy kanapie i zrywam się na równe nogi.

– Czy jest w ogóle ktoś jeszcze poza mną, kto nie wie, że wyszłam za pederastę?! – wykrzykuję.

X

Powiedziałem jej

No, może nie jest to do końca prawda, ale przecież nie napiszę mu: *wydało się!!!* Mógłby się zdenerwować. Klikam w buton „wyślij”, czekam.

Kanapa nie jest wygodna, lewą stronę ma wysiedzianą bardziej od prawej. Gdy próbuję leżeć na wznak, tyłek spada mi w dół, a nogi wystają nad bocznym oparciem. Przewracam się na bok i zwijam w kłębek.

Nie odpisuje.

Dlaczego czuję taką obojętność? Nie jestem ani przerażony tym, co się stało, ani zdołowany. Nie mam nawet poczucia winy. Być może to szok. A być może jestem po prostu zmęczony. Mam wrażenie, jakbym stał na środku okrągłego, ciasnego holu. Wokół mnie dziesiątki drzwi – wszystkie są zamknięte, ale przed chwilą usłyszałem chrobot odblokowywanych zamków. Mogę otworzyć każde z nich, by sprawdzić, co mnie za nimi czeka. Wystarczy zrobić krok i nacisnąć którąś z klamek. Pozornie to ekscytujące, ale czy nie jestem już troszkę za stary na takie przygody?

Przewracam się na drugi bok, mój nos dotyka oparcia kanapy. Plecy mi wysiądą, jutro będę do niczego.

Nie odpisuje. Może śpi? Tak, śpi. Na pewno.

Czuję żal. Nie jest gryzący, to nie rozpacz. Przypominają mi się dobre momenty, w których wydawało mi się, że jestem szczęśliwy. No, pewnie byłem – jakoś tam, w pewnym stopniu. Wspólne wakacje, kolacje. Wyjścia do kina. Wiosna, ulica – idziemy skądś, dokądś. Anka się śmieje, pachnie deszczem, trawa paruje. Małgosia. Wolałbym teraz pamiętać o tym, co było złe, a przynajmniej nieprzyjemne. Niczego nie mogę sobie przypomnieć. Nie, no pamiętam. Ale te wspomnienia nie budzą już złości. Mój żal jest zbliżony do uczucia, z jakim człowiek wpatruje się w kinowy ekran, gdy film, który nawet mu się spodobał, dobiega właśnie końca. Jeśli cokolwiek mnie teraz przeraża, to właśnie ten brak strachu.

Musimy porozmawiać

Oczy mnie pieką, gdy czytam esemesa od Wojtka. Moje mięśnie się rozluźniają, myśli spadają jak kamienie w czarną toń. On jest. To te drzwi. Robię krok w ich kierunku, kładę rękę na klamce.

Dobrze. Bardzo bym chciał. Jutro?

*W niedzielę. Dobrej nocy :-**

XI

Różnych rzeczy się bałam, przewidywałam rozmaite scenariusze. Ale nie taki.

Siedzę na łóżku oparta na dwóch poduszkach. Lampa na stoliku obok wciąż się świeci. Nie potrafię jej zgasić, bo gdy zapadnie ciemność, zacznie się piekło. Wiem, znam siebie. Chce mi się spać, ale nie zasnę. Gdy zgaszę światło, nie będzie nic poza myślami. Będę miotała się w łóżku do świtu, prześcieradło zwinie się pode mną w sznurek. Co ja mam zrobić?

Och, był jeszcze jeden... Wysuwam szufladkę stolika. Ostatnia tabletka, jutro muszę pójść po receptę. Wyciskam stilnox na dłoń, przyglądam się podłużnej pastylce. Może powinnam poczekać jeszcze chwilę? Co, jeśli ją połknę, a nie zadziała? Muszę się zmęczyć bardziej, zbesztać jakoś, rozładować, nie wiem. Która godzina? Wpół do drugiej. Jutro sobota, więc jeszcze jest poniekąd wcześnie.

Odkładam ostrożnie tabletkę na blat stolika, wstaję i sięgam po bluzę rzuconą na pufę przed łóżkiem. To stara bluza od dresu Pawła, używam jej jako podomki od wieków. Podciągam suwak, przechodzi mnie dreszcz. Noszę tę szmatę dłużej niż on, ale jednak należy do niego. Natychmiast ściągam bluzę przez głowę i ciskam na podłogę, a potem wychodzę na korytarz.

Śpi? Wątpię. W salonie jest ciemno co prawda, ale na pewno nie zasnął. Kanapa jest beznadziejna, dawno należało się jej pozbyć. Jutro wstanie połamany. I bardzo dobrze.

Na palcach ruszam do garderoby. Ale dlaczego właściwie? Dlaczego mam być cicho? Jestem u siebie! Gosia śpi martwym bykiem, jej nie obudzę. Salon jest otwarty, nie zamontowaliśmy drzwi, on mnie usłyszy. I bardzo dobrze. Trzaskam drzwiami do garderoby, zapalam światło i wybieram jeden z moich starych swetrów. Kiedy go nosiłam? Ze dwa lata temu ostatni raz. Pojechaliśmy do Puław, do mojej matki, to był kwiecień. Założyłam go w samochodzie. Nie! Czy mam coś, co nie kojarzy mi się z Pawłem? O, ten. Nigdy go chyba na sobie nie miałam, powiedział, że ma kolor sraczki, przejęłam się. Teraz już nie muszę się przejmować.

Wciągam golf, trzaskam drzwiami od garderoby, nasłuchuję. Cisza, ale na pewno nie zasnął. Mogłabym pójść do salonu, rozbić mu coś na głowie. Ale co? Doniczkę? Wszystkie są plastikowe. Może wazę do zupy? Co prawda jest od kompletu, ale nigdy jej nie używamy. Stoi na najwyższej półce w kuchennej szafce, trochę za dużo zachodu. Wzruszam ramionami i idę do swojego gabinetu.

Pustaki śpią. Wszyscy śpią. No, nie wszyscy. W paru oknach się świeci – u tego chłopaka, o którego podglądanie posądziła mnie Gosia, też. Dopada mnie irracjonalna nadzieja – chłopak odgarnia zasłonę gwałtownym gestem, staje nagi w oknie, patrzy na mnie. Zdejmuje golf i podkoszulek, widzi mnie. Wystarczyłoby mi, gdyby tylko popatrzył. Gdyby chciał popatrzeć. Nic więcej nie musi się wydarzyć, tylko tyle. Świadomość, że mnie chce. Ale oczywiście to się nie wydarza. Zasłona pozostaje szczelnie zaciągnięta.

Odwracam się plecami do okna, podchodzę do biurka, włączam komputer i wchodzę na Fejsa.

Katarzyna Rońda. Mamuśka. Ładna – teraz mogę to przyznać. Może trochę zbyt kwadratowy podbródek. Właściwie męski. Zapewne to właśnie spodobało się w niej temu cwelowatemu Tatuśkowi. Czy we mnie też są podobne cechy, które sprawiły, że Paweł mnie wybrał? Nadmierne owłosienie? Szerokie ramiona, duże stopy, dłonie? Mocne uda? Nie wydaje mi się. Ale coś musi być, jakiś defekt w mojej kobiecości, coś samczego. Mam sporą łechtaczkę, może nie patologicznie, ale dużą. Mógł udawać sam przed sobą, że to maleńki penis, kto wie? Skupiał się na tej myśli... Przecież miewał przy mnie erekcję. Jestem gejem, tak powiedział. Po dwudziestu jeden latach. Nie wiedział.

Co za pierdolenie! Po prostu jest biseksualny, i tyle. To nic wielkiego, wiele osób jest biseksualnych. Podejrzewam, że nawet większość – wcale nie tylko kobiety, co się nam wmawia od wieków. Wszyscy. Mężczyźni jednak rzadko się przyznają. Ale powiedział „jestem gejem", a nie „jestem bi". Nie wiem, czy cokolwiek by to zmieniło... Chyba jednak tak.

Klikam w ikonkę wiadomości. Napisz do Katarzyna Rońda – chętnie.

Powinnyśmy spotkać się...

Nie, zapyta dlaczego albo wcale nie odpisze.

Powinnyśmy porozmawiać.

Też niedobrze. W ogóle „powinnyśmy" jest niedobre. Musimy? A może lepiej napisać prosto z mostu, o co chodzi? Czy wiesz, głupia cipo, że twój mąż jest pedałem i wymacał mojego? Wyraziste, ale raczej nie rozpocznie dialogu.

Chciałabym porozmawiać z panią, mieszkam obok. To ważna sprawa. Czy mogłybyśmy spotkać się na kawę?

Grzecznie, aż mi paluszki mdleją, ale tak trzeba. Dodaję jeszcze „bardzo" przed ważną sprawą, a potem numer mojej komórki. Wysyłam i czuję przypływ siły.

Nie mam zamiaru walczyć o Pawła, jeśli mnie nie chce, chuj z nim. Trzeba mieć odrobinę dumy przynajmniej! Ale chętnie skomplikuję mu życie, bo jeżeli sądzi, że teraz ma mnie z głowy, że będę się spokojnie przyglądała przez okno, gdy pieprzy tego gościa z naprzeciwka, to się grubo myli. Zresztą dlaczego tylko ja mam z tym żyć? Ta cipa jest w identycznej sytuacji. Chciałabym więc, żeby poczuła to samo co ja. A ile jest właściwie takich żon jak my dwie?

Wpisuję w przeglądarce „mój mąż jest homoseksualistą", natychmiast podstawia się hasło „mój mąż jest gejem". Kilka tysięcy wyników! Niektóre na pewno się powtarzają, to przecież niemożliwe! Sporo jest też pseudopsychologicznych artykulików z jakichś babskich portali, szkoda, że nie umiem tego przefiltrować. Klikam w link do któregoś forum.

Mój związek był idealny, aż odkryłam...

Jesteśmy małżeństwem od ośmiu lat, mieliśmy całkiem udane pożycie seksualne. Jednak podczas wspólnego wyjazdu w góry razem z grupą przyjaciół, przekonałam się, że...

Mamy dwoje dzieci, nasze małżeństwo należało w mojej opinii do bardzo dobrych, aż pewnego dnia...

Z moim mężem znamy się od jedenastu lat, małżeństwem jesteśmy od dziewięciu. Niczego nie podejrzewałam, układało nam się nieźle, oboje dobrze zarabiamy, mamy wspólne zainteresowania. Któregoś dnia zajrzałam do jego laptopa, bo chciałam skorzystać z internetu. Przypadkowo kliknęłam w odnośnik do wcześniej przeglądanej strony i ku mojemu zdumieniu znalazłam się na portalu randkowym dla gejów, na którym mój mąż miał profil...

Portal randkowy. Czy Paweł mógł mieć tam profil? Wątpię. Poza tym nawet jeśli, nie dałby swojego zdjęcia, bo ktoś jednak mógłby go rozpoznać. Jaki jest najpopularniejszy portal dla pedałów? Wyskakuje sporo wyników, wybieram tylko rezultaty w języku polskim. Gejspejs jest na samym szczycie listy.

Wchodzę na stronę, pojawia się zdjęcie muskularnego kretyna o płaskich, bezmyślnych oczach i nienaturalnie umięśnionym brzuchu, który wygląda jak powiększony fragment odsłoniętego mózgu. Wchodzę dalej, okazuje się, że muszę założyć profil. Co mi szkodzi? Dwie minuty i gotowe – największy kłopot mam z wymyśleniem nicka. Wybieram Brewerie, ładne słowo i à propos – na kilku poziomach. Muszę je wykorzystać jakoś w Książce.

Na Gejspejsie jest ponad czterdzieści tysięcy profili z Polski! No, ciekawe, ile takich samych fejków jak mój.

W wyszukiwarce wpisuję „żonaty", wiek dowolny, miejsce dowolne. Wszystko dowolne, tylko to jedno mnie interesuje. Szukaj.

Osiem tysięcy profili. Gapię się na wynik. Osiem tysięcy?! Przewijam szybko stronę. Prawie przy żadnym nie ma fotki. Wybieram wreszcie jeden przypadkowy i klikam.

Obciągnę i wyliżę jaja konkretnemu aktywowi do 35 lat. Tylko i wyłącznie na moich warunkach (jestem żonaty i musi być 100% dyskrecji). Spotkanie tylko i wyłącznie w moim bloku na Felińskiego. Ustawiamy się mejlowo na konkretną godzinę. Jak już jesteś pod blokiem puszczasz mi smsa i tylko smsa. Ja schodzę po ciebie i idziemy do mojej piwnicy gdzie pakujesz mnie w ryj i każesz lizać jaja i rów. Wyzywasz mnie przy tym jak chcesz i możesz lekko dawać mi po ryju (lubię się czuć jak szmata). Ty bez wąsów i bez brody. Bez okularów i bez brzucha. W mejlu mile widziane zdjęcie samego kutasa i jaj oczywiście niekonieczne. Spotkania tylko po godzinie 23.00.

Wiek: 36 lat

Wzrost: 178 cm

Waga...

Zbiera mi się na wymioty. To nie tyle profil, ile raczej anons. Zresztą całkiem wyczerpujący i choć prostacki, nieźle skonstruowany. Wszystko jasne. No, prawie. Kto to jest „konkretny aktyw"? Konkretny wiem, ale aktyw? Zdaje się, że chodzi o to, kto kogo rżnie w tyłek, ale nie potrafię wyobrazić sobie analu w piwnicy.

Czy Paweł mógłby... Ale u nas w piwnicach też jest monitoring, kamery powiesili. Dzięki Bogu. Zresztą po dwudziestej trzeciej zwykle już śpi. W ogóle rzadko wychodzi sam. Nie, nie mógłby organizować sobie podobnych rozrywek.

Po co się w tym grzebię? Nic mi to nie da, to zresztą mało istotne. „Jestem gejem". Jest, tak powiedział, czyli ten wybryk nie był jednorazowy. Skoro jest gejem, będzie chciał robić to z innymi. Czy mogłabym się z tym pogodzić? W historii, w literaturze wiele było takich związków, takich białych małżeństw. Jesteśmy przyjaciółmi, byliśmy nimi, w każdym razie tak mi się wydawało. Tylko po co mi takie małżeństwo? Co bym z tego miała? Poza ewentualnie Rzymską, z czasem. Mogłabym mieć kochanków. Wielu albo jednego. Jednak na czymś takim akurat niespecjalnie mi zależy. Zresztą kochanków mogłabym mieć z równym powodzeniem, nie będąc żoną, choć akurat mężatki pod tym względem mają większe szanse. Wiadomo, że nie będzie problemu, wrócą do męża i z bańki.

Ze złością zamykam stronę Gejspejsa i okno przeglądarki z wynikami „mój mąż jest gejem". Zasnę? Nie ma mowy.

Zaglądam do poczty, jest mejl z dziennika. Jednak zależy im na mojej recenzji, no proszę. A właściwie... Jeśli nie Perkoć, to może coś innego, byleby polskiego, z topki. Proszę bardzo. Zaglądam na listę bestsellerów. „Blaszane serduszko". Numer dwa. Czterdzieści osiem pozytywnych komentarzy, osiem gwiazdek na dziesięć. Trafia mnie taki szlag, że aż odbiera mi oddech. Trzęsącą się ręką przesuwam myszkę i rozwijam opis powieści. O czym to jest? O pierdołach, o czym ma być. O miłości oczywiście, co taka Perkoć wie o miłości? Fleja niedomyta! Czytam opis fabuły, a potem z furią odpalam Worda. Nowy dokument. Izabela Perkoć, „Blaszane serduszko", recenzja. Jedna gwiazdka na pięć możliwych. Palce śmigają mi po klawiaturze jak uskrzydlone, słowa sypią się błyszczącą kaskadą.

W nowej powieści Izabela Perkoć próbuje za wszelką cenę ożywić truchła swoich postaci i wątków z poprzednich książek, ale wychodzi z tego zaledwie miałki, chaotyczny pochód zombi. Podobnie jak w poprzednich historiach Perkoć, i tu intryga oraz fabuła są tylko pretekstem do snucia rozmaitych naiwnych dygresji oraz ekspozycji portretu głównej bohaterki, która z lubością obnaża przed czytelnikami swoje słabostki, gorycz i błahe perwersje.

Nie ma tu nic nowego. Ta sama zjełczała love story tym razem osadzona została w realiach poznańskich. Oto seryjny uwodziciel i emocjonalnie niedorozwinięty podstarzały nastolatek angażuje się w kolejne przelotne romansiki z niewinnymi panienkami. Siostra jednej z pokrzywdzonych postanawia dać winowajcy nauczkę – zwraca się do pisarki Perkoć, by ta zechciała dopomóc jej w zemście, stając się jednocześnie przynętą dla łobuza.

Perkoć nigdy nie była ceniona za spójność intrygi, jednak w tym przypadku sklecona dyletancko konstrukcja rozpada się w proch już po pierwszych kilkunastu stronach lektury. Wątki zaczynają się i nie kończą, postaci są płaskie, niewiarygodne i pozbawione jakiejkolwiek psychologii – kołyszą się w przestrzeni opowieści niczym wypełnione siarkowodorem, skapcaniałe balony, a następnie ulatują w nicość. Znikły pozory rubasznego humoru i powierzchowna brawura, którymi Perkoć udawało się jakoś wybronić swoje wcześniejsze produkcje literackie. Cóż, nasza „lyteratka" pozbierała strzępy starych pomysłów, dolepiła do nich pospiesznie garstkę bieżących wątków, jednak jej klej z ziemniaczanej mąki nie trzyma, a całość przypomina rozłażącą się, nadpsutą pulpę z nieudolnie recyklingowanej makulatury.

Jestem genialna. Czytam całość jeszcze dwukrotnie, rezygnuję z naszej „lyteratki", bo to jednak nieprofesjonalne. Daję „autorka", niech już sobie ma. Po namyśle wyrzucam też „skapcaniałe", bo zbyt kolokwialne, a następnie wysyłam z poczuciem słusznej, choć nieco mściwiej satysfakcji. Teraz zasnę. Za chwilę. Zaglądam do poczty na Fejsie, ale Mamuśka nie odpisała. Nawet nie przeczytała jeszcze mojej wiadomości. Jutrzejszej nocy nie zaśniesz – myślę. – Przynajmniej nie tak prędko.

Przesuwam kursor na okienko wyszukiwarki i z niechęcią wpisuję znowu „mój mąż jest gejem". Jakbym dłubała igłą w dziurze bolącego zęba. Po co mi to?

Czytam posty aż do rana. Śmiertelna senność dopada mnie dopiero wtedy, gdy za oknem robi się jasno. Udaje mi się dobrnąć do łóżka, nie łykam już nawet stilnoxu. Upadam na kołdrę z rozkrzyżowanymi ramionami i pochłania mnie lepki sen.

XII

– Tata – głos Małgosi rozpływa się w białym szumie, który sączy się do mojej głowy przez słuchawkę suflera.

Stoję w studiu telewizyjnym, chyba na Woronicza, nie wiem. Na pewno nie w tym naszym pudełku przy placu Trzech Krzyży. Przestrzeń jest ogromna, sufit na wysokości dobrych dziesięciu metrów, niknie w czerni. Reflektory świecą na jej tle jak miniaturowe słońca. Z góry leje się na mnie żar. Imponujące studio, w czasach, gdy powstawało, musiało wydawać się bardzo nowoczesne. Teraz to właściwie muzeum, ale wciąż nadaje, choć prawie nikt nie ogląda tych programów. Stoję na środku podłogi, tuż przed przylepionym do posadzki czarnym krzyżykiem z taśmy izolacyjnej. Jestem sam, zapala się lampka na kamerze – widzę ją wysoko, wysoko nad głową. Nie sięgam do brzegu kadru, nie widać mnie. Wiem to, choć nikt nic nie mówi do mojego ucha. Wpadam w lekką panikę, daję twarz na wizję, a mnie nie widać! Podskakuję najwyżej, jak potrafię, ale nic z tego, kamera jest zbyt wysoko, a wszyscy wyszli, kamerzyści, oświetleniowcy, dźwiękowcy. Poszli do domu, bo są święta, może Boże Narodzenie, może Wielkanoc. Środek nocy. Studio jest zautomatyzowane, światła włączają się same, kamery także, ale nikt nie przewidział, że prowadzący może się skurczyć.

Nagle w uchu rozlega się wizg sprzężenia i Małgosia mówi głośno:

– Tata!

– Co? – otwieram oczy i patrzę na nią nieprzytomnym wzrokiem.

– Wiesz, że jest dziesiąta? – przygląda mi się z zagadkowym wyrazem twarzy.

– No to co? Dziś sobota – próbuję obrócić się na plecy, posykuję z bólu, bo całkiem mnie połamało, ale nagle zastygam w bezruchu i skóra na mnie cierpnie: – Sobota jest, tak?

– Sobota.

Oddycham z ulgą. Małgosia nadal wpatruje się we mnie z dziwną miną. Zaskoczenie albo niesmak – trudno rozróżnić. Prostuję się, kładę na plecach i wyciągam nogi nad podłokietnikiem kanapy.

– Czemu tak mi się przyglądasz? – pytam.

– Jak?

– No tak jakoś...

– Nigdy nie widziałam, jak wyglądasz, kiedy śpisz – oznajmia.

– Oczywiście, że widziałaś! – mówię mimowolnie rozbawiony.

– Nie widziałam! Kiedy?

– Na wakacjach na przykład.

– Na wakacjach zawsze wstawałeś przed nami.

– No to popołudniami. Często dosypiam po południu.

– Mama mówiła zawsze, że nie wolno ci przeszkadzać. Więc nie zaglądałam do waszej sypialni.

– To dziwne...

– Owszem – kiwa głową Małgosia. – Dopiero teraz do mnie dotarło, że nigdy nie widziałam cię śpiącego.

– No i jak? – zmuszam się do uśmiechu.

Mam wrażenie, że kręgosłup mi pęka, cholerna kanapa.

– Sama nie wiem... – zastanawia się. – Wszystko ci wisiało.

– Co mi wisiało?!

– No, twarz. Jakoś tak... Chcesz kawy?

– Zaraz sobie zrobię, tylko się... – siadam i stękam z bólu. – O Jezu! Tylko się pozbieram...

– Mama też jeszcze śpi. O co poszło?

– O nic nie poszło – prostuję się i coś strzela mi pod łopatkami. – Słyszałaś?!

– Strzeliło – kiwa głową. – To przez Krisa?

– Nieee... – przez moment rozważam, czy nie skorzystać z tego pomysłu i nie zwalić na niego winy za wczorajszą awanturę, ale prędzej czy później i tak się zorientuje, że nie o to chodziło. – Nie do końca. Wolałbym o tym nie mówić.

– Okej – wzrusza ramionami.

– Ale lepiej nie mów mamie.

– Czego?

– No, o Krisie. I o mojej matce. Nie o to się... Nie przez to... Rozumiesz?

– Nie bardzo. Ale to nie moja sprawa. Zresztą ja mam swoje problemy.

– Jakie?

– Eh! – wzdycha. – Pożarłam się z Natalią.

– Z Natalią? O co?

– Właściwie to nie wiem dokładnie. Chyba się nazbierało. Ogólnie tak. Ale bezpośrednio poszło o to, że sobie niechcący z niej zrobiłam bekę na koridorze.

– Na czym? Co? – patrzę na nią zdumionym wzrokiem i wstaję z kanapy.

W plecach znowu mi strzela, nie mogę się wyprostować!

– No, rżacza z niej sobie zrobiłam, ale niechcący. Ale wyszło, że zrobiłam. No i poszło na Fejsa, a zanim się połapałam, zdążyli zripować. Oczywiście skasowałam natychmiast ten filmik, ale już jest z dziesięć aplołdów u ludożerki. Nieważne, naprawdę. W każdym razie idę do Patrycji. Jest szansa, że będę pierwsza. Ale nieznaczna, więc niespecjalnie mam nadzieję.

– Co? – próbuję zrozumieć cokolwiek z tego, o czym ona mówi.

– Ty nic nie łapiesz – oznajmia Małgosia i smutnym, zadumanym głosem dodaje: – Starość jest straszna.

W przedpokoju coś stuka, rozlegają się ciche kroki.

– Mama wstała – stwierdza Małgosia i głośniej dodaje: – Chyba podsłuchuje.

– Nie podsłuchuję – oznajmia sucho Anna i zagląda do salonu. – Po prostu przechodzę.

– Jasne – kiwa głową Małgosia i puszcza do mnie oko.

Opieram dłoń na plecach tuż nad nerkami i usiłuję się wyprostować. Mam wrażenie, jakby ktoś zdzielił mnie po krzyżu bejsbolem.

– Ojej – mówi Anna fałszywie zatroskanym głosem. – Plecki cię bolą?

– Owszem.

– Weź pyralginę – rzuca i cofa się do przedpokoju.

– Oho! – Małgosia kiwa głową z domyślną miną. – Zdaje się, że nieźle się szczochraliście.

– Co zrobiliśmy? Nic nie zrobiliśmy!

– Dobra. Idę – wzdycha znowu Małgosia. – Trzeba połknąć tę żabę.

– Gośka, ja nic nie rozumiem. Gdzie idziesz?

– Do Patrycji, mówiłam przecież. Ale jeśli Natka była przede mną, najem się tylko poruty.

– Błagam cię...

– Dżizas! No chodzi o to, że Patrycja jest chodzącą tubą propagandy, ale słabo przetwarza dane. Przyswaja pierwszą poznaną wersję, rozumiesz? Jeśli więc Natalia była już u niej i naświetliła sprawę ze swojego punktu widzenia, to będzie obowiązująca wersja! Jak hasło w Wiki. No, w Wikipedii.

– Wikipedia jest edytowalna...

– Ale Patrycja nie jest. Dobra, idę. Może ty rzeczywiście weź tę pyralginę – Małgosia cmoka mnie lekko w policzek. – Pogodzicie się?

– Tak – kiwam głową. – Ale chyba wątpię. Nieprędko. O ile w ogóle.

– No, co ty powiesz? – kręci głową Małgosia, ale widzę, że myślami jest zupełnie gdzie indziej. – Pa!

Wychodzi z salonu. Po chwili słyszę trzask drzwi wejściowych. Naprawdę muszę wziąć coś przeciwbólowego. Człapię w stronę łazienki, gdy skręcam za róg w przedpokoju, widzę Annę, która z filiżanką kawy i talerzem w drugiej przymyka drzwi do swojego gabinetu.

– Położę się w sypialni, dobrze? – pytam.

Rzuca mi lodowate spojrzenie i kolanem zatrzaskuje za sobą drzwi. Przyjmijmy, że nie zgłosiła sprzeciwu. Wyjmuję z apteczki opakowanie pyralginy, połykam dwie tabletki i spoglądam na siebie w lustrze. *Starość jest straszna.* Rzeczywiście dziś wyglądam staro. Twarz mam wymiętą jak zgnieciona gazeta, fałdy poduszki odcisnęły mi się na skórze policzka, tworząc coś przypominającego blizny na twarzy Freddy'ego Kruegera. Ledwo patrzę na oczy.

Zgarbiony wlokę się do sypialni i padam na łóżko.

Rozdział 6

I

Klatka schodowa identyczna jak nasza, winda i korytarz także. Czworo drzwi, przed każdymi wycieraczka – wszystkie z Zara Home. Ja też taką mam. Nigdy wcześniej nie zwracałam uwagi na wycieraczki, przynajmniej nie świadomie. Naszą kupił Paweł. A taka wycieraczka chyba jest istotna, w końcu to pierwszy sygnał, jakby wizytówka tych, do których należy dom czy mieszkanie, nie? Czy to dobra myśl do Książki? Nie, raczej nie. Myślę o bzdurach, bo jestem zdenerwowana.

Zatrzymuję się przed drzwiami numer 64 i spoglądam pod nogi. „Rich Bitch" – powiedzmy, że zabawne, ale na granicy dobrego smaku. Prostuję się, oddycham głęboko i naciskam dzwonek.

Czekam, cisza. Ogarnia mnie lekka panika, mam ochotę odwrócić się na pięcie i dać dyla. Trochę jak przed wizytą u dentysty – człowiek nie chce, ale jednak musi. A ja muszę to zrobić, nie darowałabym sobie, gdybym nie zrobiła. Dlaczego mam być sama z tym wszystkim?

Rozlega się trzask odblokowywanej zasuwy i drzwi się uchylają. Opuszczam wzrok. Dziecko. Nie przewidziałam tego, najpierw czuję zmieszanie, a potem złość. Dlaczego sama nie otworzyła? Pisałam jej wyraźnie, że to osobista, bardzo ważna sprawa. Certoliła się przez dziesięć wiadomości: „a po co?", „a dlaczego?", „a kto?", zanim wreszcie zgodziła się na spotkanie. Myślałam, że pozbędzie się dzieciaka. Powinnyśmy były się spotkać gdzieś publicznie, w kawiarni, a nie u niej w domu. Nienormalna w ogóle, że mnie zaprosiła, ja nigdy nie zaprosiłabym do siebie jakiejś obcej baby z Fejsa.

– A kim pani jest? – pyta dziecko.

– A jestem żoną kochanka twojego tatusia – bez zastanowienia mówię słodko.

– Cooo? – dziecko wytrzeszcza oczy.

Są nieprawdopodobnie niebieskie i wielkie jak u tych dziewczynek z japońskich komiksów. Robi mi się wstyd, ale on tylko podsyca złość. Niemniej biorę się w garść. Nie upadłam jeszcze tak nisko, żeby odgrywać się na dziecku.

– Nic. Idź, powiedz mamusi, że ta pani, która do niej pisała, przyszła – mówię.

Stoi. Gapi się na mnie.

– Anna Lewandowska – dodaję. – Tak się nazywam. No, idź, powiedz.

– A ja jestem Ola – odzywa się dziecko. – Ola Rońda.

– Zawołaj mamę.

– Moja mama jest bardzo chora i umrze.

Chora? Nic nie pisała, jeśli źle się poczuła, mogła przysłać esemesa, w końcu dałam jej numer. Dzieckiem się zasłania!

– Słuchaj no... – zaczynam ostrzej, ale w tym momencie z dalszej części mieszkania dobiega kobiecy głos:

– Olka, kto przyszedł?

– Jakaś pani, co mówi, że jest kochankiem tatusia! – wrzeszczy dziecko przez ramię.

– Nic takiego nie powiedziałam! – wołam, popycham drzwi razem z dzieckiem i wchodzę do przedpokoju. – Anna Lewandowska! Pisałam do pani!

– Ojej... – mówi dziewczynka, traci równowagę i siada na podłodze.

Pochylam się gwałtownie i próbuję postawić ją na nogi, bo nie najlepiej to wygląda.

– Słucham? Co pani... Co pani wyprawia?

Podrywam głowę. Mamuśka stoi w głębi korytarza, przytrzymuje się ręką ściany i wpatruje we mnie spod zmarszczonych brwi.

– Dziecko się pani wywróciło – mówię idiotycznie.

– Ona mnie pchła – oznajmia dziewczynka.

– Nieprawda!

– Ola, idź do siebie i się pobaw – mówi spokojnym tonem Mamuśka.

– Kiedy ona mnie naprawdę pchła!

– Wcale nie pchłam! – mówię. – To znaczy, nie popchnęłam! Po prostu drzwi się jakoś tak niespodziewanie uchyliły.

Dziecko wyrwa rękę z mojego uścisku i wstaje.

– Nie lubię cię – oznajmia złym głosem.

– Olka! Do siebie! Ale już!

Dziewczynka wbija głowę w ramiona, mierzy mnie wściekłym wzrokiem, a potem odwraca się i ciężkim krokiem rusza w stronę swojego pokoju.

Odchrząkuję i spoglądam na Mamuśkę.

– Przepraszam – mówię. – Nie chciałam... Pisałam do pani, byłyśmy umówione. Nazywam się...

– Wiem, kim pani jest – przerywa mi Mamuśka, odwraca się i znika za progiem pokoju.

Przez sekundę rozważam, czy zdjąć płaszcz i skorzystać z wieszaka zamontowanego obok lustra w holu, ale rezygnuję.

– Wydaje mi się... – zaczynam, ruszając w stronę wejścia do pokoju, w którym zniknęła. – Wydaje mi się, że jednak pani nie wie.

Salon z kuchnią. Oglądany przez okno wydawał się mniejszy. Mamuśka siedzi na kanapie, okrywa ramiona kocem.

– Jeśli ma pani ochotę czegoś się napić, w lodówce są soki. Woda w baniaku obok zmywarki. A jeżeli ma pani ochotę na kawę, ekspres stoi przy lodówce – mówi.

Wchodzę do pokoju i zatrzymuję się przy wyspie kuchennej. Ta kobieta rzeczywiście nie najlepiej wygląda, może naprawdę źle się czuje.

– Jeśli się pani rozchorowała, trzeba było zadzwonić, żebym nie przychodziła – bąkam.

– Czego pani chce ode mnie? – pyta Mamuśka, spoglądając na mnie obojętnym, zmęczonym wzrokiem.

– Och... Ja, widzi pani... Mogę usiąść?

Wskazuje głową fotel. Jakoś ten mój bojowy nastrój sprzed kilku chwil wyparował. Mam wrażenie, że zaraz się rozpłaczę. Szybko mrugam powiekami, przysiadam na brzegu fotela i splatam ręce na kolanach.

– Widzi pani... – mówię, urywam, oblizuję wargi i ciągnę: – Ja się nazywam Anna Lewandowska i jestem...

– Pani jest żoną Pawła – wpada mi w słowo Mamuśka.

Wie! Zna Pawła?! Niemożliwe! Ale nie, dlaczego? Możliwe! W końcu tu przyszedł, pewnie tamten przedstawił go jako kolegę. Oczywiście!

– Owszem. Jestem żoną Pawła – kiwam głową. – I w tej sprawie właśnie do pani przyszłam. Bo widzi pani, to nie jest tak, jak się pani wydaje.

– Nie? – Mamuśka przygląda mi się z beznamiętnym wyrazem twarzy. – A pani myśli, że jak mi się wydaje?

– Bo pani pewnie myśli, że Paweł i pani mąż są... Kolegami.

– Mąż? Pani ma pewnie na myśli Wojtka?

– Wojtka? Może Wojtka, nie wiem. Pani wie najlepiej, jak się pani mąż nazywa.

– Ale pani... Wiesz co? Darujmy sobie te panie, bo to zaczyna brzmieć jak dialog z taniej farsy, okej? Jestem Kaśka.

– Anka – mówię po sekundzie wahania.

– Dobra. Anka. Wojtek nie jest moim mężem, tylko bratem.

Bratem? Przyglądam się jej podejrzliwym wzrokiem. Robi mnie w balona! Przecież od miesięcy ich obserwuję! Normalne małżeństwo, on zasuwa, ona siedzi w domu i ogląda telewizję. Dziecko mają! Rodzeństwo? Akurat! Tylko po co mi wciska taki kit?

– Dlaczego sądziłaś, że Wojtek to mój mąż? Ze względu na nazwisko? – pyta.

– Nazwisko? Nie, nie wiem. Tak. My mieszkamy po drugiej stronie Zamglonej. Widać wasze okna.

– Aaaa! Podglądasz nas?

– Nie! Skądże! Po prostu widziałam!

– I co widziałaś?

– Nic. To jest... Widziałam mojego męża i pani... Brata?

– Rozmawiałaś z nim o tym?

– Z kim?

– Z Pawłem.

– Tak. Przyznał się.

– To chyba dobrze, nie? Że o wszystkim ci powiedział.

– Oczywiście, że nie! Poza tym zorientował się, że go widziałam, jak się tu... Tylko dlatego się przyznał!

– Aha – Mamuśka odchyla głowę na oparcie kanapy. – No i czego ty chcesz ode mnie?

– Jak to, czego ja chcę?! Przecież to trzeba jakoś... No, nie wiem! Omówić czy wyjaśnić! Coś z tym zrobić trzeba przecież!

Mamuśka przymyka oczy i wzdycha głęboko.

– Weź sobie kawy zrób i odetchnij.

– My jesteśmy małżeństwem od dwudziestu lat! – wykrzykuję. – Rozumie pani?! My mamy dziecko! Córkę mamy! Ja nie rozumiem, dlaczego pani jest taka... Obojętna! On małżeństwo rozbija, a pani to zwisa? To pederasta jest!

– Paweł czy Wojtek?

– No, obaj!

– Słuchaj... – Mamuśka znowu spogląda na mnie, ale tym razem w jej oczach migocze cień rozbawienia. – No i co ty z tym możesz zrobić?

– Jak co mogę zrobić?!

– Jeżeli twój mąż jest gejem, nic na to nie poradzisz.

– Ale on dotąd nie był gejem! My jesteśmy ze sobą dwadzieścia lat, rozumiesz?! To jest połowa mojego całego życia!

Z oczu Mamuśki znika rozbawienie. Zaciska usta, a jej twarz tężeje.

– Ja mogłabym coś takiego powiedzieć, ale nie ty – cedzi przez zęby. – W moim przypadku to jest prawda. Ale nie w twoim. Bo ty, jak dobrze pójdzie, masz jeszcze przed sobą połowę życia. Więc te dwadzieścia lat to zaledwie jedna czwarta. I tyle.

– Słucham?!

– Wojtek jest gejem. Zawsze nim był, odkąd pamiętam. Chyba wiedziałam o tym wcześniej, niż zorientował się on sam. Nikogo nie okłamał, niczego nie zrobił na siłę. I z pewnością nie wrzucił Pawłowi do drinka tabletki gwałtu. Jeśli więc chcesz coś z kimś wyjaśniać, wyjaśniaj ze swoim mężem. Choć w moim przekonaniu jest to tylko niepotrzebna strata nerwów, sił i czasu.

– Strata... – zachłystuję się, robi mi się gorąco, dławi mnie w gardle i czuję, że oczy wypełniają mi się łzami. – Ja nie mogę tego ot tak po prostu zostawić! On... To jest mój mąż, rozumiesz?! Ja zainwestowałam w niego wszystko! A on teraz mi oświadcza, że jest gejem?! Po dwudziestu latach?! I co? I już?!

– Przecież ty sama masz kogoś na boku – stwierdza Kaśka.

– Ależ nie mam! Skądże?!

– Wszędzie o tym piszą.

– To bzdura! Nieprawda, to tylko dla... No, to tak wyszło tylko!

– Wyszło? Wczoraj w necie był cały serwis fotograficzny. Ty z tym facetem w jakimś sklepie.

– Ale mnie nic z nim nie łączy! To tylko promocja. Ja jestem pisarką, a teraz tak trudno się... To w ogóle nie ma nic do rzeczy!

– Aha – Kaśka zamyśla się, po czym kręci głową. – Okej, nie mój biznes. Nie wiem, co mam ci powiedzieć właściwie. Daj sobie spokój i tyle. To moja rada.

– Z czym mam dać sobie spokój? – jedna łza spływa po moim policzku, za nią toczy się następna.

– Z Pawłem. Nic z tego nie będzie, nawet jeśli nie wyjdzie mu z Wojtkiem, będzie szukał następnego. Szkoda życia. Chcesz mu dać nauczkę?

– Nauczkę? Komu? Pawłowi? Nie... Tak! On musi zrozumieć, co mi robi. Co nam robi! Pojąć ogrom winy!

– No i?

Zaczynam płakać na całego.

– O Boże... – wzdycha Kaśka. – Dziewczyno, miotasz się w martwej strefie, rozumiesz? Jakbyś utknęła w przejściu między wagonami w pociągu. Nic tam nie ma, tylko ty jedna. Daj sobie spokój. Żebyś nie wiem co zrobiła, nic ci z tego nie przyjdzie.

– Nie mogę tak – wyjękuję.

– Pewnie nie możesz. Rozumiem, że chciałabyś, żeby on strasznie żałował, tak?

– No, nie wiem... Tak, oczywiście!

– Pewna jestem, że żałuje. Ale to niczego nie zmienia, skoro jest, jaki jest. A ja się na tym znam, dar mam taki, nieprzydatny. Popatrzę na faceta i od razu wiem, czy to pedzio, czy nie. Twój mąż jest stuprocentową ciotą, choć fakt, że nie w oczywisty sposób. Dobra, powiedzmy, że wykombinowałabyś coś takiego, co zmusiłoby go do zostania z tobą i udawania męża. Naprawdę tego właśnie byś chciała?

– Nie wiem.

– Kiedy się dowiedziałaś?

– Przedwczoraj.

– Okej. Powiem ci, co powinnaś zrobić. Powinnaś pójść teraz do domu... Ile lat ma wasza córka?

– Siedemnaście. Prawie osiemnaście.

– Czyli właściwie dorosła. Zajmie się sobą, jeśli będzie trzeba. Ma dziadków?

– Ma. Dziadka.

– To tym bardziej nie ma problemu. Więc powinnaś teraz iść do domu. Spakować walizkę – jedną, wystarczy. Wysłać córkę do dziadka, a jemu napisać esemesa: „Wyjeżdżam na pięć dni i proszę, żeby nie było cię już, gdy wrócę do domu". A potem idź na lotnisko, kup sobie bilet, nie wiem, do Berlina, do Paryża albo dokądkolwiek. Poleć tam, wybierz fajny hotel, zorganizuj sobie jakiś dobry alkohol, a potem idź spać. Po tych pięciu dniach wróć i zacznij życie od nowa.

– Nie mogę.

– Pewnie nie możesz – powtarza Mamuśka to samo zdanie, które wygłosiła chwilę temu. – Ja to nawet gdzieś tam rozumiem. Mówię tylko, co powinnaś zrobić. A zrobisz, co będziesz chciała.

– Nie mogę tak po prostu... Bo on przecież... On nie może mi tego...

– Oj, nie! – przerywa mi Kaśka. – Nie dam rady, nigdy się nie nadawałam do takiego obracania gówna w paluszkach na wszystkie strony, a teraz to już w ogóle. Gówno z każdej strony wygląda tak samo. Wiem. On jest chujem. Zmarnował ci życie. Okej, przyjęłam. Wałkowanie tego ani nie uświadomi mi sprawy dobitniej, ani nie zmieni faktów. Jeśli masz potrzebę mielenia ozorem w kółko o tym samym, idź do psychiatry.

II

Może powinienem? Ale co to da? Nie wierzę w psychiatrów i psychologów, nie wierzę w to, że ktoś może powiedzieć mi o mnie coś, czego nie potrafiłbym powiedzieć sam. Jestem zmęczony. Chwilami mam wrażenie, jakby grunt usuwał mi się spod stóp, a chwilami – jakbym sam unosił się nad nim lekki niczym strzępek papieru.

– Mniej bezmyślnie, Paweł! Mniej bezmyślnie! – pokrzykuje fotografka. – Ty, jak ci tam, malarka, weź go popraw, bo się świeci.

Jolka podchodzi do mnie z cierpką miną, z rozmachem pudruje mnie wielkim pędzlem.

– Lepiej – stwierdza fotografka. – Ty, Paweł, wyprostuj się, jak Bozię kocham.

Ściągam łopatki i stękam z bólu, choć plecy dziś dokuczają mi trochę mniej niż wczoraj. Prawie nie zmrużyłem oka w nocy, wyspałem się w dzień na naszym łóżku w sypialni. No i wziąłem rano dwa nurofeny.

Unoszę plastikowy złoty pistolet i zezuję w stronę obiektywu.

– Ajm Bąd! Sebastian Bąd! – mówi Sebastian, przyciskając swoje pośladki do moich. – Es jak superman!

Odsuwam się nieco. Agnieszka przygląda nam się spod przymkniętych powiek, ściąga wargi w ciup – zbyt często to robi, wokół ust robią jej się już pierwsze zmarszczki. Niedługo zaczną przypominać zamek błyskawiczny.

– Nie podoba mi się – oznajmia.

– Co ci się nie podoba? – pyta fotografka.

– Tu nie ma interakcji. Są odwróceni do siebie dupami.

– Przecież miały być Aniołki Charliego...

– Nie. Miał być Bond.

– Ale Bond jest jeden, a oni dwaj.

– Niech może strzelają do siebie? – proponuje Jolka.

Słoik natychmiast odwraca się i mierzy plastikowym pistoletem w moją skroń.

– Bęg, bang, bąg! – wykrzykuje, mrużąc oko.

Trzaska migawka aparatu. Kołnierzyk koszuli jest przyciasny, węzeł krawata zaciśnięty zbyt mocno, dławię się. Podnoszę pistolet i celuję we własną głowę.

– Bang, bang – mówię.

– Paweł! – warczy Agnieszka.

– Która godzina? – pytam.

– Wpół do drugiej – szybko odpowiada Jolka i dodaje z naciskiem: – Już.

– Jestem umówiony za pół godziny. Kończmy.

– Ja się nie spieszę – oświadcza Sebastian. – Możemy trzasnąć kilka solówek. Tak na wszelki wypadek.

– Nie – kręci głową Agnieszka. – Macie być obaj.

– Ty, ale coś się wybierze – fotografka podłącza aparat fotograficzny do laptopa i pochyla się nad ekranem. – Po obróbce będzie okej. Dorobię smogi i lensy.

Podchodzę do stolika i zerkam na fotki. Zawodowe, ale całkowicie bez sensu. Dwaj faceci w czarnych garniturach – w sam raz na reklamę jakiegoś agresywnego zakładu pogrzebowego. Chociaż całkiem nieźle wyglądam. Właściwie równie dobrze jak Sebastian.

– Idiotyzm – mówię.

– To dla naszego wspólnego dobra – poucza mnie Agnieszka.

– Ale na bardzo krótką metę – mówię kwaśno. – I ty dobrze o tym wiesz. To tak, jakby Oriana Fallaci wzięła udział w sesji, w której wystylizowano by ją na Trinity z „Matrixa".

– Och, z pewnością wielu chciałoby coś takiego zobaczyć – oświadcza Agnieszka.

– I na pewno wielu przestałoby ją brać serio – ripostuję.

– Kto? – pyta słoik.

– Bez urazy, Paweł... – Aga robi ironiczną minę – ...ale Orianą Fallaci to ty nie jesteś.

– Tak. A po tej sesji stracę na to nawet cień cienia szansy.

– Kim? – pyta Sebastian.

– Zróbmy jeszcze same sylwetki – proponuje Agnieszka. – Jednak takie à la Aniołki.

– Siluety? – pyta fotografka. – Nie ma problemu, oszparuję.

– Jakie siluety? – pytam.

– No, czarne sylwetki – wyjaśnia Aga. – Cienie takie czarne. Wycinanki.

– Aaaa! – wykrzykuje domyślnie Sebastian. – Jak w tym japońskim teatrze bukake!

– Kabuki – prostuje Jolka. – I chyba raczej nie o ten rodzaj sztuki tu chodzi...

– A po co ci to? – spoglądam na Agę.

– Do czołówki – wyjaśnia. – Zamawiamy nowe logo.

– Logo porannego serwisu informacyjnego? – upewniam się. – W stylu Aniołków Charliego? To już jakaś totalna parodia jest... Idę.

– Dobra – wzdycha Agnieszka. – A garnitur możesz sobie wziąć. Jak obiecałam.

– Dzięki – salutuję z ironiczną miną. – Przyda się. Znakomity do trumny.

•

Parkuję przed Syltem, jest za dwie druga. Za oknem restauracji widzę Wojtka. Patrzy na mnie, podnosi rękę na powitanie. Wszystko, czym przejmowałem się przez ostatnie dni, blednie, staje się płaskie, nieznaczące, czarno-białe niczym nieostre zdjęcia ze starej, leżącej na chodniku gazety. Anna, kanapa, Sebastian, *ajm Bąd*, Agnieszka, *czasami tak cholernie się boję...* Dźwięki zza ściany – monofoniczne.

Wysiadam z auta prosto w wiosnę. Powietrze jest chłodne, sprężyste, zielonkawe. Nade mną wiszą czyste, zupełnie nowe, śnieżnobiałe chmury, a wściekle niebieskie niebo za nimi wydaje mi się młodsze ode mnie. Mimowolnie uśmiecham się od ucha do ucha, grawitacja traci siłę, znika nawet ból pleców. Czuję, że gdybym teraz podskoczył, z całej siły odbił się stopami od ziemi – poszybowałbym nad wieżowce, nad obłoki, pod to niebo, przez to niebo, nad to niebo... Aż do samego słońca, by zamknąć je w ramionach, wchłonąć w siebie, uwięzić w piersi...

– Cześć – mówi Wojtek. – Mam nadzieję, że jesteś głodny, bo ja mam zamiar jeść. Zaspałem i miałem do wyboru prysznic albo tosty. Nie zdążyłem nawet wypić kawy.

– Jasne. Pewnie, że będę jeść. Przez ostatnią dobę raczej mało jadłem.

– Okej – Wojtek macha do kelnerki. – Wiesz, co byś chciał?

– Cokolwiek. Wybierz mi – uśmiecham się znowu.

Wojtek kiwa głową bez zdziwienia, jakby to było oczywiste, że zdaję się na jego wybór. Czy kiedyś zgodziłem się na coś podobnego? Nigdy. Nawet gdy jadłem w domu, Anka zawsze wcześniej uzgadniała ze mną, co ma ugotować. Jeśli gotowała, bo taka sytuacja nie zdarzała się zbyt często.

– Dwie zupy z homara i dwa razy tajgery z grzankami czosnkowymi – recytuje Wojtek. – Dla mnie Żywiec, dla niego... Może być Dr. Pepper?

Potakuję, a gdy kelnerka odchodzi, mówię:

– Powiedziałem jej.

– Wiem – Wojtek spogląda na mnie, mrużąc oko. – Pisałeś.

– Nie planowałem tego – wyjaśniam. – Po prostu... zobaczyła nas. Przez okno. Nie wpadłem na to, że widać wasz salon z jej gabinetu.

– A u Kaśki nie ma zasłon ani rolet – mówi Wojtek. – Zapomniałem o tym, a właściwie – nie pomyślałem... Swoją drogą, ciekawe, ile osób nas widziało.

Taka myśl mi nie przyszła do głowy. Przez moment robi mi się słabo, a potem sprawa przestaje mieć znaczenie. Co mnie to właściwie obchodzi?

– Następnym razem musimy uważać – uśmiecham się do niego.

– Taaaa... – Wojtek spogląda na blat stołu i przesuwa dłonią po obrusie w czerwoną kratkę.

Czuję w duszy igiełkę niepokoju.

– O co chodzi? – pytam.

– Nie chciałbym, żebyś mnie źle zrozumiał...

– Postaram się – mówię, gdy udaje mi się zapanować nad głosem.

Mam wrażenie, jakbym stał na wąskim balkonie ostatniego piętra wieżowca, a barierka właśnie wysunęła mi się spod ręki i rozsypała w stertę rdzawych płatków. On mnie nie chce.

– Wystarczy tylko, żebyś jasno sprecyzował, co chcesz mi przekazać – dodaję. – I wolałbym, żebyś to zrobił szybko, bo w mojej głowie właśnie dzieje się coś, co można by porównać z wrzuceniem do rozgrzanej frytkownicy kawałka suchego lodu.

Wojtek przez sekundę próbuje zachować kamienną twarz, ale jednak uśmiecha się pod nosem.

– Wojtek, musisz sobie zdawać sprawę... – bąkam, robię przerwę na oddech i ciągnę: – Na pewno wiesz, co do ciebie...

– Nie mów tego – przerywa mi i przestaje się uśmiechać.

– Dlaczego?

– Paweł... Po pierwsze, zupełnie mnie nie znasz. Nie wiesz, ani jaki jestem, ani kim jestem.

– To nie... – zaczynam, ale potrząsa głową i znowu wpada mi w słowo:

– Przecież myśmy się nawet jeszcze nie pierdolili!

– O Jezu – wyrywa mi się.

Czuję, jak moje policzki stają w ogniu, a oczy robią się wilgotne. Pochylam głowę.

– Słuchaj – odzywa się Wojtek. – Przepraszam. Niepotrzebnie to powiedziałem. Ja po prostu... Naprawdę cię lubię i cholernie mnie ciągnie do ciebie, ale... Paweł, ja nie szukam nikogo na stałe. Na razie nie szukam. Chyba.

Chyba.

– Przez tego Bartka? – pytam cicho.

– Tak. I nie. Rozstaliśmy się już dobry rok temu, a między nami niewiele się działo od dawna. Ale jest Kaśka, jest Ola. Muszę o nich myśleć. Muszę myśleć o tym, co będzie później. Z małą. Tylko ja mogę się nią zająć, nigdy nie planowałem tego, żeby być rodzicem. Przerasta mnie to trochę. Nie mogę sobie pozwolić na...

– Na co?

– Rozumiem to – odzywa się po chwili. – Tak mi się wydaje. Nigdy wcześniej nie byłeś z facetem, dotarło do ciebie, że jesteś taki, dopiero teraz. Nic dziwnego, że sądzisz... że może ci się zdawać, że czujesz coś do mnie. Kiedy miałem siedemnaście lat i poznałem swojego pierwszego chłopaka, też sądziłem, że go kocham, już po pierwszym razie.

– Nie mam siedemnastu lat – mówię. – I nie powiedziałem, że cię kocham. Nie zaproponowałem też, żebyśmy zamieszkali razem. Jeśli coś mógłbym powiedzieć, to tyle, że się w tobie zakochuję. Ale od zakochania daleko do miłości. I nie powiedziałem Annie, że zakochałem się w tobie. Powiedziałem, że jestem gejem.

– Okej. Sęk w tym, że to ci może szybko przejść – oznajmia Wojtek.

– Co mi może przejść?! Bycie gejem?!

– Nie. To zakochanie. Spotkasz następnego faceta, na którego będziesz miał ochotę, potem następnego i kolejnego. To naturalne. Ja też tak miałem, kiedy zaczynałem.

– Nie jestem nastolatkiem! – rzucam przez zęby. – I wolałbym, żebyś nie wypowiadał tak autorytatywnie proroctw dotyczących tego, co zrobię lub nie. Też mnie nie znasz.

– Okej – wzdycha Wojtek. – Sorki. Może trochę panikuję.

– Ty panikujesz? Ja mam czterdzieści dwa lata. Przez dwadzieścia żyłem z kobietą. Właśnie uświadomiłem sobie, że żyłem w... Że to było kłamstwo! Oszukiwałem siebie i oszukiwałem ją! Trwałem jak bakteria zamrożona w bryle lodu! Nie wiem, co myśleć o sobie, o swoim życiu. Boję się tego, co będzie. Przyznasz, że to też są powody do paniki.

– No dobrze. Umówmy się więc, że panikujemy obaj – uśmiecha się Wojtek. – Chodzi mi po prostu o to, żebyśmy... Hm, zwolnili tempo.

– Rozumiem.

– I może powstrzymali się od deklaracji.

– Okej.

– W sensie ciebie, mnie i tego, co między nami. Bo ty już zdążyłeś się zadeklarować. Podejrzewam nawet, że dokonałeś najszybszego coming outu w historii.

– No, niecelowo.

Kelnerka stawia przed nami talerze z zupą i koszyk z pieczywem. Spoglądam na swój i biorę łyżkę do ręki, chociaż wydaje mi się, że nie zdołam przełknąć ani odrobiny.

– Jedz – mówi Wojtek. – Jakoś to będzie.

– Wolałbym, żebyś powiedział „będzie dobrze".

– Tak każdy mówi – stwierdza, odrywając kawałek bułki. Wrzuca go do ust i dodaje:

– Pewnie będzie dobrze. Na ogół bywa. Prędzej czy później. A co ty właściwie myślisz o tym, że jesteś gejem?

– To znaczy?

– No, nie bardzo rozumiem, jak mogłeś... Nie, wróć. Co wcześniej myślałeś o gejach?

– Nie myślałem wcale – wzruszam ramionami. – W ogóle nie poświęcałem temu tematowi uwagi, tak samo jak nigdy nie zastanawiałem się nad osobami należącymi do związków kynologicznych albo kolekcjonerami nagrań z ludowymi piosenkami.

– Potępiałeś ich?

– Nie. Mam wrażenie... Chyba podświadomie unikałem analizy. Sprawy po prostu nie było.

– A teraz?

– Teraz jest.

– Ale czy masz z tym problem?

Rzucam mu znaczące spojrzenie i milczę.

– Och, wiem, że masz problem osobisty! – śmieje się Wojtek. – Czy raczej wiele problemów. Ale, abstrahując od bieżących konkretów, czy masz problem ogólny?

– W jakim sensie ogólny?

– No, czy wydaje ci się, że jesteś przez to gorszy od reszty świata? Od heteroseksualnej reszty.

– Nie mam pojęcia. Sprawa jest dla mnie świeża, więc nie zdążyłem jeszcze dokonać pogłębionej autoanalizy – mówię kwaśno, a Wojtek śmieje się znowu.

– Dokonaj jej teraz, w sumie prosta rzecz. Wydaje ci się to nienaturalne?

Zastanawiam się przez chwilę. Czy tak jest? Nie. Nie mam nawet cienia problemu z tym, że czuję pociąg do mężczyzny. Nie uważam tego za niewłaściwe. Bogu niech będą dzięki, że w niego nie wierzę. A raczej – dzięki niech będą ojcu i matce, że nie zatruli mnie religią. Gdybym był praktykującym katolikiem, na pewno zaakceptowanie pedalstwa nie byłoby dla mnie tak proste.

– Nie – mówię z lekkim zdziwieniem. – Z tym nie mam żadnego problemu.

– To dobrze – Wojtek z poważną miną kiwa głową. – Słucham czasem tych różnych dywagacji na temat homoseksualizmu. Występuje u wszystkich gatunków zwierząt, nie tylko ssaków, ale nawet u ptaków i owadów. I procent osobników homoseksualnych jest stały, nie zmienia się w kolejnych pokoleniach, zawsze oscyluje między dwoma a pięcioma procentami. A oni

– lekarze, biolodzy, naukowcy – wciąż nie są w stanie zdefiniować dlaczego. Trudno tu mówić o pomyłce genetycznej czy odchyleniu od normy. To nie jest trzecie oko czy rozszczepienie podniebienia. Cecha jest jasno sprecyzowana i dotyczy tylko jednej sfery funkcjonowania organizmu – popędu seksualnego. Dotyczy funkcji. W naturze funkcja pełni kluczową rolę, jej doskonalenie to istota ewolucji. Funkcja jest podstawą przetrwania gatunku. A jaką funkcję pełni homoseksualizm, który nie prowadzi do prokreacji, lecz jedynie do rozładowania napięcia seksualnego?

– Nie mam bladego pojęcia – mówię, próbując nadążyć za jego tokiem rozumowania.

– Orientacja seksualna nie jest dziedziczna – wylicza Wojtek. – Oznacza więc, że jest wdrukowana w DNA żyjących istot. Pojawia się losowo u stałej określonej liczby osobników w każdym pokoleniu. Czemuś więc musi służyć, musi być jakimś dodatkowym zabezpieczeniem szansy przetrwania gatunku. Wyobraź sobie sytuację, w której prokreacja nagle może zagrozić przetrwaniu. Wydarzyło się coś, co zmieniło warunki naturalne, w jakich funkcjonuje dana grupa osobników. Powiedzmy: nastąpiła wyjątkowo długa susza lub przeciwnie – gwałtowne, długotrwałe opady i powodzie. Klimat zmienił się drastycznie, wydarzyła się jakaś katastrofa naturalna, kolejna epoka lodowcowa. Brakuje pożywienia, grupa na przykład zmuszona jest do migracji. Samice nie mogą zachodzić w ciążę, bo osłabi je to podczas wędrówki, a młode mają znikome szanse na przetrwanie. Może być też tak, że grupa postanawia przeczekać katastrofę. I w tej sytuacji pojawienie się potomstwa znacząco pogorszy warunki. Uszczupli resztki pożywienia, doprowadzi do degeneracji, bo te z małych, które uda się odchować, będą słabe i chorowite. Gatunek będzie zagrożony na skutek prokreacji. Jak temu przeciwdziałać? Przecież popęd seksualny jest jednym z najsilniejszych, nie wyłącza się ot tak, z pewnością nie u wszystkich osobników. Musi być rozładowywany, bo jego kumulacja doprowadzi do wzrostu agresji i wreszcie – prędzej czy później – do prokreacji. Myślę, że po to właśnie natura wytworzyła popęd homoseksualny. Jako jeden z gwarantów przetrwania. Wentyl bezpieczeństwa. W sytuacji, gdy prokreacja zagraża przetrwaniu gatunku, samce mogą rozładowywać popęd z innymi samcami, a samice z samicami. A ponieważ warunki naturalne mogą się pogorszyć w każdej chwili, stąd procent osobników homoseksualnych utrzymuje się na tym samym poziomie.

– Jak ci powiedziałem, nie mam problemu z homoseksualizmem – zaczynam się śmiać. – Ale coś mi się wydaje, że ty go masz, bo najwyraźniej strasznie dużo nad nim rozmyślasz. Teoria jest ciekawa, ale trochę naciągana.

– Ale przyznasz, że jako koncepcja trzyma się kupy – Wojtek uśmiecha się także. – Oczywiście z punktu widzenia cywilizacji to czysty atawizm. Bo ewolucja wyposażyła nas w wolną wolę i inteligencję. Ale nawet one w pewnych sytuacjach okazują się słabsze od popędu seksualnego. I oczywiście, że dużo o tym myślałem! Jestem taki, jaki jestem. Nigdy nie potrafiłem uwierzyć, że jestem tylko genetycznym błędem. Szukam więc naukowego uzasadnienia swojego istnienia.

– Równie dobrze można by przyjąć, że pewien procent osobników homoseksualnych jest niezbędny w populacji na wypadek zachwiania równowagi między płciami. Gdy na przykład w kilku kolejnych generacjach rodzi się więcej samców niż samic, osobniki homoseksualne są gotowe przejąć rolę tych ostatnich – i to nie tylko w sferze zachowań seksualnych. Oczywiście nie zdołają urodzić potomstwa, ale na przykład chętniej przejmą opiekę nad nim niż samce heteroseksualne.

– Hm... – zamyśla się Wojtek. – Całkiem, całkiem. Jednak ta teoria może dotyczyć tylko niektórych gatunków. Ssaków na przykład czy ptaków. Owady i ryby raczej nie opiekują się swoim potomstwem.

III

Czuję się pusta w środku. Jak wydrążony owoc. Niepotrzebnie do niej poszłam.

Wsiadam do windy i naciskam guzik z numerem naszego piętra, a gdy drzwi się zasuwają, otwieram torebkę i grzebię w niej niemrawo, szukając klucza.

Ośmieszyłam się (*no i czego ty chcesz ode mnie?*). Choć, czy na pewno? Tak, jednak tak. Ta kobieta powtórzy wszystko bratu – o ile to rzeczywiście brat. Zapewne brat, kretyńskie kłamstwo, po co miałaby coś podobnego zmyślać? Tamten powtórzy Pawłowi. Zachowałam się jak głupia, stereotypowa żona z amerykańskiej komedyjki, w dodatku osadzonej w realiach minionego wieku. Tania idiotka.

Wsuwam klucz do zamka, próbuję go przekręcić, ale drzwi są zablokowane od środka. Zamknął się! Przede mną! Lodowate ciarki przebiegają mi po krzyżu. Zmienił zamek! Nie dostanę się do własnego domu! Wściekłość eksploduje we mnie z siłą bomby wodorowej. To ja powinnam zmienić zamki! Ja! Wystawić mu walizkę na klatkę schodową albo jeszcze lepiej – wypierdolić wszystko przez okno prosto na ulicę! Krawaty, garnitury, które sama mu kupowałam i nosiłam w zębach do pralni przez te wszystkie lata! Talerze villeroya, które nigdy mi się nie podobały, a które przywlókł do domu, jego laptopa, ajpada, buty, skarpetki, papiery! Cisnąć to przez parapet, podpalić, pociąć, podrzeć na strzępy! Dłonie zwijają mi się w pięści.

– Otwieraj! – wrzeszczę, tłukąc w drzwi z furią. – Kurrrrwa, otwórz!!! Ale już!!!

Nasłuchuję przez sekundę z uchem przyklejonym obok wizjera. Cisza.

– Otwieraj!!! – wrzeszczę znowu. – Bo zaraz rozjebię te...

Zasuwa ustępuje z cichym kliknięciem, drzwi uchylają się szeroko.

– Czy ty zwariowałaś? – Gośka wpatruje się we mnie ze zdumieniem.

Mijam ją bez słowa i ciskam torebkę na komodę przy lustrze. Ręce mi drżą. Spoglądam na czerwone, otarte kłykcie. Złoty pierścionek, ten koronkowy, jak go nazywa Gosia, jest zgięty. Dostałam go od Pawła. Na dziesiątą rocznicę. Próbuję ściągnąć filigranową obrączkę z palca, ale nie daję rady.

– Mama, co ty robisz? – pyta Gośka. – Odbiło ci?

– Nie – warczę i idę do kuchni.

Gwałtownym ruchem wysuwam szufladę obok zmywarki, tę z rupieciami. Nożyczki krawieckie powinny być na wierzchu. Nie ma.

– Brałaś nożyczki? – drę się przez ramię.

– Tak – Gosia odzywa się tuż za mną, podskakuję z przestrachu. – Mam je u siebie.

Odwracam się i maszeruję do jej pokoju.

– Gdzie? Daj mi – mówię.

Małgosia podchodzi do biurka, odsuwa jakieś wydruki i podaje mi nożyczki.

– Co się dzieje? – pyta.

– Nic – mówię.

Noszę pierścionek na prawej dłoni, szkoda, że nie na drugiej. Próbuję lewą ręką złapać nożyczki, ale mają tak wymodelowany uchwyt, że jest to trudne. Kurwa, a co z mańkutami? Ciekawa jestem, ile w naszym kraju żyje leworęcznych osób, na pewno miliony! Przecież to dyskryminacja, dlaczego robią nożyczki tylko dla praworęcznych?!

– Ach! – czubek ostrza wbija mi się w palec.

– Mama...

– Masz, trzymaj – odwracam się do Gośki i podaję jej nożyczki. – Przetnij to.

– Co mam przeciąć?

– Pierścionek. Cienki jest, da się przeciąć.

– Ale dlaczego chcesz to zrobić? – pyta Gosia. – Lubię ten pierścionek.

– A ja nie. Przecinasz czy jak?

Moja córka z wahaniem bierze nożyczki, wystawiam otwartą dłoń, zwróconą wnętrzem do góry – jakbym prosiła o datek.

– Masz całą rękę we krwi – mówi.

– Drobne skaleczenie. Tnij.

– Ale może zejdzie?

– Nie zejdzie. Tnij.

To tylko cienka blaszka, złoto jest miękkie. Gosia wsuwa węższe ostrze pod wygiętą obrączkę, zaciska nożyczki, jej palce bieleją z wysiłku. Pyk – pierścionek ustępuje zadziwiająco łatwo. Podnoszę dłoń, chwytam zębami krawędź obrączki i odginam. Ostry brzeg rani mnie w palec, ale daje się łatwo zdjąć. Wypluwam obrączkę na podłogę.

– Zachowujesz się jak psychiczna – oznajmia Gosia głucho.

– Bo ja jestem psychiczna – mówię konfidencjonalnie. – Nie wiedziałaś?

Furia ustępuje, dopiero teraz spoglądam Gośce w twarz.

– A co ty, płakałaś? – pytam, marszcząc brwi.

– Nie.

– Jak nie, skoro widzę. Co się stało?

– Nic – mówi Gośka z naciskiem i krzywi usta w sztucznym, wrednym uśmiechu.

– Nie denerwuj mnie.

– Nie muszę. Najwyraźniej znakomicie organizujesz to sobie na własną rękę. Chciałabym zostać sama.

Ręce mnie bolą. Kropla krwi wolno sunie w dół, podstawiam lewą dłoń, żeby nie spadła na dywan. Gosia wzdycha, wyjmuje z plecaka paczkę klineksów i podaje mi chusteczkę.

– Masz. Lepiej idź to przemyj, bo dostaniesz tężca albo gangreny. A zgniłego palca ci nie utnę, choćbyś na głowie stawała.

Zwijam palec w klineksa, stoję. Resztki wściekłości wyparowały, teraz robi mi się wstyd.

– Dlaczego płakałaś? – pytam przyjaźniej. – Przecież ty nigdy nie płaczesz.

– Nie płakałam.

Kiedyś byłyśmy sobie bliskie. Gdy budziła się przestraszona w nocy, wołała mnie, a nie Pawła. Spędzałyśmy razem całe dnie, bo nie posłałam jej do przedszkola, chociaż Paweł mówił, że to błąd, że będzie nieprzystosowana. Ale nie miał racji, ona zawsze sobie daje radę. Jest samodzielna, nawet za bardzo. Kiedy przestałam być dla niej ważniejsza? Kiedy przestała mnie potrzebować? Nie zorientowałam się, niewiele o tym myślałam. Nie, poprawka – myślałam oczywiście. Przez jakiś czas nawet próbowałam rywalizować z Pawłem o jej uwagę, zanim zorientowałam się, że to toksyczne. Trudno chyba o coś gorszego niż prześciganie się rodziców w zabieganiu o miłość dziecka. Odpuściłam, pozwoliłam, żeby Paweł stał się ważniejszy. Bo przecież on wiecznie był ważniejszy, w każdej dziedzinie – jego kariera, jego praca, jego sen, jego gust, jego pieniądze, ojciec, problemy! To wszystko było ważniejsze niż ja – jakbym była w tym związku jakąś cholerną zakwefioną muzułmanką! A ja jestem jej matką, powinna mnie kochać mocniej. Przez to wszystko straciłam zdolność do normalnej rozmowy z Gosią. Rany boskie, nawet kiedy dostała pierwszego okresu, powiedziała o tym najpierw jemu!

– Jeżeli to przez nas – mówię wreszcie – to nie powinnaś, bo... To są nasze problemy, one nie mają z tobą nic wspólnego. I oboje wszystko zrobimy, żebyś... Żeby ci...

– Nie przez was – prycha Gosia. – To przecież i tak była tylko kwestia czasu.

– Co było kwestią czasu?

– No, że się rozlecicie.

– Jak to, rozlecimy?

– Oj, mama, daj spokój. Nie jestem już dzieckiem. A poza tym musiałabym nie mieć mózgu i oczu, żeby nie przewidzieć, co się wydarzy, skoro przygruchałaś sobie faceta.

– Ja... Co?! O czym ty... – mrugam kilkakrotnie z oniemiałą miną. – To przecież... Ależ to nie tak! To nie przeze mnie! Mnie z tym całym Sebastianem nic nie łączy! To ojciec! A ty oczywiście uważasz, że to moja wina?!

Do oczu napływają mi łzy, mam wrażenie, jakby uderzyła mnie w twarz. Poczucie niesprawiedliwości jest tak obezwładniające, że chyba zaraz rozszlocham się jak małe dziecko.

– Dobra, nie przejmuj się aż tak – mówi Gosia lekko przestraszonym głosem.

– Jak mogę się nie przejmować, skoro moje własne dziecko w każdym problemie dopatruje się mojej winy? – mówię żałośnie i siadam na krawędzi jej łóżka.

– Mama, ja się niczego nie dopatruję. Po prostu widzę, co się dzieje.

– Ale ty nie wiesz, co się dzieje!

– No to mi powiedz. Co się dzieje?

Homoszydło wyszło z homowora, to się dzieje! Ale czy ja jej to mogę powiedzieć? Oczywiście, że nie mogę! Wyszłabym na bezduszną sukę, która usiłuje dzieckiem manipulować! I mogłabym ją skrzywdzić, a wystarczy już, że on skrzywdził mnie.

– Rozwiedziecie się? – pyta Małgosia.

– Nie wiem. To możliwe. Nawet prawdopodobne. Pewnie się rozwiedziemy.

– O! – mówi Gosia. – To beznadziejnie...

– Ale nawet jeśli tak się stanie, nie powinnaś... To znaczy... My nadal będziemy ciebie... No, wiesz.

Małgosia milczy długo, przygląda mi się spod oka. Wreszcie wzrusza ramionami i wzdycha.

– Okej. Przykro mi, że wam się nie układa, ale rozumiem. Nie przez to mam doła. Nie gniewaj się.

– Dlaczego miałabym się gniewać? A przez co?

– Przez Natalię – wzdycha znowu Gosia.

– Przez Natalię? – powtarzam ze zdumieniem. – A co się stało?

Gosia po sekundzie namysłu podchodzi do biurka, bierze laptopa, a potem siada z nim obok mnie na łóżku.

– A to się stało – mówi ponuro i otwiera komputer.

Na ekranie jest ona. Całkiem dobre zdjęcie, ładnie wygląda, chociaż ma nieco niemądrą minę. Zdjęcie zamknięto w szerokiej czarnej ramce. Na górze białymi literami napisano: „Jeśli lubisz przedmioty ścisłe...", a pod zdjęciem: „... zadzwoń do mnie". A dalej widnieje numer komórki Gosi. Gapię się na zdjęcie dobre dwadzieścia sekund.

– No i? – pytam wreszcie. – Zawsze byłaś niezła z matematyki.

– Oj, mama – Gośka wzrusza ze zniecierpliwieniem ramionami i odkłada laptopa na materac. – Ty nic nie rozumiesz!

– To mnie oświeć – proponuję ugodowo.

– Chodzi o to, że przypadkowo narobiłam Natalii wsi, a ona teraz się mści na mnie.

– Mści się? – upewniam się. – Ale za co?

– A za to – mówi Gosia i znowu sięga po laptopa.

Zamyka zdjęcie, szuka czegoś w jednym z katalogów i wreszcie klika w ikonkę filmu. Nakręcono go komórką. To korytarz szkolny, byłam tam ze sto razy, natychmiast poznaję. Przerwa zdaje się, mnóstwo dzieciaków. Na pierwszym planie Natalia.

– Idzie? – pyta.

– Tak – to głos Małgosi. – Dawaj, stara.

Natalia zerka w obiektyw z filuterną miną, unosi trzymanego w dłoni banana. Oblizuje usta, obiera go powoli. Gosia chichocze.

– Uwaga – mówi Natalia, a potem szeroko otwiera usta i wsuwa w nie obranego banana.

Bardzo głęboko. Właściwie całego. Robi mi się gorąco. Natalia wysuwa banana, wsuwa go ponownie i jednak nie udaje jej się zapanować nad odruchem wymiotnym. Oczy wychodzą jej z orbit, wyrywa banana z gardła i kaszle. Gośka się śmieje, Natalia także. Koniec.

– O Matko Boska... – mówię po krótkiej chwili.

– No właśnie – wzdycha Gosia. – Ale ja naprawdę tego nie zauważyłam. Aplołdowałam na Fejsa w dobrej wierze.

Jestem wstrząśnięta.

– No tak – bąkam pod nosem. – Ja chybabym umarła, gdyby ktoś nakręcił taki filmik ze mną w roli głównej, kiedy chodziłam do liceum...

– Właśnie. Ale ja naprawdę tego nie zauważyłam – z rozpaczą w głosie powtarza Gosia.

– Czego nie zauważyłaś? – pytam.

– No, tej cholernej wkładki! Przecież gdybym zauważyła, nigdy w życiu nie pokazałabym tego klipa! I w ogóle nie rozumiem, jak ona mogła nie poczuć...

– Jakiej wkładki?

– Czy ty to widziałaś, czy nie?

– No, przecież mi pokazałaś – mówię.

– Ale co widziałaś?

– Jak Natalia... Jak prezentuje swoje umiejętności, że tak to ujmę. Nie dziwię się, że jest zawstydzona, tylko nie mogę pojąć, jakim cudem nie zorientowała się, że ją filmujesz.

Gosia wpatruje się we mnie z niesmakiem.

– Obawiam się, że przepaść pokoleniowa uniemożliwia porozumienie między nami – mówi wreszcie.

– Jaka przepaść?! To o co ona ma pretensje do ciebie?

– No, na pewno nie o to, że udowodniła, jakie ma głębokie gardło – stwierdza Gosia, a potem włącza znowu filmik.

Klika w suwak pod oknem i stopuje obraz tuż za tym, jak Natalia dostaje ataku kaszlu.

– O to – mówi z goryczą. – Widzisz?

Na zatrzymanym kadrze Natalia ma wytrzeszczone oczy i mało atrakcyjny wyraz twarzy.

– Każdy by zrobił taką minę... – zaczynam, ale Gosia przerywa mi ze zniecierpliwieniem:

– Oj, mama! Popatrz uważniej. Tutaj!

Najeżdża kursorem na biust Natalii. Wydaje się nieco niesymetryczny.

– Widzisz? – pyta Gosia. – No, to patrz.

Włącza filmik. Natalia kaszle, a jej lewa pierś niepojętym cudem przemieszcza się pod koszulką w dół i ląduje w okolicy pępka.

– Nie rozumiem – mamroczę. – Co to jest?

– Wkładka. Natalia nie ma jeszcze własnych piersi, matka jej obiecała na osiemnastkę, a to dopiero jesienią będzie. Na razie nosi wkładki. Zaczęła od małych i systematycznie zmienia na większe, że niby tak jej cycki rosną. Przyznasz, że sprytnie, sama jej podpowiedziałam. Latem doszłaby do ostatecznego rozmiaru, więc jak sobie strzeli implanty, nikt się nie połapie. Tyle że jej stanik puścił. A ona się nie zorientowała! Jak można nie poczuć czegoś takiego? Zorientowała się, ale później, jak już byłyśmy pod klasą. Ani ja, ani ona nie wiedziałyśmy, że to się nagrało. A teraz ten klip ma z dziesięć tysięcy odsłon, bo już jest na jutubie. Ktoś go zdążył zripować z mojego Fejsa. Ma tytuł „Latający cyc". Ona mi tego nigdy nie wybaczy!

– Aha – mówię i ze wszystkich sił walczę, aby zachować poważny wyraz twarzy.

– Śmieszy cię to? – pyta Gosia.

Szybko kręcę przecząco głową.

– Ona mnie zniszczy. Będzie mnie trollowała codziennie – z goryczą w głosie oświadcza Gosia. – Dzięki ci, Boże, za to, że do matury tylko dwa miesiące, a potem stamtąd znikam.

Milczę. Nie wolno mi się roześmiać. Za nic.

– A ten mem to dopiero przygrywka do prawdziwego piekła, które mi zgotuje – Gosia otwiera znowu zdjęcie i wpatruje się w nie zrozpaczonym wzrokiem. – Natalia jest cholernie inteligentna. Ma IQ 121.

– Naprawdę? Skąd wiesz?

– Z testu online – wyjaśnia Gosia. – Ja mam 113. Też nieźle, bo norma jest około setki. Ale ona jest lepsza. Rano poleciałam do Patrycji, ale zdołała mnie uprzedzić. Sprzedała swoją wersję, a mojej nikt już nie będzie chciał słuchać. Nikt mi nie uwierzy, że nie widziałam, jak ten cycek leci. Wyszłam na wieprza, który robi publicznie bekę z najlepszej kumpeli.

– Rozumiem – kiwam głową, moja twarz jest jak wykuta z kamienia, ogromnie dużo mnie to kosztuje. – Ale na czym polega siła... O co chodzi w tym obrazku?

Małgosia rzuca mi zagadkowe spojrzenie. Namyśla się, wreszcie wzrusza ramionami.

– A jak ci się zdaje? Logika. Przedmioty ścisłe to takie, co nikomu jeszcze nie dały, a co gorsza, mają na to niewielkie szanse – mówi niechętnie. – Ja jestem przedmiotem ścisłym. A do tej pory tylko Natka o tym wiedziała. Dla wyjaśnienia dodam, że jestem jedynym przedmiotem ścisłym w naszej klasie, o ile nie we wszystkich klasach naszego rocznika w tym liceum. Być może we wszystkich liceach.

– Rozumiem – kiwam głową z powagą i po sekundzie namysłu pytam: – A czy masz z tym problem? Bo nie powinnaś, wiesz.

– Z czym?

– Z tym, że jesteś... Że jeszcze nie... Bo masz mnóstwo czasu, przyjdzie dzień, że...

– O Jezu! – Gosia wywraca oczy. – Nie mam z tym problemu. Nie boję się własnej pochwy ani nie boję się penisa. Po prostu nie mam ochoty robić niczego pochopnie.

– To bardzo mądrze – udaje mi się powiedzieć całkiem spokojnym głosem, mam nadzieję, że nie widzi, jak bardzo mnie zszokowała.

– Mądrze! – prycha Gosia. – Mądrość to teraz tania moneta.

Zerka na laptop, wzdycha ciężko i zwiesza głowę w pozbawionym nadziei geście.

– Latający cyc. O, Boże... – szepcze i chowa twarz w dłoniach.

– Pójdę jednak przemyć ten palec, dobrze? Bo coś czuję, że jednak powinnam. Bardzo szybko pójść. Porozmawiamy później, słoneczko.

– A o czym my mamy jeszcze rozmawiać w tym temacie? – z goryczą mówi Gosia. – Już padłam ofiarą społeczno-towarzyskiego mordu, tu nie ma nic do dodania.

Poklepuję ją po ramieniu, a potem wstaję i szybkim krokiem ruszam do łazienki. Cicho zamykam drzwi, starannie blokuję zasuwkę, a potem zwijam ręcznik do rąk w ciasny rulon, zaciskam na nim zęby i wybucham histerycznym, bezgłośnym śmiechem.

IV

Wyciągam polówkę z piwnicznej komórki i zdzieram z niej folię. Kupiliśmy to łóżko z osiem lat temu, do tej pory nie było ani razu potrzebne. Pochylam się i wącham cienki materac – suchy, pachnie starym plastikiem. Zwijam folię w kłębek, ciskam do komórki, a potem zamykam drzwi i zatrzaskuję kłódkę z szyfrowym zamkiem. Polówka ma kółka, ciągnę ją za sobą do garażu, wsiadam do windy.

Anka siedzi zamknięta u siebie, Małgosia jest w swoim pokoju. Dociera do mnie, że one obie zawsze miały tu swoją przestrzeń, a ja nie. Szafka w sypialni, komoda w salonie, kilka półek w regale u Anki – tyle należało tylko do mnie. No i oczywiście część garderoby. Kiedy stąd zniknę, przestrzeń, którą zajmowałem, szybko się zapełni. Niczego nie trzeba będzie remontować, szpachlować, wietrzyć, urządzać. Ta świadomość jest zarazem przygnębiająca, jak i pocieszająca.

Na próbę rozkładam polówkę w salonie. Najpierw na środku, a potem przeciągam ją za kanapę, między tylne oparcie a okno. Ciasno, ale chyba lepiej – nie rzuca się tak bardzo w oczy.

– Ile to ma trwać? – głos Anny rozlega się niespodziewanie za mną.

– Co? – spoglądam przez ramię.

Stoi oparta o futrynę, patrzy na mnie obojętnym wzrokiem.

– Byłam u niej. Dzisiaj rano.

– U kogo?

– U tej całej Kaśki.

– U jakiej... – zaczynam, ale urywam, bo robi mi się zimno. – Po jaką cholerę?

– Nie wiem – wzrusza ramionami. – Wydawało mi się, że są małżeństwem.

– Małżeństwem? – ściągam brwi. – Ach, ona i Wojtek. Nie są.

– Wiem.

– Po co tam poszłaś? Chciałaś się zemścić? Na kim? Na mnie? Na niej? Czy może na nim?

– Nie wiem – Anka wydyma wargi. – Nie zastanawiałam się nad tym. Nie wszystko ma cel.

– Ale wszystko ma przyczynę.

– Taaa... – Anka wchodzi do salonu i opada na jeden z foteli. – Chyba po prostu nie chciałam być z tym sama.

– Nie jesteś sama.

– Czyżby? – pyta ironicznie. – Powiedziała mi, że powinnam kazać ci się wynieść. Ta cała Kaśka.

– Chcesz, żebym się wyniósł?

– Jeśli dalej masz zamiar... Tak. Nie wiem.

– Myślałem, że lepiej będzie... – bąkam pod nosem. – Poczekać, aż... No, może do maja. Do matury Małgosi?

– Nie wydaje mi się, żeby to było konieczne – stwierdza Anka. – Ona ma nas już trochę w dupie.

– Nie ma!

– Oczywiście, że ma. Rozmawiałam z nią dzisiaj.

– Powiedziałaś jej?! – przez ułamek sekundy serce zatrzymuje mi się w piersi. – Jak mogłaś... To...

Anka przygląda mi się chłodnym wzrokiem.

– Nie powiedziałaś jej – odzywam się po chwili.

Milczy.

– Jeśli chcesz, to się wyprowadzę.

– Dokąd? – pyta.

– Wynajmę coś. Albo wrócę na Rzymską.

– Nienawidzisz tego domu.

– Przeszło mi. Chyba. Oczywiście to mieszkanie jest twoje. Biorę na siebie wszystkie opłaty, twoją komórkę. Nie wiem, ile chciałabyś... To znaczy, ile będzie ci potrzebne...

– Och, zamknij się – Anka odchyla głowę i kładzie ją na oparciu fotela.

– Przepraszam cię. Ale...

– Ale to nie twoja wina – przerywa mi złośliwym tonem.

– No, nie. To nie moja wina – potakuję. – Wolałabyś, żebym cię okłamywał?

– To, co ja bym wolała, nie ma już najmniejszego znaczenia. Usiłuję myśleć o tym jak o wypadku. Wypadki się zdarzają. Często śmiertelne.

– Nie umrzesz.

– Och, oczywiście, że nie. Aż tak sobie nie schlebiaj – rzuca mi pogardliwe spojrzenie spod przymkniętych powiek. – Ale staram się myśleć, że ty nie żyjesz. Wkładam w takie myślenie sporo wysiłku, pomaga nawet.

– Jesteś okrutna.

– Tak. Jestem straszna. Interesuje mnie, jak ty sobie właściwie wyobrażasz swoje życie od teraz?

– Co masz na myśli?

– No, jak ono ma wyglądać? Będziesz chodził do pedalskich klubów? Założysz sobie profile w internecie? Oglądałam takie strony. Smutne. A może wydaje ci się, że zamieszkasz z jakimś facetem i będziesz udawał, że to takie twoje kolejne jakby małżeństwo?

– Nie zastanawiałem się – kłamię szybko, bo oczywiście głównie o tym teraz myślę.

– To ma być on?

– Kto?

– No, ten Wojtek bez portek. Chcesz udawać z nim? Co właściwie? Miłość? – prycha z lekką pogardą.

– Nie wiem. Jakie to właściwie ma znaczenie?

– Czeka cię cholernie samotne życie.

– Pewnie tak, skoro cię to pocieszy. Zapewne to właśnie mnie czeka. Bardzo marny, bardzo samotny koniec.

Anka siedzi bez ruchu. Przysiadam na brzegu kanapy. Popołudniowe słońca odbija się w oknach domu stojącego po drugiej stronie Zamglonej, złote refleksy kładą się na podłodze między nami. Dostaję lekkich mdłości. Chcę zniknąć.

– A może ty się lubisz przebierać, co? W sukienki na przykład? Może masz ochotę udawać kobietę? Podobało ci się, kiedy ci wsadziłam.

– Anka, błagam cię...

– Wolałabym, żebyś mnie po prostu uprzedził. Chciałabym wiedzieć, czego się spodziewać. Może planujesz zmianę płci i karierę polityczną?

– Nie jestem transseksualistą ani transwestytą.

– Przymierzałeś moją bieliznę?

– Nie! Doskonale wiesz, że nie przymierzałem.

– Ja już nic nie wiem. Ilu było takich Wojtków do tej pory?

– Nie było ani jednego. Mówiłem ci.

– Aha. Ale co ci właściwie szkodzi powiedzieć? To już i tak niczego nie zmieni – ani na gorsze, ani na lepsze.

– Nie było nikogo innego. Po co to robisz?

V

– Co robię? – pytam lodowatym tonem.

– Dlaczego tak ze mną rozmawiasz?

Kretyn. Skończony pajac, pedał jeden.

– Wolałbyś, żebym nie rozmawiała?

– Wolałbym, żebyś rozmawiała normalnie. To wciąż jestem ja.

– To już nie jesteś ty – stwierdzam mściwie. – Ciebie przecież w ogóle nie było. Tak tylko się nam zdawało. I tobie, i mnie.

Siedzi jak na kazaniu. Dłonie splótł między kolanami, opuścił ramiona. Nędza. Bardzo dobrze. Niech się pomęczy. Ale może on się wcale nie męczy, nie cierpi? Może tylko przeczekuje, aż się znudzę i pójdę? To niewykluczone, faceci tacy są. Nieprzemakalni. Przeczekują i robią swoje. Ta myśl mnie złości. Chciałabym nim potrząsnąć, wetknąć mu w dupę kabel od lampy i włączyć napięcie. Żeby coś nareszcie do tego palanta dotarło! Mogłabym złapać go za kark i tłuc łbem o ścianę, ale na to jestem zbyt słaba. Jednak zwizualizowanie sobie takiej sytuacji niesie ulgę.

– Okłamałeś mnie – mówię. – Jak mogłeś?

– Nie okłamałem.

– Nie kłam.

– Nie kłamię. Nie wiedziałem, że tak jest.

– A co? Nie potrafisz odróżnić fiuta od cipy?

– Anka!

– Ja po prostu nie pojmuję, jak możesz robić mi coś takiego i...

– I co? I żyć?

– Ufałam ci. Wierzyłam w ciebie. Polegałam na tobie.

– Ale mnie nie kochałaś.

– Oczywiście, że cię kochałam! – wykrzykuję.

– Po prostu się do mnie przywiązałaś i tyle.

No, skurwiel. Zwyczajny skurwiel! On śmie jeszcze ze mną prowadzić dyskusje?! Odpowiadać krnąbrnie? Śmie się nie korzyć, nie pełzać, tylko się stawia, jeszcze mi się tutaj hardzi?!

– Jesteś chujem – cedzę przez zęby.

– Wiem. Mówiłaś już – kiwa głową.

Mogłabym go zabić. Naprawdę bym mogła. Byłoby cholernie dużo sprzątania i pewnie trafiłabym do więzienia, ale jeśli jeszcze raz się odszczeknie, zacznie mi to zwisać.

– Nie wstyd ci?

– Wstyd. Przepraszam. Masz rację – odpowiada szybko.

– Zaraz mnie wyprowadzisz z równowagi – mówię ostrzegawczym głosem. – Ja nie żartuję.

– Ja też nie. Naprawdę przepraszam. Nie wiem, co jeszcze mógłbym powiedzieć.

– Okłamałeś mnie. To gorsze niż fizyczna zdrada. Zdradę fizyczną byłabym gotowa ci wybaczyć, szczególnie po tylu latach. Kłamstwa nie umiem.

– Nie okłamałem cię.

– Musisz mnie mieć za skończoną idiotkę – stwierdzam z goryczą. – Naiwna kretynka. Wyszła za pedała i się nie zorientowała.

– Nie myślę tak.

Wiem, że powinnam wstać i wyjść. Wiem, że powinnam kazać mu się wynosić – teraz, już, natychmiast. Powinnam milczeć, powinnam być obojętna, nie dać po sobie niczego poznać. Nie dawać mu satysfakcji. Tak byłoby z klasą. Z godnością! Tak powinnam postąpić. Jestem dorosłym człowiekiem.

– Okłamałeś mnie – mówię raz jeszcze.
– Anka, błagam cię...
– Nie widzę.
– Czego nie widzisz?
– Żebyś błagał.
– Mam uklęknąć?
– Spróbuj. Ale i tak ci nie uwierzę. Nie wierzę, że jest ci naprawdę przykro.
– Jest mi przykro. Jestem chujem. Masz rację. Przepraszam.
– Jeśli jeszcze raz powiesz przepraszam, nie ręczę za siebie.
Milczy.
– Byłeś najbliższym mi człowiekiem. Wierzyłam ci – mówię. – A ty mnie okłamałeś. Od samego początku. Byłam tylko przykrywką dla twojego zboczenia.
– Nie byłaś przykrywką. To nie jest zboczenie.
– Twoim zdaniem homoseksualizm jest normalny?
– Jest wariantem normalności.
– Co za pierdolenie! Ale, proszę, tak. Opowiedz mi o tym.
– O czym?
– O tym, co z nimi robiłeś.
– Z kim? Z nikim niczego nie robiłem. Wojtek był pierwszy.
– Wsadził ci?
– Anka!
– Przynajmniej tyle jesteś mi winien. Choć raz bądź uczciwy wobec mnie!
– To ciebie nie dotyczy.
– Nie dotyczy mnie?! – zachłystuję się, bo jego bezczelność wyciska mi tlen z piersi. – Oczywiście, że mnie dotyczy! Bardzo mnie dotyczy! Mogłeś mnie zarazić!
– Czym cię mogłem zarazić?
– HIV na przykład.
– Anka, ja cię błagam...
– Więc?
– Co więc?! – patrzy na mnie umęczonym wzrokiem.

– Co z nimi robiłeś?

– Z nikim niczego nie robiłem.

– Pomijając już wszystko inne, jest to jakoś interesujące. Dla mnie jako dla kobiety. I jako dla pisarki oczywiście – zakładam nogę na nogę. – Fiut i fiut. Kompozycja wydaje się niekompatybilna. Wbijanie gwoździa w gwóźdź.

Paweł wstaje, obchodzi kanapę i składa polówkę. Przyglądam mu się przez moment bez słowa, robi mi się chłodno.

– Co ty robisz? – pytam.

– Składam łóżko.

– Dlaczego?

– Chyba będzie lepiej, jeśli jednak pojadę na Rzymską.

Czuję, że piecze mnie pod powiekami. Otwieram bezgłośnie usta. Zamykam.

– Tak będzie lepiej – powtarza Paweł.

Mrugam. Pierwsza łza spływa mi po policzku.

– Ale przyniosłeś polówkę – odzywam się z miaukliwie żałosną nutą w głosie, przez którą sama do siebie czuję nienawiść.

– Zniosę z powrotem.

– Nie musisz jechać tak zaraz. Jest późno. Jutro masz studio.

– Wiem. Ale chyba chcę.

Chyba.

– Dlaczego ty mi to robisz? – pytam i ocieram szybkim ruchem policzek.

– To nas prowadzi donikąd. Taka rozmowa.

– Ja po prostu chciałabym zrozumieć – ocieram drugi policzek.

Paweł, kanapa, ława między nami, dywan oświetlony odbitym od szyb światłem rozmazują się, zlewają w drżącą, jasną plamę.

– Nie mam do tego siły – oznajmia Paweł.

Śmieję się krótko, łzy kapią mi z nosa i brody.

– Ty nie masz siły! Ty! – mówię.

– Przyjadę po resztę rzeczy za kilka dni.

– Nie! Jeżeli teraz wyjdziesz, nie masz po co tu wracać! – wybucham. – Jak coś zostawisz, wypierdolę na śmietnik. Wszystko!

Więc jeśli chcesz coś brać, to zabieraj od razu! Zmienię zamki! Jeszcze dziś!

– Dobrze.

No? I czy on nie jest chujem? To ma być homoseksualista? Podobno homoseksualiści są wrażliwi! Podobno potrafią zrozumieć kobiety, rozmawiać z nimi. Empatię podobno mają, wyczucie jakieś! Co z niego za pedał?!

– Jeżeli teraz wyjdziesz, to coś sobie zrobię. Mam tabletki. Dwa opakowania, załatwiłam receptę – oznajmiam.

– Anka, nie wygłupiaj się.

– Naprawdę sobie zrobię! Nie zniosę tego.

– Co mam zrobić?! – krzyczy. – Czego ty, do cholery, chcesz ode mnie?!

Nareszcie. Rozluźniam się odrobinę i wycieram nos wierzchem dłoni.

– Chciałabym zrozumieć.

– Co chciałabyś zrozumieć?

– Dlaczego mnie okłamałeś?

– Ja się chyba zabiję! – wykrzykuje Paweł, chwyta jedną z poduszek leżących na kanapie, po czym z rozmachem ciska ją na podłogę.

– Po prostu mi to wytłumacz – oczy mam już prawie suche. – Muszę to zrozumieć. Jeśli zrozumiem, jeśli to pojmę, pójdę do przodu. Jesteś mi to winien.

– Anka, co ja ci mam wytłumaczyć?!

– Dlaczego?

– Nie wiem!!! Kurwa, czy do ciebie to nie dociera?! Nie mam pojęcia! A dlaczego ty oddychasz?

– Bo żyję.

– I ja też chcę! Chcę żyć!

– Czyli do tej pory nie żyłeś – odzywam się głuchym głosem. – Tak? Do tej pory byłeś trupem. Przy mnie, ze mną byłeś trupem? Chodzącymi zwłokami?

– To nie tak! A ty? Byłaś szczęśliwa?

– Oczywiście, że byłam! I dopiero teraz dociera do mnie jak bardzo! Ale to był jeden wielki fałsz. Szczęście wioskowego debila wynikające z ignorancji!

– Naprawdę? Wiesz, co powiedział o tobie mój ojciec?

– Leon?! – spoglądam na Pawła ze zdumieniem. – A co on w ogóle może powiedzieć na mój temat?

– Powiedział, że przez te wszystkie lata, odkąd cię zna, zawsze byłaś albo wściekła, albo sfrustrowana.

– Rozmawiałeś z nim o mnie?!

– Tak.

– Przecież ty z nim nie rozmawiasz! Jak mogłeś za moimi plecami...

– Anka, to jest mój ojciec.

– Od kiedy?!

– Sorry, ale czy moglibyście skakać sobie do oczu trochę ciszej? – odzywa się karcącym głosem Gosia, która nieoczekiwanie staje w wejściu do salonu.

Zapomniałam o niej! Co słyszała?

– Nie skaczemy sobie do oczu, słonko – mówi szybko Paweł. – Po prostu rozmawiamy.

– Założyłam słuchawki, ale i tak was słychać.

– A co słyszałaś? – pyta Paweł, marszcząc brwi.

– Raczej dosyć – odpowiada Gosia. – Raczej więcej, niżbym sobie życzyła.

W salonie zapada cisza. Prostuję się w fotelu, odruchowo poprawiam włosy i ocieram policzki. Paweł schyla się i wolnym gestem podnosi poduszkę z podłogi, a potem kładzie ją na kanapie.

– Wyprowadzasz się? – pyta Gosia.

– To chyba nieuniknione – wzdycha Paweł.

– Na Rzymską? – upewnia się Gośka.

– Na Rzymską, tak. Przynajmniej na razie.

– Chcesz zająć domek nad garażem?

– No, rany koguta! – rzucam. – Tylko to cię obchodzi?! Żebym ci nie zajął domku nad garażem?!

– Nie powiedziałam tego – ze spokojem odpowiada Gosia.

– A nie interesuje cię, dlaczego ojciec chce się wyprowadzić?!

– Wiem, dlaczego chce. Słyszałam.

Paweł robi się czerwony. Jak burak. Ostatni raz takich wypieków dostał... Nie, nie chcę o tym myśleć. Milczy. Mimo woli leciutko uśmiecham się pod nosem, ale niemal natychmiast robi mi się wstyd i ściągam usta. Wstaję szybko z fotela, podchodzę do Gosi.

– Powinniśmy o tym porozmawiać – mówię.

– O czym? – spogląda na mnie z autentycznym zdziwieniem.

– Jak to o czym? Mówiłaś, że słyszałaś...

– Bo słyszałam. Ale co to zmienia?

– Jak co zmienia?! Wszystko zmienia! – teraz to ja wpadam w osłupienie.

– Anka, nie wciągaj jej w to – odzywa się Paweł.

– Ona już jest wciągnięta – mówię.

– W nic nie jestem wciągnięta. To są wyłącznie sprawy między wami – wzrusza ramionami Gosia.

– A co właściwie słyszałaś? – pytam.

– Anka!

– Że się rozwodzicie. No, a przynajmniej – że się rozstajecie.

– A słyszałaś dlaczego?

– Anka, przestań!

– Słyszałam – Gosia spogląda na mnie, a potem przenosi wzrok na Pawła. – No i co?

– Jakbyś słyszała, nie byłabyś taka spokojna...

– Rozstajecie się, bo tata jest homo i poznał jakiegoś Wojtka – wzrusza ramionami Gosia. – A ty uważasz, że cię okłamywał i bzykał się z facetami przez cały czas. Myślę, że to nieprawda.

Tracę równowagę i cofam się o krok. Gdyby wzięła do ręki młotek i zdzieliła mnie w czoło, efekt pewnie nie byłby mocniejszy.

– Słonko, ja powinienem... – skamlącym głosem odzywa się Paweł. – Ja sam powinienem ci powiedzieć...

– To jest prawda! – udaje mi się wreszcie wydobyć z siebie głos. – Ja ich widziałam!

– Okej – Małgosia patrzy na mnie jak na pomyloną. – Nie mówię, że nie wierzę w to, że tata jest homo. Ale nie wierzę, że cię zdradzał.

– Zdradzał! – wykrzykuję.

– Oczywiście, że tego nie robiłem – z rozpaczą oświadcza Paweł.

– Ale to nie jest moja sprawa – teraz Gosia cofa się o krok. – Bez urazy, ale nie mówcie mi o takich rzeczach.

– Jak nie?! Jak nie?! – krzyczę znowu. – To z kim ja mam o tym rozmawiać, jeśli nie z własną córką?!

– Nie wiem, może z babcią porozmawiaj – radzi Gosia. – Generalnie info, że macie się zamiar rozejść i że tata woli facetów, jest wystarczająco gówniane. Nie mam ochoty na wyciąganie spod dywanu kolejnych porcji guana. Więc jeśli macie zamiar dalej się żreć, to ja może pojadę spać do dziadka.

– Ale ja jadę spać do dziadka – mówi Paweł.

– To może i ja pojadę! – mówię i wybucham krótkim, histerycznym śmiechem. – Pojedźmy razem! Leon się ucieszy!

– Mama, nie świruj – wzdycha Gosia.

Świruję! Ja! Tego jest już naprawdę zbyt wiele. Nie wiem, czy chce mi się śmiać, czy płakać. Śmieję się znowu, choć ten dźwięk, który wydobywa się ze mnie, bardziej przypomina szczek psa. Mam wrażenie, że w moim mózgu przepalił się bezpiecznik – czuję jednocześnie nienaturalny spokój i skrajną panikę. Kolana uginają się pode mną, z rozmachem siadam na podłodze i szlocham.

– Rany boskie – Paweł podbiega do mnie i chwyta mnie za ramię, ale walę w niego pięścią na oślep.

– Nie dotykaj mnie!

– Anka!

– Spierdalaj!

– Zadzwonię po babcię Stasię – oświadcza Gosia i znika w korytarzu.

Paweł stoi pochylony nade mną jak wierzba płacząca nad Chopinem. Mogłabym ugryźć go w łydkę, zdziwiłby się. Cieknie mi z nosa, szlocham i śmieję się jednocześnie.

Gosia wraca po chwili, kuca przede mną i wyciąga rękę.

– Masz – mówi. – Łykaj.

– Co to jest? – pyta Paweł.

– Signopam – wyjaśnia Gośka.

– Skąd ty to masz?

– Czy to naprawdę ważne?

– Oczywiście, że ważne! To są psychotropy!

– Oj, tata, nie zawracaj dupy – Gosia wciska mi dwie małe tabletki do ust, potem podaje szklankę. – Popij.

– Powiedz mi, skąd masz te tabletki?! – głos Pawła wchodzi na wyższy rejestr. – Co jeszcze bierzesz?

– Nic nie biorę! Rąbnęłam matce te dwie pastylki na wszelki wypadek jakiś czas temu. Tak sobie. A wujek Kuba przywiezie babcię. Będą na ósmą albo prędzej, jeśli droga nie jest zakorkowana.

– O Jezu... – pojękuje Paweł.

Piję łapczywie wodę, odsuwam pustą szklankę i bekam głośno.

– Chodź, mama, położysz się – mówi Gosia, odbiera ode mnie szklankę, daje ją Pawłowi, a potem bierze mnie pod łokieć i ciągnie w górę. – No! Hop!

VI

– Pomogę ci – mówię, ale Małgosia kręci przecząco głową.

– Lepiej nie. Damy radę.

Anna pozwala się wyprowadzić, idzie jak bezwolna kukła. Dopiero teraz widzę, że ma na sobie ten paskudny, musztardowy sweter, który kupiła kilka lat temu. Zadarł się z tyłu, odsłaniając brzeg majtek i kawałek nagiej skóry pleców. Odwracam oczy, a potem zaciskam powieki. Rany boskie, kurwa mać! Jeżeli zjawi się tu Staśka, jeżeli Anka jej powie... A może już powiedziała? Ta kobieta nigdy mnie nie lubiła, a ma siłę wołu. I ten jej cholerny przeszywający jazgot! Ona nie przestaje napieprzać dziobem nawet na sekundę, a teraz, gdy się dowie... Zajebie mnie. Zetrze, zmieli, przeżuje, połknie, wyrzyga, połknie znowu, wysra i połknie ponownie... Bramy piekła uchylają się przede mną z mrożącym krew w żyłach zgrzytem.

– Leży – Małgosia wraca do salonu. – Masz ze dwie godziny.

– Na co?

– Jak to na co? – spogląda na mnie z politowaniem. – Żeby się spakować.

– Spakować?

– A chcesz tu być, gdy babcia przyjedzie? W dodatku z wujkiem Kubą? – uśmiecha się krzywo. – Myślę, że wątpię. Zresztą wystarczy, że musiałam wciskać własnej matce środki uspokajające do gardła, nie mam ochoty na zeskrobywanie ze ścian jeszcze i ojca.

– Ale... – patrzę na nią bezradnie.

– Ale co? Dam sobie radę – wzrusza ramionami. – A jak ciebie nie będzie, z babcią da się wytrzymać. Pewnie tu zostanie, wiesz. Na jakiś czas. Chodź, pomogę ci.

Odwraca się na pięcie i zmierza w stronę garderoby. Ruszam za nią po kilku sekundach wahania.

– Brązowa walizka wystarczy? – pyta, wyciągając ją spod półki z butami.

– To nie jest normalne – mamroczę.

– Co? – zerka na mnie i rozpina suwak walizki.

– Żeby córka pomagała ojcu w pakowaniu się, kiedy odchodzi – mówię.

– No, fakt. Nie jest – kiwa głową. – Znaczy się, nigdy czegoś takiego nie widziałam nawet na filmie. Ale przecież nie umierasz ani nic z tych rzeczy.

– Nie umieram.

– Które garnitury? Chcesz ten czarny?

– Nie! Tego na pewno nie chcę. Wezmę popielaty. Albo dwa, tamten też. I krawaty. I może dżinsy...

– Dobra, dam sobie radę. Ale gacie sam sobie popakuj, bo by było trochę chore, jakbym ja miała to robić.

– Jasne – kucam szybko i wysuwam szufladę z bielizną, a potem wygarniam naręcze slipek i ciskam je do walizki.

– Układaj porządnie, bo się nie pomieści – rzuca Małgosia.

Posłusznie klękam i rozkładam równo slipy na dnie walizki.

– Naprawdę? – pyta Gosia.

– Co naprawdę?

– Jesteś homo?

– Tak – odpowiadam po dłuższej chwili i zaczynam się pocić.

– I będziesz teraz miał faceta? – upewnia się. – Tak?

– Ja nie... Wolałbym o tym teraz... Być może.

– Aha – Gosia szybkim, fachowym ruchem wsuwa do fizelinowego worka trzy garnitury, a potem układa go w walizce.

– Chciałabyś o tym porozmawiać? – pytam cicho.

– Nie jestem pewna. Może kiedyś.

– Ale czy dla ciebie... Jak się czujesz z tym... To jest, co myślisz? – mamroczę nieporadnie.

– Właśnie sama nie wiem – Małgosia spogląda na mnie z zastanowieniem. – Jest to dla mnie szok, rozumiesz. Choć w sumie spodziewałabym się większego.

– Większego?!

– Hmm... – zamyśla się i sięga po moje dżinsy. – Ripleye mogą być? Czy wolisz diesle?

– Obojętne.

– Okej – zwija spodnie i wkłada do walizki. – Chyba zawsze pewna byłam, że się w końcu rozejdziecie.

– Dlaczego?

– A bo ja wiem? – wzrusza ramionami. – Jakoś tak... No, coś mi nie pasowało chyba. Może to dlatego, że mało znam ludzi w moim wieku, których starzy byliby ciągle razem.

Zamyśla się, wreszcie potrząsa głową.

– Nikogo nie znam nawet. Ale bardziej chyba chodzi o to, że... Hm... Jak by to ująć? Zawsze miałam poczucie trudnej do wytłumaczenia tymczasowości. Wszystko to było takie letnie. Niby się nie kłóciliście, ale też nie widziałam euforii. No, nie wiem, jakoś bez sensu brzmi, kiedy wypowiadam to na głos. Coś jakby dwie osoby, które idą obok siebie, ale nie idą razem.

– Ale przecież... – usiłuję zebrać myśli i przetrawić to, co powiedziała. – Ale staraliśmy się być dla ciebie. No, chyba byliśmy dobrymi rodzicami, tak sądzę. Byłaś przecież szczęśliwa. Bezpieczna?

– Oj, oczywiście. Nie przejmuj się tak. Ogólnie było w porzo, tylko wiesz... Rzadko się czułam dzieckiem. Oboje traktowaliście mnie bardziej jak partnera niż kogoś, kim się opiekujecie i mówicie mu, co ma robić. Natalia zawsze powtarza... Czy raczej, powtarzała, że to jest zajebiste i że mi zazdrości. Ale ja czasami wolałam, żebyście się na mnie wydarli i czegoś zabronili, niż zmuszali do odpowiedzialności i podejmowania decyzji.

– Jakich decyzji? – wytrzeszczam na nią oczy.

– Nie wiem, różnych. Chodzi mi o teksty w rodzaju: jeśli chcesz, możesz oglądać ten film, ale zastanów się, czy to rozsądne. Jutro idziesz do szkoły i wstajesz o siódmej, albo: możesz zobaczyć w tym filmie coś takiego, czego już nigdy nie zapomnisz i będzie ci to przeszkadzało miesiącami jak bolący ząb. Takie teksty. Nienawidziłam ich. Gdybyście mi po prostu powiedzieli: „nie będziesz tego oglądała, bo jesteś za mała", mogłabym się wściec, powiedzieć, że jesteście beznadziejni i już. A wy zmuszaliście mnie, żebym podejmowała decyzje sama i potem miała do siebie żal.

– Ale to nauczyło cię odpowiedzialności i rozsądku...

– Jedno i drugie jest cholernie męczące i z pewnością nie daje poczucia szczęścia – uśmiecha się krzywo Małgosia. – Ale jest spoko, naprawdę. No i oczywiście nie podejrzewałam, że jesteś homo.

– Czy mogłabyś... – przełykam ślinę z pewnym wysiłkiem i ciągnę: – ...nie mówić „homo"?

– A jak mam mówić?

– Jeśli już musisz, to chyba wolę słowo „gej".

– Czemu? Homo jest słitaśniejsze – dziwi się.

– Dobra – poddaję się, bo jednak rozmowa na ten temat z własną córką chyba mnie przerasta, przynajmniej na razie.

– Jak sobie chcesz – stwierdza. – Sprowadza się do tego samego, obojętnie gej czy homo. No, więc tego nie podejrzewałam. Teraz, gdy już wiem, jest to nawet w pewien jakiś pokręcony sposób poniekąd atrakcyjne...

– Atrakcyjne?! – prawie wykrzykuję.

– No, nie w sensie, że mnie homo jara czy coś w tym stylu – uśmiecha się Gosia. – Atrakcyjne w sensie, że... chyba łatwiej mi to zaakceptować.

– Co zaakceptować?

– To, że się rozstajecie. Bo nie macie wpływu na to, że tak się dzieje. A poza tym fakt, że nie masz zamiaru żenić się z jakąś babą i robić nowych dzieci też jest uspokajający. Dla mnie. Tak sobie myślę na gorąco, bo nie rozkminiłam tematu.

– Powiesz o tym? – pytam po chwili. – Koleżankom na przykład? Bo wiesz, dla mamy to może być trudne. Na razie przynajmniej.

– Jakim koleżankom? – mówi ponurym głosem. – Natalia ze mną nie gada, Patrycja też nie. Ja już nie mam żadnych koleżanek. Chcesz dresy?

– Tak – kiwam głową i dodaję: – Przepraszam. Że tak wyszło. Właśnie teraz.

– Nie przepraszaj. Będzie w porzo, zawsze jest. W końcu – uśmiecha się Małgosia, nagle poważnieje i wykrzykuje cicho: – Oj! A buty?! Jeszcze buty!

•

Minęło dwadzieścia kilka lat, odkąd po raz ostatni wpatrywałem się w ten sufit. Tuje wyrosły, tamtej pokręconej, krzywej lipy w ogrodzie już nie ma. Cienie drżące nade mną wyglądają zupełnie inaczej, pokój wydaje się mniejszy, a jednak wszystko tu jest boleśnie znajome. To już nie mój pokój, chociaż niewiele się w nim zmieniło. Te same szafki, biurko z czterema szufladami, książki na półkach. Nie ma zabawek i żółtego telewizora, ale nawet zasłony w oknie są te same. Ten pokój kiedyś do mnie należał, ale już nie należy – jakbym znalazł się w mieszkaniu, w którym żyłem, lecz zostało sprzedane.

Wiedzieli, że przyjadę. To znaczy – on wiedział. Drażni mnie to nieco, a zarazem w jakimś sensie rozczula. Łóżko było posłane, pościel obleczona w czyste powłoczki. Kiedy kazał jej przygotować spanie dla mnie? Po naszej rozmowie sprzed kilku dni? A może już dawno? Może robi to od lat, od dnia, gdy się stąd wyprowadziłem? Upiorna myśl. Nie zaglądałem do swojego pokoju w tym domu od dawna – raz tylko pokazałem go Ance, krótko po ślubie.

Rozlega się ciche pukanie do drzwi. Siadam pospiesznie, włączam światło przy łóżku.

– Tak?

Drzwi się uchylają i do pokoju zagląda ojciec.

– Nie śpisz jeszcze? – upewnia się.

– Nie. Ale już powinienem, bo wstaję koło czwartej.

– Obudzisz się? Bo mogę powiedzieć Marioli, żeby cię obudziła. Zrobi ci śniadanie.

– Nie, nie męcz jej. Dlaczego ma wstawać w środku nocy?

– Ona lubi takie rzeczy – ojciec wsuwa się do pokoju i staje przy drzwiach.

Może powinienem poprosić go, żeby usiadł. Ale nie mam ochoty na kolejne psychodramy. Czekam.

– Rozumiem, że nie zareagowała najlepiej – odzywa się ojciec.

– A jak sądzisz?

– Tak – zastanawia się przez moment i pyta z wahaniem w głosie: – A Małgosia...

– Wszystko słyszała.

– A! – kiwa głową. – No i?

– Pomogła mi się spakować.

– Poradzi sobie?

– Zawsze sobie radzi. Teraz chyba bardziej przejmuje się jakąś kłótnią z koleżankami niż pedalstwem tatusia i ewentualnością rozwodu rodziców – mówię trochę prowokacyjnie.

Ojciec przygląda mi się bez mrugnięcia. Trudno pozbyć się nawyków, bezwiednie dążę do konfrontacji, która jest zbyteczna i na którą absolutnie nie mam ochoty. Rozluźniam mięśnie i opuszczam wzrok.

– Chcesz usiąść? – pytam.

– Nie. Idź spać. Podejrzewam, że miałeś dość... Emocjonujący dzień.

– Raczej. Jesteś zadowolony?

– Z czego?

– Że się jej pozbędziesz? Anki?

– Nic nie mam przeciw Ance – wzrusza ramionami. – Jestem zadowolony, że sprawy się prostują.

– Nic się nie prostuje. Wręcz przeciwnie – oznajmiam.

– Teraz tak myślisz. Ale będzie dobrze.

Jakoś to będzie.

– Chciałbym ją zobaczyć – mówi ojciec po długiej chwili milczenia.

– Ankę?

Rzuca mi znaczące spojrzenie i milczy.

– Po co? – pytam.

– Technicznie wciąż jest moją żoną.

– Technicznie umarła trzydzieści lat temu. I praktycznie od niewiele krótszego czasu masz nową żonę – mówię z lekką ironią w głosie.

– Owszem. Ale ślubu nie braliśmy.

– Matka nie miała podobnych skrupułów. Nie tylko wyszła za mąż, ale jeszcze urodziła sobie nowego syna.

– Tak – kiwa głową ojciec, a potem powtarza: – Chciałbym ją zobaczyć.

– Ale po co? Nie rozumiem. Chcesz nasycić się tym widokiem? Tym, że leży sparaliżowana, przykuta do łóżka?

– Nie bądź głupi. Oczywiście, że nie – mówi ojciec z żachnięciem. – Muszę zamknąć tę sprawę. Doprowadzić do końca.

– Jeśli liczysz na rozmowę z nią, to też nic z tego.

– Wiem, że nie może rozmawiać. Ale ja mogę jej coś powiedzieć.

– Co chcesz jej powiedzieć? – marszczę brwi.

– To już moja sprawa. W każdym razie mam do tego prawo. Gdybym chciał, mógłbym pojechać tam sam, mam adres. Ale wolałbym, żeby wszystko odbyło się jak należy. I chciałbym, żebyś pojechał ze mną.

– Dobrze – wzdycham. – Zapytam tego dzieciaka, czy się zgodzi. Ale nie obiecuj sobie zbyt wiele.

– Ja już niczego sobie nie obiecuję. Zdaję sobie sprawę, w jakim jest stanie.

– Miałem na myśli Krisa. To całkiem twardy zawodnik. Jeśli powie „nie", to nic z tego.

– Och, zgodzi się – uśmiecha się ojciec pod nosem. – Tego akurat jestem pewien. Dobrze, śpij. Mariolka cię obudzi o czwartej.

Rozdział 7

I

– Tak, możemy – mówię. – Ale w jakim sensie różnica wieku?

– W sensie, że duża. Ale główny wątek rozmowy to prawo do szczęścia kobiet w średnim wieku – wyjaśnia dziewczyna.

Kobieta w średnim wieku to ja.

– Główny? – pytam czujnie. – A wątki poboczne?

– Zależy, co wyjdzie w rozmowie – rzuca wymijająco. – To co, zgadza się pani? Przyślę adres esemesem. Będzie pani autem? Może przysłać?

– Esemesa?

– Nie, auto.

O mało nie pytam, czy esemesem. Mam watę w głowie.

– Dobrze – mówię i podaję adres.

– Super – dziewczyna się rozłącza.

Bekon i cała reszta gapi się na mnie bez słowa.

– Śniadaniówka – wyjaśniam. – Telewizja.

– Która? – pyta Donatan.

– Publiczna.

– O! – Bekon wyrywa się z odrętwienia. – Masz powiedzieć o serialu, pamiętaj.

– Nie dadzą jej – z powątpiewaniem w głosie odzywa się Larwa.

– To idzie na żywo. Powie, co będzie chciała.

– I już więcej jej nie zaproszą – stwierdza Piotrek.

Oczy mnie pieką, płakałam przez dwadzieścia cztery godziny – z małymi przerwami na wymuszony tabletkami sen. Myśli mi się rwą, wypływają na powierzchnię świadomości i toną, nim udaje mi się je uchwycić i sprecyzować. Paweł nie wrócił, nie zadzwonił nawet – przynajmniej do mnie, bo do Gośki dzwonił, jestem pewna.

– O czym będziesz mówiła? – pyta Hanka.

– O różnicy wieku w związku – odpowiadam machinalnie.

– Stara baba, młody facet? – upewnia się Larwa.

– A jak ci się wydaje? – z ironią w głosie rzuca Maciej.

– Dobra, wystarczy – Bekon podnosi nieco głos, przywołując towarzystwo do porządku. – O „Oknach" masz powiedzieć, reszta mnie nie obchodzi.

– Okej – wzruszam ramionami.

– Monika – oko Bekona spoczywa na Larwie. – Nie bardzo to wychodzi.

– Co nie wychodzi? – Larwa kuli się na swoim krześle.

– Wiesz co.

– Pedofil – scenicznym szeptem rzuca Maciej.

– Ale ja napisałam siedem wariantów drabinki tego wątku – miauczy Larwa.

– Tak – kiwa głową Donatan. – I wszystkie są do dupy.

– Za bardzo się przejmujesz – wyjaśnia Bekon.

– Jak się mam nie przejmować? – popiskuje Larwa. – Tego się nie da opowiedzieć bez przejmowania się!

– Ale nie robimy paradokumentu – ucina Bekon. – Zresztą na pedofila i tak mamy szlaban.

– Od kiedy?! – Larwa wytrzeszcza oczy.

– Jakoś od zeszłego tygodnia. Nie pamiętam, pisałem w mejlu.

– Nie do mnie! – wykrzykuje Larwa. – Ja przez ostatnich pięć dni siedziałam nad tym non stop! Ulałam koryto krwi! Czy ty wiesz, jakie ja potworności czytałam?! I ile?! Straumatyzowałam się na maksa, a ty mi teraz mówisz, że jest szlaban na pedofila?

– Nie histeryzuj, przyda ci się do czegoś – odzywa się ugodowo Donatan.

– Do czego mi się przyda?! – oczy Larwy wypełniają się łzami. – Wy mi wątek wycinacie, jak ja już mam pedofilię w małym palcu!

– Może jeszcze kiedyś do niej wrócimy. Na razie ten temat nie jest seksi. Uspokój się – ucina Bekon. – Mamy nowy pomysł.

– Jaki? – Sylwia zerka na Bekona znad ajpada.

– Romansik będzie – oznajmia Donatan jowialnie.

– Romans już był...

– I to niejeden – dodaje Piotrek.

– Będzie następny – Bekon zaciera ręce. – Maria się puknie.

– Maria?! – wykrzykuje Hanka. – Maryja dziewicza?

– Przecież jest żoną Wiktora, dziewictwo więc straciła na pewno – stwierdza Maciej, który po informacji, że wątek z pedofilem został wykreślony, wyraźnie odzyskał dobre samopoczucie.

– Dziewicza w sensie cnotliwa – wyjaśnia Hanka. – To najświętsza postać w „Oknach", nikomu jeszcze nie dała poza mężem. Jaki romans ma niby mieć?

– Z Kubusiem – oświadcza z dumą Bekon.

– Z Kubusiem? – Sylwia marszczy brwi. – Z którym... Z małym Kubusiem?!

– No, mały to on nie jest. Ma metr dziewięćdziesiąt – prostuje Donatan.

– Ale przecież Kubuś jest młodszy od Marii – odzywa się Larwa. – I to prawie o połowę...

– No właśnie! Szalenie na czasie – kiwa głową Bekon.

Gapię się zobojętniałym wzrokiem w okno, dopiero po jakimś czasie dociera do mnie, że w salce zapadła cisza. Wszyscy zerkają na mnie.

– Co? – pytam.

– Słyszałaś? – pyta Bekon.

– Słyszałam. Mały Kubuś ma pokryć Maryję dziewiczą. No i?

– Ja mam Kubusia – odzywa się Sylwia. – To mój sabdżekt jest. A on się z Marią nawet nie zna.

– To się pozna – wzrusza ramionami Donatan.

– Gdzie?

– Zobaczymy. Ania nam powie – Bekon uśmiecha się do mnie słodko.

– Ja? – przytomnieję odrobinę i robię sceptyczną minę. – Czemu ja?

– No jak czemu? Przecież ty prowadzisz wątek Marii.

– Ale przecież... – oblizuję usta. – Ja... To jest, my z Piotrkiem mamy Marię i Wiktora. Nie dam rady ciągnąć dwóch związków jednocześnie!

Po moich słowach na kilka sekund zapada cisza. Nagle Sylwia chichocze krótko i szybko zasłania dłonią usta.

– Oddasz Wiktora Sylwii i Hance – mówi Bekon z kamiennym wyrazem twarzy.

– Oni są małżeństwem – protestuję słabo. – To się rozjedzie całkiem.

– I bardzo dobrze – mówi Donatan. – Niech się rozjedzie. Dzięki temu bardziej wiarygodnie wypadnie, że się spazerniła na Kubusia, skoro z mężem jej się rozjeżdża.

– A Wiktor? – pyta Sylwia. – On dopiero co skończył posuwać Paulinę i wrócił na łono Maryi. Pogodzili się. I co teraz? Znowu ma kogoś obracać czy rozpacza?

– Nie, nie może obracać – kręci głową Donatan. – Niech cierpi. Żeby masom było szkoda. Nie lubią go. Agentka zagroziła, że zerwie kontrakt, bo go na ulicy opluwają. Zażądała, żeby dostał raka czy stwardnienia chociaż, rozsianego...

– To może raka dostanie? Ja mam raka w małym palcu – proponuje Larwa, która pomału otrząsa się z szoku po stracie pedofila i najwyraźniej postanawia walczyć o punkty. – Jądra może? Na czasie, tyle się o tym mówi ostatnio.

– Za dużo raka – mówi Bekon.

Myśli mi się wyostrzają.

– A dlaczego właściwie on ma cierpieć, i to z nowotworem jądra w dodatku? – pytam poirytowana.

– Przecież mówię, że za dużo raka. Wykluczone! – kręci głową Bekon, a po sekundzie namysłu pyta: – Naprawdę go opluwają?

– No i dobrze! Niech opluwają! – wykrzykuję. – I co, zresztą? Że niby jak Maryja będzie miała romans z młodym, atrakcyjnym chłopakiem, to Wiktora bardziej zaczną masy lubić?

– No, tak – Bekon przechyla głowę i rzuca mi rozbawione spojrzenie. – Bo będzie biedny.

– Biedny! Dlaczego on właściwie ma być biedny? – wkurzam się. – A może on sobie na to zasłużył? Robił ją w bambuko przez kilkadziesiąt odcinków! Właściwie od samego początku! Od pierwszego odcinka wodę jej robił z mózgu i z serca, a teraz, jak się kobieta przecknęła, jak postanowiła zawalczyć o odrobinę szczęścia, na własnych nogach stanąć, osiągnąć coś, to ma być cipą bez serca, a on biedny?! I jeszcze z nowotworem jądra może?! Mizogin!

– Nigozim – mruczy Piotrek.

– Ale ona nic nie wie o tych zdradach – Hanka gapi się na mnie jak cielę na malowane wrota. – Tylko o Pauli wie trochę, ale też nie na pewno.

– No więc niech się nareszcie dowie! – wykrzykuję. – Niech to nareszcie dotrze do niej, że z niej idiotkę robił przez okrągłe sto odcinków! Wszyscy wiedzą, cała Polska wie, a tylko ona nie!

– Wykluczone – włącza się Donatan. – Ludzie tego nie kupią, nie uwierzą, że żona mogłaby wybaczyć coś takiego mężowi. On ją zdradził z siedem razy przez trzy sezony. Trzeba by ich rozwodzić, to za duża rewolucja.

– Dobra, nie upieram się przy rozwodzie – cedzę przez zęby. – Ale jakoś to trzeba uzasadnić. Nie może być z jej winy, tylko z jego.

– Kiedy to ona da dupy...

– Niech więc słusznie da! W majestacie racji!

– Już tłumaczyłem, że ludzie go mają polubić – mówi Bekon. – Nie możemy robić z Wiktora jeszcze większego fiuta.

– W porzo – mówię. – Nie róbmy. Niech się wyda, że ma problem jakiś, z którym Maria nie potrafi sobie poradzić. I niech z tej rozpaczy i bezsilności się bzyka z Kubusiem, a nie z chuci czy wyrachowania.

– Problem? – Donatan rzuca mi szybkie spojrzenie spod oka. – A jaki on ma problem?

– A taki, że jest pieprzonym... – zaczynam podniesionym głosem, ale w ostatniej chwili przychodzi opamiętanie, więc urywam, oblizuję usta i kończę: – ...impotentem! Tak, właśnie! Niech będzie impotentem, niech mu nie staje! I niech on ma zaburzenia z tego powodu, psychiczne oczywiście, i niech ją bije na przykład!

– Impotent. I bije ją... – powtarza współczująco Sylwia, wpatrując się we mnie wytrzeszczonymi oczami.

– Tak mi przykro, Aniu – mówi Larwa.

– Dlaczego ci jest przykro? – patrzę na nią ze złością. – To jemu niech będzie przykro!

– Bicie odpada – Bekon odchrząkuje i ciągnie: – Ale impotencja jest całkiem niezła. Tylko czy ten pacan sobie aby poradzi z takim dramatem? Zagra nam to?

– A co ma nie zagrać? – Donatan wzrusza ramionami. – Zagra. Wytłumaczy mu się, że ludzie bardziej go pokochają za tę impotencję niż za nowotwór.

Mój ajfon podskakuje na blacie stołu. Esemes. Odblokowuję ekran.

jest zapr na prem dziś o 19.30 do zlotych. badz 19 na dole org niezla ustawke

Sebastian. Próbuję odszyfrować wiadomość. Zaproszenie na premierę, okej. Złote Tarasy, czyli kino. Org oznacza zapewne: organizuję. Niezła ustawka, to ani chybi umowa z paparazzi. Ostatnia rzecz, na jaką miałabym teraz ochotę. Zresztą już i tak jadę jutro do telewizji, w dodatku bez niego. Klikam szybko:

Nie

Wyślij.

– Skończyłaś? – pyta Bekon z naganą w głosie.

– Owszem. Przepraszam. Ważna sprawa – mówię.

– No więc? – Bekon unosi brwi.
– Co więc?
– Napiszesz to? Marię z Kubusiem?
– A Wiktor będzie impotentem?
– Tak.
– Napiszę – mówię. – Z przyjemnością.

II

Zobaczymy się?

Wyślij. Może jednak lepiej byłoby zadzwonić? Dlaczego do niego nie zadzwonię? Nie mam pojęcia dlaczego, ale wydawałoby mi się to jakimś naruszeniem niepisanej umowy między nami. A chociaż ten esemes jest pierwszym, który napisałem do Wojtka od wczoraj, i tak mam wrażenie, że mu się narzucam.

Uchylam okno i zapalam papierosa. Nadal są wspaniałe, ale – gdy już nie muszę się z nimi kryć – nie smakują tak jak przedtem. Na pewno nie tak, jak smakowały mi w podcieniach zjazdu do garaży na Zamglonej...

– Pawełku, zjesz coś? – woła Mariola za drzwiami.

Natychmiast nerwowo gaszę papierosa. Odruch. Jakbym znowu miał szesnaście lat. Podchodzę do drzwi i otwieram.

– Dlaczego po prostu nie wejdziesz? – pytam.

– Nie chciałam ci przeszkadzać – mówi Mariolka.

Ma na sobie wściekle różowy, rozkloszowany sweter-tunikę. Neonowa barwa niemal wypala oczy, mrużę powieki.

– Nie przeszkadzasz – mówię. – Właściwie to ja mógłbym tak powiedzieć. Teraz ty jesteś w tym domu bardziej u siebie niż ja.

– Och – Mariolka mruga szybko ciężkimi od maskary rzęsami. – Nie opowiadaj głupstw. Zrobiłam krokiety. Zjesz? Z jajkiem są.

– Nie wiem... – wyjmuję z kieszeni komórkę i zerkam na wyświetlacz.

Nie odpisał.

– Dobra – kiwam głową.

Idę za nią do kuchni. Ta włóczka, z której zrobiono jej sweter, doskonale nadawałaby się na wdzianka dla grotołazów. Jestem pewny, że świeci w ciemności.

Siadam przy kuchennym stole, ceratowa poduszka leżąca na krześle wydaje cichy, nieprzyzwoity odgłos, który kiedyś tak mnie śmieszył, Mariolę zresztą też. Kiedyś. Teraz ma poważną minę. W skupieniu pochyla się nad patelnią, przewraca krokiety.

– Wiesz już – odzywam się do niej. – Mam nadzieję, że ci to nie przeszkadza. Nie chciałbym, żeby przeszkadzało.

– O czym ty mówisz? – pyta po chwili.

– O mnie. I o Ani – wyjaśniam.

– Och, o tym – rozluźnia się. – No, wiem.

– Ale zdajesz sobie sprawę... Wiesz, dlaczego się rozstajemy?

– Aha. Słyszałam przecież twoją rozmowę z Leonem. Jestem przekonana, że to przez „Dynastię".

– Przez „Dynastię"?! – wykrzykuję zdziwiony.

– No. Pamiętasz „Dynastię"? – wyłącza kuchenkę i zsuwa krokiety na talerz, a potem wyjmuje z wiszącej szafki dwa kubki.

– Ten serial? – upewniam się. – Oczywiście, że pamiętam! Ale nie rozumiem. Dlaczego przez „Dynastię"?

– Tam był taki ten Steven.

– Steven? – marszczę brwi. – Nie pamiętam.

– Naprawdę? – dziwi się Mariolka. – Ale pamiętasz, jakeśmy to oglądali razem?

– Razem?

– Pewnie! Każdy odcinek ze mną oglądałeś. Nie pamiętasz? Naprawdę? – dziwi się. – W każdym razie był ten Steven i on właśnie taki był, wiesz. Wtedy to była nie lada sensacja, bo o tego rodzaju ludziach się wcale nie mówiło w telewizji. A już na pewno nie przed Dziennikiem.

– No i?

– No i jak ten Steven się tylko pojawiał, to ty zaraz się robiłeś czerwony. Niby ten burak.

– Nieprawda! – wykrzykuję.

– Prawda. Oczy ci zaraz wychodziły na wierzch. Jak u tej żaby! I żeś się tak patrzył, patrzył, patrzył... Aż żeś się zapatrzył – wzdycha Mariolka. – Takim to nie jest w życiu łatwo. Gryzę się trochę, że ty nie będziesz szczęśliwy.

– Nie jestem nieszczęśliwy – mówię i uśmiecham się do niej. – No, przynajmniej nie będę. Jak się wszystko wyprostuje. Ale tak ogólnie, nie przeszkadza ci to?

– Chyba nie, no bo co mnie właściwie do tego? – z wahaniem w głosie odzywa się Mariolka. – Jednak bardzo staram się nie myśleć za dużo i nie wyobrażać sobie, jak wy tam... Dobry barszcz, nie? A z pudełka.

– To wygląda dokładnie tak samo jak między chłopakiem i dziewczyną – mówię.

– Tak, tak – Mariolka szybko kiwa głową. – Ale nie mów mi za dużo, dobrze? Kocham cię niczym własne dziecko i mam nadzieję, że ci będzie dobrze. Ale wolę nie znać szczegółów. Szczególnie, że jemy teraz.

Mariolka wsuwa do ust kęs krokieta, a potem upija łyk barszczu z kubka.

– Pościeliłaś mi – litościwie zmieniam temat.

– Jak to?

– No, łóżko. W moim pokoju. Pościel była ubrana, jak przyjechałem.

– Wiedziałam, że przyjedziesz – mówi.

– Skąd?

– Słyszałam waszą rozmowę. Wiesz.

– Wiem. Ale nie mogłaś wiedzieć, że nawet jeśli odejdę od Anki, wrócę tutaj.

– A gdzie miałbyś wrócić? – patrzy na mnie zdumiona. – Przecież to twój dom.

Szybko kończę pierwszego krokieta. Zerkam na nią znad kubka i łapię jej spojrzenie. Wydaje się zdenerwowana.

– Chcesz mnie jednak o coś zapytać – mówię.

– Ja? Nie, dlaczego?

– Widzę.

– Nie – odkłada widelec na talerz i opuszcza ręce na kolana. – To nie o to chodzi.

– A o co?

Mariolka wzdycha, spogląda na mnie, odwraca oczy.

– Boję się, że ty mi tego nie przebaczysz – mówi wreszcie.

– Czego?

– Bo ja wiedziałam, że ona nie umarła wtedy w tym aucie.

– Moja matka?

– No – Mariolka pochyla głowę i wbija wzrok w wiklinową podkładkę, na której stoi jej talerz.

– Ojciec wiedział – wzruszam ramionami. – To normalne, że ci powiedział.

– Nie. Nic mi nie mówił – wzdycha. – Ja to od samego początku wiedziałam. No, prawie od samego.

Czuję, że moja twarz tężeje. Kawałek krokieta, który obracam w ustach, nagle nabiera smaku tektury. Połykam go pospiesznie i popijam barszczem. Tyle lat. Zastąpiła mi ją. Nigdy nie traktowałem jej jak matki, ale chyba w głębi ducha tak o niej myślałem. I nigdy mnie nie zawiodła, oczywiście, o ile weźmie się pod uwagę jej wrodzone ograniczenia. Była naprawdę dumna, gdy zacząłem pracować w telewizji. Zawsze przyjeżdżała, gdy trzeba się było zająć Małgosią. Ale, jak widać, zawsze też mnie okłamywała.

– Uprzedziła cię, że chce uciec? – pytam, siląc się na obojętny ton.

– Nie... – Mariolka podnosi głowę i patrzy mi prosto w oczy, a na widok mojej miny wpada w panikę: – Nie! Skądże! Nic mi nie mówiła. Ale ja tak coś czułam, że chce to zrobić. Że i tak chce zostawić Leona. Tyle że to były tylko takie moje domysły, nie mogłam ci o tym powiedzieć, rozumiesz? Byłeś dzieckiem.

– Rozumiem.

– Ale chodzi mi o coś innego – odzywa się cicho. – Bo ty pewnie o niej źle myślisz.

– Ja? – prycham i rzucam z ironią: – Ależ skądże! Uważam, że moja mama jest super. I zawsze cieszyłem się, że mnie zostawiła. Jak mógłbym o niej źle myśleć?

– No właśnie – mamrocze Mariolka. – A widzisz, ona wcale... To był w gruncie rzeczy przyzwoity człowiek. Tyle zrobiła dla nas, chciała wszystko jakoś naprawić. I jest coś... Myślę, że powinieneś wiedzieć. Ona chyba nie chciała cię zostawić.

– Co? – marszczę brwi i patrzę na Mariolkę z irytacją, bo zaczyna mnie złościć. – Mariola, raczej jednak sobie darujmy ten temat.

– Chodzi o to, że ja coś znalazłam. Po tym jak ona zniknęła.

– Co znalazłaś? Pamiętnik? Może liścik? A może bilet do Wiednia wystawiony na moje nazwisko?

– Walizkę – mówi Mariolka, ignorując moje słowa.

– Walizkę znalazłaś – powtarzam z rozbawieniem. – No, no. Myślisz, że miała zamiar wsadzić mnie do niej i nadać na bagaż?

– To była spakowana walizka – ciągnie Mariola. – Z twoimi rzeczami. A raczej z rzeczami dla ciebie, bo w środku były same nowe ubrania.

– Bzdura! – czuję, że żołądek zaciska mi się jak pięść.

– Nie wiedziałam, co z nią zrobić – Mariola nie może się już zatrzymać, słowa wyskakują z jej ust niczym karabinowe pociski. – Ładna walizka ze świńskiej skóry, ze złotymi klamrami, pamiętasz takie walizki? Drogie były, nie ze sklepu, prywatne. Majątek. Na Chmielnej był taki kaletnik, co je robił. Ta walizka była na stryszku, wiesz, nad garażem. Za kanistrami. Leon miał z dziesięć tych kanistrów, wtedy wszyscy mieli kanistry na benzynę, bo to nigdy nie było wiadomo, kiedy zabraknie. W bagażniku woził zawsze przynajmniej jeden pełny, teraz nie do pomyślenia coś takiego, żeby człowiek benzynę luzem woził w aucie. Polazłam tam, bo w te pierwsze dni po tym wypadku ja nic innego nie robiłam, tylko sprzątałam. Nic nie wiedziałam, co będzie, czy ja tu zostanę aby, czy nie. I co z tobą będzie, a co z Leonem? On taki przybity chodził przez te pierwsze dni, że nie masz pojęcia. Nie,

nie masz, bo się krył przed tobą, jak umiał, a zawsze umiał schować myśli, wiesz, że taki jest. No więc sprzątałam i sprzątałam. I nawet pamiętam, raz to sobie pomyślałam: co ja tak sprzątam? Czy to normalne jest w ogóle? Bo to przecież z boku tak mogło wyglądać, jakbym ja chciała po niej wysprzątać, wytrzeć wszystko, ślady usunąć, jakby nigdy tu nie żyła, a przecież wcale tak nie było, ja jej źle nie życzyłam. Chyba tak z tych nerw sprzątałam, bo co ja innego mogłam robić? Gotować, skoro żaden z was nic jeść nie chciał? Już i tak całą zamrażarkę w sutenerze wypchałam karkówką duszoną, schabem pieczonym, pierogami. No, to okna myłam, podłogi szorowałam na kolanach, z szafek wygarniałam, półki czyściłam. A jak już w domu wszystko zrobione było, wzięłam się za garaże. No i za ten stryszek za pokojem, wiesz, tym gościnnym w przybudówce. I tam na tym stryszku, za tymi kanistrami zielonymi, pod gratami jakimiś ta walizka stała. Nawet niespecjalnie schowana, chyba jej szło o to, żeby ją mogła szybko zabrać, jak będzie trzeba. I jak ja tę walizkę zobaczyłam, to od razu mnie coś tknęło. Bo taką walizkę to człowiek w domu trzyma, w szafie gdzieś, w tapczanie, dba o nią i chucha, a nie na strych za kanistry wpycha. No i zostawiłam tam tę walizkę, wcale jej nie ruszyłam, nic. Wróciłam do kuchni obiad gotować. Dopiero na drugi dzień, jakżeś ty do szkoły poszedł, a Leon do telewizji pojechał, to na stryszek wróciłam i się do tej walizki dobrałam. A środku były ubranka na chłopca. Na ciebie, bo na kogo? Śliczne takie, nawet ładniejsze niż te, co już miałeś, a każde jedno w drugie nowiuśkie. Większość z pekao, za bony, nawet metki były. I butki, i kurtki, i spodenki, sweterki. A do tego książek parę, jakieś zeszyty, blok, kredki i jeszcze koparka w plastikowej wytłoczce, też prosto ze sklepu. Najpierw to ja nic z tego nie rozumiałam. Porozkładałam na stryszku gazety, a na tych gazetach te ubranka, jedno przy drugim, równiutko. Na każdą porę roku coś by się wybrało, na każdą pogodę. Na cały rok. Myślałam i myślałam, po co to na tym strychu schowane? W pierwszym momencie przyszło mi do głowy, że to ci wszystko Leon sprawił, żeby cię pocieszyć jakoś, rozumiesz, żebyś o niej nie rozmyślał, ale co to za prezent dla dziecka ubrania? Dorosły to by się ucieszył pewnie, ale dziecku, a już chłopakowi szczególnie, wszystko jest jedno przecież, jakie portki na tyłku nosi. I zaraz potem mnie oświeciło, że to ona ci to kupiła. Przygotowała wszystko, żeby raz-dwa złapać i wynieść, jak przyjdzie czas, a nic by nie zabrakło w domu, wszystkie twoje rzeczy by zostały. Jakby cię kto porwał albo jakby się jakieś nieszczęście stało. I wtedy do mnie dotarło, że ona chciała uciec i że pewnie jej się udało, że w tym aucie nie spłonęła pod Poznaniem, że żyje gdzieś daleko, bo sobie to wszystko tak starannie przygotowała. Ale nic nie powiedziałam, bo i ty nic nie mówiłeś. Jakoś tak łatwo o niej zapomniałeś, tak mi się zdawało, no więc milczałam, bo uznałam, że tak lepiej będzie. Najpierw chciałam ci te rzeczy po jednej sztuce podrzucić do szafy, żebyś je miał, skoro takie było jej życzenie, ale się ciągle na to jakoś zdobyć nie umiałam i tak czekałam, czekałam, aż wszystko na ciebie się za małe zrobiło, aż się zmarnowało. Ale mnie to gryzło latami, do dziś mnie to gryzło, że ty nie wiesz. Może ona by cię jednak nie zabrała ze sobą ostatecznie, może by zdanie zmieniła, bo to z małym dzieciakiem na pewno trudniej by jej się było schować, przez granicę przejechać i tak dalej. Ale na pewno był moment, że cię zabrać ze sobą chciała, że tak planowała. I ja myślę, że ty to powinieneś wiedzieć. To jej nie oczyszcza, winy nie zmazuje, ale chyba łatwiej można... Nie wiem. Czy ja dobrze zrobiłam, że ci nie powiedziałam? Czy dobrze zrobiłam, że powiedziałam? Pawełek, proszę, powiedz coś, nie patrz tak na mnie, bo mi serce zaraz z piersi wyskoczy.

– I co się z nią stało? – pytam martwym głosem pod długiej, bardzo długiej chwili.

– Z kim?

– Z tą walizką.

– A stoi tam – Mariolka opiera łokcie na stole i chowa twarz w dłoniach. – Co ja narobiłam...

– Nic nie narobiłaś – mówię. – To niczego nie zmienia.

– Ale jakbyś ty wiedział wtedy...

– To by dopiero było piekło – mówię, bezwiednie naśladując jej sposób mówienia. – To bym dopiero cierpiał. Dobrze zrobiłaś, że mi nie powiedziałaś.

– Ale czy powinnam była mówić teraz?

– Nie wiem.

– Chcesz ją obejrzeć? Tę walizkę? Zawinęłam ją w brezent, tam sucho jest, więc pewnie... Chyba żeby się mole zalęgły, ale u nas nigdy moli nie było.

– Nie chcę – mówię.

Ajfon w mojej kieszeni wibruje krótko. Esemes. Siedzę jak skamieniały, wreszcie sięgam po telefon.

*Nie gniewaj się, ale dziś nie dam rady. Z Kaśką słabo. Napiszę :-**

– Już po czwartej – mówię. – Muszę jechać do niusrumu. Mówiłaś o tym ojcu?

Mariolka kręci głową bez słowa. Nie jestem na nią wściekły, ale czuję się nieswojo. Potrafię wytłumaczyć sobie jej decyzję. Myślę, że wiem, co nią kierowało. Niemniej fakt, że przez trzydzieści kilka lat ukrywała coś, co dotyczyło mnie w tak istotny, bezpośredni sposób, sprawia, że wydaje mi się obca. Może powinienem zrobić coś, wykonać gest – poklepać ją po ramieniu, przytulić? Nie potrafię się na to zdobyć.

– Nie mów mu – mówię. – Nigdy. Wystarczająco mocno ją znienawidził.

– Ja pewna byłam, że ona nie wróci – szepcze cicho Mariolka.

– Nie wróciła – odwracam się i wychodzę z kuchni.

III

– Wróciłaś – mama staje w wejściu do salonu. – I jak się czujesz?

– Okej – mówię i wieszam płaszcz obok lustra.

Boże, jak ja potwornie staro wyglądam. To jest właśnie ten moment, ten czas. Ten specyficzny, okrutny okres życia, gdy człowiek w niektóre dni jeszcze sprawia wrażenie całkiem młodego, całkiem na chodzie, całkiem do rzeczy. A nazajutrz budzi się, wstaje i w lustrze widzi twarz starca.

– A może ty się nie rozbieraj – proponuje matka.

– Dlaczego?

– A może na spacer byśmy sobie poszły?

– Na spacer? – patrzę na nią ze zdumieniem. – Dokąd?

– Donikąd. W kółko, jak to na spacerze.

– Ale tu się nie spaceruje! Tu nie ma jak spacerować. Musiałybyśmy taksówkę zamówić i pojechać gdzieś, nie wiem. Do Łazienek czy na Starówkę.

– No przecież są chodniki przy ulicach. To po nich nie można chodzić?

– Mama, tu się nie chodzi na spacery – ucinam. – Tu się mieszka i jeździ samochodem. Można do sklepu wyskoczyć czy do knajpy. Chcesz iść do knajpy?

– Nie. Obiad zrobiłam. Krokiety z rosołem, takie jak lubisz. Zjesz?

– Mogę zjeść – mówię. – Ale szybko, bo mam robotę.

– Jak to dobrze, że ty tę pracę jednak masz – wzdycha matka. – Wszyscy się dziwili, że ty w ogóle pracujesz, a ja zawsze mówiłam: niech pracuje, w razie co, da sobie radę. O Boże, a może ja to wykrakałam?

– Nic nie wykrakałaś – wznoszę oczy do sufitu i idę do kuchni. – Zjedzmy te krokiety, bo muszę usiąść do komputera.

Wrzucam kapsel z kawą do ekspresu, siadam przy stole. Matka włącza kuchenkę i ustawia rondel na płycie.

– Weź patelnię – radzę. – Teflonową. Do tego rondla wszystko się przykleja.

– Trzeba porządnie rozgrzać, to się nie przyklei – ucina, a potem wyjmuje z szafki butelkę oleju.

Spoglądam w okno. Powietrze jest błękitnawe, odrobinę zamglone, jak woda w basenie, do której ktoś nalał trochę mleka. Słońce świeci blado. Kiedyś lubiłam taką pogodę.

– Martwię się – oświadcza matka.

– Ty się martwisz? Czym?

– Wszystkim – wzdycha boleśnie. – Gosią się martwię.

Zaczyna mnie irytować. Dwa dni wystarczyły. Wróciłam do punktu wyjścia – jeszcze dzień lub dwa i zacznę się zachowywać jak wtedy, gdy miałam szesnaście lat. Wrzeszczałyśmy na siebie codziennie.

– Gosia jest mądrzejsza od nas obu – mówię kwaśno.

– Ja wiem – wzdycha, a od tego westchnienia cierpną mi mięśnie szczęk.

Znowu spoglądam w okno. Tu nie ma ptaków – nagle uderza mnie myśl. To nienaturalne, bo ptaki są przecież wszędzie. Może to przez kolce, u nas też są druty na zewnętrznych parapetach. Osiedle jest otoczone murem, w środku pogrodzone płotami, bramkami, barierami. Gdyby wybuchła wojna, zamieniłoby się w enklawę, moglibyśmy się tu zamknąć i przetrwać oblężenie. Ale mogłoby się równie dobrze stać pułapką. Getto.

– Przypala się – mówię, marszcząc nos. – Kopci.

– Nie kopci – matka szybko włącza wyciąg nad kuchnią.

Wrzuca krokiety na olej, który skwierczy i pryska na wszystkie strony. Ula będzie miała więcej sprzątania. Kiedy ona przychodzi? Przez chwilę nie mogę sobie uświadomić, jaki mamy dzień tygodnia. Ach, tak. Wtorek. Ula przychodzi w czwartki. Dwa dni lepkiej płyty kuchennej i tłustego blatu dookoła.

– Byłam złą matką.

– Co? – pytam po sekundzie, gdy dociera do mnie, co powiedziała.

Milczy. Obraca krokiety na tłuszczu, śmierdzi spalenizną.

– Cholera, przykleiły się – mruczy złym głosem.

– Mówiłam – wzruszam ramionami i znowu wyglądam przez okno.

Powinnam sprzedać to mieszkanie. Może wyjechać gdzieś? Może kupić coś na wsi? Ładny dom z czerwonym dachem, murowany, z obejściem, z bluszczem na ścianach. Mnóstwo kwiatów, iglaki jakieś, doniczki na parapetach. Kot, pies. Lampiony na gałęziach drzewa, duży stół na trawie, biały obrus. Tanio by wyszło, pewnie zostałoby mi nawet trochę forsy. No, ale teraz słaby rynek, dostałabym za mieszkanie mniej, niż zapłaciliśmy. A poza tym zwariowałabym po tygodniu takiego życia. A jak sobie pomyślę o sąsiadach, których bym tam miała...

Matka wykłada krokiety, wstawia rondel do zlewu, zalewa go wodą. Kłąb pary z wściekłym syczeniem wznosi się pod sufit.

Ustawia przede mną filiżankę z rosołem, podsuwa talerz z krokietami i siada naprzeciwko.

– Za dużo. Nie zjem czterech – oświadczam.

– Zjesz.

Jem. Niezłe krokiety, z pieczarkami i serem, przypaliła je, ale tylko trochę. Bomba kaloryczna.

– Byłam złą matką – powtarza ze zbolałą miną.

– Nie byłaś. O co ci znowu chodzi?

– To przeze mnie.

– Co przez ciebie?

– Gdybym była lepszą matką, tobyś nie była taka.

Przełykam kęs krokieta i spoglądam na nią spod oka. Kafar – tak kiedyś powiedział o niej Paweł. Śmiałam się wtedy, bo trochę racji w tym było. Moja matka jest diabelnie silna, ramiona ma jak drwal, ale nie chodzi tu o budowę fizyczną, lecz o psychikę. Martwi się – akurat. Ona niczym się nie martwi, każdy problem to dla niej jedynie wyzwanie.

– Jaka bym nie była? – pytam.

– No tak wiesz... Żeby on się tak odmienił przy tobie.

Włosy jeżą mi się na karku, a serce zatrzymuje się na dobrą sekundę.

– Co ty mówisz – udaje mi się wreszcie wykrztusić.

– To moja wina – powtarza.

Najchętniej zerwałabym się z krzesła, dopadła zlewu, chwyciła ten cholerny rondel i zdzieliła ją nim w potylicę.

– Jak ty może powiedzieć mi coś takiego? – mówię powoli, dłonie zaczynają mi drżeć.

Prostuję się i odchylam na krześle.

– Uważasz, że to ja zrobiłam z Pawła homoseksualistę?

– No... Nie był taki.

– Skąd wiesz?

– Przecież macie dziecko – obrusza się matka. – I niczego nie sugeruj, bo ona jest podobna do Pawła. Na pierwszy rzut oka widać, że to jej ojciec.

– Homoseksualiści nie mogą mieć dzieci?

– A mogą?

– Najwyraźniej mogą – cedzę przez zęby. – Jak widać.

– Ty jesteś za mało czuła, za mało ciepła w tobie. Zawsze taka byłaś, od maleńkości – kiwa głową matka. – Źle cię wychowałam, ale tyle miałam na głowie. Dwójka dzieci, a wasz ojciec...

– Chciałabym, żebyś pojechała do domu – mówię nienaturalnie spokojnym tonem.

– O, widzisz? Widzisz? – matka kładzie rękę na sercu. – Sama widzisz! Ty nie masz serca.

– Mam serce – mówię powoli. – I wydaje mi się, że ono zaraz pęknie.

– Nie gadaj głupot – obrusza się matka. – Dlaczego ty czegoś nie zrobisz? Naprawdę chcesz zmarnować te wszystkie lata?

– Co miałabym zrobić?

Matka uśmiecha się triumfalnie, zrywa się z krzesła i wybiega z kuchni. Wraca prawie natychmiast i kładzie przede mną kolorowe czasopismo.

– Masz – mówi. – Maryśka mi dała. Dwudziesta strona.

Otwieram magazyn. Dwudziesta strona – matka dla pewności założyła ją kopertą po rachunku za prąd z Enei. *Dwanaście sposobów, jak odzyskać jego uczucie i rozniecić wygasły żar w małżeństwie. Punkt pierwszy – zadbaj o siebie. Nie licz na to, że jego zmysły pobudzać będzie jedynie wspomnienie kobiety, którą poślubił przed laty, a z której dziś tak niewiele już pozostało. Pamiętaj, że mężczyźni są wzrokowcami. Zaplanuj romantyczny wieczór, ale wcześniej nie zapomnij o wizycie w salonie...*

Podnoszę głowę i spoglądam na matkę z niedowierzaniem. Nie wiem, czy mam ochotę się roześmiać, rozpłakać, czy zacząć wrzeszczeć.

– Wystarczy tylko trochę się postarać – mówi matka i uśmiecha się zachęcająco. – Nie wszystko stracone. Wy jesteście małżeństwem dłużej, niż ja byłam z waszym ojcem. Kobieta ma swoje sposoby na mężczyznę, szczególnie jeśli go zna tyle lat. A ty przecież ciągle jesteś całkiem ładna. Tylko trochę przychuda.

– Mama, Paweł jest pedałem.

– Aj tam – potrząsa głową.

– Widziałam go z mężczyzną. Całowali się. Byli prawie goli.

– Prawie! – czepia się nadziei matka. – Po prostu musisz mu udowodnić, że kobieta może mężczyźnie dać więcej... Radości i miłości niż takie... Pogubił się trochę, w końcu ma czterdzieści lat, a chłopom w tym wieku zawsze palma odbija.

– Uważasz, że jeśli pójdę do fryzjera i kosmetyczki, a potem postawię zapalone świece na stole i zaserwuję elegancką kolację, przestanie mu stawać do facetów?

– Anka! – matka gromi mnie wzrokiem.

– Mama, przecież ty go nawet nie lubisz – splatam ręce na piersi i zwijam dłonie w pięści.

– A co to ma do rzeczy? Lubię go czy nie lubię? Może i nie lubię, ale to twój mąż. Sadzi się, zawsze miał wyżej dupę, niż srał, trudno lubić takiego człowieka, co na ciebie z góry patrzy. Ale to rodzina jakby nie było. Zresztą pokaż mi teściową, co lubi zięcia. Ze świecą by szukać. Ja rozumiem, że ty się poczułaś dotknięta...

– Dotknięta!

– ...żeś go tam zobaczyła, jak się wygłupia z kolegą. No i co? Pewnie pijani byli. Zresztą dziecka z tego nie będzie, co cię to właściwie obchodzi? Co ci przeszkadza? Mężczyźni mają swoje dziwactwa, zawsze tak było i będzie. Na dobrą sprawę to ty się powinnaś cieszyć, że on nie ma jakiejś flądry na boku, że cię nie zdradzał regularnie z dziwkami, a przecież powodzenie miał i na dodatek w telewizji pracuje! Jestem pewna, że mu się okazje same w ręce pchały tysiąc razy. I co? W dzisiejszych czasach?! Gdybyś wykazała odrobinę wyrozumiałości, gdybyś przeprosiła...

– Prze... – zatyka mnie. – Przeprosiła?!

– No, za tego chłopaka, co cię z nim fotografowali w gazetach – wyjaśnia matka. – Któremu normalnemu chłopu by nie przeszkadzało, że jego żonę fotografują z innym i jeszcze coś sugerują, że niby między nimi jest...

– Paweł nie jest żadnym normalnym chłopem! – krzyczę. – On jest homoseksualistą! A z Sebastianem nic mnie nie łączy, do ciężkiej cholery! Ile razy mam powtarzać?!

– No, nie musisz krzyczeć – matka unosi ręce w obronnym geście, od którego krew uderza mi do głowy. – Przecież ja to wiem. On ma dwadzieścia lat, a ty czterdzieści. Człowiek musiałby mózgu nie mieć, żeby w to uwierzyć. Ale wiesz, plotka plotką – tyle że nawet najbardziej nieprawdopodobna może smród zostawić. A co ty robisz? Gdzie ty dzwonisz?

Podnoszę do ucha komórkę i czekam, aż odbierze. Boże, mam nadzieję, że on odbierze ten telefon, bo jeśli się odezwie poczta, to za siebie nie ręczę.

– No? – Kuba odzywa się po trzecim sygnale. – Mała, mów szybko, bo mam klienta. Co jest? W porządku?

– Kubek, masz ją stąd zabrać – mówię twardym głosem. – Dzisiaj, najlepiej zaraz. Jak najprędzej. Bo tu się wkrótce może wydarzyć coś takiego, że mnie do końca życia nie wypuszczą z kryminału...

– Aneczko! – woła matka z oczami pełnymi łez.

– Dobra – wzdycha. – I tak dłużej wytrzymałaś, niż sądziłem, byłem przygotowany. Kończę o piątej, daj mi dwie godziny. Przyjadę o siódmej. Może być?

– Musi – rzucam i wyłączam telefon.

– Jak możesz tak... – zachłystuje się matka. – Przecież ja to z dobroci serca do ciebie, a ty mi...

– Jeśli chcesz mi pomóc... – przerywam jej lodowatym tonem – ...to będę ci bardzo zobowiązana, jeśli umyjesz ten cholerny rondel, a potem płytę kuchenną i blaty. Sprzątaczka przychodzi dopiero pojutrze, nie mam ochoty mazać się w tłuszczu. Idę teraz pracować i raczej nie wyjdę do wieczora z pokoju, więc do widzenia.

Wstaję gwałtownie, krzesło przewraca się za mną, ale nawet nie schylam się, żeby je podnieść.

IV

Makrelowe niebo – nie pamiętam, skąd znam to określenie. Drobne, równe rzędy chmur rzeczywiście przypominają fakturę wyfiletowanego rybiego mięsa.

Siedemnasta. Szybciej poszło niż zazwyczaj, ale na świecie nie dzieje się akurat nic rewolucyjnego – odwrotnie niż w moim życiu. Stoję na zewnętrznym podeście przy wejściu do studia. Nie wiem, co mam robić. Wojtek się nie odezwał.

– Na co patrzysz? – Jolka opiera się o reling barierki obok mnie.

– Na niebo.

– Fajne – podnosi oczy do nieba. – Już na dobre mamy wiosnę. Kurde, fajki mi się skończyły.

– Masz – wyjmuję z kieszeni kurtki paczkę elemów.

– A co ty? Palisz?

– Tak. Znowu palę.

Jolka wyjmuje papierosa z pudełka, podaję jej ogień. Zaciąga się dymem i wydmuchuje go nad głowę, wysoko w zamglone powietrze.

– On tu długo nie zabawi – mówi.

– Kto?

– Sebastian. Nie przejmuj się nim.

– A dlaczego myślisz, że się przejmuję? – pytam z krzywym uśmieszkiem.

– Widzę.

– Mam trochę problemów.

– Jak długo razem pracujemy? – pyta po chwili.

– Nie wiem. Od zawsze chyba. Byłaś tu, gdy zaczynałem.

– Właśnie. Dwanaście lat. Szmat życia. Znam cię.

– No i?

– No i nigdy nie potrafiłam zrozumieć, dlaczego nie umiesz się postawić i zawalczyć o swoje.

– Wydaje mi się, że ta rozmowa jest nie za bardzo – odzywam się po sekundzie.

– Nie za bardzo co?

– Nie za bardzo na miejscu.

– Bo jestem tylko charakteryzatorką?

– Oszalałaś? – spoglądam na nią z autentycznym zdziwieniem. – Bo się nie znamy tak naprawdę. My tylko razem pracujemy.

– Tylko. No tak – mówi i wydmuchuje kolejny kłąb dymu. – W sumie racja. Dotykam twojej twarzy niemal codziennie przez dwanaście lat i niemal codziennie patrzę ci z bardzo bliska w oczy. Przepraszam, że nabrałam osobistego stosunku.

– O co ci chodzi?

Jolka zaciąga się głęboko i ciska niedopałek przez barierkę na parkujące poniżej auta.

– Chodzi mi o to, że wolimy pracować z tobą. Jego wszyscy tu serdecznie nie znoszą. I ty też zresztą, wiem. Gdybyś zdobył się na szczerość i przestał być wreszcie taki cholernie grzecznie opanowany, gdybyś nareszcie wywalił na wierzch to, co ci leży na języku, może góra poszłaby po rozum do głowy.

– Nie bądź naiwna – cmokam ze zniecierpliwienia. – Góra ma mnie gdzieś i nas wszystkich też. A Sebastian, cokolwiek by o nim mówić, jest świetny w dawaniu gęby do kamery. Chociaż dopiero zaczyna, jest równie dobry jak ja.

– Tak ci się tylko zdaje. Gdybyś spróbował nie spinać dupy na wizji i po prostu pozwolił sobie na to, żeby być sobą...

– Cześć, Jolka – mówię. – Do jutra.

– Paweł, zaczekaj...

Odwracam się i zbiegam po schodach na ulicę. Obrazi się? Może. Nawet nie tyle mnie zdenerwowała, ile zmęczyła.

Wsiadam do auta, przekręcam kluczyk w stacyjce i wyjmuję z kieszeni telefon.

Żadnych wiadomości. Nie napisał. Zastanawiam się przez moment, a potem wzruszam ramionami i klikam:

Cześć. Jesteś zajęty?

Odpisuje niemal natychmiast.

tak ale nie musze byc. dlaczego?

Możemy się spotkać?

taktaktak jestem w szklance :-P

W jakiej szklance? Nie będę się kompromitował pytaniem. Wyjmuję ajpada z teczki i wpisuję w pasku wyszukiwarki „szklanka, warszawa". Knajpa oczywiście. Na Wilczej, niedaleko.

Na Wilczej? Będę za 10 min.

spoks tak tylko raz-raz bo akurat dwa miejsca przed wejsciem

Wycofuję auto z parkingu, skręcam w Prusa i dojeżdżam do świateł przed Wiejską. Czerwone. Gapię się bezmyślnie w przestrzeń. Naprzeciw hotelu Sheraton dwóch chłopaków wykleja bilbord. Jeden z tych większych. Rozwijają właśnie pierwszą płachtę papieru, zaczęli od lewej strony. Chociaż jest jeszcze dość chłodno, obaj mają krótkie spodnie. Przyglądam się ich nogom. Zawsze przyglądałem się nogom facetów, dopiero teraz to do mnie dociera. Sądziłem, że interesują mnie, bo porównuję je do swoich, a tak nie jest. Ślizganie się wzrokiem po wypukłości łydki, po doskonałej krągłości kolana, po linii przewężenia tuż nad kostką, przyglądanie się owłosieniu, kształtom, mięśniom – sprawia mi to po prostu przyjemność. Działa na mnie erotycznie. Cholernie. Gdy to sobie uświadamiam, dostaję wzwodu.

Sebastian działa mi na nerwy wcale nie dlatego, że jest zawziętym na karierę, drapieżnym słoikiem – no, trochę też dlatego, ale nie przede wszystkim. Wściekałem się na niego, bo mi się podobał. Od początku. Ile razy zostawałem w garderobie dłużej, żeby go zobaczyć? Ile razy podglądałem, gdy się przebierał? Gapiłem się na jego nogi, tyłek, dłonie? Nawet na stopy, gdy zmieniał buty. Sam przed sobą udawałem, że go nie nienawidzę – tylko dlatego, że tak cholernie chciałem go mieć. Dotknąć i polizać. A nie mogłem.

Płachta papieru rozwija się do końca, chłopak zawieszony w cudownie nieprzyzwoitym rozkroku na aluminiowym siodełku wygładza szeroką szczotką wydruk. Widać kilka krótkich, nażelowanych kosmyków, męskie ucho i oko, które patrzy prosto na mnie. Mija dobrych kilka sekund, nim dociera do mnie, że to moje oko. Ale tempo – dwa dni temu była sesja, a oni już zaczęli tę kretyńską kampanię reklamową... Ktoś trąbi za mną wściekle. Zielone. Ruszam z piskiem opon.

•

Kris czeka na chodniku. Gdy widzi mój samochód, na powitanie macha rękami jak wiatrak.

– Zająłem ci miejsce – oświadcza z dumą, gdy parkuję przy krawężniku przed samym wejściem do Szklanki. – Jedna baba mało mnie nie rozjechała z wkurwu.

Zapuszcza brodę. Na razie efekty nie są powalające, ale jak na chłopaka w jego wieku całkiem niezłe.

– Dobrze wyglądasz – mówię.

– Dzięki – mruży jedno oko. – No, wiem, wiem, że ci się podobam.

– O Jezu, Krzysiek... – twarz natychmiast zaczyna mnie palić.

– Żart – wzrusza ramionami. – Wyluzuj. Braciszku. Chodź, bo nam stolik sprzątną sprzed nosa, a fajny zająłem, przy kanapie.

Knajpa z rodzaju tych modnych – przypomina skład peerelowskich gratów, które jeszcze nie tak dawno stosami zalegały na śmietnikach. Ściany obdarte z tynku, betonowa podłoga, łyse żarówki. Rozumiem, na czym polega urok takiej stylizacji, choć podejrzewam, że wielka popularność tego rodzaju wnętrz wynika bardziej z chudości portfeli właścicieli lokali niż z upodobań klientów. Ale może się mylę. Nie do końca łapię hipsterskie klimaty.

– Dobrze, że napisałeś – mówi Kris, wsuwając się za stół z laminowanym kuchennym blatem i szukając wygodnego miejsca na sfatygowanej, podartej wersalce. – Siadaj.

– Ale syf – mówię.

– Owszem – uśmiecha się. – A za latté liczą dwadzieścia pięć złotych. Chcesz?

– Kawę? Tak. Jadłeś obiad?

Przechyla głowę, rzuca mi rozbawione, a trochę rozczulone spojrzenie i mówi:

– Umiem się o siebie zatroszczyć, łojczulka nie musisz zgrywać.

– Nie zgrywam.

– Aha. A ty obiad jadłeś?

– Tak.

– No, ja też. Co słychać?

– Różnie – łapię się na tym, że naśladuję jego styl mówienia. Kurde, co jest ze mną nie tak? A przedtem? Czy przedtem mówiłem i myślałem tak jak Anka? To niewykluczone, a nawet pewne. Tak właśnie było. Ile razy łapaliśmy się na tym, że używamy tych samych sformułowań, takich samych słów? Miliony. Problem w tym, że to nie były nasze słowa, nie moje. To były jej słowa. Jestem jakimś pieprzonym Zeligiem! *Gdybyś przestał być wreszcie taki cholernie grzecznie opanowany*. A może to nie opanowanie, nie grzeczność, ale po prostu niedorozwój osobowościowy? Może jestem bezwolnym psychologicznym embrionem pozbawionym własnego zdania na jakikolwiek temat, własnego spojrzenia, myśli? Może mój mózg to zaledwie prototyp zbudowany z komórek macierzystych? Jestem zupełnie przezroczysty! Nijaki surogat mężczyzny pozbawiony charakteru, jakichkolwiek pasji, emocji, nawet własnej woli i zdania!

– Co jest? – pyta Kris, przyglądając mi się z uwagą.

– Nic. Dlaczego?

– Masz minę, jakbyś chciał puścić pawia. Jeśli ci tu nie pasuje, możemy iść gdzie indziej, w mocniej wypierdziane miejsce. Nie zależy mi.

– Nie chodzi o miejsce – mówię.

– A o co?

O co mi chodzi? Anka powiedziała kiedyś, że potrafię walczyć tylko o to, na czym mi nie zależy, a w sytuacjach naprawdę istotnych, takich wiążących się z być albo nie być, paraliżuje mnie strach i staję się bezwolny. Kłóciliśmy się wtedy, rzadki przypadek, więc oczywiście sięgała na chybił trafił po najmocniejsze, niekoniecznie prawdziwe argumenty, ale z tym akurat trafiła.

– Jaka ona była? – pytam wreszcie, ale nie umiem się zdobyć na to, by spojrzeć mu w oczy.

– O dżizas – wzdycha Kirs. – Poczekaj, przyniosę ci to latté, to pogadamy na spokojnie.

Po chwili wraca. Stawia przede mną naczynie wielkością i kształtem przypominające miskę dla psa. Jest wypełnione po brzegi zabarwionym na bladobeżowy kolor mlekiem.

– Masz – wyciąga z kieszeni kilka podłużnych opakowań z cukrem. – Nie wiem, czy słodzisz, czy nie.

– Słodzę, dzięki.

– Był jeszcze brązowy, ale w środku ma to samo, różni się jedynie kolorem. Pewnie wiesz, ale mówię na wszelki wypadek, jakbyś nie wiedział. Żebyś się nie dawał nabrać, że brązowy cukier jest zdrowszy czy coś. Bo nie jest.

– W porządku – rozrywam papierek, wsypuję cukier do mleka i sięgam po łyżeczkę. – Opowiesz mi? Jaka ona była?

– No, właśnie zacząłem – uśmiecha się Kris. – Bo widzisz, takie sprawy jak ten cukier to cała ona.

– Nie rozumiem – zerkam na niego spode łba.

– Zawsze miała pod ręką milion podobnych informacji – wyjaśnia Kris. – Chciałeś czy nie chciałeś, zawsze cię nimi raczyła. Na przykład potrafiła przez dziesięć minut wyliczać szkodliwe działania niskokalorycznych produktów. Miała świra na punkcie napojów „zero", uważała, że są toksyczne i że całe pojone nimi pokolenia – przede wszystkim moje – na pewno będą bezpłodne, ślepe i błyskawicznie zapadną na alzheimera. Przejmowała się takimi sprawami. Uważała, że tak zwana zdrowa żywność może być niekiedy groźniejsza od gieemo. Uważała wegan za niebezpieczną sektę, która usiłuje zablokować ludziom dostęp do białka zwierzęcego. Że jest to spisek mający na celu przerzedzenie i osłabienie populacji. Kiedy o tym zaczynała nawijać, można było pomyśleć, że ma świra. Potępiała homeopatię, uważała, że rodzice, którzy nie chcą szczepić swoich dzieci, powinni być pozbawiani praw rodzicielskich, a najlepiej gdzieś zamykani. Z upodobaniem głosiła różne takie teorie, ale chyba dlatego ludzie ją lubili, wiesz, tam u nas, w Barcelonie. Bo była inna. Wyraźna.

– Wyraźna?

– Tak. Zawsze miała swoje zdanie, ale w jednej rozmowie potrafiła walczyć o dwie sprzeczne sprawy. Ogólnie była niespokojna, ciągle ją nosiło. Zaczynała dziesięć książek jednocześnie, ale żadnej nie umiała doczytać do końca. Zaczynała oglądać film, ale po pięciu minutach już ją nudził. Okropnie kłóciła się z moim ojcem, rzucali w siebie czym popadło, kiedyś przez jeden wieczór wytłukli wszystkie, naprawdę wszyściuteńkie, nasze talerze. A zaraz potem już się do siebie kleili. On ją bardzo kochał, wiesz. Ona jego chyba też, chociaż czasami działał jej na nerwy. Ale jej wszystko działało na nerwy, ja też – o, i to jak! Myślę, że właśnie przez te nerwy w końcu dostała tego całego udaru.

– A jako matka? – pytam. – Jaka była jako matka?

– Kurde, nie wiem... – Kris zastanawia się przez długą chwilę. – No, dla mnie jakby normalna. Oczywiście nie przypominała za bardzo matek moich kumpli, ale była przecież okropnie stara, coś jak babcia, a nie matka. No, ale babci też nie przypominała raczej. Przejmowała się, ale bez przesady. Zawsze mi powtarzała, że mam liczyć na siebie i na sobie przede wszystkim polegać. Chyba uważała, że za późno mnie urodziła. Bała się, że umrze, zanim zdążę dorosnąć, więc mnie namiętnie uczyła jakichś różnych pierdół. Na przykład tego, jak się załatwia sprawy w bankach, w urzędach. Do kogo trzeba się zgłaszać, jak się chce to czy tamto. Tu, w Polsce, kazała mi iść samemu na Bednarską i załatwić sobie szkołę. Ogólnie nic dziwnego, ale wiesz, dla mnie było to trudne, bo dopiero niecałe dwa lata mieszkałem w kraju, a mój polski był raczej dziwny. Nie wiem, co ci jeszcze powiedzieć.

– A czy... Rozmawiała z tobą? Bawiła się z tobą, gdy byłeś mały? Chodziliście razem do kina, do zoo, nie wiem, do parku? Na wakacje wyjeżdżaliście?

– No, tak – Kris patrzy na mnie jak na wariata. – Normalnie. Ja zawsze byłem gadatliwy, więc chciała czy nie, siedziałem jej na głowie i nawijałem, odkąd tylko nauczyłem się mówić. No i bawiła się ze mną chyba, nie pamiętam. A, nie, czekaj, pamiętam! Pamiętam, jak mi kupiła iksboksa, rany, to było sto lat temu! Graliśmy potem we dwójkę przez cały wieczór, okropnie się wciągnęła, to było śmieszne. Czasami chodziliśmy do kina, ale ją to nudziło. Albo przysypiała, albo zaczynała się wiercić i sto razy wychodziła w trakcie filmu po jakieś cukierki albo do kibla. Tata częściej ze mną chodził. Na wakacje jeździliśmy co roku. Normalnie.

– Normalnie – powtarzam. – A myślisz, że... To znaczy, czy czułeś, że się tobą interesuje?

– Interesuje?! – Kris wytrzeszcza oczy. – Dżizas, jak to interesuje?

– Czy jest ciekawa ciebie? Tego, co myślisz, co czujesz?

– No, tak – bąka zmieszany. – Przecież była moją mamą. To też normalne, nie? Gadaliśmy o wszystkim chyba. Z nią się dość dobrze gadało, bo jeśli nie dostawała jazdy w rodzaju „nadchodzi biozagłada", była całkiem wyluzowana. Jak jej powiedziałem, że jestem bi, to się śmiała.

– Śmiała się? – teraz to ja wytrzeszczam oczy ze zdumienia.

– Tak. Powiedziała, że się z tego cieszy, bo gdziekolwiek w życiu będę, zawsze znajdę miłość. Najpierw myślałem, że może mi nie wierzy czy coś, więc jej przedstawiłem mojego kumpla, z którym się wtedy bawiłem. No, może trochę więcej to było nawet niż tylko zabawa, lubiłem go w sumie mocno. Miał na imię Stach. Przyjęła go zupełnie naturalnie. Chociaż nie pozwoliła, żeby zostawał u nas na noc. Miałem wtedy szesnaście lat, rozumiesz. To już tu było, w Polsce.

– Myślisz, że była szczęśliwa?

– Szczęśliwa? – powtarza Kris i zastanawia się przez moment. – Na pewno była szczęśliwa w Barcelonie. Tutaj chyba nie bardzo. Nie wiem w ogóle, dlaczego chciała wrócić. To wcale nie było zaplanowane, wręcz przeciwnie. Po śmierci ojca wszystko z grubsza szło normalnym torem. I nagle, bach, pewnego dnia oświadczyła mi, że wracamy. Byłem wściekły, ledwo mówiłem po polsku – tyle tylko, co od niej się nauczyłem. A Polski zupełnie nie znałem. W ekspresowym tempie zaczęła wszystko likwidować i po trzech miesiącach przyjechaliśmy tutaj. Kupiła dom na Felińskiego całkiem w ciemno, przez internet. Wyobrażasz sobie?

– Nie pytałeś, dlaczego chce wrócić?

– Oj, stary, no z milion razy! Jedyne, co słyszałem, to: „bo tak". I tyle.

Unoszę miskę i upijam łyk kawowego mleka.

– I nigdy ci nie opowiadała o Polsce? – pytam wreszcie.

– Prawie nic. Tylko, że tu było okropnie. Dopiero jak zdecydowała, że się przeprowadzamy, zaczęła wychwalać ten kraj, ale też tak trochę ogólnikowo, jakby recytowała slogany z folderu turystycznego.

– I nigdy nie mówiła o mnie – stwierdzam raczej, niż pytam.

W odpowiedzi potrząsa tylko lekko głową.

– A jaka była dla ciebie? – pyta po namyśle.

– Och – mówię. – Inna.

V

Nie ma jej. Poprawiam lornetkę i ustawiam ostrość na okno sypialni. Widać tylko fragment materaca łóżka, ale kapa na nim jest równo rozłożona. W salonie siedzi dziecko, gapi się w telewizor. Pewnie ten pedał też jest w mieszkaniu, w końcu jednak mają jeszcze jakieś pokoje po drugiej stronie, widziałam drzwi. Co mnie to obchodzi?

Odkładam lornetkę na parapet i siadam w fotelu. Po chwili wstaję i podchodzę do biurka. Siadam na krześle. Kładę dłoń na myszce i przewijam odruchowo plik Książki w Wordzie. Nie, nie Książki. Książki. A nawet nie książki. To jest do niczego. Zawsze to podejrzewałam, wmawiałam sobie, że jest inaczej. A nie jest. Wszystko, co tu nawypisywałam, nie trzyma się kupy. Język jest przezroczysty, ludzie – pozbawieni spójnych osobowości, raz przerysowani, a innym razem bezbarwni i nijacy. Brak konsekwencji, brak stylu, brak treści. Nawet przesłanie, które na siłę próbowałam wymyślić, też nie istnieje. To fałsz. Wszystko, co wiąże się ze mną, jest fałszem. Jestem fałszywą żoną, fałszywą matką, fałszywą kobietą. Moje małżeństwo jest fałszem, moja praca także. To nie jest nowa myśl, więc nie jestem w stanie wywołać w sobie nawet fałszywego patetycznego wzruszenia nad swoim fałszywym losem.

Zaznaczam cały dokument – wszystkie akapity, wszystkie słowa, kropki, przecinki, wykrzykniki (tych jest stanowczo za dużo) – i dotykam opuszkiem wskazującego palca klawisza z napisem „delete". Wystarczy wcisnąć, a wszystko zniknie. Ale nawet ten gest byłby fałszywy, bo mam kopie zapasowe tekstu w kilku katalogach komputera oraz co najmniej dwie na pendrajwach. I jeszcze kolejne w skrzynce mejlowej, bo sama je do siebie wysłałam na wszelki wypadek, gdyby zdechł mi komputer lub padł łupem złodzieja. Albo gdyby na przykład spaliło się nasze mieszkanie. Albo było trzęsienie ziemi, wojna atomowa, apokalipsa zombi czy epidemia eboli. Książka ocalałaby w mojej skrzynce pocztowej.

Zamykam dokument, wchodzę do internetu. Ponad setka zaproszeń na Fejsie. Wpisuję „Anna Lewandowska" w pasek wyszukiwarki. Pisarka – pojawia się na pierwszym miejscu. Kolejny fałsz. Przełączam się na zdjęcia. Jestem. Z Sebastianem oczywiście. I z Pawłem też. Nie ma ani jednego zdjęcia, na którym byłabym sama. Klikam w jedną z fotek – Sebastian zapina mi łańcuszek z wisiorkiem Cartiera. Wyglądam rewelacyjnie. Jak lalka, manekin. Sztuczna kobieta. Też fałsz, bo taka przecież nie jestem. Te dopinki, makijaż, wkładki, gumowy gorset. W takim przebraniu każda kobieta wyglądałaby identycznie.

Zamykam okno, zaglądam do poczty. Napisali z „Dziennika". Recenzja świetna. Ostra – tak napisali. Nie zorientowali się, że recenzja też jest fałszywa. Ani się nie cieszę, ani nie czuję się zawstydzona – przebiegam obojętnym wzrokiem po literach i otwieram następną wiadomość. Zaproszenie na otwarcie jakiejś knajpy. Zaproszenie na premierę teledysku. Zaproszenie na jakiś iwent zorganizowany na rzecz autystycznych, zmagających się z nowotworem piersi nosicielek wirusa HIV. Obowiązują stroje wieczorowe. Ktoś wystąpi, ktoś inny poprowadzi. Podczas wieczoru liczne atrakcje oraz poczęstunek. Zapraszamy z osobą towarzyszącą – mam wrażenie, że „osoba towarzysząca" została wyboldowana.

Powinnam przejrzeć korespondencję – przyniosłam z Chełmskiej całą reklamówkę kopert. Przejmowałam się, że nie przychodzą żadne zaproszenia, ale przecież nikt nie zna mojego domowego adresu – wszystko słali do producenta „Okien miłości".

Zamykam przeglądarkę i program pocztowy, wstaję z krzesła i podchodzę do okna. Fioletowo-czerwony zmierzch. Mechanicznym gestem podnoszę lornetkę do oczu. Łóżko w sypialni nadal zaścielone, lampy się nie świecą. Salon... Przez kilka sekund nie rozumiem, co widzę – blask telewizora bije w górę, ale nie widać ekranu. Trochę tak, jakby ktoś tam włączył światła stroboskopowe. Mała go przewróciła – myślę i uśmiecham się krzywo pod nosem, ale prawie natychmiast mój uśmiech znika. Przyciskam lornetkę do oczu, przesuwam je na okno pokoju dziewczynki. Ciemno. Opuszczam ręce.

Co mnie to właściwie obchodzi? Jeśli byli na tyle tępi i nieodpowiedzialni, żeby zostawić dziecko samo, to nie mój problem. Pedał poleciał się z kimś bzykać (*z kim? Z nikim, nie myśleć o tym*), ta bździągwa pewnie siedzi u kosmetyczki. A bachor narobił bigosu. Sami sobie winni.

Odkładam lornetkę na parapet, podnoszę ją jednak niemal natychmiast i znowu gapię się na okna Pustaków. A gdyby to była Gosia? Ona rzadko potrafiła coś zmalować, ale jeśli już, to na wielką skalę. Jak wtedy, gdy postanowiła samodzielnie zrobić pranie i nalała do pralki płynu do zmywania naczyń. Miała osiem lat. Piana zdążyła się przecisnąć pod drzwiami wejściowymi, zanim wywaliło korki. To cud, że prąd nie poraził Gosi.

Telewizor rzuca migoczącą poświatę na sufit, nikogo nie widać. Lampy wyłączone, a ściemnia się coraz bardziej. Coś się musiało stać.

Znowu odkładam lornetkę. Stoję bez ruchu. Co mogę zrobić? Nic nie mogę. Nawet jeśli chciałabym tam pójść, nie znam kodu do drzwi wejściowych. Może odnaleźć dozorcę? Musi być jakiś dozorca, nigdy o tym nie myślałam, nigdy go nie potrzebowaliśmy. Albo jej. Sprzątaczki na pewno znają kody wejściowe. Może ochrona przy wjeździe? Taki kawał drogi. Ale mogłabym zadzwonić do nich. A może lepiej od razu na policję? Gdzie ta cipa polazła? Jak mogli zostawić takie małe dziecko samo w domu?

Mogłabym zadzwonić do Pawła. On na pewno wie, gdzie jest ten cały Wojtek. Być może są razem. Więc nawet powinnam zadzwonić. Ale nie umiem się na to zdobyć. Gdy usłyszę jego głos, znowu zacznę ryczeć – wiem to.

Otwieram drzwi gabinetu.

– Wychodzę! – wołam, zdejmując płaszcz z wieszaka obok lustra.

– Dokąd? – matka wyskakuje z kuchni jak diabeł z pudełka.

– Muszę coś załatwić. Jeślibym nie wróciła, nim Kuba się zjawi, po prostu zatrzaśnij drzwi, dobrze? Zabieram klucz.

Wpatruje się we mnie zarówno obrażonym, jak i przestraszonym wzrokiem. Wzdycham i mówię:

– Mama, ja wiem, że ty chcesz dobrze. Ale wiesz, jak to jest z dobrymi chęciami. Zadzwonię do ciebie za kilka dni. Pa!

Podchodzę, całuję ją w policzek, a potem się odwracam i nie czekając, aż coś odpowie, wychodzę szybko z mieszkania. Zjeżdżam na parter, przebiegam przez ulicę i staję przed domofonem.

Numer sześćdziesiąt cztery – wybieram na klawiaturze i wduszam przycisk z dzwonkiem. Czekam. Brzęczyk wyłącza się po kilku sygnałach, nikt się nie zgłasza. Tam naprawdę mogło się wydarzyć coś okropnego. Wybieram numer sześćdziesiąt trzy. Po jednym sygnale włącza się dioda nad kamerą.

– Tak? – pyta jakaś baba.

– Proszę pani, ja mieszkam w domu naprzeciwko – mówię pospiesznie. – Widziałam przez okno, że w mieszkaniu pani sąsiadów...

– Odpieprz się – trzask.

Gapię się z oniemiałą miną w obiektyw kamerki, robi mi się gorąco. Ja na jej miejscu... Co bym zrobiła? No, może nie powiedziałabym „odpieprz się", ale gdybym zobaczyła na monitorze jakąś obcą kobietę, nie zapytałabym nawet, o co chodzi. Wybieram numer sześćdziesiąt pięć. Zapala się dioda nad kamerą, ale gaśnie po sekundzie. No, właśnie. Żeby chociaż ktoś wchodził albo wychodził...

Odchodzę od domofonu, rozglądam się. Pusto. Zadzieram głowę i spoglądam na okna – stąd widzę tylko parapet tego mieszkania. To na nic. Co robić? Dzwonić po policję? Ochronę? Ale nie pamiętam numeru, jest zapisany na kartce schowanej w szufladzie pod lustrem w przedpokoju. Może jeszcze popatrzę z podwórka... tylko którędy się tam idzie? Na nasze jest wejście od Rajskiej.

Ruszam w kierunku poprzecznej ulicy. Włączają się lampy. Dochodzę do rogu, skręcam w prawo, ale oglądam się bezmyślnie w lewo. I wtedy ją widzę. Kuca na brzegu chodnika pochylona nad otwartą walizką. Zawracam i podchodzę do niej.

– Ola?

Dziewczynka podrywa głowę i patrzy z przestrachem. Gdy mnie poznaje, robi niechętną minę i spogląda w dół.

W walizce leży kilka zwiniętych w kłębki ubrań, jakaś pluszowa zabawka i książki. Książek jest najwięcej.

– Co się stało? – pytam i kucam obok niej.

– Kółko się złamało – burczy niechętnie.

– Kółko? Pewnie była za ciężka. Walizka.

– Nie była – dziewczynka wzrusza ramionami. – To kółko już się kiedyś złamało. Ciągle się łamie.

– Trzeba było wziąć inną walizkę – kiwam głową z poważną miną.

– Kiedy nie ma innej, bo Wojtek zabrał i zawiózł w niej mamie rzeczy. Do tego szpitala.

– Aha! A właściwie to po co ci ta walizka?

– A co cię to obchodzi? – dziewczynka zaciska usta.

– Tak tylko pytam. Wyjeżdżasz?

– Może i wyjeżdżam – Ola wygarnia część książek z walizki, rozpina podszewkę i odsłania mechanizm kółek.

Rzeczywiście, jedno jest wyłamane – ktoś niezbyt fachowo próbował je naprawić.

– Chyba nic z tego – wzdycham. – Nie da się zreperować.

– Da się. Wojtek umiał.

– A dokąd wyjeżdżasz?

– Donikąd.

Nie bardzo umiem z nią rozmawiać. Gosia była zupełnie inna, gdy miała tyle lat, co ta mała. A ile ona właściwie ma? Osiem? No, góra.

– Widziałam, co się stało – mówię.

Zerka na mnie czujnie.

– Gdzie się stało?

– U was. Widać wasz duży pokój ode mnie. Mieszkam naprzeciwko.

– To nie moja wina – szybko mówi Ola. – Nie wiedziałam, że ta noga nie jest przykręcona.

– No, tak – kiwam głową. – Ale właściwie to nic takiego.

– Jak nie?! – wykrzykuje dziewczynka. – Mama mnie zabije!

– Ale przecież telewizor działa...

– Nie działa! Widać tylko jakieś zygzaczki. Mama mi tysiąc razy mówiła, żebym uważała na ten telewizor – wyznaje zrozpaczonym głosem i dodaje wyjaśniająco: – Chciałam patrzeć z fotela, bo z kanapy za daleko, a na podłodze jest niewygodnie.

– I przewrócił się, gdy próbowałaś go przestawić – mówię domyślnym głosem.

Kiwa głową i znowu pochyla się nad walizką.

– Wiesz co? To może zrobimy tak – proponuję. – Zapniesz walizkę, ja ją wezmę i wrócimy do ciebie. Postawimy telewizor, sprawdzę wszystko i będzie z głowy.

– A umiesz? – Ola przygląda mi się z powątpiewaniem.

– Pewnie! – potakuję. – Co ty na to?

Dziewczynka namyśla się, wreszcie wzrusza ramionami i wzdycha z rezygnacją:

– No, właściwie...

Myśli jeszcze i marszczy brwi.

– Ale ty jesteś obca. Mnie nie wolno wpuszczać obcych do domu.

– Ależ nie jestem! Przecież już u was byłam.

– Tylko raz. I krótko.

– Ale jednak byłam.

Wreszcie udaje mi się ją namówić. Wrzucamy książki do walizki, zasuwam zamek i chwytam rączkę. Waży dobre dziesięć kilo, pojęcia nie mam, jak tej małej udało się ją wywlec z mieszkania i dociągnąć aż tutaj.

Wyciągam dłoń do dziewczynki, ale chowa ręce za plecami i kręci głową.

– Nie chciałam cię wtedy popchnąć – mówię. – Przepraszam.

Przygląda mi się, wreszcie ostrożnie podaje mi rękę. Skręcamy w Zamgloną. Ola przy wejściu do klatki schodowej rzuca mi podejrzliwe spojrzenie, zasłania domofon i mówi:

– Nie patrz się!

Gdy odwracam głowę, wbija kod do domofonu. Wjeżdżamy na górę.

Telewizor spadł z komody, ale nie jest uszkodzony – po prostu poluzowała się wtyczka łącząca go z dekoderem. Rzeczywiście podstawa nie została przyśrubowana do obudowy, niewiarygodna lekkomyślność. Wyłączam urządzenie z prądu, jakoś udaje mi się dźwignąć je z podłogi. Ola przytrzymuje podstawę na komodzie i wspólnymi siłami ustawiamy telewizor na miejscu. Wkładam wtyczkę do gniazdka w przedłużaczu i sięgam po pilota.

– No widzisz? – mówię, gdy pojawia się normalny obraz. – Działa.

Ola z niedowierzaniem gapi się na ekran i wreszcie uśmiecha od ucha do ucha.

– Myślałam, że mnie kłamiesz – oznajmia. – Dzięki. Tylko nie powiesz?

– Nie jesteś głodna? – szybko zmieniam temat. – Jadłaś obiad?

– Jadłam kurczaka i czekoladę.

– A dlaczego zostałaś sama w domu?

– Bo mama jest w szpitalu od wczoraj i Wojtek ciągle do niej jeździ. Miała tu przyjść taka jedna pani Iza, co czasem ze mną zostaje, ale nie przyszła. No i co? – wzrusza ramionami Ola. – Jestem duża. Mogę być sama. W ogóle nic by nie było, jakby Wojtek przykręcił telewizor. Chcesz zobaczyć mój pokój?

– Pewnie.

Dziecko prowadzi mnie do pokoju na końcu korytarza. Wygląda, jakby eksplodowało w nim gigantyczne żółtko. Wszystko jest żółte – ściany, dywan, zasłony, poduszki na łóżku. Nawet biurko i półki z książkami. A tych ostatnich są całe stosy. Gosia wcale nie chciała czytać książek, kiedy była w wieku tej dziewczynki. I w życiu nie postawiłaby żadnej na półce w swoim pokoju.

– Ale masz dużo książek – mówię z podziwem.

– No – uśmiecha się z dumą. – Podoba ci się? Mój pokój.

– Jest bardzo żółty.

– Lubię żółty, bo od niego robi się wesoło. Czujesz?

– Trochę czuję. Moja córka chciała mieć wszystko różowe, gdy miała tyle lat, ile ty.

– To ty masz córkę?! – wykrzykuje zszokowanym głosem Ola.

– No pewnie. A dlaczego miałabym nie mieć?

W przedpokoju rozlega się szczęk zamka.

– Wojtek wrócił! – rzuca szeptem Ola. – Pamiętaj! Tylko ani mru-mru!

– Mała, jesteś? – woła męski głos.

Żołądek ściska mi się w lodowatą grudę. Nie przewidziałam tego.

– Tu jesteśmy! – woła Olka.

– Jesteście? – w głosie faceta pobrzmiewa lekki niepokój.

Kroki zbliżają się, staje w drzwiach. Na mój widok robi najpierw zdziwioną minę – to zdumienie trwa tylko sekundę. Zastępuje je przestrach, a po kilku następnych sekundach – irytacja.

– Co pani tu robi? – pyta lodowato. – Jak pani tu weszła?

– Wpuściłam ją – mówi Ola. – Ona jest spoko.

– Ja... – urywam i zerkam na dziecko.

Mogę powiedzieć, że spotkałam ją przypadkiem na ulicy i zorientowałam się, że chce uciec z domu. Ale ona wie, że widziałam ze swojego okna przewrócony telewizor. Jeśli powie, on pomyśli, że podglądam ich przez cały czas. Oczywiście robię to, ale umarłabym ze wstydu, gdyby się zorientował.

– Mówię ci, że ona jest spoko – powtarza Ola.

– Nie, nie jest. Kładź się – rzuca rozeźlony Wojtek. – Poproszę panią na słowo.

Odwraca się na pięcie i znika w korytarzu.

– Bądź grzeczna – mówię do Oli. – I uważaj, tak?

– Będę – kiwa głową.

Wychodzę z jej pokoju i zamykam za sobą drzwi. Okropnie się denerwuję. Dlaczego? To on powinien być zdenerwowany! On powinien się bać mnie, a nie ja jego!

– Proszę – stoi przy drzwiach wejściowych, dłoń położył na klamce.

Podchodzę do niego. Jest przystojny, choć w mało oczywisty sposób. Ma trochę odstające uszy, broda wygląda na potarganą.

Pewnie dużo się śmieje – w kącikach oczu widać wyraźne kurze łapki.

– Co pani wyprawia? – pyta półgłosem.

– Mogłabym zapytać o to samo – odpowiadam. – Zostawił pan dziecko samo w domu.

– A co pani do tego?

– A to, że ona próbowała uciec! Zobaczyłam z okna, że telewizor w salonie jest przewrócony, wystraszyłam się, że coś sobie mogła zrobić. Wybiegłam z domu i spotkałam ją na ulicy. Z walizką. Gdyby nie to, że kółko przy niej się urwało, mała mogłaby już być przy Wołoskiej.

– Telewizor?

– Tak. Podstawa nie została przykręcona. Próbowała go obrócić i zleciał na podłogę. Zlękła się, że dostanie lanie, i postanowiła uciec – mówię pospiesznym szeptem.

Wpatruje się we mnie z namysłem, zerka w stronę pokoju Oli.

– Cały czas nas pani podgląda, co?

– Nie – bąkam, oblizuję usta i ciągnę: – Nie cały czas. I nie o to tu chodzi!

Wysoki facet. Taki dosyć w sobie, ale to kwestia budowy, a nie nadwagi. Spoglądam na jego rękę zaciśniętą na klamce – dłoń jest szeroka, mocna. Dotykał nią Pawła. Tam, gdzie tylko ja miałam prawo go dotykać.

– Jej matka jest bardzo chora – odzywa się cichym głosem. – Musiałem do niej pojechać, ale nie mogę zabrać tam Oli. To koszmarne miejsce. Opiekunka odmówiła mi w ostatniej chwili, a nie wiedzia...

– Dlaczego pan to robi? – przerywam mu głuchym głosem.

– Co robię?

– My mamy córkę. On jest moim mężem. On ma rodzinę.

Gapi się na mnie zbaraniałym wzrokiem. Milczy.

– Jak pan może nam to robić? – pytam, ręce mi drżą.

– Czy pani słyszy, co pani mówi? – odpowiada pytaniem.

– Gdyby się pan nie wmieszał...

– To co? Dalej udawałby heteryka? A pani naprawdę byłaby z tego zadowolona?

– Gdyby nie pan, toby się nie stało!

– Proszę pani, myślę, że najlepiej będzie, jeśli pani już pójdzie – Wojtek naciska klamkę i uchyla drzwi. – Mimo wszystko dziękuję pani, że się pani zaopiekowała Olą, ale...

– Nie wyjdę, dopóki mi pan nie odpowie – mówię szeptem.

– Ale co mam pani powiedzieć?! – odzywa się podniesionym głosem. – To absurdalne! Paweł jest dorosłym człowiekiem, sam o sobie decyduje! A pewne sprawy nie są tylko kwestią decyzji! Gdyby nie ja, pojawiłby się jakiś inny facet. Jeśli nie jutro, to za miesiąc, za pół roku, za dwa! Nie wygra się z naturą.

– Ale to pan zaczął – stwierdzam raczej, niż pytam. – Gdyby pan tego nie zaczął, on nigdy by... Jak pan to zrobił?

– Proszę wyjść – otwiera szerzej drzwi.

Opieram na nich rękę i zatrzaskuję je jednym pchnięciem.

– Niech go pan zostawi w spokoju – mówię. – Błagam pana. Proszę. W imieniu swoim. I w imieniu naszej córki.

Patrzy na mnie ze złością, nagle jego oczy smutnieją.

– Naprawdę pani sądzi... Nie ja, będzie inny. Nie rozumie pani tego?

– Nie! Ja o tym czytałam. Wie pan, co to jest skala Kinseya?

– Oczywiście, że wiem.

– I gdzie by pan siebie na niej umieścił?

– Powiedzmy na piątce.

– Właśnie! A ja wiem, że... Nawet jeśli Paweł ma takie ciągoty, pewna jestem... To może być jedynka, no, może dwójka! Kto, jak kto, ale żona zna swojego męża. Więc proszę pana... Proszę mi tylko obiecać, że pan zniknie – kręcę głową. – Że nie będzie się pan z nim kontaktował, odpowiadał na jego telefony, pisał mejli. On wtedy do nas wróci, wiem to. Jestem pewna. My jesteśmy razem dwadzieścia lat, ja znam go lepiej niż on sam siebie. Proszę zniknąć z naszego życia, proszę mi przysiąc, że pan to zrobi! Błagam pana! Dobrze?

IV

– Chcesz ją odwiedzić?

– N-nie wiem... – spoglądam przez przednią szybę auta na dom.

Światło w jej pokoju jest włączone, drugie okno obok wejścia. Choć byłem w tym domu tylko kilkanaście minut, może pół godziny, mógłbym z pamięci narysować rozkład pomieszczeń. Mógłbym dokładnie opisać jej pokój, choć wydawało mi się, że nie zwróciłem uwagi na nic poza szpitalnym łóżkiem stojącym na środku. Mimo to zapamiętałem jednak, że ściany pomalowano na morelowy kolor. Zasłony są wąskie i służą wyłącznie do dekoracji, bo w oknie zamontowano rolety – także morelowej barwy. Pod oknem stoi długa szafka – z lewej strony ma trzy szuflady, z prawej podwójne drzwi. W ścianie naprzeciw okna jest wnęka, w niej zabudowa z przesuwanymi lustrami, zapewne szafa. Przy łóżku stoi szafka nocna z lampą na blacie, z drugiej strony – krzesło. W rogu pokoju zielony fotel z wysokim oparciem, przy nim stolik. Wiem nawet, co na nim leży.

– Może lepiej innym razem – bąkam. – Zresztą miałem cię zapytać... Bo mój ojciec chciałby tutaj przyjechać, żeby się z nią zobaczyć.

– Zobaczyć się? – powtarza Kris. – Przecież ona nie kontaktuje.

– No, może powinienem powiedzieć – zobaczyć ją. Obiecałem, że cię zapytam, czy się na to zgodzisz.

– Mnie? – patrzy ze zdziwieniem.

– Tak. A kogo miałbym zapytać? Jesteś jej synem.

– Podobnie jak ty.

– Och, no wiesz – uśmiecham się z rozbawieniem, ale on wpatruje się we mnie z poważną twarzą, więc mój uśmiech szybko znika. – Daj spokój.

– Nie rozumiem.

– Ona może mnie urodziła, ale nie była dla mnie matką – mówię głuchym głosem. – Chyba nigdy. Poza tym mną zajmowała się tylko siedem lat, a tobą dziewiętnaście.

– To nie zmienia faktu, że obaj mamy...

– Zgadzasz się czy nie? – ucinam.

– A czy ty się na to zgadzasz? – odpowiada pytaniem na pytanie.

– Nie baw się ze mną w kotka i myszkę.

– Nie bawię się. Nie znam twojego ojca, wiem tylko, że od niego uciekła. Musiała mieć ważny powód, skoro tak postąpiła. Ty znasz sprawę lepiej.

– Nie znam żadnej sprawy! Nie mam pojęcia, dlaczego zrobiła to, co zrobiła! Nikt nie ma pojęcia! Mój ojciec też nie!

– A pytałeś go? – pyta spokojnym głosem Kris.

Prycham, odwracam głowę z żachnięciem i już mam mu odpowiedzieć, ale zastygam w bezruchu. Bo nie pytałem. Ani razu, nigdy – nawet teraz, kilka dni temu, gdy o niej rozmawialiśmy. Założyłem, że on tego nie wie. A przecież orientował się w jej planach, jeszcze zanim je zrealizowała. *Podmieniłem jej ten cały chłam*. Wiedział, że chce uciec, ale nic z tym nie zrobił. Więc pewnie wiedział też, dlaczego jest na to gotowa. A skoro nie przeciwdziałał, ten powód musiał być naprawdę istotny. Bezdyskusyjny. Co to mogło być? Prawdopodobnie przyłapała go na zdradzie – jedyne wytłumaczenie, jakie przychodzi mi do głowy.

– Muszę to przemyśleć – odzywam się wreszcie.

– Przemyśl i daj mi znać – kiwa głową Kris. – Jeśli uznasz, że powinien ją zobaczyć, nie mam nic przeciw. To co? Wejdziesz?

•

Leży na wznak. Gdyby nie siwe włosy, dałbym jej pięćdziesiąt lat. Może pięćdziesiąt pięć. Paraliż jest zdaje się równie korzystny dla twarzy jak botoks.

– Nie siedźcie z nią za długo, powinna już spać – pielęgniarka mówi z wyraźnym wschodnim akcentem.

Chyba pielęgniarka. Kobieta nie ma na sobie fartucha, może więc to tylko opiekunka.

– Dobra – uśmiecha się do niej Kris. – Niech się pani też już położy, pani Mario.

– Dobrze, zapukaj tylko do mnie, jak wyjdziecie.

– Nie ma potrzeby – uspokaja ją. – Zajmę się wszystkim i zamknę jej oczy.

Opiekunka kiwa głową i wychodzi z pokoju.

– Zamkniesz jej oczy? – pytam szeptem.

– Tak, no przecież nie może leżeć przez całą noc z otwartymi – mówi Kris. – Czekaj, wyłączę to.

Sięga po pilota leżącego na kołdrze. Dopiero teraz dociera do mnie, że w pokoju jest telewizor, choć słyszę jego dźwięk. Odwracam się i spoglądam w górę – odbiornik został zamontowany na wysięgniku, na ścianie obok drzwi. Jednak nie zapamiętałem wszystkiego.

– Mamo, Paweł do ciebie przyszedł – Kris podchodzi do łóżka, odkłada pilota na szafkę nocną. – Widzisz?

Bierze sterownik, unosi podgłówek łóżka. Matka siada, jej głowa znowu przechyla się lekko na bok. Chłopak podsuwa jej troskliwie poduszkę pod policzek, a potem podchodzi do mnie, obejmuje mnie ramieniem i staje obok.

– Widzisz, mamo? – pyta znowu. – To my. Obaj. Widzisz, jakich masz fajnych synów?

Nagle czuję pieczenie pod powiekami. Nie jestem w stanie nad nim zapanować, zaciskam powieki i czuję wilgoć w kącikach oczu. Nabieram głęboko tchu, powietrze jest suche, drażni mnie w gardle. Zachłystuję się nim, co brzmi jak szloch.

– Paweł – Kris odwraca się do mnie i próbuje zajrzeć mi w oczy. – No co ty? Przestań!

Odwracam głowę, próbuję wyswobodzić ramię z jego uścisku, ale nie chcę, żeby poczuł się tym dotknięty, więc mój ruch jest nieporadny. Chłopak, zamiast się odsunąć, obejmuje mnie mocniej – obiema rękami, z całej siły. Przytula mnie do siebie. Jest niższy, jego czoło dotyka mojej szyi.

– Wszystko jest okej – mamrocze w moją bluzę z kapturem.

Usztywniam się cały, moje mięśnie tężeją. Kris kołysze mnie lekko, jeżeli się temu poddam, naprawdę rozpłaczę się jak dziecko.

– Lepiej tego nie rób – mówię.

– Dlaczego? – szepcze i dodaje z przekorą w głosie: – Boisz się, że ci stanie?

Najpierw mnie zatyka, a potem, całkowicie wbrew swojej woli, parskam śmiechem.

– Jesteś nieźle rąbnięty – oświadczam i lekko cmokam go w czubek głowy.

– Żebyś wiedział – odsuwa się ode mnie na wyciągnięcie ramion. Spogląda uważnie w moją twarz, a potem uśmiecha się także:

– No, tak lepiej. Zostawić was?

– Nie... – zaczynam, patrzę na matkę.

Przypadek zrządził, że jej oczy zwrócone są w naszą stronę. Przypadek zrządził, że jej spojrzenie zogniskowało się w tym punkcie przestrzeni, w którym ja się znalazłem. Ale przecież podobno przypadki nie istnieją.

– Dobrze – mówię. – Na pięć minut, okej?

Kris wychodzi bez słowa, cicho zamyka za sobą drzwi. Jestem z nią sam. Po raz pierwszy od ilu? Od trzydziestu pięciu lat. Mniej więcej. Choć oczywiście niewykluczone, że jestem tu po prostu sam, a to, co leży na łóżku, nie ma już nic wspólnego ani z moją matką, ani z człowiekiem. Nie zamyka oczu. Czy więc czuje i myśli? Nie wiem.

– Cześć, mamo – mówię, siadam na brzegu łóżka i ostrożnie dotykam dłonią jej ręki.

V

– Gdzie byłaś? – Gośka przygląda mi się czujnym okiem.

– Nigdzie. Na spacerze – mówię. – Nie przejmuj się.

– Babcia pojechała. Podobno ją wyrzuciłaś. To prawda?

– Tak. Pomogła mi na początku, ale im dłużej tu siedziała, tym gorzej się przez nią czułam. Mówię ci, żebyś się nie przejmowała. Wszystko będzie dobrze.

Wchodzę do kuchni. Umyła rondel i blaty. Kiedy to widzę, czuję lekkie wyrzuty sumienia. Wyjmuję małą patelnię z szuflady, a potem otwieram drzwi lodówki. Powinnam zamówić jedzenie.

– Chcesz jajka? Robię sobie.

– Nie, zjadłam już krokiety.

Gośka staje obok lodówki i przygląda mi się uważnie.

– Mówię ci, że wszystko jest okej – uśmiecham się do niej.

– Co zrobiłaś? – pyta.

– Nic nie zrobiłam. Co miałam zrobić? – kładę patelnię na płycie kuchennej i nastawiam temperaturę.

– Wiem, że coś zrobiłaś. Widzę. Gdzie byłaś?

– No, rany boskie! Odczep się ode mnie! – tracę cierpliwość. – Jednej matki już się z domu pozbyłam, nie wchodź w jej rolę! To ja powinnam być upierdliwa, a nie ty.

– Jesteś – stwierdza Gośka i splata ręce na piersi. – Bo nie chcesz powiedzieć mi, gdzie byłaś.

– Jezu! U sąsiadów byłam.

– U jakich sąsiadów? Po co?

– Gośka, czy ty chcesz mnie wyprowadzić z równowagi?

– Mama, najpierw masz załamanie nerwowe, potem snujesz się po mieszkaniu jak zjawa. Ni stąd, ni zowąd znikasz nie wiadomo gdzie, a gdy wracasz, pękasz z radości. Mam prawo mieć podejrzenia.

– Nie pękam z radości.

– Ale jesteś zadowolona.

– To chyba dobrze?

– Byłoby dobrze za dwa tygodnie. Ale nie teraz.

– Widocznie szybciej się pozbierałam, niż statystyki wykazują – rzucam zgryźliwie. – Szybko się załamałam, to się i szybko posklejałam.

– Powiesz mi czy nie?

– Nie mam nic do powiedzenia.

– Rozmawiałaś z tatą?

– Nie! Oczywiście, że nie.

– A z kim?
– Z nikim.
– Zadzwonię do niego.
– To sobie dzwoń! Czy ja ci zabraniam?
Gapi się na mnie z ukosa. Odwracam się do niej plecami, wbijam trzy jajka do słoika po flaczkach, zakręcam pokrywkę i potrząsam nim energicznie. Nie cierpię smażonych jajek, w których wyraźnie widać różnicę między białkiem a żółtkami.
– Co ty mogłaś zrobić? – zastanawia się Gosia.
Irytuje mnie i rozśmiesza jednocześnie. A do tego sprawia, że w jakimś sensie jestem dumna z jej inteligencji. Zaskakująca mieszanka emocji.
– No, jak zgadniesz, to ci powiem – mrugam porozumiewawczo.
– Spotkałaś się ze Słoniną?
– Z jaką Słoniną? – wytrzeszczam oczy, masło na patelni zaczyna skwierczeć.
– No, z tym żeńskim Bekonem taty. Nie pamiętam, jak ona się nazywa. Jego szefowa z telewizji.
– Oczywiście, że nie! Dlaczego miałabym się z nią spotykać?!
– Żeby jej powiedzieć, że tata jest homo.
– Zwariowałaś chyba! – wykrzykuję. – Nigdy w życiu nie zrobiłabym czegoś podobnego. Uważasz, że mogłabym być aż tak podła?
– Uważam, że gdy czegoś chcesz, jesteś gotowa na wszystko, żeby osiągnąć swój cel – oświadcza Gosia. – Ale dobrze. Jeśli nie z nią, to z kim ty mogłaś rozmawiać? Z dziadkiem? Nie, wątpię. Zresztą tata jest u niego. Z babcią? Nie...
– Gośka, zostaw to. Nic nie zrobiłam, z nikim nie rozmawiałam, nigdzie nie byłam. Czy my możemy po prostu spędzić sobie miły, spokojny wieczór i porozmawiać o dupie Maryni?
– Widziałaś się z nim! – mówi Gośka domyślnym tonem.
– Nie widziałam się! Z kim?
– No, z tym facetem.
– Z jakim facetem? Wcale się z nim nie widziałam.

– Zdajesz sobie sprawę, że z tego raczej nic nie będzie?

– Z czego? I oczywiście, że nie będzie! To już załatwione. Twój ojciec tylko sobie coś tam ubzdurał, ale oprzytomnieje. Znam go, wiem.

– Mama on nie odszedł przez tego gostka. Jest homo. To nie jest jakieś widzimisię ani robienie ci na złość z zazdrości. Ale nie powinnaś się z nim spotykać.

– Po pierwsze, twojemu ojcu tak się tylko wydaje. Jest przemęczony, starzeje się. I tyle. A po drugie, masz rację. Nie powinnam się z nim spotykać. To się stało przypadkiem. Ale nie żałuję.

– Nie wydaje mi się, żeby tata uznał, że jest homo, bo czuje się zmęczony i stary – oświadcza Gosia. – To by było mocno dziwne. A co do drugiej kwestii, nie wiem, jakim cudem mogłabyś się spotkać z nim przypadkiem, ale okej, to nie moja sprawa. Ale on cię najzwyczajniej w świecie wykorzystuje, zdajesz sobie z tego sprawę?

– On?! W jaki sposób on mógłby mnie wykorzystywać? Przecież on mnie w ogóle nie zna! Dziś pierwszy raz z nim rozmawiałam!

Gośka marszczy czoło i wytrzeszcza na mnie oczy.

– Z kim?

– No, z nim! Z tym całym Wojtkiem!

– Ale ja mówiłam o Sebastianie – kręci głową Gośka, nagle zastyga bez ruchu i robi przerażoną minę: – Spotkałaś się z facetem, z którym tata...

– Z nikim się nie spotkałam! – masło na patelni jest już czarne, w kuchni robi się sino od dymu.

Wstawiam patelnię pod kran, zalewam wodą i otwieram okno.

– Mamo, jak mogłaś coś takiego zrobić. To słabe – mówi cicho Gosia.

– Wielkie dzięki! – wykrzykuję ze złością. – Sprawiłaś, że straciłam apetyt! Idź do siebie.

– Mamo, powinnaś...

– Właśnie! Właśnie powinnam! Będę walczyła o to małżeństwo wszelkimi sposobami. Mam zamiar walczyć o twojego ojca!

Idź do siebie! Natychmiast! Ja tu jestem matką i ja ci każę! Nie mam ochoty na wysłuchiwanie uwag od własnej córki! To nie są tematy do rozmowy z tobą!!!

Gośka gapi się na mnie. Gdyby była wściekła czy obrażona, łatwiej bym to przełknęła. Ale jedyne, co widzę w jej twarzy, to lekki przestrach i niesmak. A może nawet pogardę.

VI

Siedzę w samochodzie, zaparkowałem na podjeździe garażu. W salonie świeci się światło, Mariolka stoi obok fotela, pochyla się nad ojcem i o czymś mu opowiada, gwałtownie przy tym gestykulując. Ojciec się śmieje.

Paweł, jednak chyba będzie lepiej, jeśli sobie odpuścimy. Przepraszam.

Dotykam wyświetlacza komórki, rozjaśnia się. Cofam rękę. Gaśnie. Spadam. Ale nie czuję paniki, tylko pustkę.

Przepraszam

Jakby tylko przypadkowo zderzył się ze mną na ulicy albo nadepnął mi na stopę. Chociaż, co mógłby napisać? Wybacz? Idiotyczne. Widzieliśmy się raptem kilka razy. Niby niedużo, ale wystarczyło, żebym upewnił się, że mnie chce. Co się stało?

Dlaczego?

Wyślij. Nie będę się zachowywał jak rozhisteryzowana nastolatka, nie będę go błagał ani przekonywał. Ale zasługuję na wyjaśnienie. Prawda? Owszem, ale tylko częściowo. Bo w gruncie rzeczy jest to zaproszenie do dialogu. Odpisze mi „bo...". A ja na to odpiszę „ale...". Na jedno wychodzi – jestem rozhisteryzowaną nastolatką. W przebraniu i w tej chwili nieogoloną. Jednak jeśli odpisze, to będzie znaczyło, że tak naprawdę wcale nie chce ze mną... Co ze mną? Zrywać? Nie ma czego zrywać. Powiedzmy – że tak naprawdę nie chce ze mną niczego nawiązywać. Jeśli nie odpisze – nie chce mnie.

Czekam. Mija minuta, potem pięć. Mariolka wychodzi z salonu, ojciec przymyka oczy i odchyla głowę na oparcie fotela.

Za ogrodem, za ekranami oddzielającymi działkę od ulicy przejeżdża karetka na sygnale. Dziesięć minut.

Nie odpisał, czyli jego słowa były serio. Niewiele to zmienia – z Wojtkiem czy bez niego moje życie już jest inne. Na dobre. Straciłem bardzo dużo, sądziłem jednak, że więcej zyskuję. Bilans wychodził na plus. Teraz wynik jest niejasny. Oczywiście czuję żal. Myślę o tych wszystkich momentach, których nie doświadczę. O jego dotyku, o słowach. O spojrzeniach. O seksie także oczywiście, o pocałunkach. O zapachu, o smaku. O obecności – ta chyba jest najważniejsza. Taki znajomy niedosyt, znajomy brak. *Zakochiwałeś się w każdym z nich.* Znowu tu jestem. I znowu czuję to samo – jedyna różnica, że tym razem umiem określić swoje emocje i wiem już, skąd się biorą. Tyle że to nie upraszcza sytuacji. Wtedy, gdy było mi źle, włączał się instynkt samozachowawczy, który pomagał mi się pozbierać. Teraz sprawa zależy przede wszystkim od mózgu, a ten jest znacznie bardziej ułomny. Lepki. Wiem już, dlaczego czuję to, co czuję. Wiem, że zacząłem się zakochiwać w tym chłopaku, co gorsza, mam absurdalną pewność, że pokochałbym go naprawdę, gdyby mi na to pozwolił. Wtedy nie znałem przyczyny swojego przygnębienia, system nerwowy oczyszczał się więc automatycznie, prędko i definitywnie. Teraz jestem świadomy sedna mojego niespełnionego pragnienia. Ta świadomość nie zniknie tak łatwo. Mój mózg nie odpuści, będzie drążył temat, obracał go i analizował na wszystkie strony, potęgował problem.

A jednak nie chciałbym nie wiedzieć. Nawet jeśli ma mi być przez to gorzej, fakt, że zdaję sobie sprawę, kim i jaki jestem, powoduje, że – nawet nieszczęśliwy – czuję się bardziej prawdziwy. Nie wszystko ma swój cel, ale wszystko ma powód.

Dlaczego?

Przecież i ten powód znam. Przeczuwałem go, obawiałem się nawet. Po prostu nie jestem dość istotny. Nie jestem wart starania. Nigdy nie byłem. I jako dziecko, i jako nastolatek, i jako mężczyzna. Nawet jeśli ona miała istotny powód, żeby odejść i mnie zostawić, niczego to nie zmienia. Bo gdybym był lepszy, mądrzejszy, ciekawszy, ładniejszy – nie przyszłoby jej to tak łatwo, nie zdobyłaby się na to. *Ona chyba nie chciała cię zostawić.* Ale zostawiła. W mgnieniu oka, gdy tylko nadarzyła się okazja. Zostawiła definitywnie. Gdybym był lepszy, nie przyszłoby to jej tak łatwo. A teraz nie przyszłoby to tak łatwo jemu. On też tak łatwo by nie odpuścił. Gdybym na niego zasługiwał.

Rozdział 8

I

– Co pani tyle tego nawaliła? – charakteryzatorka pochyla się nade mną i z uwagą wpatruje się w moją twarz. – Co to jest?

– Mejkap – mówię niepewnie.

Wstałam o szóstej rano, żeby się zrobić. To chore, dlaczego telewizja śniadaniowa nadaje tak potwornie wcześnie? Próbowałam odtworzyć makijaż, który miałam na ustawce zakupowej z Sebastianem, ale za skarby świata mi nie wychodziło, bo byłam półprzytomna. A już treski przerosły mnie totalnie, zrezygnowałam z nich, bo wyprodukowałam sobie na głowie fryzurę w kształcie gigantycznego brokuła. Z makijażu jednak ostatecznie byłam całkiem zadowolona – gdy przejrzałam się w lustrze korytarza z pewnego oddalenia i spod lekko przymkniętych powiek, efekt był znakomity.

– Same grudy – wzdycha charakteryzatorka. – Podkład pani dała, co?

– No, dałam.

– Pęka. A rzęsy pani rozczesała?

– Rozczesałam.

– Nie widać.

– Bez przesadyzmu – protestuję słabo. – Przecież to tylko do kamery.

– Właśnie. Czy pani zdaje sobie sprawę, że my nadajemy w HD?! Wyraźniej wszystko widać niż na żywo. Zmywamy.

– Ale co?

– No, twarz. Może pani jest wszystko jedno, jak pani wygląda, ale ja nie mam ochoty wylecieć z roboty.

Charakteryzatorka wyciąga waciki z kasety ustawionej na blacie pod lustrem i sięga po mleczko. Zanim udaje mi się zaprotestować, przejeżdża lodowatym tamponem po moim czole. Patrzę w lustro – nad brwiami mam pasek skóry w zupełnie innym kolorze niż reszta. Zupełnie jakby ktoś maznął różową farbą po twarzy beżowożółtego manekina.

– Było mówione, że będzie charakteryzacja, czy nie było? – mruczy kobieta.

– Nie było – bąkam.

Szybkimi, niezbyt delikatnymi ruchami zmywa mój makijaż, a potem zwilża mi twarz jakimś piekącym tonikiem, od którego cała skóra w ułamku sekundy zbiega mi się dookoła nosa.

– O, rany boskie – jęczę.

– To ujędrnia – wyjaśnia. – Botoks w płynie.

– Ale botoks chyba jest w płynie?

– Wie pani, że ja mam syna? – pyta obojętnie.

– Nie wiem.

– Mam. Dwadzieścia trzy lata. Świetny facet.

– To miło.

– Ambitny – ciągnie. – Czasami sobie myślę, czy aby nie za bardzo.

– Ambicja to nic złego.

– Zależy. Czasami przez nią człowiek może się wpakować w kłopoty – staje za mną i energicznym ruchem odchyla mi głowę i przyciska potylicę do oparcia. – W górę pani patrzy. Oczy zamknie.

Szybkimi ruchami palców wklepuje coś w moje policzki.

– Gotowa? – pyta ktoś.

– Chwilunia – odpowiada charakteryzatorka.

– Ale ją już trzeba prowadzić!

– Reklamy jeszcze będą.

– Dwie minuty!

– Zdążę.

Pudruje mnie, tuszuje rzęsy, smaruje czymś usta.

– Włosy muszą zostać, jak są – stwierdza.

Prostuję głowę i patrzę na siebie w lustrze. Wyglądam blado i staro. Wylazło całe zmęczenie, niedospanie. Mam wory pod oczami. Zmokła kura.

– Proszę – oświadcza charakteryzatorka zgryźliwie i zdziera mi ręcznik z ramion.

– Tylko, że ja... – próbuję coś powiedzieć, ale chłopak, który po mnie przyszedł, dotyka mojego ramienia.

– Chodźmy, minuta została!

Pędzę za nim po schodach, cudem tylko nie skręcam nogi na tych kosmicznie wysokich szpilkach. Przebiegamy przez korytarz. Chłopak uchyla wysokie drzwi. Studio. Przy wejściu dopada mnie jakiś facet, wciska do ręki kabel.

– Weźmie to pani pod bluzką – mówi zagadkowo.

– Co to jest?

– Mikrofon. Niech pani przełoży pod bluzką.

Nie przewidziałam tego. Założyłam koszulę, którą wepchnęłam w spódnicę, a tak naprawdę w rajstopy, żeby się lepiej trzymała i nie wylazła z tyłu, jak usiądę.

– Za pasek pani wetknie – radzi dźwiękowiec. – A kabel między guzikami z przodu.

– Szybciej! – denerwuje się chłopak.

Dźwiękowiec przypina klips z maleńkim mikrofonikiem przy moim dekolcie, upycha kabel za paskiem spódnicy.

– Już!

Gnam rozchełstana przez studio, wprowadzają mnie na podest, wszystko tu zrobione z dykty, a w telewizorze wygląda tak prawdziwie. Popychają mnie na białą kanapę, nie wiem, jak usiąść, bo jest trochę za niska, kolana mam wyżej niż tyłek.

– Cześć – dziewczyna, która prowadzi program, kiwa mi głową.

Nie jest młodsza ode mnie, w każdym razie – nie bardzo. Ale wyglądam przy niej jak stara baba, bo ją charakteryzatorka normalnie umalowała na ładną. Obok na kanapie siedzi jakiś facet, za nim jeszcze jedna kobieta.

– Trzy, dwa, jeden – odlicza chłopak, który mnie przyprowadził.

II

– Uwaga – głos Agi rozlega się w moim uchu.

Patrzę na monitor. Przy wtórze dynamicznego, szarpiącego nerwy dżingla eksploduje na nim kula błękitnego ognia. Wyłaniają się z niej dwie sylwetki – to ja i Sebastian. Obaj trzymamy rewolwery. Sylwetki obracają się, z metalicznym szczękiem wyskakują zza nich litery, które wyglądają jak wycięte z porysowanej blachy. *Ich dwóch. Ona jedna.* Rozlegają się strzały, w literach pojawiają się otwory. Napis rozpada się, muzyka nabiera mocy, na ekranie wybucha kolejna kula błękitnego ognia – jakby ktoś wysadził w powietrze prymus gazowy. Nasze sylwetki obracają się znowu – tym razem mierzymy do siebie z pistoletów. *Informacja* – pojawia się skośny, metalowy napis, który eksploduje po sekundzie. Następuje poklatkowy montaż slajdów – zrujnowane miasto, pożar, żołnierz biegnie, upada trafiony kulą, niemowlę krzyczy, rozwścieczony pies rzuca się na obiektyw, zawodzi kobieta klęcząca nad zwłokami mężczyzny, komin wyrzuca w powietrze chmurę zielonkawego toksycznego dymu, przeraźliwie rży zabijany koń, dźwig odciąga z jezdni wrak rozbitego auta. Obraz rozmywa się, z czerni wyłaniamy się my obaj – już nie jako sylwetki. Widać rysy naszych twarzy. *Walczymy o nią* – ten napis wygląda jak ślad stempla. Muzyka przycicha, odpływa. Pozostaje tylko dudniący, miarowy rytm – jak bicie serca. *Dla was* – ostatni napis jest nieduży. Pojawia się studio – ekrany komputerów, hasło „My dwaj, ona jedna. Informacja" na telebimie ustawionym w tle. Gapię się w monitor baranim wzrokiem. To nasze drugie wejście, ale wcześniej nie widziałem tej czołówki, bo Jolka dopadła mnie z pędzlem tuż przed wejściem na antenę...

– Paweł! – wykrzykuje Aga do mojego ucha. – Jesteście!

Podrywam głowę, dopiero teraz orientuję się, że obraz na monitorze idzie na żywo. To my, tu i teraz – stoimy po obu stronach ledowego ekranu z napisem.

– Choć wciąż nie ustalono przyczyn katastrofy boeinga siedemset siedemdziesiąt siedem należącego do Malaysia Airlines 370, jednak światło dzienne ujrzały kolejne fakty – Sebastian czyta płynnie z teleprompterа. – Przypomnijmy, że na pokładzie znajdowało się dwustu dwudziestu siedmiu pasażerów...

Sebastian spogląda na mnie. Zerkam na monitor.

– ...oraz dwunastu członków załogi – odczytuję mamrotliwie. – Wszyscy ponieśli śmierć na miejscu

– Paweł, do kurwy nędzy! Z życiem! Z życiem! – syczy mi Aga do ucha.

– Choć na pokładzie nie było żadnych obywateli Polski – Sebastian robi smutną minę. – To jednak i w tej tragedii możemy się dopatrzyć polskich odniesień. Prawda?

Sebastian patrzy na mnie. Ja spoglądam w teleprompter.

– Indonezja – czytam.

– Właśnie! – z entuzjazmem wykrzykuje Sebastian. – Siedmiu pasażerów tragicznego lotu było obywatelami tego kraju.

– Ale co wiąże Indonezję z Polską? – czytam posłusznie.

– Otóż to! – Sebastian odwraca się i pokazuje ekran, z którego znika hasło, zastąpione zdjęciem kołyszących się na wodzie szczątków samolotu.

Spomiędzy nich wypływa indonezyjska flaga – całkiem nieźle zrobiony efekt.

– Czy ona czegoś ci nie przypomina? – Sebastian mruży oko.

Oczywiście przypomina. Wiem, jak wygląda flaga Indonezji. Patrzę z niedowierzaniem na ekran, potem przenoszę zdumiony wzrok na Sebastiana, a następnie spoglądam prosto w kamerę.

– Dobrze! – chwali Aga. – Powiedz mu coś, zareaguj jakoś!

– Przenieśmy się teraz w bliższe nam rejony świata – mówię. – W obwodach ługańskim i donieckim trwają przygotowania do referendów niepodległościowych. Przypomnijmy tylko, że władze ukraińskie...

– Co ty wyprawiasz? – wrzeszczy Aga. – Miałeś mu coś powiedzieć! Idiotyzmy wygaduje, zareaguj jakoś! Indonezja?! Jaka Indonezja, odnieś się do tego!

– ...zapowiedziały już, że bez względu na wynik głosowania...

– Paweł! Interakcja! Interakcja! Ogłuchłeś?! – drze się Agnieszka. – Kurwa, mamy nową formułę! To już nie jest tylko tępe dawanie mordy do kamery! Coś ma się dziać!

– ...nie uznają tych referendów za... – urywam i oblizuję wargi. Spoglądam na Sebastiana, który gapi się na mnie spode łba. Czerwono-biała flaga Indonezji kołysze się na falach między szczątkami rozbitego wraku. Naprawdę nieźle zrobione, wygląda bardziej realistycznie, niż mogłaby wyglądać w rzeczywistości. W końcu to kawał szmaty, rzucona na fale natychmiast pozwijałaby się i szybko zatonęła.

Bilbord przed Sheratonem był już wyklejony do końca, gdy jechałem rano do studia. Specjalnie zatrzymałem samochód, żeby mu się przyjrzeć. Wykorzystali ujęcie, w którym Sebastian celuje do mnie. Na bilbordzie gapię się przed siebie dramatycznym wzrokiem – gdy robiono to zdjęcie, byłem wściekły, ale wyglądam na przerażonego. Sebastian wystawia koniuszek języka, celuje rewolwerem w moją głowę. Na górze blaszane litery: „Ich dwóch. Ona jedna. Informacja". A pod hasłem w komiksowym dymku wyskakującym z głowy Sebastiana napis: „Zdobędę ją pierwszy!". To już nawet nie jest upadek. Dno i kilometr mułu.

– Paweł! – wykrzykuje Aga, w jej głosie słychać przerażenie.

– Oj, ktoś tu się chyba nie wyspał – konfidencjonalnie oznajmia Sebastian i puszcza oko do kamery. – Czyżby problemy w domu?

Spoglądam na niego, później patrzę w mrok za reflektorami – okno reżyserki jest słabo widoczne. Szary prostokącik w morzu czerni. Agnieszka stoi przy szybie. Słyszę, jak sapie w mojej głowie. Odchrząkuję i opuszczam wzrok na kamery.

– Myślę, że czas pomówić o tym, co naprawdę was interesuje – odzywam się głośnym, pewnym głosem.

III

– A co nas interesuje? – pyta facet siedzący obok mnie na kanapie. – To nas interesuje! Chcemy być szczęśliwi! Bez względu na wiek. Czy to naprawdę ważne, czy ten, kogo kochamy, jest od nas starszy czy młodszy? Albo jakiej jest płci?

– Niemniej są pewne stereotypy – grucha druga baba.

Prowadząca wpatruje się we mnie uprzejmym szklanym wzrokiem.

– A jak pani się na to zapatruje? – pyta.

– Och... – rzucam spłoszone spojrzenie, pozostali goście gapią się na mnie nieżyczliwie, wyczekując, aż zacznę i skończę, żeby mogli dalej mówić. – Uważam, że kobieta... Że każdy człowiek powinien być przede wszystkim sobą. Tak długo, jak realizacja jego pragnień nie stoi w sprzeczności z potrzebami i interesem drugiej strony, wszystko jest dopuszczalne. Dopóki się ktoś nie skrzywdzi.

– A jeśli jednak się skrzywdzi? – podchwytuje natychmiast prowadząca.

– No, to wtedy... – przełykam ślinę.

Miało być pięć minut rozmowy, a pewna jestem, że siedzimy tu o wiele dłużej. Zwabili mnie w pułapkę. Nie przypuszczałam, że to jest aż tak stresujące. Świadomość, że mnie widać. Bardzo usilnie próbuję o tym nie myśleć, ale nie potrafię. Czuję na sobie te setki tysięcy wlepionych w ekrany telewizorów oczu. Sączą się z obiektywów kamer i przeszywają mnie jak rentgen. Jak on może żyć z czymś takim? Od tylu lat! Pewna byłam, że występowanie przed kamerą nie wiąże się z najmniejszym stresem. Co za problem stanąć przed takim pudełkiem i się uśmiechać? Ale to wcale nie jest proste. Nawet nie świadomość, że mnie widzą, jest tak przytłaczająca, ale to, że każda milisekunda tej sytuacji zostaje utrwalona. Na zawsze. Bo przecież oni to nagrywają. Przechodzę do wieczności – blada, zmęczona i mamrocząca pod nosem jakieś debilizmy.

– Wyobraźmy sobie sytuację, w której za głosem serca idzie żona – prowadząca przechyla lekko głowę, zapewne nasłuchując tego, co podpowiada jej do słuchawki ktoś z reżyserki. – A mąż? Czy on nie ma nic do powiedzenia?

IV

Unoszę wyżej głowę, spoglądam prosto w kamerę. Sebastian rusza nerwowo łebkiem – jak kurczak, któremu uciekła sprzed dzioba dżdżownica.

– Bo przecież nie oglądacie nas po to, żeby się dowiedzieć, że odwrócona do góry nogami flaga Indonezji wygląda jak flaga naszego kraju – mrugam do kamery porozumiewawczo. – Podobne spostrzeżenie byłoby może na miejscu w *Domowym Przedszkolu*, ale nie w wiadomościach.

Przed chwilą się denerwowałem, ale nagle całe spięcie znika. Uśmiecham się od ucha do ucha – mało telewizyjnie.

– Jednak musisz przyznać... – próbuje wystękać Sebastian.

– Zamknij się – rzucam lekko.

W studiu zapada martwa cisza. Wszyscy gapią się na mnie jak urzeczeni. Kamerzyści, dźwiękowcy, oświetleniowcy, asystenci produkcji, Jolka. W ciemności za reflektorami połyskują tylko białka ich oczu – czuję się trochę tak, jakbym nieoczekiwanie wkroczył na terytorium wyraków. Choć nie jestem pewny, czy te zwierzęta żyją w stadach... Cóż, z pewnością zapuszczam się w niebezpieczny rewir. Już za sekundę nic ze mnie nie zostanie – ogarnia mnie niemal euforia. Właśnie przeprowadzam swoją zawodową dezintegrację. Autodestrukcję. Akcja anihilacja.

– Paweł, zastanów się, co ty robisz – dyszy mi do ucha Agnieszka.

– Pewnie zastanawiacie się, co robię – mówię jowialnie. – To właśnie zaleca mi nasza reżyserka. Żebym zastanowił się, co robię. Nasza reżyserka ma na imię Agnieszka, pracuje tu od początku istnienia stacji, ale wy nigdy... Chociaż, poczekajcie, może to się uda i jednak ją usłyszycie... Aga, teraz nawijaj!

Wyjmuję ucho, odklejam plaster, który przytrzymuje kabel na moim karku, a potem przykładam słuchawkę do mikroportu. Zerkam na monitor z podglądem, ale oczywiście jest wyciszony – widać tylko sam obraz. Zrobili zbliżenie.

– No, może ją słyszeliście – wzruszam ramionami i wtykam ucho do kieszonki marynarki. – A może nie. W każdym razie ja słyszę ją za każdym razem, gdy tu przed wami staję. Mówi mi, co mam robić, gdzie patrzeć, kiedy się uśmiechać, a kiedy zmartwić. To, co mam mówić, widać na teleprompterze... Łukasz, dasz radę pokazać teleprompter?

Kamerzysta odmownie kręci głową.

– Nie da się – rozkładam ręce. – A więc mamy nową formułę. Dynamiczną. Bo okazało się, że niespodziewanie zaczęliście nas oglądać. A przecież nie ze względu na niusy, bo – bądźmy szczerzy – w tej dziedzinie jest kilka lepszych od nas stacji.

Sebastian chichocze krótko, przyciska dłoń do ust i zerka na mnie z przestrachem. Podchodzę do niego i przyjaźnie obejmuję go ramieniem. Kątem oka widzę monitor, na którym obraz nerwowym ruchem przesuwa się razem ze mną. Widać nas obu.

– Oglądacie nas z takim upodobaniem, bo myślicie, że moja żona sypia z Sebastianem – oznajmiam.

V

– Jak długo jest pani mężatką? – pyta prowadząca.

– Ja? – pytam. – Długo. Dwadzieścia lat.

– I jak pani... – dziewczyna urywa, jej oczy robią się szklane. Przechyla głowę na bok, nasłuchuje i wreszcie zerka na mnie.

– Sądzę, że powinna pani to zobaczyć – oświadcza.

– Co mam zobaczyć?

– Chciałbym tylko dodać... – odzywa się facet przy moim boku, ale prowadząca wściekle potrząsa głową, gromi go wzrokiem i warczy:

– Zaraz!!!

Następnie uśmiecha się do mnie ze słodyczą, od której jeżą mi się włosy na karku.

– Popatrzmy razem – proponuje.

– Na co mamy popatrzeć? – oblizuję wargi, przy okazji usuwając z nich prawdopodobnie resztki szminki.

– Na ekran – wskazuje telewizor ustawiony pod kamerami.

Nie zwróciłam na niego wcześniej uwagi. Patrzę. Widzę siebie. Wyglądam gorzej, niż mi się wydawało. Wyglądam jak... Obraz znika. Na ekranie pojawiają się Paweł i Sebastian.

– Dźwięk? – rzuca w przestrzeń prezenterka, znowu przechyla lekko głowę i uśmiech znika z jej twarzy. – No to tak zróbcie, żeby się nie sprzęgło!

Coś popiskuje i z przestrzeni studia nadpływa dudniący głos Pawła:

– ...się nad tym, co ze mnie musi być za skończony palant, który nie tylko pozwala żonie na romans z kolegą, ale jeszcze na dodatek pojawia się z nim na wizji ramię w ramię...

Światła wirują wokół mnie. Prezenterka, monitor, reflektory, kanapa, stół ze szklankami wody, której nie należy pić, facet w za ciasnej marynarce siedzący obok mnie – wszystko w ułamku sekundy obraca się o trzysta sześćdziesiąt stopni. Kurczowo łapię siedzenie kanapy, wbijam palce w biały skaj, którym jest obita.

VI

– Prawda? – szczerzę się do kamery. – Ja też bym się nad tym zastanawiał. Więc wyjaśnijmy sprawę do końca, żebyśmy wreszcie mogli się zabrać do normalnej pracy. Choć jeśli chodzi o mnie, nie mam bladego pojęcia, co też to będzie za praca, bo prawdopodobnie więcej się tu nie zobaczymy. Ale to naprawdę nie ma znaczenia. W każdym razie, wracając do sedna tematu, wcale mi to nie przeszkadza. Absolutnie. A dlaczego?

Odwracam głowę i spoglądam z bliska na Sebastiana. Widzę kroplę potu, która spływa z jego skroni i wzdłuż ucha opornie żłobi krętą ścieżkę w pudrze. Sebastian wytrzeszcza oczy i stęka.

– Jak myślisz, Sebciu? – mówię. – Dlaczego mi to nie przeszkadza?

– N-n-nie wiem – bąka Sebastian.

– Czy sypiasz z moją żoną? – pytam.

Ktoś zachłystuje się i dławi w ciemności studia.

– He-he – mamrocze Sebastian.

Wygląda, jakby miał zemdleć.

– Szczerze mówiąc – ciągnę – nie sądzę, żebyś sypiał. Ale to nie ma znaczenia. Bo nawet jeśli tak by było, to nikt nie mógłby mieć o to do mojej żony pretensji. A już z pewnością nie mógłbym mieć jej ja. Jak sądzisz, dlaczego, Sebastianie?

Albo zemdleje, albo puści pawia. Nawet pod tą milimetrową warstwą mejkapu widzę, że jego skóra nabrała ziemistozielonego odcienia. Może sądzi, że za moment zrealizuję wizję z naszej nowej czołówki, wyciągnę zza pazuchy wielki złoty rewolwer i jednym celnym strzałem w potylicę położę go trupem?

– Nie denerwuj się – mówię, przyciskam go do siebie mocniej i całuję lekko w policzek.

Pod Sebastianem uginają się nogi i pewnie upadłby, gdybym go nie podtrzymał.

– Nie mógłbym mieć mojej żonie za złe żadnego romansu – oznajmiam. – Ani z tobą, ani z kimkolwiek. Bo sami powiedzcie, czy można mieć żonie za złe romans, gdy jej mąż okazuje się homoseksualistą? A ja nim właśnie jestem. Jestem gejem.

Cisza. Totalna. Sebastian zastyga na ugiętych kolanach, ale po chwili próbuje się ode mnie odsunąć i chwyta się za policzek, w który dopiero co go pocałowałem.

– Kochanie, rozmażesz sobie makijaż – mówię troskliwym głosem.

– Weź, odpierdol się! – wykrzykuje Sebastian i odpycha mnie od siebie. – Pedale jebany!

Obraz na monitorze skacze. Nagle studio znika. Pojawia się wybuch błękitnego ognia, ale i on rozpływa się w nicości.

Najpierw widać pusty, niebieski obraz, który niemal natychmiast zastępuje jakaś reklama.

VI

Obraz gaśnie. Nic dziwnego, ostatecznie mogli zrobić promocję konkurencyjnej stacji, ale nie pokażą za darmo reklamy. Mam uczucie, jakby mój mózg przekręcił się w czaszce do góry nogami. Światła są oślepiająco jasne, widzę wokół siebie tylko rozmazane plamy.

– I co pani... I jak pani... – prezenterka straciła oddech z emocji, wreszcie udaje jej się wydukać: – Jak pani zareaguje?

Bardzo powolnym gestem sięgam do dekoltu i odrywam klips z mikrofonem, a potem wstaję, sięgam do paska spódnicy i odczepiam wiszące przy nim czarne pudełeczko – zapewne jakiś przekaźnik. Wyszarpuję kabel spod bluzki, schodząc z podestu. Prawie skręcam przy tym nogę, ale udaje mi się zachować równowagę. Pewnie gapią się na mnie, szczęśliwie mam tak rozmazany wzrok, że nie widzę ich oczu. Ale nie widzę też drogi, nie wiem, dokąd powinnam pójść. Gdzie jest wyjście ze studia? Chłopak prowadził mnie przez jakieś zastawki, między kamerami, ale tu wszędzie są kamery. Nieporadnym ruchem ocieram oczy, mrużę powieki.

– Gdzie? – pytam.

Cisza.

– Gdzie jest wyjście? – pytam znowu, mój głos jest drżący i wysoki.

Cisza. Roztrzęsiony żołądek podjeżdża mi do gardła, dłonie zwijają się w pięści.

– Czy ktoś mi może... – zaczynam, urywam, nabieram powietrza i wywrzaskuję histerycznym, żenująco piskliwym głosem: – Gdzie jest wyjście? Kurwa, którędy się wychodzi?! Gdzie ja mam...

– Chodź – ktoś bierze mnie pod ramię i pociąga za sobą.

Idę bezwolnie jak marionetka, przychodzi mi do głowy, że to może być kolejny podstęp, że może mnie prowadzi na tamto podium, na tę śmierdzącą plastikiem kanapę, w białe światło. Przystaję i wyrywam rękę.

– Nie wygłupiaj się, dziewczyno – odzywa się znowu kobiecy głos. – Chodź. Wyprowadzę cię stąd.

To ta charakteryzatorka.

– Dlaczego mi to zrobiłaś? – pytam.

– Co ci zrobiłam? Nic ci nie zrobiłam.

Wychodzimy ze studia na korytarz, czuję powiew chłodnego powietrza na twarzy.

– Ale ona nie podpisała! – ktoś dogania mnie, wymachując kawałkiem papieru. – Musi podpisać...

– Rafał, daj jej spokój – charakteryzatorka odsuwa go zdecydowanym ruchem.

Potykam się. Po jaką cholerę założyłam te debilne szpilki. Przecież tu i tak nie widać nóg.

– Chodź – powtarza dziewczyna, mocniej ujmując mnie pod ramię. – To dwa kroki. Zejdziemy na dół, do mnie. Doprowadzimy cię do porządku.

VII

– Jesteś skończony! – Aga jest purpurowa.

Potargane włosy sterczą jej na wszystkie strony, przypomina mi Zwierzaka z mupetów. Uśmiecham się mimowolnie.

– Ciebie to, kurwa, śmieszy... – wytrzeszcza oczy i unosi ręce w górę. – Czy ty, kurwa, jesteś normalny?

– Przepraszam, chciałbym zmyć tapetę – mówię i próbuję ją wyminąć.

– Jaką tapetę, kretynie?! Co ty mi pierdolisz, kretynie?! Czy ty wiesz, co ty nam zrobiłeś?!

– Uspokój się – mówię. – Jestem pewny, że mieliśmy bardzo dużą oglądalność.

Rozdziawia usta, mruga, krew odpływa jej z twarzy. Zaraz mnie uderzy. Albo dostanie zawału.

– Napij się wody – radzę, omijam ją i idę do garderoby.

Siadam przed lustrem i patrzę na siebie. Wyglądam tak samo jak zawsze. Może tylko oczy bardziej mi się świecą. Sięgam po chusteczkę do demakijażu i wycieram policzek.

Jolka staje za mną, spoglądam na nią w lustrze.

– O Jezu... – bąka pod nosem. – Powiedziałeś prawdę?

– Oczywiście – mówię i puszczam do niej oko. – Przecież to niusy. Podajemy same fakty.

VIII

– Czekaj, pomogę ci – sadza mnie na krześle przed lustrem. – Podmalujemy cię, chcesz? Porządnie.

– Co ty pierdolisz? – podnoszę oczy i gapię się na nią.

– Nie będziesz już płakała? – pyta.

– Nie płakałam – oznajmiam z lekkim żachnięciem.

Głaszcze mnie lekko po policzku, ten dotyk sprawia, że przeszywa mnie dreszcz.

– Chcę stąd wyjść – mówię. – Chcę iść do domu.

– Zaraz – kiwa głową. – Ale tak nie wyjdziesz. Wiesz, co się tam będzie działo?

– Gdzie?

– Na parkingu. Przyjechałaś samochodem?

– Przywieźli mnie. Muszę zamówić taksówkę...

– Poproszę, żeby cię kierowca odwiózł. Tylko na razie staraj się już nie płakać, dobrze?

– Nie płakałam – powtarzam, bo przecież oczy mam suche.

Jak kurz. Jak piasek. Jak popiół.

– Wiem, dlaczego to zrobił. To była taka zemsta – dodaję. – Kara jakby.

– Mówisz? – dziewczyna unosi dwoma palcami mój podbródek.

– Tak. Za to, że poszłam do tego faceta.

– Aha. No, jeśli tak, to sobie zaszkodził bardziej niż tobie. A teraz popatrz w górę...

•

Odprowadza mnie do wyjścia. Kilku fotografów jest już w holu, za szklanymi drzwiami kłębi się tłum. Flesze strzelają, wszyscy krzyczą. Jakbym wpadła w sam środek burzowej chmury. Dziewczyna trzyma mnie mocno pod rękę.

– Nie patrz na nich, lecz przez nich – szepcze. – Nie uśmiechaj się, bądź obojętna.

I taka właśnie jestem. Wcale nie kosztuje mnie to dużo.

Obrotowe drzwi blokują się, gdy w nie wchodzę. Stoję zatrzaśnięta w trójkątnej klatce niczym w gablotce. Chyba nie zrobili tego celowo, po prostu jedni próbowali wyjść, drudzy wejść – zrobił się zator. Charakteryzatorka puściła mnie przodem, została z tyłu. Słyszę, jak pokrzykuje za moimi plecami, skrzydła drzwi poruszają się w przód i w tył. Uwięzili mnie między szybami niczym preparat w szkiełku pod mikroskopem. Stoję bardzo ładnie wyeksponowana, nie mam się gdzie schować. Flesze zmieniają się w jedną ciągłą kaskadę huczącego, oślepiającego światła. Patrzę przez nich, mechanicznym ruchem, rytmicznie popycham drzwi. Nie potrafię powiedzieć, czy trwa to pięć sekund czy dwadzieścia. Może dziesięć minut? Nie, aż tyle to chyba nie.

Podbiegają ochroniarze, odganiają fotografów. Drzwi ustępują, wyrzucają mnie na trotuar przed budynkiem.

– Tędy! – charakteryzatorka dogania mnie i znowu bierze pod rękę.

Pozwalam się wepchnąć do jakiegoś samochodu, siadam za kierowcą.

– Przepraszam – mówi dziewczyna.

Spoglądam na nią zdziwiona. Drzwi zatrzaskują się, auto rusza.

– Wie pan, dokąd jechać? – pytam.

– Zaraz mi pani powie – rzuca facet przez ramię. – Tylko najpierw wydostańmy się z tego pierdolnika.

IX

Siedzę na krześle w holu, nie mam siły wstać. Chociaż nie, to nie kwestia sił, ale potrzeb. Nie potrzebuję wstawać. Obojętnym wzrokiem patrzę na zzute buty, które leżą między moimi stopami. Wyglądają na zużyte, choć mam je krótko. Nosy są zadarte. Zapominałem o prawidłach, Anka zawsze o nich pamiętała. Ale teraz mogę już na dobre przerzucić się na adiki, więc to nie ma znaczenia. Nie cierpię tych półbutów.

To jest dobra myśl – nigdy więcej półbutów. Zabawne, jak mój mózg radzi sobie z sytuacją. Przez ostatnią godzinę raz po raz podsuwa mi takie drobiazgi – samoistne, pozytywne myślenie. Zniszczyłeś właśnie dwadzieścia lat kariery, ale za to nie będziesz już musiał codziennie nosić garniturowych półbutów – hura! Albo – nareszcie się wyśpisz. Albo – od dziś zero tapety na mordzie.

Nie zastanawiam się, z czego będę żył. Nie zastanawiam się, co będę robił. Te myśli są oczywiście, przesuwają się niespiesznie w tle, ale nie budzą żadnych emocji.

– Dobrze się czujesz? – ojciec przystaje obok schodów.

– Jasne – kiwam głową.

– Na pewno?

– Owszem. Widziałeś?

– Przecież wiesz, że zawsze oglądam – stwierdza.

– No i?

– Dobry program – mówi.

– Chcieli, żeby było więcej życia. Bardziej dynamicznie, żeby było – wyjaśniam.

– I było.

•

Mój ajfon praktycznie nie gaśnie – dźwięku nie słychać, bo w ogóle nie włączyłem go po wyjściu ze studia. Siedzę na fotelu ustawionym przodem do tarasowego okna. Patrzę na ogród. Nigdy tego nie robiłem.

Najchętniej wyłączyłbym telefon całkiem, ale nie mogę. Co jakiś czas sprawdzam nieodebrane połączenia i rzucam okiem na esemesy. Tego, na który czekam, wciąż nie ma. Powinienem zadzwonić do Małgosi. Pewnie powinienem zadzwonić też do Anki. Siedemnaście nieodebranych telefonów od Agnieszki, dziewięć z działu promocji od Kini. Kilkanaście innych, które wyglądają znajomo – też ze stacji. I ponad osiemdziesiąt nieznanych numerów. Na razie nic istotnego.

– Rozmawiałem z nią – odzywa się ojciec, który siedzi na drugim fotelu, tym przy lampie.

– Z kim?

– Z Małgosią.

– Kiedy?

– A jakąś godzinę temu. Trochę się martwiła o ciebie, ale daje radę.

– Anka?

– Śpi. Położyła się zaraz po powrocie. Wiesz, że ona dziś...

– Co?

– Nic. Nieważne. W każdym razie śpi. Mariolka do nich pojechała.

– To dobrze.

Przez ostatnich kilka dni cały ogród się zazielenił. Trawa, krzewy, drzewa wyglądają jak sztuczne – kolor młodych liści jest nieprzyzwoicie soczysty.

– Dlaczego ona odeszła? – pytam.

Ojciec milczy.

– Jeśli chcesz ją zobaczyć, musisz mi powiedzieć – oznajmiam. – Inaczej nic z tego.

– Przestała mnie kochać.

– Dlaczego?

– Naprawdę chcesz wiedzieć? To już niczego nie zmieni.

– Wiem. Ale wyjaśnienie czasem pomaga. Właściwie zawsze – oglądam się przez ramię i patrzę na ojca.

Wczesny zmierzch. Słońce nabrało już miodowej barwy, wypełniło salon mglistym, starym złotem. Ojciec wygląda jak odlany z mosiądzu.

– Co zrobiłeś? – pytam.

Milczy, zaciska lekko usta i spogląda w bok.

– O! – obracam się do niego na fotelu, przewieszam nogi przez podłokietnik. – Czyli naprawdę coś zrobiłeś! Co to było? Pobiłeś ją? Zdradziłeś? Przyłapała cię? No, co?

Nie odzywa się. Powolnym ruchem zdejmuje z nosa okulary do czytania, potem wsuwa je do kieszeni koszuli i składa na pół rozpostartą na kolanach gazetę.

– Co to było? – powtarzam. – Rany boskie, skoro ja mogłem dziś powiedzieć to, co powiedziałem, to chyba ty też możesz wyznać grzechy, nie? Chyba nikogo nie zabiłeś?

– Nie. Zrobiłem coś gorszego – mówi wreszcie ojciec.

– Gorszego? Nie wyobrażam sobie, co mogłoby być gorszego...

– To był wypadek. Miałeś wtedy trzy lata.

– Jaki wypadek?

– Jechaliśmy do Łodzi. Ona prowadziła tam imprezę, to znaczy nie w samej Łodzi, ale blisko. To się nazywało „Turniej miast".

– No i?

– Nie chciała cię zostawiać. Więc zaproponowałem, że pojedziemy razem, samochodem. Załatwiłem hotel, akurat miałem luźniej w pracy. Wiesz, wtedy nie było autostrady. Jechało się normalnymi drogami. Przez wsie, miasteczka.

– Do Łodzi nie jest daleko...

– Nie jest. Ale jakoś tak mnie niosło. Myślałem: jeśli dojedziemy przed zmierzchem, to jeszcze zdążymy na kolację. Wtedy w hotelach wcześnie zamykali restauracje, a ten był pod miastem. Jakbyśmy dojechali później, to nic...

– Co się stało? – przerywam mu.

– Wyszła mi na drogę. Było zupełnie jasno, nie mam pojęcia, jak mogłem jej nie zauważyć.

– Kto?

– A, taka baba. Teraz powiedziałbym, że całkiem młoda. Koło czterdziestki, chociaż staro wyglądała, wiesz, jak to baba ze wsi.

Zacząłem hamować, pewnie jakbym nie hamował, to może nic by się w ogóle nie stało albo po prostu bym ją przejechał. Tak byłoby lepiej.

– Nie rozumiem...

– Wtedy miałem skodę. Czerwoną. Zahamowałem i mnie zarzuciło. Lecieliśmy po tej drodze, wirując jak urwane śmigło od helikoptera. Ty siedziałeś z tyłu w siedzeniu od spacerówki. Kupiła ci taki enerdowski wózek, górę się zdejmowało. Byłeś przypięty do niej, ale ona już nie była przypięta.

– Kto? Matka?

– Nie. Ta góra od spacerówki. Taki niby fotelik. Nie była przypięta do kanapy. Nikomu wtedy nie przychodziło do głowy, żeby dzieci jakoś specjalnie zabezpieczać – maluchy się woziło z przodu, nikt nie dbał przesadnie o zapinanie pasów. I jak tam wirowaliśmy na tej drodze, to ja cały czas myślałem, że jak rąbniemy w coś, jak trzaśniemy, to ty razem z tą spacerówką mi wylecisz przez szybę. A ona się darła. Matka. Pewnie nas obróciło ze dwa razy, ale mnie zdawało się, że to trwa godzinami. Zawadziłem tę kobietę tylnym zderzakiem, nawet się nie zorientowałem.

– Powiedziałeś, że nikogo nie zabiłeś – odzywam się po chwili.

– Bo nie zabiłem. Ta kobieta nie umarła. Ale miała połamany kręgosłup. Nogi też. I żebra, i miednicę. Ale kręgosłup, wiesz... No, z tym się nic nie da zrobić. Lepiej by było, gdyby umarła. Ale nie umarła. Silna baba. Ze wsi, rozumiesz. To był wypadek. Co miałem zrobić?

– Odjechałeś?

– Chciałem, ale mi nie pozwoliła. Dostała histerii, wyskoczyła z samochodu, wyciągnęła cię z wózka, trzymała na rękach i klęczała obok tej kobiety leżącej na poboczu jak wielka, podarta szmaciana lalka. Nie mogłem jej ciebie odebrać, trzymała cię tak mocno, że ci siniaków narobiła na rączkach i na nóżkach. Zaraz się ludzie zbiegli, mało mnie tam nie zlinczowali. Przyjechało pogotowie i milicja. Poznali ją, mnie też zresztą, bo wtedy trochę robiłem na wizji. Dali jej coś na uspokojenie, końską dawkę, właściwie straciła przytomność. Wtedy... Ja dopiero zaczynałem. Wszystko się układało. Ona też robiła karierę. Nie potrafiłem sobie wyobrazić, żeby przez taką... Pracowałem w telewizji, nietrudno było sprawę załatwić. Wystarczyło pogadać z jednym, drugim, trochę posmarować.

– Rozumiem – odchylam głowę i spoglądam znowu na ogród.

– I tak nic by się nie dało zrobić dla tej kobiety – ciągnie ojciec. – Ten kręgosłup jej trzasnął w kilku miejscach. Była całkowicie sparaliżowana.

– Jak matka teraz – mówię, ale mnie nie słyszy.

– A ta dostała szajby jakiejś. Wydzwaniała do tej wsi, wysyłała im pieniądze – kosmiczne sumy. Jeździła tam. Zachowywała się niczym obłąkana. Generalnie logika jej wysiadła. Jaki byłby sens w tym, gdybym dostał wyrok? Zresztą jaki wyrok? Ani nie byłem pijany, ani nic. No, może za szybko jechałem. Nie mówię, że nie miałem wyrzutów sumienia, bo miałem. I mam! Też się tymi ludźmi zajmowałem, pomagałem im. Do dziś przecież... No żeż w mordę, całe życie płacę za to, co zrobiłem! Co mam jeszcze zrobić?! – w głosie ojca pobrzmiewa wyraźnie histeryczna nuta, o którą nigdy bym go nie podejrzewał.

Milknie na kilka sekund, potem odzywa się spokojniej:

– Miałem nadzieję, że jej przejdzie. Ale z czasem zaczęło być tylko gorzej. Ta kobieta żyła przez dwa lata. Jak umarła, to twoja matka całkiem już się odsunęła. I wiedziałem, że to tylko kwestia czasu, aż...

– Trochę to wyjaśnia – mówię i zamyślam się na moment. – Ale niewiele mi tłumaczy. Jeśli chodzi o mnie. Rozumiem, że mogła odwrócić się od ciebie. Ale dlaczego ode mnie?

Ojciec milczy. Nie patrzę na niego.

– Byłem mały. Nic nie zrobiłem.

– Może... Wiedziała, że bliżej ci do mnie niż do niej. Kochała cię – ojciec wzrusza ramionami. – Może myślała, że jeśli zacznie wszystko od nowa, zapomni. Nie mam pojęcia, nie rozumiałem tej kobiety.

– To i tak nie trzyma się kupy – oznajmiam po namyśle.

– Musiało być coś jeszcze.

– Nawet jeśli, nic więcej nie wiem. Mam tylko nadzieję, że nie znienawidzisz mnie znowu. Że nie ubzdurasz sobie tak jak ona, że jestem jakimś bezdusznym potworem.

– Sam powiedziałeś, że to był wypadek. Ty nie miałeś wyboru, ona miała. Jeśli już, to powinienem ją znienawidzić.

– Ją? Dlaczego?

– Dlatego, że mnie z tobą zostawiła, a jak sam powiedziałeś, uznała cię za bezdusznego potwora – mówię, wstaję z fotela i przeciągam się, aż strzelają mi stawy. – Jeśli chcesz, jutro do nich pojedziemy. Zadzwonię do tego chłopaka i ustalę godzinę.

Schylam się i podnoszę telefon, a potem wchodzę do skrzynki z wiadomościami. Ta, na którą czekałem, przyszła pięć minut temu. Serce zatrzymuje się w mojej piersi na moment, gdy dotykam opuszkiem palca jego imienia.

*Przepraszam nr 2. Czy możemy uznać, że nie napisałem tamtego esemesa? Oraz – brawo :-**

Epilog

Pierwszą ofertę dostałam po trzech dniach. Powieść, objętość minimum 10 arkuszy wydawniczych, tematyka dowolna – z delikatną sugestią. *Naszych czytelników ogromnie interesują pani doświadczenia.* Tylko tyle, ale przekaz jasny. Zaproponowali trzydzieści tysięcy złotych zaliczki. Odpisałam po dwóch tygodniach, gdy już zaczęłam w miarę normalnie funkcjonować. Chciałam ich zbyć, więc wyraziłam gotowość rozważenia propozycji pod warunkiem, że zaliczka zostanie podwojona. Zgodzili się jeszcze tego samego dnia. W międzyczasie zgłosiły się też inne wydawnictwa, ale żadne z nich nie przebiło pierwszej oferty.

Mam pół roku. W tej kwestii byli nieugięci, nawet posunęli się do tego, że zaoferowali dziesięć tysięcy złotych premii, jeśli dostarczę tekst przed upływem czterech miesięcy. Zgodziłam się, bo... Bo co? Bo było mi wszystko jedno? Trochę tak. Ale też dlatego, żeby czegoś się przytrzymać. Żeby coś musieć.

Życie tutaj, w tym luksusowym getcie ma jednak swoje plusy. Można się ukryć. Oczywiście kilku najbardziej zdesperowanych paparazzich dostało się na teren osiedla. Jeden osaczył Gosię pod Batidą. Kiedy mi o tym powiedziała, wpadłam w furię i mało brakowało, a wyskoczyłabym z łóżka w legginsach i T-shircie, a potem pognała za tym fiutem z kuchennym nożem w dłoni. Dobrze mi to zresztą wtedy zrobiło, ten pierwszy okruch emocji innej od całkowitej bezcelowości istnienia, którą bezustannie odczuwałam. Ale zresztą nie przesadzajmy, uważam, że i tak odwaliłam całą depresję w ekspresowym tempie – wstałam z łóżka po dziesięciu dniach. No, może nie całą. Ale większość.

Sprawa ucichła po miesiącu – całkiem długo się ciągnęła jak na tabloidową sensację. Godne to w sumie podziwu, bo ani ja, ani Paweł, ani nawet Sebastian nie zrobiliśmy nic, aby ją podsycić. Paweł zapadł się pod ziemię na pełne dwa tygodnie – pisał tylko esemesy do Gosi. Sebastian wyjechał na przymusowy urlop – podobno, bo nie miałam z nim żadnego kontaktu. Z tego, co wiem, na razie nie ma czego szukać w TV9 ani w mediach – przynajmniej takich, które się liczą. Nie wybaczą mu prędko rekacji na wyznanie Pawła.

Serwis informacyjny w TV9 został skasowany – na jego miejsce weszło dwugodzinne pasmo telezakupów. Ale Pawła nie zwolnili – bali się oskarżenia o dyskryminację. Wątpię, żeby chciał wrócić na wizję. Chyba sam na razie nie wie, czego chce. Nie, poprawka – jednej rzeczy chce na pewno, ale tego wątku jeszcze nie jestem gotowa analizować.

W pewnym sensie zostałam narodową bohaterką. Gosia powiedziała, że nikt w naszym kraju nie dostał do tej pory tylu propsów w necie, ile dostałam ja. Śniadaniowa męczennica. Byłam wszędzie, czy raczej byliśmy – ja i Paweł, razem. W gazetach, w radiu, w telewizji, w sieci. Filmiki z programu porannego, w którym brałam udział, i fragment słynnych niusów z Pawłem pobiły rekordy oglądalności. Dostałam zaproszenia do wszystkich chyba możliwych stacji telewizyjnych i radiowych, propozycje wywiadów nadeszły od kilkudziesięciu redakcji. Teraz myślę, że z niektórych mogłam skorzystać – wtedy odrzuciłam wszystkie.

•

Dzień jest jasny, mieszkanie czyste, czas płynie wolniej niż kilka tygodni temu. Zdarza mi się już, że bywam naprawdę spokojna.

Myślę o błahych rzeczach. Tęsknię za Pawłem. Niekiedy mam problemy ze snem. Zastanawiam się, czy nie wziąć sobie psa. Może kota? Z tym też nie muszę się spieszyć.

Czasami chcę do niego zadzwonić. Nie po to, żeby robić awanturę, urągać mu czy robić wyrzuty. Po to, żeby go usłyszeć, poczuć, że jest. I pewnie któregoś dnia to zrobię – chyba że on wykona pierwszy krok.

Ogólnie jednak niewiele myślę o tym, co będzie. Małgosia zdaje maturę – to teraz temat numer jeden.

Niekiedy tylko dopada mnie przytłaczająca pewność, że wszystko mam już za sobą. Innym razem – poczucie, że wszystko dopiero się zaczyna.

Prawdopodobnie i w jednej, i w drugiej myśli jest pewna doza prawdy.

Łukęcin – Warszawa, 2015 r.

spis treści

instytut wydawniczy Latarnik

BESTSELLERY

Tomasz Raczek
KARUZELA Z MADONNAMI

Wśród bohaterek: Hanka Bielicka, Ewa Demarczyk, Księżna Diana, Ewa Drzyzga, Urszula Dudziak, Kasia Figura, Anna German, Edyta Górniak, Audrey Hepburn, Krystyna Janda, Irena Kwiatkowska, Madonna, Krystyna Sienkiewicz, Joanna Szczepkowska, Grażyna Szapołowska, Violetta Villas i wiele innych

Czytając „Karuzelę" nie jesteśmy zalewani potokiem plotek i banałów, ale istotnie wbijamy się pod powierzchnię psychiki artystek. Poznajemy je.
Wojciech Lada

Tomasz Raczek
KARUZELA Z HEROSAMI

Wśród bohaterów: Jerzy Andrzejewski, Jerzy Bralczyk, Jerzy Duda-Gracz, Adam Hanuszkiewicz, Bogusław Kaczyński, Zygmunt Kałużyński, Tadeusz Kantor, Krzysztof Kolberger, Tomasz Lis, Andrzej Mleczko, Czesław Niemen, Jerzy Stuhr, Stanisław Tym, Jerzy Waldorff i wielu innych

Nie tylko przykład sztuki konwersacji doprowadzonej do wyżyn, lecz przede wszystkim sztuki zrozumienia drugiego człowieka. Trudnej, ale jakże pięknej.
Marta Miziuro

Tomasz Raczek
KARUZELA Z IDOLAMI

Zbiór osobistych szkiców Tomasza Raczka na temat idoli, którzy ukształtowali jego wyobraźnię i wrażliwość. Znajdziecie tu przede wszystkim wielkie i głośne postacie XX wieku, ale nie tylko. Raczek sprytnie i z wdziękiem przemycił do swego gwiazdozbioru także kilkoro bohaterów zarówno z bardziej oddalonej przeszłości jak i z dnia dzisiejszego, doprowadzając poczet idoli aż do aktualnej bohaterki zażartych dyskusji, Dody.

„Poczet Królowych polskich" to zarazem powieść sensacyjna, obyczajowa i historyczna. Nie jest to jednak kolejna opowieść o polskim losie, ani nawet historia kobieca – Szczygielski łączy te motywy bardzo przewrotnie, za każdym razem dając pierwszeństwo sferze prywatnej nad publiczną, temu co nieoficjalne, uczuciowe i intymne nad tym co oficjalne, przyzwoite i odpowiednie.

Jego świat jest przestrzenią słabych mężczyzn i silnych kobiet, to odwrócenie proporcji otwiera perspektywę na wiele sfer ukrywanych zazwyczaj w narracjach o przeszłości. Przedstawia więc dom żydowski, w którym służy gojka, a także żydowskiego rzemieślnika, który staje się ojcem chrześcijańskiego i żydowskiego dziecka, związek polskiej aktorki i niemieckiego żołnierza. Polscy przedwojenni oficerowie nie są tu bohaterami wojny o niepodległość, ale brutalnymi gwałcicielami, których życie kończy się w Katyniu.

Warto przeczytać powieść Szczygielskiego – nie tylko dlatego, że jest lekka i przyjemna (skrzący się od ironii język i niezła intryga sensacyjna), ale też dlatego, że intryga służy mu do pokazania awersu historii, do napisania od nowa pewnego odcinka dziejów narodowych.

Paulina Małochleb
Nowe Książki

Można z pełną odpowiedzialnością opisać tę książkę za pomocą nadużywanej, ale w tym wypadku niezwykle adekwatnej formuły: „dobrze się czyta". Jednak ta lekturowa przyjemność skrywa coś jeszcze – coś, czego nie wahałabym się nazwać prowokującą i budzącą niepokój zagadką. „Poczet Królowych polskich" jak przystało na wielowątkową, a przy tym przemyślaną prozę, dopuszcza rozmaite sposoby czytania. Przyjemność lektury pozostanie, nawet gdy pominie się drugą, zagadkową warstwę tekstu.

Katarzyna Lisowska
ksiazka.net

marcin szczygielski
poczet królowych polskich
powieść i klucz

„Poczet Królowych polskich" to powieść którą czyta się tak, jakby się oglądało dobry film – na jednym oddechu, zapominając o całym świecie, całkowicie zatapiając się w losach bohaterek. Każda z nich jest fantastycznym materiałem na rolę!

Danuta Stenka

Jednym z najprzyjemniejszych zaskoczeń literackich ostatnich dwunastu miesięcy okazała się dla mnie powieść „Poczet Królowych polskich". Marcin Szczygielski tym razem przedstawił jak dotąd swoje najlepsze i najdojrzalsze dzieło.

Krzysztof Tomasik
Krytyka Polityczna

Jesień 1931 roku. Do luksusowego sanatorium w Zakopanem przyjeżdża młody niemiecki lekarz ze swoją narzeczoną, a zarazem pacjentką, która ma być dowodem na skuteczność jego rewolucyjnej metody leczenia gruźlicy zastrzykami z płynnego złota. Ośmioro pensjonariuszy wyraża zgodę na udział w eksperymentalnej kuracji – wśród nich jest także młoda mężatka Nina. Ryzykowna chryzoterapia przynosi dobre wyniki... Przynajmniej do chwili, gdy w umysłach pacjentów nie zaczynają ujawniać się przerażające efekty uboczne, które wywołuje.

•

Autentyczne zapiski Niny Ostromęckiej, które prowadziła podczas tragicznego w skutkach medycznego eksperymentu, stały się podstawą powieści grozy Marcina Szczygielskiego odsłaniającej mroczną tajemnicę krwawych wydarzeń nazwanych przez polskie gazety w 1932 roku „złotą gorączką Sanato”.